한 권으로 읽는

고구려왕조실록

한 반 도 의 딸

차 슬 美.

박영규 지음

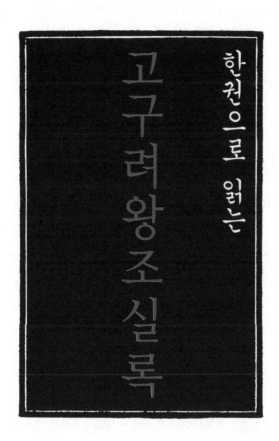

한 권 으 로 읽 는

고구려 왕조실록

웅진 지식하우스

고구려의 부활을 꿈꾸며

1996년 7월에 『고구려본기』라는 제목으로 이 책을 출간한 지 어느덧 3년 반이 흘렀다. 그동안 5쇄를 찍었고, 3만여 권이 팔렸다. 이 책을 쓰기 전 필자는 『한권으로 읽는 조선왕조실록』과 『한권으로 읽는 고려왕조실록』을 출간한 바 있다. 그 때문인지 독자들은 고구려사도 '한권으로 읽는……' 시리즈로 나올 것이라고 예상했던지 『고구려본기』가 출간된 뒤에도 많은 사람이 『한권으로 읽는 고구려왕조실록』은 언제 나오는지 묻곤 하였다. 심지어 어떤 이는 다른 사람이 쓴 비슷한 제목의 책을 필자의 것으로 생각하고 구입한 뒤에 다소 격앙된 목소리로 전화를 걸어오는 경우도 있었다. 처음 한두 통은 웃으면서 받아넘겼으나, 그런 전화가 숫자를 더해가자, 필자는 은근히 당혹스럽고 괜히 미안한 생각이 들었다. 저자를 확인하지 않고 출판사와 표지만 보고 책을 산 독자가 부주의해서 생긴 일이긴 하지만, 필자에게도 책임이 없는 것은 아니라는 판단 때문이었다.

『한권으로 읽는 조선왕조실록』의 판매 부수가 100만 부를 훌쩍 넘겼고, 『한권으로 읽는 고려왕조실록』도 30만 부 이상 판매되었다. 때문에 '한권으로 읽는……' 역사 시리즈는 필자의 전유물처럼 인식되어 제목과 표지만 보고 필자의 책인 줄 알고 구입하는 독자가 생긴 것도 무리는 아닐 것이다.

사실, 필자는 그런 점을 전혀 염두에 두지 않고 고구려통사를 『고구려본기』라는 이름으로, 그것도 출판사까지 바꿔서 출간했다. 고의는 아니지만 나의 이런 선택이 독자들을 혼란스럽게 했는지도 모르겠다.

이번에 개정판의 제목을 『한권으로 읽는 고구려왕조실록』이란 이름으로 내는 것은 우선 본의 아니게 독자들께 피해를 끼친 미안함 때문이고, 다음으론 그간 필자가 기치로 내건 '역사의 대중화'를 위해서도 바람직한 일이라고 판단했기 때문이다.

개정판은 그간 머리 속에 찜찜하게 남아 있던 미흡한 부분들을 보충하고, 다소 지나치고 비약적인 논리들을 잘라낸 것이 나름대로 성과라고 하겠다. 지난 5년여 동안 탐독해온 『일본서기』와 『일본고사기』의 내용이 더욱 심층적으로 보충되고, 구판에 넣지 못했던 인물 색인을 덧붙였다. 인물 색인에서 왕은 모두 제외시켰으며, 고구려 인물뿐 아니라 본문에 실린 주변국의 인물들도 모두 담았다.

고구려는 고조선의 부여를 잇는 동이족의 맏형이며, 우리 민족의 토대요, 자긍심의 밑천이다. 비록 고구려 땅의 태반이 중국에 속해 있는 것이 우리의 현실이지만, 역사는 돌고 도는 것인 만큼 미래란 어떻게 될지 알 수 없는 법이다. 우리가 이토록 고구려의 몰락을 안타까워하며 그에 대한 애착을 버리지 않는 것은 언젠가 고구려가 부활하리라는 믿음을 가지고 있기 때문인지도 모른다.

2000년 10월
박 영 규

동이족의 맏형 고구려를 생각함

아, 고구려!

언젠가 모 신문사가 주최한 전시회의 제목이다. 이 전시회를 보면서 '왜 한국인은 고구려를 떠올리기만 하면 가슴이 뛰는 걸까?' 하고 반문해 보았다.

고구려가 가슴을 뛰게 하는 것은 고구려의 역사와 그 대지에 대한 그리움 때문일 것이다. 세계지도를 볼 때마다 유라시아 대륙의 동쪽 끝으로 눈길이 가고, 그 순간 우리는 자기도 모르게 안타까움 섞인 한숨을 쏟아낸다. 그리고 이렇게 덧붙인다.

아, 고구려만 망하지 않았어도…….

이토록 우리는 고구려에 대해 애틋한 감정을 지녔다. 하지만 그 애틋함을 채울 수 있는 지식은 극히 부족하다. 도대체 고구려가 어떤 나라였는지 제대로 알지도 못한 채 감탄과 한숨을 교차시켰던 것이다.

우리는 흔히 '삼국시대'라는 말에 근거하여 고구려, 백제, 신라를 동일 선상에 놓고 바라보곤 하였다. 즉, 삼국시대라는 용어로 고구려의 역사를 백제와 신라의 역사에 비추어 한정시켜 왔다는 뜻이다. 그러나 삼국시대란 단순히 시대적 구분을 용이하게 하기 위한 분류상의 용어이지 결코 고구려, 백제, 신라를 동일 선상에 놓을 수 있는 역사적 용어는 못 된다. 왜냐하면 고구려는 백제, 신라와 무관한 시간이 더 길었기 때문이다.

고구려는 건국 후 약 300년 동안 백제와는 접촉이 없었다. 고구려가 백제와 본격적으로 접촉하기 시작한 것은 백제가 대륙에서 세력을 확장한 고이왕 이후부터이다. 또한 신라 역시 5세기까지는 고구려 역사에 별다른 영향을 끼치지 못했다. 이렇게 고구려의 역사는 건국 후 수백 년 동안 백제, 신라와는 무관하게 진행되었다.

고구려는 주로 중국 대륙의 국가들과 패권을 다투며 성장했고, 그러면서 동아시아의 북방 맹주로 군림했다. 그 과정에서 힘이 강할 땐 영토가 황하를 넘나들기도 했고, 약할 땐 요하까지 축소되기도 했다.

이 역경의 세월을 이기며 고구려는 동명성왕 이후 28대에 걸쳐 700년을 지속했다. 그 기간 동안 중국 대륙에서는 서한, 신, 동한, 삼국의 위·촉·오, 진, 서진과 동진, 변방 5족의 16국, 남북조의 송·제·양·진·북위·동위·서위·북제·북주, 수, 당 등이 몰락과 성장을 거듭했다.

이렇듯 한나라에서 당나라에 이르기까지 수십 개나 되는 나라가 발전과 멸망을 거듭하는 가운데 고구려는 무려 700년 동안이나 북방의 만형으로, 동이족의 버팀목으로 우뚝 서 있었던 것이다.

그 역사의 향기를 맡으며 다시 한 번 나지막하게 외쳐보길 바란다.

아, 고구려!

한권으로 읽는 고구려왕조실록

한권으로 읽는 고구려왕조실록

제1대 동명성왕실록

1. 주몽의 출생과 성장

고구려의 시조 동명성왕에 대한 기록은 여러 사서에 나타나고 있는데, 그 내용은 대개 일치한다.

삼국사를 다룬 대표적 사서인 『삼국사기』와 『삼국유사』는 동명성왕의 성은 고씨, 이름은 주몽(朱蒙, 추모 또는 중해)이며 해모수와 유화가 그의 부모라고 기록하고 있다.

『삼국유사』는 주몽의 아버지 해모수를 북부여의 시조라고 소개하고 있으며, 어머니 유화는 하백의 딸이라고 전하고 있다. 또한 해모수에게는 부루라는 아들이 있었으므로 주몽과 부루는 이복 형제라고 해석하고 있다. 이는 유화가 해모수의 후비이며, 주몽은 그의 서자라는 주장을 가능케 한다.

해모수와 유화의 만남에 대한 『삼국사기』와 『삼국유사』의 기록은 거의 동일한데, 그 내용은 대략 다음과 같다.

하백의 맏딸인 유화가 두 여동생과 함께 놀고 있는데, 천제의 아들(天王子, 곧 천자이므로 왕)이라고 자칭하는 해모수란 사람이 그들에게 다가온다. 그리고 그는 유화를 압록강 가에 있는 어떤 집으로 유인하여 사욕을 채우고 떠나버린다. 그 후 유화는 임신을 하였고, 이 때문에 해모수와 관계한 사실이 탄로난다. 이에 유화의 부모는 그녀가 부모의 허락도 없이 남자와 관계를 가진 것을 질책하며 그녀를 우발수에 귀양 보낸다.

유화를 임신케 한 해모수는 이 무렵 이미 늙은 몸이었다. 그에게는 해부루라는 아들이 있었을 뿐 아니라 금와라는 손자까지 있었기 때문이다. 더구나 그의 손자인 금와 역시 장성하여 왕위를 물려받은 상태였다. 따라서 해모수가 유화를 취한 일은 유화가 북부여 왕 해모수의 눈에 들어 수청을 강요당했을 것이라는 결론이 가능하다.

어쨌든 아이를 밴 몸으로 집에서 쫓겨난 유화는 해모수를 찾기 위해 부여 왕궁으로 향했을 것이고, 그 과정에서 금와를 만난다.

당시 금와는 동부여의 왕이었다. 그는 동부여를 세운 해부루의 아들이었기 때문에 유화는 그에게 할머니뻘 되었다. 따라서 금와는 유화를 왕궁으로 데려와 보살핀다(유화가 금와의 할머니뻘 된다는 사실은 동명성왕 14년인 서기전 24년에 유화가 죽자, 금와가 태후의 예에 준하여 그녀의 장례식을 치르는 『삼국사기』의 기록을 통해서도 확인된다).

동부여의 왕궁에 거처하게 된 유화는 얼마 뒤에 아이를 낳는데, 그 아이가 바로 주몽이다. 이 때가 서기전 58년이다.

주몽은 어릴 때부터 활쏘기에 능했는데, '주몽'이라는 이름도 부여말로 '활을 잘 쏘는 사람'을 뜻한다.

주몽이 활을 잘 쏘고 용맹이 뛰어나다는 사실은 금와의 아들들에겐 위협적인 일이었다. 금와는 아들을 일곱 두었는데, 특히 왕위계승권자인 대소는 위협적인 인물인 주몽을 몹시 싫어하였다. 그 때문에 누차에 걸쳐 금와에게 주몽을 없애버릴 것을 간언한다. 하지만 금와는 대소의 청을 들어주지 않는다. 그는 주몽을 마구간에서 일하게 하여 되도록 대소의 눈에 띄지 않도록 하였다. 하지만 주몽이 자람에 따라 대소와 그를 따르는 신하들은 주몽을 죽이기 위해 혈안이 된다. 비록 서자라고는 하지만 국조인 해모수의 아들이 버티고 있다는 것은 대소에겐 크나큰 위협이었기 때문이다.

　대소가 주몽을 죽이려고 한다는 사실을 눈치챈 주몽의 모친 유화는 아들을 도피시키기 위해 다음과 같이 말한다.

　"사람들이 장차 너를 죽이려 한다. 너의 재능과 지략이라면 어디 간들 살지 못하겠느냐. 여기서 더 이상 주저하다가는 해를 당하기 십상이니 차라리 멀리 떠나 큰일을 도모하는 것이 좋을 것 같구나."

　유화의 이 같은 당부를 받아들인 주몽은 오이, 마리, 협보 등 세 친구와 함께 졸본 땅으로 건너간다(『삼국사기』에 기록된 동명성왕의 출생과 성장 이야기' 참조).

　주몽이 태어난 연대에 대하여 『삼국사기』는 서기전 58년으로 기록하고 있고, 『삼국유사』는 서기전 48년으로 기록하고 있다. 이는 주몽이 고구려를 세운 서기전 37년의 나이를 고려해 볼 때 『삼국유사』의 기록보다는 『삼국사기』의 기록이 더 설득력이 있다. 주몽이 나라를 세운 시기가 『삼국사기』에 따르면 22살 때이고, 『삼국유사』에 따르면 12살 때이다. 상식적으로 생각해 보아도 12살의 어린 소년이 나라를 세운다는 것은 상상할 수 없는 일이 아니겠는가.

2. 졸본부여로 망명한 주몽과 고구려의 개국

　주몽이 대소의 위협을 피해 망명한 졸본부여는 일명 '구려국(句麗國)' 이라고 하는 곳이었다. 구려국은 흔히 '고리', '구리' 등의 이름으로도 불렸으며, 부여가 생기기 전부터 있었던 것으로 기록되어 있다. 따라서 구려는 부여, 한 등과 마찬가지로 고(古)조선 말기에 형성된 국가로 볼 수 있다.

　구려의 위치는 오늘날의 중국 요령성의 집안, 길림성의 통화와 자성강, 장자강 유역 일대였을 것으로 추측하고 있다. 하지만 『삼국유사』 등 일부 사서를 바탕으로 구려가 요동 지역에 형성되었을 것이라고 비정하는 학자들도 있고,

또 당시의 요동과 현재 요동이 같은 곳이 아니라는 주장도 있어 구려의 정확한 위치는 아직 확정되지 않았다.

어쨌든 이 구려국으로 망명하기 위해 주몽은 목숨을 건 탈출을 감행했다. 그리고 그의 탈출 사실을 알게 된 대소는 병졸을 보내 추격전을 벌였으나 주몽을 잡지는 못했다. 사서들은 주몽이 추격당하던 중에 엄호수라는 큰 강을 만나 물고기와 자라의 도움으로 무사히 강을 건널 수 있었다고 기록하고 있지만 이는 그를 신비로운 인물로 만들기 위한 극적 장치에 불과할 것이다.

대소의 군사들을 따돌린 주몽은 모둔곡이라는 계곡에서 세 명의 동지를 만난다. 모둔곡에서 주몽이 만난 세 명의 동지는 재사, 무골, 묵거 등이었다. 재사는 삼베옷을 입고 있었고, 무골은 장삼을 입고 있었으며, 묵거는 수초로 된 옷을 입고 있었다. 주몽은 자신의 신분을 밝힌 후 재사에게는 극씨, 무골에게는 종실씨, 묵거에게는 소실씨 등의 성을 내린다.

『삼국사기』「고구려본기」에서는 주몽이 이 때 만난 세 친구를 신하로 삼아 나라를 세우고 국호를 고구려라고 했으며, 졸본을 도읍으로 정했다고 기록하고 있다. 또한 그들은 비류수 가에 초막을 짓고 살며 세력을 넓힌 것으로 전하고 있는데, 이는 설득력이 없다.

단지 혈혈단신으로 이국 땅에 와서 세 사람의 신하와 더불어 나라를 세운다는 내용이 전혀 설득력이 없기 때문이다. 그래서 『삼국사기』의 편자들은 참고로 다음과 같은 기록을 남기고 있다.

"일설에는 주몽이 졸본부여에 이르렀을 때, 그 곳 왕에게는 아들이 없었다. 그런데 주몽을 만난 후 그가 비상한 사람임을 알고 자신의 딸을 아내로 주었고, 그 왕이 죽자 주몽이 왕위를 이었다고 한다."

이 같은 내용은 다음의 「백제본기」 온조 편에도 기록되어 있다.

"주몽은 북부여로부터 난을 피하여 졸본부여에 이르렀다. 부여 왕은 아들이 없고 딸만 셋 있었는데, 주몽을 보자 그가 비상한 사람임을 알고 그에게 둘째 딸을 시집보냈다. 그 후 얼마 안 되어 부여 왕이 죽고 주몽이 뒤를 이었다."

「백제본기」는 이 같은 내용을 사실로 기록하고 있다. 그리고 이 내용은 주몽이 세 명의 동지와 함께 나라를 세웠다는 것보다 훨씬 설득력이 있다. 즉, 주몽은 북부여에서 도망하여 졸본부여로 갔고, 졸본부여 왕에게 자신이 해모수의 아들이자 동부여를 세운 해부루의 이복 동생임을 밝혀 졸본부여의 부마가 되었던 것이다.

그런데 「백제본기」는 이 이야기에 대해서도 다음과 같은 또 하나의 참고적인 내용을 부기하고 있다.

시조 비류왕의 아버지는 우태이니, 북부여 왕 해부루의 서손이었다. 어머니는 소서노이니 졸본 사람 연타취발의 딸이다. 그녀가 처음 우태에게 시집와서 두 아들을 낳았다. 첫째는 비류, 둘째는 온조였다. 그들의 어머니는 우태가 죽은 뒤 졸본에서 혼자 살았다. 그 후 주몽이 부여에서 받아들여지지 않자, 전한(서한) 건소 2년(서기전 37년) 봄 2월 남쪽으로 도망하여 졸본에 도착한 후 도읍을 정하고, 국호를 고구려라 하였으며, 소서노에게 장가들어 그녀를 왕후로 삼았다.

주몽이 나라의 기초를 개척하며 왕업을 창시함에 있어서 소서노의 내조가 매우 컸으므로 주몽은 소서노를 극진히 대했고, 비류 등을 자기 소생과 같이 여겼다. 그러나 주몽은 부여에서 낳았던 예씨의 아들 유류(또는 유리)가 오자 그를 태자로 삼았다. 그 후 그가 주몽의 뒤를 이었다. 이 때 비류가 아우 온조에게 말하기를 "처음 대왕께서 부여의 난을 피해 이 곳으로 도망하여 왔을 때, 우리 어머니가 가산을 내주어 나라의 기초를 세우는 위업을 도와주었으니, 어머니의 조력과 공로가 많았다. 그러나 대왕께서 돌아가시자 나라가 유류에게로 돌아갔으니 우리가 공연히 여기에 있으면서 쓸데없이 답답하고 우울하게 지내는 것보다 차라리 어머님을 모시고 남쪽으로 가서 살 곳을 선택하여 별도로 도읍을 세우는 것이 좋겠다."고 하였다. 그래서 마침내 그의 아우와 함께 무리를 이끌고 패수와 대수를 건너 미추홀에 와서 살았다는 설도 있다.

이 이야기에서는 주몽에게 시집온 졸본 여자가 이미 두 명의 아이가 있었음을 강조하고 있다. 그리고 주몽이 나라를 세울 수 있었던 것은 졸본 여자 소서노의 경제력에 바탕을 두고 있음을 알려주고 있다. 즉, 이 이야기대로라면 주몽이 졸본부여 왕의 부마가 된 것이 아니라 졸본 지방의 유력자인 연타취발의 딸 소서노와 결혼했으며, 그녀의 가문에 의지하여 나라를 세웠다는 뜻이 된다.

이 이야기는 연노부 중심의 고구려가 계루부 중심으로 바뀐 사실과 밀접한 관련이 있을 것으로 판단된다.

『삼국지』「위지 동이전」의 기록에 따르면 고구려는 연노부 · 절노부 · 순노부 · 관노부 · 계루부 등 다섯 종족으로 이뤄져 있었으며, 처음에는 연노부에서 왕을 배출했으나 차츰 힘이 미약해서 계루부에서 왕이 나왔다.

이 기록과 소서노 이야기는 일맥상통한다. 즉, 졸본부여로 망명한 주몽이 계루부의 족장 연타취발의 둘째 딸 소서노와 결혼하여 계루부의 세력 확장에 기여하고 마침내 연노부를 누르고 왕이 됨으로써 계루부 중심의 새로운 국가를 탄생시켰다는 추론을 가능케 한다. 그리고 연노부를 중심으로 한 졸본부여의 국호는 '구려'였는데, 계루부를 일으킨 주몽이 왕위에 오른 후부터 '위대한', '숭고한' 등의 뜻을 가진 높을 고(高)를 덧붙여 '고구려'라고 했다. 부족연맹체 성격이 강했던 구려는 '고구려'라는 국호를 사용하면서 중앙집권적 국가인 고구려로 재탄생했던 것이다. 따라서 고구려는 주몽에 의해 처음으로 개국된 나라가 아니라 적어도 고(古)조선 말기부터 구려라는 이름으로 유지되어 오다가 주몽에 의해서 더욱 발전된 모습으로 다시 일어섰다고 보는 것이 옳을 것이다.

주몽은 이렇게 고구려를 건국한 다음에 자신의 해씨 성을 버리고 고구려에서 고(高)자를 따서 고씨 성을 취한다.

『삼국사기』와 『삼국유사』는 주몽이 고구려를 건국한 때를 한나라 효원제 2년(서기전 37년)이라고 기록하고 있다. 그리고 이 때 주몽의 나이를 『삼국사기』는 22세로 기록하고 있고, 『삼국유사』는 12세로 기록하고 있는데, 『삼국사기』의 기록을 취하는 것이 옳을 듯하다.

고구려의 건국 연대에 대해서는 서기전 37년설 이외에도 여러 가지 설이 있다.

『삼국사기』 권22 「고구려본기」 끝에 실린 사론에는 "고구려는 진나라, 한나라 이후부터 중국의 동북쪽 모서리에 있었다."는 내용이 있는데, 이는 고구려가 진(秦)나라 때부터 이미 존재했다는 뜻이 된다. 또 보장왕 27년 2월 기사에는 "고씨는 한나라 때부터 나라를 세운 지 이제 900년이 된다."는 기록도 있다. 이 같은 두 기록에 따라 '고구려 900년설'이 대두하여 개국 연대를 서기전 277년 또는 217년으로 보는 견해가 생겼다.

이 같은 견해를 바탕으로 일각에서는 김부식이 고구려의 역사를 고의로 왜곡했다고 주장하기도 한다. 즉, 신라 호족 출신인 김부식이 신라 중심의 역사관을 확립하기 위해 고구려의 개국 연대를 신라보다 뒤에 두었으며, 그러기 위해서 동명성왕 이후 다섯 또는 여섯 왕에 대한 기사를 삭제했다는 것이다. 하지만 이 같은 주장을 증명할 뚜렷한 증거는 남아 있지 않기 때문에 다소 비약적인 견해라고 볼 수 있다.

하지만 이 기록들은 고구려의 역사에 '구려'의 역사를 합친 것으로 생각하면 쉽게 이해될 수 있을 것이다. 즉, 고구려는 구려의 역사 위에서 재탄생한 국가이기 때문에 고구려의 역사를 구려의 개국 시점부터 계산했다는 뜻이다.

『삼국사기』 권13 유리명왕 31년 기록에 서한의 왕망이 고구려를 낮춰 부르며 '하(下)구려' 즉 '비천한 구려'라고 칭한 바 있는데, 이를 보아도 고구려의 역사는 구려를 빼고 이해할 수 없다는 것을 알 수 있다. 즉 고구려는 '위대한 구려'라는 뜻으로 이해되고, 당연히 고구려의 역사에 구려의 역사를 포함시켰을 것이다. 고구려 900년설은 이 같은 설정을 바탕으로 했을 때 정설로 받아들여질 수 있을 것이다. 『삼국지』를 비롯한 중국의 사서들은 고구려를 '고려(高麗)'라고도 쓰고 있는데, 이는 고려에 대한 영어식 표기인 Korea의 어원이다. 흔히 Korea라는 말은 왕건이 세운 고려에서 비롯했다고 알고 있지만 이는 잘못 알고 있는 것이다. 왕건이 세운 고려조차 '고구려'를 계승하기 위해 그 명칭을 답습한 것이기 때문이다. 'Korea'가 왕건이 세운 고려에 어원을 두고 있는 것이 아니라 고구려에 어원을 두고 있다는 사실은 현재 한국의 영어식 국명인 Korea의 역사를 천 년 이상 앞당기는 결과를 낳는다.〕

3. 동명성왕의 영토확장 전쟁과 고구려의 성장
(서기전 58년~서기전 19년, 재위기간 : 서기전 37년~서기전 19년, 18년)

고주몽이 왕위에 오르면서 구려라는 국호를 고구려로 개칭하고 국가의 위상을 일신하기 위해 대대적인 영토확장 정책을 실시한다.

고주몽은 영토확장을 위해서 우선 변방을 안정시킬 필요가 있다고 판단하고 변방에 살고 있던 말갈 부락을 평정하여 말갈이 더 이상 국경을 넘보지 못하도록 하였다. 또한 고구려가 개국된 서기전 37년에 비류수 상류에 있던 비류국을 고구려에 복속시키기 위해 자신이 직접 비류국 왕인 송양을 찾아가 담판을 벌이기도 하였다.

주몽이 비류국을 찾아가 송양과 담판을 벌이는 장면을 『삼국사기』는 이렇게 기록하고 있다.

왕은 비류수에 채소가 떠내려오는 것을 보고 상류에 사람이 살고 있다는 것을 알았다. 그래서 왕은 사냥을 하며 그 곳을 찾아 올라가 비류국에 이르렀다. 그 나라 임금 송양이 나와 왕을 향해 말했다.

"과인이 바닷가 한구석에 외따로 살았기 때문에 한 번도 군자를 만난 적이 없는데, 오늘 이렇게 우연히 만나게 되었으니 또한 다행스런 일이 아니겠소. 그러나 과인은 그대가 어디서 왔는지 알지 못하고 있소이다."

그러자 왕이 대답했다.

"나는 모처에 도읍을 정한 천제의 아들이오."

이에 송양이 다시 말했다.

"우리 가문은 누대에 걸쳐 왕 노릇을 하였고, 또한 땅이 비좁아 두 임금이

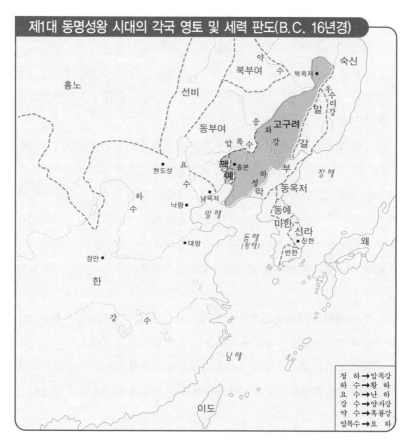

제1대 동명성왕 시대의 각국 영토 및 세력 판도(B.C. 16년경)

흉노

선비

북부여

약 수

북옥저

숙신

우수리강

말

갈

동부여

송

고구려

화
강

압 록 수

졸본

맥
예

요
수

현도성

부

청
락

하

동옥저

장 해

하
수

낙랑

남옥저

발 해

동예

마한

신라

진한

대방

동 해
(황해)

변한

장안

왜

한

강 수

남 해

이도

청 하 →	압록강
하 수 →	황 하
요 수 →	난 하
강 수 →	양자강
약 수 →	흑룡강
압록수 →	요 하

일명 '졸본부여'로 불리는 구려국을 장악한 동명성왕은 졸본을 기점으로 말갈, 비류, 해인, 북옥저 등을 병합하며 영토를 확장한다.

지낼 수 없소. 그대가 도읍을 정한 지 얼마 되지 않았으니 나의 속국이 되는 것이 어떠하겠소?"

송양의 이 말에 왕이 분노하여 그와 논쟁을 벌이다가 활쏘기로 기예를 겨루기로 하였다. 하지만 송양은 대항할 수 없었다.

이 이야기에서는 단지 고주몽 혼자 비류국을 찾아간 것으로 되어 있지만 실제로는 많은 군사를 거느리고 무력시위를 했을 것이다. 또한 활쏘기 경쟁을 했다는 것은 비류국과 고구려 사이에 치열한 전쟁이 벌어졌다는 것을 나타낸다. 이는 송양이 이듬해(서기전 36년) 6월에야 항복을 한 것을 통해서도 확인된다.

그럼에도 불구하고 비류국과 고구려의 전쟁을 주몽과 송양의 활쏘기 경쟁으로 미화시켜 놓은 것은 나중에 제2대 왕 유리명왕이 송양의 딸을 왕후로 맞아들이기 때문일 것이다.

송양이 항복하자 주몽은 비류국을 '옛 땅을 회복했다'는 뜻의 고구려말인 '다물'로 개칭하고, 송양을 그 곳 왕으로 봉했다.

비류국을 정복한 주몽은 서기전 34년 7월에 마침내 졸본성을 완성하여 국가 위상을 한층 높이고 지속적으로 영토확장 전쟁을 수행한다. 그래서 서기전 32년 10월에는 오이와 부분노에게 명령하여 태백산 동남방에 있는 해인국(荇人國)을 정복했으며, 서기전 28년에는 부위염으로 하여금 북옥저를 치게 하여 멸망시킨다.

이렇게 하여 고구려는 명실공히 대국의 위상을 갖추게 되었으며 동북지역의 강국으로 성장해 있던 동부여와 대등한 입장이 되었다.

이처럼 영토확장을 통해 고구려를 대국으로 성장시키고 있던 주몽은 서기전 24년 8월 동부여에서 날아온 비보를 접한다. 동부여 궁궐에 남아 있던 모친 유화부인이 사망했던 것이다.

유화부인이 사망하자 동부여 왕 금와는 할머니뻘 되는 그녀의 장례를 태후의 예로 치른 후 그 사실을 고구려에 통보하였다. 이에 주몽은 동부여에 사신을 보내 자신의 어머니 장례를 태후의 예로 거행한 것에 대해 감사하고 토산물을 보냈다.

이는 동부여 왕 금와가 고구려에 대해 비교적 호의적인 태도를 보였다는 것을 알려주는 일이다. 하지만 금와가 죽고 그의 장자 대소가 왕위에 오르면서 동부여와 고구려의 관계는 극도로 악화된다.

대소가 언제 왕위에 올랐는지는 분명하지 않지만 서기전 19년 4월에 주몽의 첫 부인 예씨와 아들 유리가 동부여에서 도망쳐 고구려로 온 것을 볼 때, 이 무렵에 대소가 왕위에 오른 것으로 판단된다. 즉, 금와가 죽고 주몽에 대하여 악감정을 품고 있던 대소가 왕위를 이어받자 생명의 위협을 느낀 그들이 목숨을 걸고 탈출을 감행했거나 아니면 대소의 즉위로 아내와 아들의 생명이 위험하다고 판단한 주몽이 사람을 시켜 그들을 고구려로 데려오도록 조처했을 것이란 뜻이다.

그리고 어쩌면 주몽은 자신의 죽음이 임박했음을 알고 유리를 후계자로 삼기 위해 일부러 사람을 시켜 그들을 부여에서 데려왔을 가능성도 있다. 유리가 고구려에 오자 주몽은 그를 곧 태자로 삼았으며, 5개월 뒤에 40세를 일기로 죽음을 맞이한 것이 이 같은 추측을 가능케 한다.

능은 졸본 근처의 용산에 마련되었으며 묘호는 동명성왕(東明聖王), 즉 '동방을 밝힌 성스러운 임금'이라 하였다. 졸본의 위치가 정확하게 밝혀지지 않았기 때문에 그의 능이 현재 어느 곳에 있는지도 단언할 수 없다(졸본의 위치에 관한 내용은 '첫 도읍지 졸본의 위치'에서 다루기로 한다).

4. 동명성왕의 가족들

동명성왕은 부여 출신 왕후 예씨와 졸본 출신 왕후 연씨(소서노) 두 명의 부인을 두었으며, 이들에게서 아들을 셋 얻었다. 예씨 소생으로는 유리명왕이 있으며, 연씨 소생으로는 비류와 온조가 있다. 이들 가운데 예씨와 연씨의 삶에 대해 간단하게 언급한다. 유리명왕은 「유리명왕실록」에서 언급하기로 하고, 비류와 온조에 관한 내용은 『백제왕조실록』「온조왕실록」편에서 다루기로 한다.

왕후 예씨(생몰년 미상)

제1왕후 예(禮)씨는 부여 여자로 동명성왕이 동부여에 머무를 때 시집왔다. 그녀가 언제 결혼했는지는 분명하지 않지만 주몽이 동부여를 떠날 때 유리를 잉태하고 있었다는 점을 감안할 때 결혼 시점이 주몽의 망명 시기와 멀지 않다

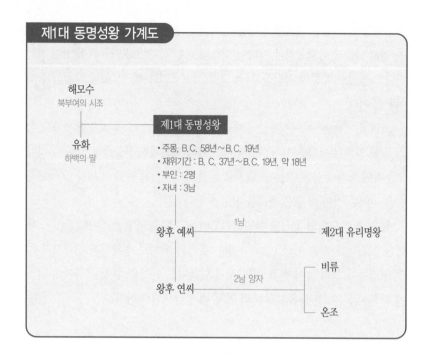

제1대 동명성왕 가계도

해모수
북부여의 시조

제1대 동명성왕

유화
하백의 딸

• 주몽, B.C. 58년~B.C. 19년
• 재위기간 : B. C. 37년~B.C. 19년. 약 18년
• 부인 : 2명
• 자녀 : 3남

왕후 예씨 ——1남—— 제2대 유리명왕

왕후 연씨 ——2남 양자——
비류
온조

는 것을 알 수 있다.

주몽이 졸본으로 망명하던 시기는 그가 왕위에 오르기 1년 전쯤인 서기전 38년경으로 볼 수 있다. 따라서 주몽과 예씨의 결혼 시기는 서기전 39년 또는 38년일 것이다.

주몽이 떠난 후에 그녀는 계속 동부여에 머물러 있었다. 아마 이 때 그녀는 주몽의 어머니 유화부인과 함께 지냈을 것이다. 그리고 주몽이 떠난 지 몇 개월 후 유리를 낳아 혼자 길렀으며, 서기전 19년 5월에 유리와 함께 고구려로 와 왕후가 되었다.

소생으로는 유리명왕 1명뿐이며, 능과 죽음에 관한 기록은 남아 있지 않다.

왕후 연씨(서기전 66년~서기전 6년)

제2왕후 연(延)씨는 구려국(졸본부여) 계루부 족장 연타취발의 둘째 딸로 이름은 소서노이며 서기전 66년에 태어났다. 연타취발은 아들은 없고 딸만 셋을 두었다. 그는 동부여를 탈출하여 자신을 찾아온 주몽을 대한 후, 그의 뛰어난 능력을 높이 평가하여 둘째 딸 소서노를 그에게 시집보낸다. 이 때가 서기전 38년경으로 소서노의 나이 29살 때쯤의 일이다.

일설에는 그녀가 주몽에게 시집오기 전에 우태라는 사람과 결혼하였다고 한다. 그래서 그에게서 비류와 온조를 낳았으며, 우태가 죽은 후에 졸본에서 혼자 살다가 동부여에서 도망온 주몽을 만나 재혼하게 되었다는 것이다.

소서노의 나이가 주몽보다 8살이나 많다는 사실이 이 이야기에 신빙성을 더해준다. 즉, 소서노가 서른 살이 다 되도록 시집을 가지 않고 있다가 21살의 주몽과 결혼했다는 것은 납득할 수 없는 일이라는 것이다.

당시에는 대개 10대 후반이면 남녀가 결혼을 하였다. 그런데 부족장의 딸인 소서노가 서른이 가깝도록 시집을 가지 않았다는 것은 있을 수 없는 일일 것이다. 따라서 소서노가 시집을 갔다가 남편과 사별하여 아이들을 키우며 혼자 살다가 주몽과 재혼했을 가능성은 충분하다.

일설에는 주몽이 서기전 58년 태생이 아니라 그보다 훨씬 이전에 태어났다는 말도 있는 것을 고려할 때 소서노가 서른이 가까운 나이에 주몽과 결혼한 것은 거의 확실하다고 보아야 할 것이다.

물론 주몽이 여덟 살이나 많은 여자와 결혼했을 가능성도 충분하다. 아무런 기반도 없는 이국땅에서 주몽이 연타취발의 사위가 될 가능성은 희박했겠지만 부족장인 연타취발의 딸 소서노가 주몽보다 여덟 살이나 많고 아이도 둘씩이나 딸려 있는 경우라면 어려운 일도 아니었을 것이다. 더구나 주몽은 지략과 무술을 겸비한 유능한 젊은이였기에 소서노와 연타취발의 관심을 유발할 수 있었을 것이다.

말하자면 주몽은 자신의 야망을 펼치기 위해 정치·경제적 기반이 탄탄했던 소서노와 결혼하여 그녀의 자식들을 친자식처럼 돌봤다는 뜻이다.

이를 증명하듯 주몽은 소서노와 결혼함으로써 계루부의 중요 인물로 부상한다. 그리고 이 때 주몽은 능력을 발휘하여 계루부의 힘을 강화시킨다.

당시까지만 해도 구려의 정치는 연노부 중심으로 이뤄졌고, 왕도 연노부에서 세웠다. 하지만 주몽에 의해 계루부가 막강해지면서 연노부는 밀려나고 계루부가 왕위를 차지하게 되었다. 주몽은 바로 계루부가 배출한 첫 번째 왕이었던 것이다.

이처럼 연씨는 주몽이 고구려를 개국하는 데 없어서는 안 될 정치·경제적 기반을 제공했다고 보아야 할 것이다.

이렇듯 고구려 개국에 많은 공헌을 했지만 그녀는 주몽이 죽은 뒤에 고구려를 떠나야만 하는 신세가 되고 만다. 서기전 19년에 동부여에 살고 있던 주몽의 첫 부인 예씨와 원자 유류(유리)가 고구려에 오고, 유류가 태자로 책봉되면서 연씨는 찬밥 신세가 되고 말았다. 그래서 그녀는 주몽이 죽자 자신의 족속들과 함께 비류와 온조를 데리고 남쪽으로 내려가서 백제를 세운다. 그리고 그곳에서 13년을 더 살다가 서기전 6년 61세를 일기로 생을 마감하였다. 능에 대한 기록은 남아 있지 않다(상세한 내용은 『백제왕조실록』 「온조왕실록」 참조 바람).

5. 『삼국사기』에 기록된 주몽의 출생과 성장 이야기

고구려를 개국한 동명성왕에 대한 이야기는 한국과 중국의 여러 사서에 기록되어 있다. 한국측 기록은 '광개토왕릉비문' 을 비롯하여 『삼국사기』, 『삼국유사』, 『제왕운기』, 『세종실록지리지』 등에 실려 있으며, 중국측 기록은 『위서』, 『주서』, 『양서』 등에 실려 있다('광개토왕릉비' 의 정식 명식은 '국강상광개토경평안호태왕비(國岡上廣開土境平安好太王碑)' 이다. 이에 대한 자세한 내용은 「광개토왕실록」에서 다루기로 한다).

이들 가운데 한국측 사료들의 기록 연대를 살펴보면 '광개토왕릉비문(廣開土王陵碑文)' 은 현재 남아 있는 건국 이야기 중에서 가장 오래된 것으로 5세기 초엽에 작성되었으며, 『삼국사기(三國史記)』는 고려 인종 때인 1145년에 김부식의 주도 아래 국가사업으로 편찬된 정사이다. 또 『삼국유사(三國遺事)』는 고려 충렬왕 때의 승려 일연이 13세기 말에 쓴 역사서이고, 『제왕운기(帝王韻紀)』는 고려 충렬왕 때인 1287년 이승휴가 쓴 것이며, 『세종실록지리지』는 조선 단종 때인 1453년에 완성된 『세종실록(世宗實錄)』에 있는 것이다.

한편 중국측 사료인 『위서(魏書)』는 북위(北魏, 386~550년)의 역사로서 북제(北齊, 550~577년)의 위수가 554년에 편찬한 책이다. 『주서(周書)』는 '북주서' 또는 '후주서'라고도 하며 북주(北周, 557~581년)의 역사로서 당(唐)나라 영호덕분(583~666년)이 편찬한 책이다. 또 『양서(梁書)』는 중국 남조 시대의 국가인 양(梁, 502~557년)의 역사를 다룬 책으로 당나라 사람 요찰과 그 아들 요사렴이 636년경에 쓴 것이다.

이 밖에도 『수서(隋書)』, 『북사(北史)』 등에도 『위서』, 『양서』의 내용과 비슷한 고구려 건국 이야기가 수록되어 있다.

이들 사서들의 기록들은 지명이 몇 개 다른 것을 제외하고는 그 내용이 대동소이한데, 『삼국사기』 권13 「고구려본기」 동명성왕 편의 기록이 비교적 상세하다. 이에 『삼국사기』에 기록된 주몽의 탄생과 성장에 대한 이야기를 싣는다.

시조 동명왕의 성은 고씨이고, 이름은 주몽(추모 혹은 중해도)이다.

이 일에 앞서 부여 왕 해부루는 늙을 때까지 아들이 없었다. 그는 산천에 제사를 드려 아들 낳기를 기원하였다. 하루는 그가 탄 말이 곤연에 이르렀는데, 그 곳에 있던 큰 바위를 보고 말이 눈물을 흘리는 것이었다. 그래서 이상하게 여긴 왕이 사람들을 시켜 그 바위를 굴려보게 하였더니 개구리 모양을 한 황금색의 어린아이가 있었다. 왕이 기뻐하여 "이는 바로 하늘이 내게 준 아이로다." 하고 말했다. 그리고 그 아이를 데려와 금와라는 이름을 지어 주고, 장성하자 태자로 삼았다.

세월이 지난 어느 날 국상 아란불이 말했다.

"어느 날 하느님이 나에게 내려와 이르되 '장차 나의 자손으로 하여금 이

곳에 나라를 세울 것이니, 너는 여기서 떠나라. 동쪽 바닷가에 가섭원이라는 곳이 있는데, 땅이 기름져서 오곡을 재배하기에 적합하니 가히 도읍으로 삼을 만할 것이다.' 라고 하였습니다."

아란불은 이렇게 왕에게 권하여 그 곳으로 도읍을 옮기게 하였다. 그 후 왕은 국호를 동부여라고 했다. 그리고 그 옛 도읍지에는 어디에서 왔는지 알 수 없는 사람이 자칭 천제의 아들 해모수라고 하면서 그 곳에 도읍을 정하였다.

해부루가 죽자, 금와가 왕위를 이었다. 이 때 금와는 태백산 남쪽 우발수에서 한 여자를 만나 그녀의 사연을 물었다. 그녀가 "나는 하백의 딸 유화입니다. 동생들을 데리고 나가 놀았는데, 때마침 한 남자가 자칭 천제의 아들 해모수라고 하면서 나를 웅심산 아래 압록강 가에 있는 집으로 유인하여 사욕을 채우고, 그 길로 떠나 돌아오지 않았습니다. 나의 부모는 내가 중매도 없이 남자와 관계한 것을 꾸짖고, 우발수에서 귀양살이를 하도록 하였습니다." 하고 대답하였다.

금와가 그 말을 기이하게 여기고 그녀를 방에 가두었는데, 그녀에게 햇살이 비치기 시작했다. 그리고 그녀가 몸을 피하면 햇살이 그녀를 따라 움직였다. 이로 인해 태기가 비치더니 다섯 되들이 큰 알을 낳았다.

왕은 그 알을 가져다가 개와 돼지에게 주었다. 하지만 그 짐승들은 이를 먹지 않았다. 그래서 다시 길가에 버렸더니 지나가던 소와 말이 피하며 밟지 않았다. 이에 나중에는 들판에 갖다 버렸더니 새들이 날개로 그것을 덮어주는 것이었다.

이렇게 되자 왕은 마침내 그것을 쪼개려 하였다. 하지만 깨뜨릴 수가 없었다. 그래서 하는 수 없이 그 어미에게 돌려주었다.

그 어미가 그것을 감싸서 따뜻한 곳에 두니, 한 사내아이가 껍데기를 깨뜨리고 나왔다. 그의 골격과 외모가 영특하였다.

그의 나이 7세에 보통 사람과 크게 달라서 스스로 활과 화살을 만들어 쏘았는데 백발백중이었다. 부여 속담에 활을 잘 쏘는 사람을 '주몽' 이라 하였기 때문에 이로써 이름을 지었다고 한다.

금와에게는 일곱 명의 아들이 있었다. 그들은 항상 주몽과 함께 놀았는데, 그들의 재주가 모두 주몽을 따르지 못하였다.

그래서 그의 맏아들 대소가 왕에게 말했다.

"주몽은 사람이 낳지 않았으며, 그 사람됨이 용맹하므로 만일 일찍 처치하지 않으면 후환이 생길까 두렵습니다. 그러니 청컨대 그를 없애버리소서."

그러나 왕은 그의 청을 듣지 않고 주몽에게 말을 기르게 하였다. 주몽은 여러 말 중에서 빨리 달리는 말을 알아내어 그 말에게는 먹이를 적게 주어 여위게 하고, 아둔한 말은 잘 길러 살찌게 하였다. 왕은 살찐 말은 자기가 타고 여윈 말은 주몽에게 주었다.

훗날 들에서 사냥을 하는데 주몽은 활을 잘 쏜다 하여 화살을 적게 주었다. 하지만 주몽이 잡은 짐승이 훨씬 더 많았다.

왕의 아들과 여러 신하들은 주몽을 죽이려 하였다. 주몽의 어머니가 그들의 계략을 몰래 알아내고 주몽에게 말했다.

"사람들이 장차 너를 죽이려고 한다. 너의 재능과 지략이라면 어디 간들 살지 못하겠느냐. 여기에서 주저하다가 해를 당하기보다는 차라리 멀리 가서 큰 일을 도모하는 것이 좋을 듯하구나."

이에 주몽은 오이, 마리, 협보 등 세 사람과 벗이 되어 엄호수에 이르렀다(엄호수는 개사수라고도 하는데 현재의 압록강 동북방에 있다). 거기에서 강을 건너려고 하였으나 다리가 없었다. 그래서 그들은 추격해오는 군사들에게 붙잡힐까 염려하였다. 그 때 주몽이 강을 향하여 말하였다.

"나는 천제의 아들이요, 하백의 외손이다. 지금 도망 중인데 뒤쫓는 자들이 추격해오니 어떻게 하면 좋겠느냐?"

그러자 물고기와 자라가 물 위로 떠올라 다리를 만들었다. 그 덕분에 주몽 일행은 강을 건널 수 있었다. 그러나 물고기와 자라는 곧 흩어졌으므로 뒤쫓아 오던 기병들은 강을 건너지 못하였다.

주몽이 모둔곡에 이르러 세 사람을 만났다(『위서』에는 '보술수에 이르렀다'고 기록되어 있다). 한 사람은 삼베옷을 입고 있었고, 한 사람은 납의(衲衣,

장삼)를 입었으며, 나머지 한 사람은 수초로 만든 옷을 입고 있었다.

주몽이 그들에게 물었다.

"그대들은 어떤 사람이며 성과 이름은 무엇인가?"

삼베옷을 입은 사람은 '재사'라고 했으며, 장삼을 입은 사람은 '무골'이라고 했고, 수초로 옷을 만들어 입은 사람은 '묵거'라고 했다. 하지만 성은 말하지 않았다. 그래서 주몽은 재사에게는 극씨, 무골에게는 중실씨, 묵거에게는 소실씨의 성을 지어주었다. 그리고 곧 그들에게 말했다.

"나는 하늘의 명을 받아 나라의 기틀을 세우고자 합니다. 그런데 때마침 세 분의 현인을 만났으니 이 어찌 하늘의 뜻이 아니겠소?"

주몽은 드디어 재능에 따라 그들에게 일을 맡기고 그들과 함께 졸본천에 이르렀다(『위서』에는 '흘승골성에 이르렀다'고 기록되어 있다). 그들은 그 곳의 토지가 비옥하고 산하가 험준한 것을 보고 마침내 그 곳을 도읍으로 정하였다. 그러나 미처 궁실을 짓지 못하였으므로 비류수 가에 초막을 짓고 살았다. 또한 국호를 고구려라고 하고 이를 따라 '고'를 성으로 삼았다.

일설에는 졸본부여에 이르렀을 때 아들이 없던 그 곳 왕이 주몽을 보자 비상한 사람임을 알아보고 자신의 딸을 그의 아내로 삼게 하였으며, 그 왕이 죽자 주몽이 왕위를 이었다고 한다.

이것이 『삼국사기』에 기록된 주몽의 출생부터 즉위까지의 과정이다. 이 내용 가운데 일부는 주몽을 신비화하기 위한 장치일 것이다. 이를테면 알에서 태어났다든지, 또는 강을 건너는 과정에서 자라와 고기들의 도움을 받는 것들이 이에 해당한다. 하지만 나머지 내용들은 사실에 가깝다고 보아야 할 것이다.

다른 사서들에 실린 내용도 이와 엇비슷한데, 다만 『삼국유사』는 해모수와 해부루의 관계를 좀더 분명하게 기록하고 있다. 『삼국사기』에는 해모수와 해부루의 관계에 대한 언급이 없지만 『삼국유사』는 '북부여' 전에 두 사람의 관계를 다음과 같이 설명하고 있다.

"전한 선제 신작 3년 임술(서기전 59년) 4월 8일, 천제가 다섯 마리 용이 끄는 수레를 타고 흘승골성에 내려와서 도읍을 정하고 스스로를 왕이라 일컬으며 나라 이름을 북부여라고 하였다. 그는 자칭 이름을 해모수라고 하였으며, 아들을 낳아 부루라 하고 '해(解)' 씨로 성을 삼았다. 그 후 왕은 상제의 명령에 따라 동부여로 옮기고 동명왕이 북부여를 이어 졸본주에 도읍을 세우고 졸본부여가 되었으니 곧 고구려의 시조이다."

또 『삼국유사』는 '고구려' 전에서 『단군기』의 기록을 바탕으로 부루와 주몽이 이복 형제일 것이라는 주석을 달고 있다. 그리고 이 같은 주장은 금와가 유화부인을 태후의 예로 장례를 치른 것이나 주몽에게 호의적인 태도를 보였던 사실 등과도 일맥상통하는 면이 있다.

6. 첫 도읍지 졸본의 위치

고구려의 첫 도읍지에 대해 『삼국사기』와 『삼국유사』는 '졸본'으로 기록하고 있고, '광개토왕릉비문'에서는 '홀본(忽本)', 『위서』에서는 '흘승골성(紇升骨城)'으로 기록하고 있다. 그러나 이 세 지명은 모두 같은 곳을 가리키는 것으로 볼 수 있으므로 고구려의 첫 도읍지를 졸본이라고 해도 무방할 것이다.

『삼국사기』는 동명성왕 4년(서기전 34년) 7월에 졸본성의 궁실과 성곽이 건축되었다고 기록하고 있다. 그런데 주몽이 즉위하기 이전의 구려국을 졸본부여라고 했던 것을 보면 주몽이 도읍으로 정하기 이전에 이미 졸본은 구려의 수도였다는 것을 알 수 있다. 때문에 주몽이 창건한 졸본성은 구려국 시대에 있던 성곽의 규모를 확장시킨 것을 의미하거나 아니면 졸본 안에 주몽이 축성한 또 다른 궁성을 지칭할 수밖에 없다. 그러나 즉위 3년 만에야 비로소 졸본성을 완공한 것을 감안할 때 후자, 즉 고구려의 첫 궁성인 졸본성은 주몽이 새롭게 축성한 것이라고 보는 것이 옳겠다. 따라서 동명성왕 당시 졸본에는 구려국 시대의 궁성과 고구려 시대의 궁성이 함께 있었다는 추론이 가능하다.

이처럼 졸본성이 두 개였다고 해도 고구려의 첫 도읍지가 졸본에 건설된 것만은 분명하다. 그러나 고구려가 첫 도읍지로 선정한 졸본의 위치에 대해서는 많은 논란이 있을 수 있다.

졸본의 위치와 관련하여 여러 가지 설이 있는데 그것은 대개 두 가지로 집약된다.

첫 번째는 오녀산성설이다. 지금의 만주 환인 북쪽 환인분지 안에 있는 해발 약 8백 미터의 산지에 축성된 이 오녀산성은 남북 약 1천 미터, 동서 너비 약 3백 미터의 비교적 규모가 큰 성이다. 부근에는 환인현 고력묘자촌(高力墓子村)의 적석총(積石塚, 돌을 쌓아 만든 무덤으로 일명 돌무지 무덤)을 비롯해 많은 고분군이 있다. 하지만 이 고분군만으로 이 곳을 졸본이라고 비정하는 것은 다소 무리가 따른다. 우선 졸본을 언급하면서 오녀산성이라는 이름을 언급한 기록이 없다는 것이고, 다음으로는 고고학을 바탕으로 한 유적지 중심의 사관은 고고학의 발전과 변화, 그리고 다른 유적지의 출현에 따라 언제든지 바뀔 수 있는 일회적이고 가변적인 추론이기 때문이다. 따라서 이 같은 방법에만 의존할 경우 역사의 현장은 수시로 옮겨다닐 수밖에 없을 것이다.

두 번째는 요동설로 『삼국유사』를 쓴 일연의 주장이다. 그는 '고구려' 전에서 "고구려는 졸본부여이다. 더러는 졸본주가 지금의 화주(함남 영흥) 또는 성주(평남 성천)라고 하지만 이는 모두 잘못이다. 졸본주는 요동 지역에 있다."고 쓰고 있다.

이는 다음의 『삼국사기』 보장왕 4년 5월의 당 태종에 의한 요동성 공략 기사에서도 드러난다.

"이세적이 밤낮을 쉬지 않고 요동성을 공격하기 12일째에 당나라 왕이 정병을 이끌고 합세하여 성을 수백 겹으로 둘러싸니 북과 고함 소리는 천지를 흔들었다. 성에는 주몽의 사당이 있고 사당에는 쇠사슬갑옷과 섬모(날카로운 창)가 있었는데……"

이 기록에 따르면 요동성에 주몽의 사당이 있다고 했다. 국조의 사당이 첫 도읍지에 있거나 궁성에 있었다면, 요동성은 당시 궁성이 아니었으므로 첫 도읍지여야 한다는 결론이 나온다. 하지만 이는 국조의 사당이 궁성 또는 첫 도읍지에만 있었다는 가정이 사실로 입증될 때에만 성립될 수 있는 논리다.

그런데 『삼국사기』의 기록에서 주의를 기울여야 하는 부분이 또 있다. 그것은 요동성에 있던 주몽의 사당에 '쇠사슬갑옷과 섬모가 있었다'는 내용이다. 이 쇠사슬갑옷과 섬모는 분명 주몽의 것이거나 아니면 주몽과 관련된 어떤 인물이 남긴 물건일 것이다. 따라서 이 특별한 갑옷과 섬모는 단 하나뿐일 것이고, 그것은 가장 중요한 곳에 보관되어야 마땅하다. 그리고 그 가장 중요한 곳이 요동성이었다면 요동성은 도대체 당시의 어떤 곳이었겠는가? 이 물음은 다시 요동이 주몽이 처음으로 도읍한 곳, 즉 졸본이었다는 생각을 불러일으키게 한다.

하지만 졸본이 요동에 있었다는 주장이 옳다고 해도 문제는 남는다. 고려시대의 요동과 고구려 건국 당시의 요동의 위치가 같은 곳이라고 단정할 수 없기 때문이다.

요동이란 요수의 동쪽을 일컫는다. 하지만 고구려 당시의 요수가 현재의 요하(랴오허)였다는 주장과 현재의 난하라는 주장이 팽팽히 맞서고 있다. 때문에 요동을 랴오허의 동쪽에 설정해야 할지 아니면 난하의 동쪽에 설정해야 할지 아직 불분명한 상태다.

중국 전국 시대인 서기전 480년에서 서기전 222년 사이에 편찬된 『산해경(山海經)』에는 "요수는 위고의 동쪽을 나와서 동남으로 발해에 흘러들어가며 요양에 들어간다."고 쓰고 있다. 일부 학자들은 이 기록을 '요수는 위고의 동쪽을 나와서 동남으로 흘러 요양을 지나 발해로 흘러들어간다.'고 고쳐야 옳다고 말한다. 그리고 이렇게 고쳤을 경우 요수는 오늘날의 난하를 가리킬 수 있다는 것이다. 이렇게 될 경우 요동 지역은 오늘날의 난하 동쪽을 의미하게 된다.

하지만 이 주장은 다소 작위적인 면이 있다. 말하자면 요수를 난하로 설정하기 위해 기록을 변형시켜 해석했다는 뜻이다. 그래서 더욱더 확실한 증거가 요구된다.

중국측이 말하는 요수가 난하였다는 것은 수나라의 양광이 고구려를 침입하기 위해 군사를 결집시킨 곳이 난하의 서쪽이라는 사실에서 더 확실하게 드러난다. 다음은 당시 상황을 기록하고 있는 『삼국사기』의 내용이다.

"22년 봄 2월, 수나라 양제가 조서를 내려 고구려를 공격하게 하였다. 여름 4월, 양제의 행차가 탁군의 임삭궁에 도착하니 사방의 군사들이 모두 탁군으로 모였다."(영양왕 22년)

여기서 양광이 군사를 결집시킨 '탁군'은 현재의 북경이다. 그리고 여기서 결집한 수나라 군사 113만 대군은 이듬해 정월에 양광의 출전 명령에 따라 고구려로 진격한다. 그 후 그들의 출정식은 약 40일간에 걸쳐 이뤄졌는데, 그 기간 중에 양광의 군대는 요수에 이르렀다. 양광이 탁군에서 출정식을 가진 것은 탁군이 고구려와 멀지 않은 곳에 있었기 때문일 것이다. 탁군(북경)에서 동쪽으로 100여 리를 나아가면 난하가 나온다. 하지만 랴오허는 탁군에서 적어도 1,300여 리를 가야 도착할 수 있다. 때문에 양광이 탁군에 군대를 결집시킨 것은 난하를 건너기 위함이라고 보아야 한다. 말하자면 난하가 당시 고구려와 수나라의 경계였다는 뜻이다. 그리고 당시 기록은 고구려와 수나라의 경계를 요수라고 기록하고 있기에 수나라가 건넌 요수는 난하라는 결론이 도출된다.

이에 따라 중국측의 요수는 난하이고, 중국의 요동이 난하 동쪽이라면 요동에 있었다는 졸본 역시 난하 동쪽에 비정해야 한다. 즉 졸본이 요동에 있었다고 해서 꼭 현재의 요하 동쪽에만 한정해서는 안 된다는 뜻이다. 『삼국유사』는 현재의 요하를 고구려 당시에는 압록수라고 지칭했다고 쓰고 있는데 이 역시 난하가 요수였다는 주장을 뒷받침한다.

7. 고구려 민족의 형성과 동명성왕 시대의 주변 국가들

고구려의 형성 과정을 알기 위해서는 동명성왕 시대의 고구려 주변 국가들의 면면을 파악할 필요성을 느끼게 된다. 주몽의 고향이자 제2대 유리명왕의 고향이기도 한 부여, 영토확장 정책의 첫 번째 대상이었던 말갈, 최초로 고구려에 복속된 비류, 그리고 다음으로 복속된 해인과 옥저 등은 고구려 초기의 영토 문제뿐만 아니라 고구려 백성들이 어떤 민족들로 구성되었는지를 잘 보여주기 때문이다.

이들은 모두 동이(東夷)족에서 흘러나온 예맥(濊貊)족이 중심이 되어 형성한 국가들이다. 따라서 이 국가들을 형성한 사람들을 알기 위해서는 동이와 예맥에 대한 지식이 필수적이다. 이에 동이, 예맥에 대해 언급하고 부여, 말갈, 비류, 해인, 옥저 등의 성립 시기 및 위치와 영토에 대하여 간단하게 기술한다.

동이(東夷)

'동이'라는 말은 초기에는 하나의 민족을 의미하기보다는 중국의 한(漢)족이 자신들의 동쪽에 사는 사람들을 통칭해서 부른 명칭이라고 보는 것이 일반적인 견해다. 그렇지만 동이가 단순히 한족의 동쪽에 머무른다는 의미만 갖고 있지는 않다. 동이를 풀이하면 '동방의 이(夷)' 족이란 뜻인데, 이(夷)에 대하여 중국 최초의 문자학 서적으로 후한 때 허신이 편찬한 『설문해자(設文解字)』는 "큰 것을 따르고 활을 잘 다루는 동방의 사람들이다(從大從弓東方之人也)."라고 풀이하고 있다. 이 설명은 이족이 '큰 것(大)을 숭상하고 활(弓)을 잘 다루는' 특성이 있음을 말하고 있는 것이다. 때문에 동이는 단순히 한족이 머무르던 곳의 동쪽에 살던 사람들만을 지칭하는 것이 아니라 '큰 것을 지향하고 활을 잘 다루는 동방 종족'을 가리킨다는 것을 알 수 있다.

주몽이 활을 잘 다루었다는 사실은 이 같은 동이족의 특성과 무관하지 않다. 즉, 활을 아주 잘 다룬다는 것은 동이족의 왕이 될 자질을 갖추었다는 의미로 해석될 수 있다는 것이다.

활을 잘 쏘아 왕이 된 예는 비단 주몽에 한정되지 않는다. 회수 유역의 서언왕(徐偃王)이나 유궁(하나라 때에 지금의 산동성에 있던 나라)의 예왕(王)도 활을 잘 쏘아 왕이 됐다는 이야기가 전하고 있으며, 조선을 세운 이성계도 활의 명인이었다. 말하자면 동이족은 나라를 세우는 인물이 갖춰야 하는 덕목의 하나로 궁술을 꼽았던 것이다.

그러나 동이족은 단순히 궁술만을 내세우지는 않았다. 『후한서』 '동이전' 에는 다음과 같은 기록이 있다.

"동방을 이(夷)라 한다. 이(夷)는 곧 뿌리이며, 어질고 살리기를 좋아한다고 들 한다. 모든 것은 땅에 뿌리박고 있으므로 천성이 유순하고 도(道)로써 다스리기 쉬워서 군자의 나라이자 죽지 않는 나라(不死國)가 된 것이다."

이 기록은 '큰 것을 숭상하고 활을 잘 다룬다'는 '이'의 두 가지 특성 중에서 '큰 것을 숭상한다'는 점을 강조하고 있다. '큰 것'이란 크고 원대한 자연과 우주의 이치를 말하며, 곧 '도(道)'라고 해석할 수 있다. 따라서 '이족'이란 '도를 숭상하고 활을 잘 다루는' 특성을 가진 종족이라는 뜻이 되며, '동이족'이라고 했을 때는 '도를 숭상하고 활을 잘 다루는 동방의 종족'을 일컫는 것이다.

이러한 특성을 가진 동이족은 대개 견(畎)·우(于)·방(方)·황(黃)·백(白)·적(赤)·현(玄)·풍(風)·양이(陽夷) 등 9종족으로 분류되는데, 이들은 한(漢)족의 활동 영역이 동쪽으로 확대되면서 점차 중원에서 밀려나와 중국의 동해안(황해안)과 북방에 밀집된다.

한(漢)족에 의해 동쪽과 북쪽으로 밀려난 동이족은 한(韓)과 예맥으로 불린다. 주로 발해만을 기점으로 황하 동북 방향 쪽에 머무르던 사람들은 예맥을 형성했으며, 중국의 동해(황해) 연안과 한반도 및 그 주변 지역, 일본열도 등에 머무르던 사람들은 한을 형성하였던 것이다. 그리고 고구려는 예맥이 중심이 되어 점차 한과 주변 부족들을 흡수하는 형태를 거쳐 강국으로 성장하게 된다.

예맥(濊貊)

예는 '예(穢)' 또는 '예(濊)'로 기록되어 있다. 먼저 예(穢)에서 그 의미를 찾는다면, 예(穢)라는 한자는 '벼농사를 지으면서 매해를 살아가는 사람들'이라고 해석할 수 있다. 이런 의미의 예(穢)가 '물을 좇는 사람들'이라는 뜻의 예(濊)로 바뀌게 되는데, 이 또한 벼농사와 무관하지 않은 듯하다. 즉 벼농사를 위해서는 물이 반드시 필요하기 때문에 '예(穢)'와 '예(濊)'는 같은 뜻으로 이

해될 수 있는 것이다.

맥은 대개 '맥(貊)' 또는 '맥(貉)'으로 기록되어 있다. 여기서 맥은 신화적인 동물인 '맥'을 의미하거나 '북쪽'을 의미한다. 맥은 불을 뿜는 동물이라고 전하고 있는데, 이는 흡사 불을 잡아먹는 상상의 동물인 해태를 연상케 한다. 따라서 이 경우 '맥'은 '맥을 숭배하는 사람들' 또는 '맥이라는 동물을 연상케 하는 차림을 하고 다니는 사람들'이라고 해석할 수 있을 것이다. 또 맥을 단순히 북쪽을 가리키는 것이라 볼 경우, '맥'을 '북쪽에 사는 사람들'로 해석할 수도 있을 것이다. 하지만 북쪽에 사는 사람이 당시 맥족만 있었던 것이 아니기 때문에 이 해석은 다소 무리가 따른다.

이런 의미의 예와 맥은 흔히 예맥으로 통칭된다.

예맥에 대해서는 예와 맥을 하나의 종족으로 보는 예·맥 동종설(同種說)과 예와 맥을 따로 구분해서 이해하는 예·맥 이종설(異種說)이 있다. 동종설에서는 예는 민족을 지칭하는 것이고 맥은 국명이기 때문에 예맥이라 함은 '예족이 세운 맥국'이라고 주장하고, 이종설에서는 예와 맥은 동이에서 나온 다른 부족인데 기원전 2세기를 전후하여 예맥으로 융합되었다고 주장한다.

이 같은 견해들은 사마천의 『사기』를 비롯한 중국의 여러 기록을 바탕으로 형성되었다. 예와 맥에 관련된 사서의 기록들을 훑어보면 그들의 관계를 좀더 쉽게 파악할 수 있을 것이다.

먼저 예에 대하여 살펴보면 『후한서』「부여전」에는 "부여국은 현도 북방 1천 리에 있으며, 남으로는 고구려와 더불어 있고, 동으로는 읍루와 더불어 있으며, 서로는 선비와 접해 있고, 지방이 2천 리이며, 본래 예의 땅이다."라고 기록되어 있다. 또 「예전」에는 "예는 북으로는 고구려·옥저와 더불어 있고, 남으로는 진한과 더불어 접해 있고, 동쪽은 큰 바다이며, 서쪽은 낙랑에 이른다."라고 쓰여 있다. 이 같은 기록은 예가 원래는 부여 지역을 비롯한 북방을 아우르는 큰 나라였으며, 고구려 성립 이후에도 하나의 국가를 유지하고 있었다는 사실을 알려주고 있다.

다음으로 맥에 대한 기록은 『후한서』「고구려전」에 "구려는 일명 맥이(貊

耳)이다. 따로이 별종이 있어 소수(小水) 가에 의지하여 살아 소수맥으로 불린다.”라고 하였다. 이는 구려가 맥인이 세운 국가임을 말해주는 것이다.

그런데 『한서』「왕망전」의 고구려에 대한 기록은 다른 양상을 보이고 있다.

“이에 앞서 왕망이 고구려 병력을 동원하여 호(胡)를 치는 데 충당하려 하자 고구려가 거부했다. 군에서 강제로 하려 하자 모두 변방으로 도망갔다. 이들이 범법의 도적으로 변하자 요서의 대윤 전담이 추격하러 갔다가 잡혀 죽었다. 주군이 돌아와 고구려의 후추를 탓하자 엄우가 상주하여 말하되 ‘맥인이 법을 어긴 것은 후추가 적극 나서서 말리지 않았기 때문입니다. 마땅히 다른 뜻이 있는 듯하니 주와 군에 명하여 장차 이들을 달래는 편이 나을 듯합니다. 지금 그들이 대죄를 지은 것이 겁이 나 반란을 일으켜 부여의 무리와 연합할까 두렵습니다. 흉노도 아직 이기지 못한 상황에서 부여와 예맥이 다시 일어나면 큰 걱정거리가 됩니다.’ 라고 하였다. 그러나 왕망이 이를 무시하자 드디어 예맥이 배반하고 나섰다.”

이 기록에서는 맥과 예맥을 같은 뜻으로 쓰고 있다. 즉, 고구려인을 맥인이라고도 부르고 예맥이라고도 부르고 있는 것이다. 하지만 고구려인을 예인이라고 부르지는 않는다. 이는 고구려의 중심 세력이 적어도 예인은 아니라는 사실을 말해준다. 말하자면 고구려는 맥인이 중심이 되어 세운 국가이지만 점차 예인들을 복속해 나갔다는 설명이 가능하다는 것이다.

이렇게 볼 때 예와 맥은 처음부터 하나의 국가를 이룬 하나의 부족이라고 보기는 힘들다. 하지만 고구려가 형성되기 이전인 춘추 시대의 책 『관자(管子)』에 ‘예맥’이라는 용어가 사용되었고, 또 부여가 성립되기 이전인 서기전 5세기에 대한 기록에서도 같은 명칭이 나타나는 것을 볼 때, 예와 맥은 이미 오래 전부터 예맥으로 통칭되었다는 것을 알 수 있다. 따라서 예인과 맥인은 비록 구분은 가능하지만 대개 하나로 묶어서 불러도 무방할 만큼 유사한 부족이었음을 알 수 있다. 이는 예와 맥이 같은 계통에서 출발한 사람들이라는 것을 대변해주고 있다.

또한 예맥이 반드시 고구려만을 지칭한 것도 아니다. 『후한서』「고구려전」

에는 고구려가 "원초 5년(서기 118년)에 다시 예맥과 함께 현도군을 침입하여 화려성을 공격했다. 건광 원년(121년) 가을엔 궁(제6대 태조)이 마한, 예맥의 수천 기를 이끌고 현도군을 포위했다."는 기록을 남기고 있는데, 이는 고구려가 예맥과 다른 독자적인 이름을 가졌음을 의미하는 것이다. 즉, 맥인이 중심이 되어 건국한 고구려는 한때 예맥으로 불리다가 성장하여 고구려라는 독자적인 이름으로 불렸던 것이고, 고구려 주변에 남아 있던 예와 맥은 여전히 예맥으로 통칭되다가 후에 고구려의 팽창정책에 의해 완전히 고구려에 복속되면서 그 이름은 자취를 감추게 되는 것이다.

부여(夫餘)

부여의 명칭이 최초로 보이는 곳은 『사기』의 「화식열전(貨殖列傳)」인데, 거기에는 "연나라는 오환과 부여에 인접해 있다."라고 쓰여 있다. 그리고 그 이전의 일을 기록한 『사기』의 「흉노전」에는 "흉노의 좌측왕과 장수는 동방 쪽에 있으며, 상곡으로부터 더 나아가는 자는 예맥과 조선을 만나게 된다."고 하여 당시에는 부여라는 나라가 없었음을 증명하고 있다.

이를 볼 때 부여는 연나라 성립 시기인 서기전 4세기를 전후하여 형성되었으며, 예맥족이 세운 국가라는 것을 알 수 있다. 그러나 "부여는 본래 예의 땅이다."라는 『후한서』의 기록을 볼 때 부여는 예족의 땅을 차지한 것이므로 예족이 세운 국가는 아니다. 따라서 부여를 세운 사람들은 맥족이라고 보아야 한다.

부여의 위치에 대하여 『삼국지』 「위지 동이전」은 다음과 같이 기록하고 있다.

"부여는 장성 북쪽에 있다. 현도와의 거리가 1천 리가 되는데, 남쪽으로는 고구려와 접해 있고, 동쪽은 읍루와 연결되었으며, 서쪽은 선비와 인접해 있다. 북쪽에는 약수(弱水)가 있는데, 지방이 2천 리이고 호수는 8만이다."

이 기록에 의존할 때 부여의 위치는 만리장성의 위치와 밀접한 관계를 갖게 된다. 즉 만리장성이 요하 아래쪽까지 뻗어 있었다면 요하와 흑룡강 사이에 비정할 수 있다. 또 만리장성이 유수, 즉 난하에 걸쳐 있었다면 요서·요동 지방을 기점으로 해서 북으로 송화강과 흑룡강까지 확대될 수 있다. 그리고 전자를 기준으로 하면 부여의 중심지는 요하 중류와 송화강 유역이 될 것이고, 후자를 기준으로 하면 부여의 중심지는 요하를 기점으로 한 요서와 요동이 될 것이다.

한편 부여는 북부여와 동부여, 졸본부여 등으로 구분되었다. 『삼국유사』는 해모수가 북부여를 세우고, 그의 아들 해부루가 동부여를 세웠다고 기록하고 있으며, 졸본부여는 구려의 다른 이름으로 고구려의 전신이다. 또한 북부여의 수도는 흘승골성이며, 동부여의 수도는 가섭원이고, 졸본부여의 수도는 졸본이다. 하지만 이 곳들의 정확한 위치는 밝혀지지 않았다.

그러나 부여는 서기전 4세기경에 성립되어 고구려 제21대 문자명왕에 의해 멸망당하는 494년까지 약 800년 동안 지속된 나라이다. 그 영토는 남으로는 발해만 연안과 요서 · 요동, 북으로 흑룡강, 서로는 대흥안령산맥, 동으로는 우수리강을 포함하는 넓은 지역에 걸쳐 있었던 것만은 분명하다(부여에 대한 상세한 내용은 고구려의 부여 복속 과정에서 재차 언급할 것이다).

말갈(靺鞨)

말갈이라는 명칭은 두 글자 모두 가죽 혁(革)자가 부수인 점으로 미루어 가죽옷을 만들어 입는 부족을 지칭했을 가능성이 높다. 말갈은 이미 고구려 성립 이전부터 부락을 이루고 있었음을 『삼국사기』를 통하여 확인할 수 있는데, 『수서』 「말갈전」에는 이들에 대하여 다음과 같은 기록을 남기고 있다.

"말갈은 고구려의 북쪽에 있으며, 읍락마다 추장이 있으나 서로 하나로 통일되지는 못했다. 무릇 7종이 있으니 첫째는 속말부라 부르며 고구려에 접해 있고, 둘째는 백돌부로 속말의 북쪽에 있다. 셋째 안차골부는 백돌의 동북쪽에 있고, 넷째 불열부는 백돌의 동쪽에 있다. 다섯째는 호실부로 불열의 동쪽에 있고, 여섯째는 흑수부로 안차골의 서북쪽에 있으며, 일곱째는 백산부로 속말의 동쪽에 있다. 정병은 3천이 넘지 않고, 흑수부가 가장 강하다. 불열 이동지역은 모두가 돌화살촉을 사용하며 옛 숙신의 후예이다."

이 글은 말갈이 고구려의 북쪽, 즉 부여와 같은 위치에 있다는 사실을 말해

주고 있다. 또한 말갈이 부족은 이뤘으나 나라를 세우지는 못했다고 했으므로 이들은 부여의 일부로 존재했음을 알 수 있다. 즉, 말갈은 부여국의 변방에 흩어져 살며 가죽옷을 해 입는 부족이었던 것이다. 하지만 부여 사람들은 흰옷을 즐겨 입는 민족이었기 때문에 말갈과 부여는 의복문화를 통하여 확연히 구분되었을 것이다.

주몽이 나라를 세웠을 때 가장 먼저 말갈 부락을 정리하는데, 이 때 정리한 말갈 부락은 졸본부여, 즉 구려의 변방에 흩어져 살던 속말 말갈이었을 것이다.

삼국 시대에 한반도에 자주 출현하여 백제 및 신라와 세력을 다퉜던 말갈은 백산 말갈이었으며, 고구려를 도와 중원 국가를 공략하던 말갈은 흑수 말갈이었다. 백산과 흑수는 고구려의 힘이 점차 강해지면서 병합된 상태로 한반도 북부와 두만강 및 송화강 유역을 차지하고 있었다.

이들 말갈족들은 후에 여진족으로 이어져 금과 청을 세운다.

비류(沸流)

비류는 고구려에 최초로 복속된 국가이며, 복속된 이후에는 다물도(多勿都)로 개칭된다. 주몽이 고구려를 건국한 후 서기 37년에 비류를 침략하였는데, 이 때 비류의 왕은 송양이었다. 즉, 비류는 대대로 송씨가 다스리던 국가였다는 뜻이다.

비류의 위치에 대해서는 다음과 같은 송양의 말에서 어느 정도 짐작이 가능하다.

"과인이 바닷가 한구석에 외따로 살았기 때문에 한 번도 군자를 만난 적이 없는데, 오늘 이렇게 우연히 만나게 되니 또한 다행한 일이 아니겠소. 그러나 과인은 그대가 어디서 왔는지 알지 못하고 있소이다."

이 말에 따르면 비류는 적어도 바닷가에 있는 국가이다. 또한 주몽이 "비류수에 채소가 떠내려오는 것을 보고 상류에 사람이 산다는 것을 알았다."는 내용을 참고할 때 비류는 비류수라는 강이름에서 따온 명칭이다. 따라서 비류는 비류수 상류이면서 또한 바닷가에 있는 나라였다는 것을 알 수 있다.

'비류수(沸流水)'라는 이름은 '끓어넘치듯이 흐르는 물'이라는 뜻을 갖고 있다. 그렇다면 바닷가에서 가까운 곳에서 발원하여 끓어넘치듯이 세차게 흐르는 비류수는 지금의 어디인가?

『삼국사기』는 주몽이 망명하여 처음에는 비류수 가에 머물렀다고 했다. 이는 비류수가 졸본과 인접한 곳임을 증명한다. 또한 졸본이 난하와 요하 사이에 있었다면 비류수 역시 그 곳에서 찾아야 할 것이다. 그리고 송양이 '바닷가 한 구석에 외따로 살았기 때문에'라는 말을 한 것으로 봐서 비류수는 난하와 요하 사이에 있으면서 발해로 흘러드는 강이었다는 설정이 가능하다. 비류국은 바로 이 강 근처에 있던 국가였던 것이다.

행인(荇人)

행인은 고구려가 두 번째로 복속한 국가이다.

동명성왕은 서기전 32년 10월에 오이와 부분노에게 명령하여 행인국을 정복하는데, 그 위치에 대해서는 '태백산 동남방에 있는 행인국'이라고 기록하고 있다.

그렇다면 태백산의 위치만 확인하면 행인국의 위치는 저절로 밝혀진다. 태백산에 대해서는 흔히 세 가지 설이 있다. 첫 번째는 태백산이 백두산을 가리킨다는 설이고, 두 번째는 태산을 가리킨다는 설이다. 그리고 세 번째는 이 두 산 이외의 어떤 산을 가리킨다는 설이다.

이 세 가지 설 가운데 백두산설을 취할 경우 행인국은 백두산의 동남방, 즉 함경북도 일대가 된다. 하지만 태산설을 취한다면 행인국은 현재 중국의 산동성 일대에 비정된다.

단순히 현재 지명에 근거한 이 두 가지 설에 비해 세 번째 설은 좀더 구체적이고 설득력이 있다.

『삼국사기』는 금와가 '태백산 남쪽 우발수'에서 한 여자를 만났는데, 그 여자가 유화부인이라고 기록하고 있다. 또 행인국은 '태백산 동남방'에 있다고 했다. 따라서 우발수와 행인국은 가까운 거리에 있다고 볼 수 있다. 말하자면 행인국은 우발수 근처에 형성된 국가라고 볼 수 있는 것이다.

이렇게 볼 때 행인국은 북부여와 동부여 사이에 위치한 나라로 북부여에 치우쳐 있었을 것이다. 당시 북부여는 송화강에서 흑룡강 사이에 비정될 수 있으므로 행인국도 그 사이에 있어야 한다. 그렇다면 태백산은 소흥안령산맥을 지칭했을 가능성이 높다. 또한 우발수는 송화강을 지칭하거나 그 지류 중 하나를 지칭했다고 볼 수 있다. 따라서 행인국은 송화강 주변의 하얼빈이나 다칭 지역에 비정할 수 있을 것이다.

따라서 이 같은 세 가지 가설 가운데 세 번째 것이 가장 설득력이 있다고 보아야 할 것이다.

북옥저(北沃沮)

북옥저는 고구려가 세 번째로 복속한 국가이다.

옥저에 대하여 『삼국유사』는 다음과 같이 기록하고 있다.

"상고하건대 동명제 즉위 10년(서기전 28년)에는 북옥저를 멸망시켰으며, 온조왕 42년에는 남옥저의 20여 호가 신라로 귀순해 왔으며, 또 혁거세 53년에는 동옥저가 와서 좋은 말을 바쳤다고 하였은즉, 또 동옥저도 있는 것이다."

이 기록과 달리 『삼국사기』는 온조왕 43년에 남옥저 사람들이 신라로 귀순한 것이 아니라 43명이 백제로 귀순한 것으로 쓰고 있는데, 이 내용이 더 옳을 것으로 판단된다. 그렇지 않다면 굳이 온조왕 43년이라는 것을 앞에 쓸 이유가 없었을 것이기 때문이다.

어쨌든 이러한 기록들에 따른다면 옥저는 북·동·남옥저 등으로 구분될수 있다. 이 중 북옥저에 대한 기록은 『후한서』「동옥저」전에 잠시 언급된다.

"또한 북옥저가 있는데, 일명 치구루라 하며, 남옥저에서 8백여 리 떨어져 있다. 그 습속은 모두 남옥저와 같다. 경계의 남쪽은 읍루와 접해 있다. 읍루 사람들은 배를 타고 노략질하기를 좋아하는데, 북옥저는 이를 두려워하여 매년 여름에는 번번이 바위굴에 숨어 있다가 겨울이 되어 뱃길이 통하지 않으면 읍락으로 내려와 산다."

이 기록은 북옥저가 남옥저와 8백여 리 떨어져 있다고 했는데, 그렇다면 남옥저와 북옥저 사이에는 다른 나라가 있었다는 뜻이 된다. 그런데 북옥저의 남쪽 경계가 읍루와 접해 있다고 했으므로 남옥저와 북옥저 사이에는 읍루가 있었음을 알 수 있다.

이 읍루의 위치에 대하여 『후한서』는 "부여의 동북쪽 1천여 리에 있으며, 동으로 큰 바다에 접하고 남으로 북옥저와 접하며, 그 북쪽 끝닿는 곳은 알지 못한다."고 하였다. 그런데 이 기록은 같은 책 「동옥저전」에 대한 기록과 모순되는 점이 있다. 『후한서』는 동옥저의 위치에 대하여 "동옥저는 고구려 개마대산 동쪽에 있으며, 동으로 큰 바다에 접하고 북쪽에 읍루와 부여, 그리고 남쪽은 예맥과 접해 있다."고 쓰고 있다. 이는 읍루의 남쪽 경계가 북옥저가 아니라 동옥저임을 말해주고 있는 것이다. 이는 북옥저의 '남쪽 경계가 읍루와 접해 있다'는 기록을 통해서도 확인된다.

따라서 읍루의 경계는 다음과 같이 설정될 수 있다.

"읍루는 동쪽으로 큰 바다에 접해 있으며, 남으로는 동옥저와 접해 있고, 서남으로는 부여, 서북으로는 북옥저, 동북으로는 끝닿는 곳을 알지 못한다."

이 같은 설정을 바탕으로 할 때 북옥저의 위치는 흑룡강(아무르강)의 본류와 지류로 둘러싸이며, 이는 지금의 하바로프스크 서북방에 위치한 콤소몰스크나아무레 지역 일대에 해당된다. 그리고 그 경계는 동남쪽과 북쪽은 읍루에 둘러싸이고, 서남쪽과 서쪽은 부여에 둘러싸인다. 따라서 북옥저는 사방이 흑룡강의 본류와 지류로 둘러싸인 오각형 모양의 땅이 되는 것이다.

이는 배를 통해 읍루 사람들이 침입하기 때문에 여름에는 굴에 들어가 살고, 겨울에 뱃길이 얼면 읍락으로 내려와 살았다는 기록을 정당화한다. 북옥저를 현재 강단사학계의 주장대로 함경도와 두만강 이북 일부 지역에 설정한다면 읍루는 겨울에도 얼마든지 북옥저를 침입할 수 있었을 것이기 때문이다. 한반도의 동해와 그 이북 일부 지역까지는 겨울에도 바다가 얼지 않는 까닭이다. 따라서 북옥저를 현재의 함경도 일대에 설정하는 것은 『후한서』의 기록들을 정당화시킬 수 없으므로 논리적인 모순을 안게 된다.

함경도 일대에 있던 옥저라는 국가는 동옥저를 의미하며, 북옥저와 남옥저는 동옥저에서 아주 멀리 떨어져 있었다는 뜻이 된다(동옥저와 남옥저에 대해서는 동옥저가 고구려에 의해 멸망당하는 제6대 태조 대에 가서 언급하기로 한다).

▶ 동명성왕 시대의 세계 약사

동명성왕 시대 중국은 서한의 제11대 고종 원제(서기전 49년~서기전 33년)와 제12대 성제(서기전 33년~서기전 7년) 시대였다. 원제는 유교를 숭상한 인물이었다. 이 때문에 원제 때에는 무제 때부터 국교로 지정된 유교가 뿌리를 내리게 된다. 원제를 이어 즉위한 성제는 처음에는 이상주의에 바탕을 두고 정치를 펼쳤으나 후기에는 여색에 빠져 방탕한 생활을 한다.

이 당시 서한의 북쪽에는 흉노가 강한 세력을 형성하여 동·서로 갈라져 있었는데, 서한은 동흉노와 함께 서흉노를 공격하곤 하였다.

이 무렵 서양에서는 로마의 제정 시대를 맞이하고 있었다. 브루투스의 배반으로 카이사르 시대가 종결되고 카이사르의 아들 옥타비아누스를 비롯하여 안토니우스, 레피두스 등에 의한 삼두정치가 실시되었다. 하지만 서기전 36년에 레피두스가 옥타비아누스에게 귀속되고, 다시 서기전 31년에 악티움해전에서 안토니우스군이 옥타비아누스군에 대패하여 옥타비아누스가 정권을 장악한다. 이 때문에 안토니우스와 클레오파트라는 자살을 감행한다. 이에 로마 의회는 옥타비아누스에게 아우구스투스라는 칭호를 내리고, 이로부터 로마는 공화정 시대를 종결하고 왕이 군림하는 제정시대를 맞이한다.

제2대 유리명왕실록

1. 아버지를 찾아온 유류와 고구려 왕실의 왕위 다툼

주몽의 원자 유류에 대한 이야기는 『삼국사기』에 비교적 자세하게 기록되어 있다. 그 기록은 대략 다음과 같다.

주몽은 졸본으로 망명하기 전에 부여 여자 예씨와 혼례를 올린 몸이었다. 그리고 졸본으로 망명할 당시 예씨는 임신 중이었다. 하지만 모친 유화부인으로부터 금와의 맏아들 대소가 자신을 죽이려 한다는 사실을 듣고 오이, 마리, 협보 등의 친구들과 함께 급히 졸본으로 몸을 피했다.

주몽이 떠난 뒤 예씨는 아들을 낳았다. 그리고 이름을 유류[儒留, 유리(類利)라고도 전함]라고 지었다(유류가 태어난 해는 기록되어 있지 않지만 대략 주몽이 왕위에 오르기 한 해 전인 서기전 38년이나 이듬해인 서기전 37년 정도로 추정된다).

유류는 자라면서 아비 없는 자식이라고 손가락질을 받았던 모양이다. 소년으로 성장한 유류가 어느 날 참새를 잡으려고 하다가 실수하여 물 긷는 아낙의 물동이를 깨뜨린 사건이 발생했는데, 그 아낙은 '아비 없이 자란 자식이라 돼

먹지 못했다'고 꾸짖는다. 이 말을 들은 소년 유류는 집으로 돌아와 예씨에게 아버지에 대해서 캐묻는다.

이에 예씨는 다음과 같이 대답한다.

"네 아버지는 비상한 사람이었다. 하지만 나라에서는 아버지의 비상함을 용납하지 않았다. 그 때문에 남쪽 지방으로 도피하여 나라를 세우고 왕이 되셨다. 네 아버지가 떠나실 때 내게 '당신이 만약 아들을 낳으면, 나의 유물이 칠각형의 돌 위에 있는 소나무 밑에 숨겨져 있다고 말하시오. 만일 이것을 발견하면 곧 나의 아들일 것이오.' 하고 말하셨다."

예씨로부터 이 말을 들은 유류는 그날부터 산을 헤매며 주몽이 남긴 유물을 찾아다녔다. 하지만 그는 주변 산 어디에서도 칠각형의 돌을 발견하지 못했다. 그 때문에 유류는 몹시 낙심하였다. 그러나 그는 포기하지는 않았다. 낮이면 주변 산을 뒤지며 칠각형의 돌과 소나무를 찾아다녔다. 하지만 항상 빈손으로 집으로 돌아와야 했다.

그러던 어느 날이었다. 그날도 유류는 산을 헤매다가 몹시 지친 몸으로 집으로 돌아왔다. 그리고 마루에 털썩 앉았다. 그런데 그 순간 유류는 이상한 소리를 들었다. 그것은 마치 바위 틈새에 끼인 금속성의 물건이 내는 소리 같은 것이었다. 그래서 그는 몇 번에 걸쳐 같은 동작으로 마루에 힘껏 앉아보았다. 그때마다 어디선가 그 이상한 소리가 들려왔다.

한동안 같은 동작을 반복한 끝에 유류는 그 소리의 진원지를 찾아냈다. 그 소리는 바로 기둥과 주춧돌 사이에서 들려오는 것이었다. 그 때문에 유류는 주춧돌을 면밀히 살펴보게 되었고, 그것이 칠각형이라는 사실을 알아냈다. 그러자 불현듯 아버지가 남긴 말이 떠올라 기둥 밑을 조사하였다.

과연 그 곳에는 아버지가 남긴 징표가 있었다. 부러진 칼 조각이었다. 주몽은 자신의 칼을 동강내어 징표로 삼고, 나중에 그 징표를 대조하여 아들을 확인하려 했던 것이다.

유류가 간신히 아버지의 유물을 찾아냈을 때는 이미 많은 세월이 흐른 뒤였다. 할머니 유화도 이미 죽고 없었고, 음으로 양으로 예씨 모자를 보살펴 주던 금와왕도 임종을 앞두고 있었다. 그 때문에 금와의 맏아들 대소가 동부여의 실질적인 왕으로 군림했다.

대소의 군림은 곧 예씨 모자의 생명을 위협하는 일이었다. 그래서 유류는 옥지, 구추, 도조 등의 친구들과 의논한 후 어머니 예씨와 함께 고구려로 탈출할 것을 다짐하고, 서기전 19년 4월 마침내 탈출에 성공하여 고구려 땅을 밟는다. 그리고 꿈에도 그리던 아버지를 만난다.

당시 중병에 걸려 생명이 얼마 남지 않았던 주몽은 아내와 아들이 찾아오자 매우 기뻐하였고, 유류를 태자에 봉하였다.

이 과정에서 고구려 조정은 두 파로 나뉘게 된다. 주몽의 의중을 파악하고 유류의 태자 책봉에 찬성한 유류파와 유류의 태자 책봉을 반대하고 소서노의 아들들인 비류와 온조를 지지하고 있던 비류파로 갈라졌던 것이다.

유류파의 중심 인물은 주몽과 함께 망명한 오이, 마리, 협보를 비롯하여 대표적인 무장 세력인 부분노와 부위염, 고구려 토착 세력인 탁리, 사비, 설지 등이었고, 비류파의 중심 인물은 소서노의 지지기반인 계루부 출신의 관리들과 오간, 마려 등의 중신들이었다. 하지만 이들 두 파의 대립은 유류파의 승리로 끝났다. 고구려 개국 이후 계루부는 동명성왕에 의해 거의 장악당한 상태였고, 나머지 네 부족 역시 동명성왕을 지지하고 있었기 때문이다. 또한 동명성왕의 고향 친구들인 오이, 마리, 협보 등이 요직을 차지하고 있었던 것도 유류파가 승리하는 데 큰 역할을 했을 것이다.

이렇게 해서 유류는 태자에 책봉되었고, 비류파는 쫓겨나는 신세가 되고 말았다. 그래서 소서노와 그녀의 두 아들인 비류와 온조를 비롯하여 오간, 마려 등 열 명의 신하는 머물 곳을 찾아 남쪽으로 떠났다. 남쪽으로 떠난 그들은 백제를 세우게 된다. 이 때 졸본의 많은 백성이 그들을 따라나섰다. 이 때문에 민심이 이반되어 유류는 즉위 후에도 백성들의 호응을 얻지 못해 많은 어려움을 겪고, 급기야 도성을 옮기기에 이른다.

비류파가 떠난 뒤, 유류는 동명성왕 측근들의 보필을 받으며 지냈다. 그리고 태자 책봉 5개월 뒤인 서기전 19년 9월에 동명성왕이 생을 마감함에 따라 고구려 제2대 왕에 올랐다. 그가 바로 유리명왕이다.

2. 유리명왕의 정권 장악 노력과 고구려의 격변
(?~서기 18년, 재위기간:서기전 19년 9월~서기 18년 10월, 36년 1개월)

주몽의 원자 유리명왕이 왕위에 오르면서 고구려 조정은 한 차례 정쟁을 치른다. 조정을 장악하려는 유리명왕과 이를 저지하려는 개국공신들 사이에 팽팽한 힘싸움이 전개되었던 것이다.

유리명왕은 동명성왕의 맏아들로 동부여 출신의 왕후 예씨 소생이며, 이름은 유류 또는 유리이고, 동부여에서 서기전 38년 또는 서기전 37년경에 태어났다. 이후 장성하여 아버지를 찾아 고구려에 망명하였고, 서기전 19년 4월에 태자에 책봉되었다가, 그해 9월에 동명성왕이 40세를 일기로 생을 마감하자 고구려 제2대 왕에 즉위하였다.

왕위에 오른 유리명왕은 즉위 이듬해인 서기전 18년 7월에 다물후 송양의 첫째 딸을 왕후로 맞아들여 지지기반을 닦는다. 다물후 송양은 한때 비류국의 왕이었고, 고구려에 복속된 이후에는 동명성왕의 최측근 가운데 한 사람이었다. 그는 옛 비류국인 다물 자치 지역을 통치하고 있었기 때문에 그를 외척으로 삼는 것은 유리명왕에게 여러 모로 유리하게 작용할 수 있었던 것이다.

하지만 송양의 딸은 시집온 이듬해 10월에 사망하고 말았다. 그러자 유리명왕은 왕후 송씨의 동생인 송양의 둘째 딸을 맞아들여 왕후로 삼는다. 그리고 지지기반을 확보하기 위해 여러 개국공신들과 혼인관계를 맺는다.

자기 세력이 없던 유리명왕은 이와 같은 혼인관계를 통해 반대 세력들을 무마시키며 점차 지지기반을 확대하였다. 하지만 정권 확대를 위한 이 같은 온건적 태도는 재위 11년인 서기전 9년의 선비족 토벌전쟁을 계기로 더욱 공격적으로 변한다. 유리명왕은 지속적으로 고구려 변방으로 밀려들고 있던 선비족 토벌전쟁을 계기로 힘을 강화하여 조정을 장악하기 시작했던 것이다.

제2대 유리명왕 시대의 각국 영토 및 세력 판도(A.D. 16년경)

흉노

선비

약
수

동부여

숙신

우
리
강

부여

송 화 강

압 록 수

고구려현

졸본 (위나암으로
천도)

말

현도성 요

수

양맥

위나암

갈

창 해

하

수

낙랑

고구려

동옥저

발해

동예

동 해
(황해)

백제 신라

왜

장안

대방

변한

한

강

수

남 해

이도

유리명왕은 선비족 토벌 전쟁을 시작으로 팽창 정책을 감행하여 요서 지역의 요충지 양맥을 장악
함으로써 영토 확장의 교두보를 마련한다.

당시 선비족은 자주 요수를 넘어와 부여와 고구려 변방 지역을 대상으로 약
탈을 일삼았다. 그들은 형세가 유리하면 여지없이 밀고 들어와 노략질을 감행
하고 전세가 불리하면 요서 지역의 험산 지대로 숨어버리는 일종의 게릴라 전
술을 쓰고 있었다. 이 때문에 고구려의 변방은 항상 불안에 휩싸여야 했다.

백성들의 불안감이 짙어지자 유리명왕은 드디어 선비를 토벌하기로 결심한
다. 그래서 부분노에게 대군을 내주어 토벌작전을 감행한다.

토벌작전의 선봉장으로 나선 부분노는 동명성왕과 함께 고구려의 영토확장

전쟁에 많은 공을 세운 인물이다. 동명성왕 6년인 서기전 32년에 오이와 함께 태백산 동남방에 있었던 행인국을 정벌한 장수도 바로 그였다. 그는 이 같은 많은 전쟁 경험을 바탕으로 선비족을 응징할 전략을 세웠고, 마침내 선비족의 항복을 받아내기에 이른다.

유리명왕은 이 선비족 토벌전쟁에 직접 참가함으로써 군주로서의 위엄을 갖추게 되었고, 그 같은 무력적 기반을 바탕으로 정권 장악의 기회를 노리게 된다.

이 무렵 고구려와 동부여 사이에도 전쟁이 계속되고 있었다. 이는 대소가 동부여의 왕이 되면서 고구려를 적대시하고 고구려에 대한 침략전쟁을 감행하고 있었기 때문이다.

하지만 오랜 소모전으로 내부적인 어려움을 겪던 대소는 유리명왕 14년인 서기전 6년에 화친을 제의하고 인질의 교환을 요청하였다. 이에 유리명왕은 화친제의를 받아들여 태자인 맏아들 도절을 인질로 보내려 하였다. 그러나 강경론자들의 반발과 도절의 반대로 고구려는 인질 교환 제의에 응하지 못했다.

화친제의를 거절당한 대소는 그해 11월 군사 5만을 거느리고 고구려를 침범하였다. 하지만 폭설로 인하여 동사자가 많이 발생하는 바람에 동부여군은 제풀에 지쳐 퇴각하고 말았다.

대소는 퇴각 이후에도 지속적으로 고구려에 대한 침범을 자행했다. 이 때문에 유리명왕은 항상 위기감에 사로잡혀 있었고, 급기야 다시금 대소의 화친제의를 받아들이려는 생각을 하게 된다.

동부여와의 전쟁을 두려워하던 유리명왕이 대소의 화친제의를 받아들이려 하자 강경론자들의 반발이 거세게 일었다. 하지만 유리명왕은 화친에 대한 집념을 버리지 않았다. 이 때문에 강경론자인 탁리와 사비 등을 교시(郊豕, 교제에 쓸 돼지)사건을 일으켜 죽이기에 이른다.

유리명왕은 교제(郊祭, 왕이 들판에 돼지를 바치며 천지신명께 드리는 제사)에 쓸 돼지를 놓아주고, 탁리와 사비로 하여금 그 도망간 돼지를 잡아오게 한다. 그런데 그들은 돼지를 잡자 더 이상 도망가지 못하도록 칼로 다리의 힘줄을 잘라버렸다. 이에 유리명왕은 교제에 쓸 돼지에 상처를 냈다는 이유로 그들을 구덩이 속에 던져 죽였다.

서기전 1년 경신년 8월에 일어난 이 '교시사건' 이후 유리명왕은 갑자기 중병을 앓기 시작했다. 병의 원인을 찾기 위해 무당을 불렀더니, 무당은 '탁리와 사비의 귀신이 화근'이라며 왕이 귀신들에게 사죄하라고 하였다. 이에 유리명왕은 무당의 말대로 탁리와 사비의 귀신을 위로하는 제사를 올렸다. 그리고 얼마 후 병이 나았다.

그렇지만 유리명왕에겐 또 다른 난국이 기다리고 있었다. 이듬해인 서기 원년 1월에 태자 도절이 죽은 것이다. 그동안 부여에 대하여 강경론을 내세우며 유리명왕의 화친정책을 반대하고 있던 도절이 왜 죽었는지에 관해서는 어떤 기록도 남아 있지 않다. 하지만 유리명왕이 병상에서 일어난 시점에 그가 죽었다는 사실은 범상치 않은 일이 있었음을 암시하고 있다.

병상에서 일어난 유리명왕은 교시사건으로 강경파의 힘이 약화되었다고 판단하고 다시금 동부여와 화친하려고 했을 가능성이 높다. 이에 태자 도절은 끝까지 화친을 반대하다가 죽었을 것이다. 죽음의 형태는 자살일 수도 있고, 유리명왕의 명에 의한 타살일 수도 있다. 어쨌든 그의 죽음 이면에 유리명왕의 압력이 작용하고 있었던 것만은 분명해 보인다.

교시사건으로 탁리와 사비가 죽고 다시 태자마저 죽자, 졸본성의 백성들은 불안에 떨고 민심은 점차 유리명왕으로부터 등을 돌리게 된다.

유리명왕은 이 같은 난국을 타개하고 전쟁의 위험으로부터도 벗어나기 위해 천도를 결심한다. 그리고 다시 한 번 교제에 쓸 돼지를 이용한다.

서기 원년 3월 유리명왕은 돼지를 놓아주고 측근인 설지에게 명하여 뒤쫓게 하였는데, 이는 겉으로는 교시를 잡아오는 형태를 띠고 있었지만 진짜 목적은 새로운 도읍지를 알아보는 것이었다.

도읍지를 알아보러 떠난 설지는 얼마 뒤 궁궐로 되돌아왔다. 그리고 국내의 위나암이 새 도읍지의 조건을 갖추었다고 보고했다. 설지의 보고를 받은 유리명왕은 그해 9월에 몸소 국내에 가서 지세를 돌아본다. 그리고 위나암에 도성을 쌓게 하고, 도성이 완성되자 서기 3년 10월에 마침내 도읍을 위나암으로 옮겼다. 이로써 졸본성 시대는 종결되고, 위나암성 시대가 도래하였다. 유리명왕은 위나암으로의 천도를 통하여 부여의 전쟁 위협으로부터 벗어나는 한편 정권 장악의 기틀을 마련한다.

위나암으로 천도한 후 조정을 완전히 장악하게 된 유리명왕은 그해 12월에는 무려 닷새 동안이나 사냥을 즐기며 정사를 돌보지 않았다. 그는 변방으로부터 멀리 떨어진 위나암에서 오랜만에 사생활을 즐기고자 했던 것이다. 그러나 개국공신인 대보, 협보 등은 유리명왕에게 사냥을 그만두고 새 도읍지를 안정시켜야 한다고 역설한다. 하지만 유리명왕은 그들의 말을 듣지 않고, 오히려 협보를 파면하여 관가의 농원을 관리하게 하였다. 선제 동명의 친구이자 개국공신인 협보를 한낱 관가의 농원지기로 보내버린 것은 귀양조치나 다름없었다. 이 때문에 협보는 분을 이기지 못하고 고구려 땅을 벗어나 남한으로 떠나버린다(그 후 협보는 남한에서 다파라국을 세운다).

이처럼 위나암으로 옮겨간 이후에 유리명왕은 자신에게 도전하는 그 어떤 세력도 용납하지 않았다. 심지어는 자신의 아들마저 정적으로 간주되면 가차없이 죽여버렸다.

맏아들 도절이 죽은 후 둘째 아들 해명이 태자에 책봉되었는데, 그는 천도 이후에도 졸본성에 남아 그 곳의 민심을 안정시키고 있었다. 그는 힘이 세고 용감하였기에 황룡국 왕이 찾아와 그의 용기를 시험하였다.

황룡국 왕은 해명에게 사신을 보내 단단한 활을 하나 선물하였다. 그러자 해명은 그 사신 앞에서 활을 당겨 꺾으면서 '내가 힘이 센 것이 아니라 활 자체가 강하지 못하다' 고 했다. 그런데 이 이야기가 위나암성에 알려지자 유리명왕은 몹시 분개하였다. 유리명왕은 자기의 힘을 자랑한 해명을 아버지를 능멸한 불효자로 규정하고 황룡국 왕에게 사람을 보내 해명을 죽이라고 했다.

해명이 자신의 힘을 과시했다는 말을 들은 유리명왕은 필시 해명이 그 힘을 믿고 반역을 도모할 것이라고 판단했던 모양이다. 민심이 이반되어 천도를 감행했는데, 그 구도읍지에 머물고 있는 태자 해명은 오히려 민심을 안정시키는

데 성공하였다. 이는 유리명왕의 심기를 몹시 불편하게 했을 뿐 아니라 아들에 대한 두려움을 불러일으키는 요소였다. 그러던 터에 황룡 왕의 활을 꺾은 사건이 발생한 것이다. 물론 이 이야기는 황룡 왕의 사신이 유리명왕에게 전달하는 과정에서 다소 과장되었을 가능성이 높다. 고구려의 속국이었던 황룡국은 항상 독립의 기회를 엿보았을 것이고, 유리명왕이 왕태자를 경계하고 있다는 소문을 듣고 고의로 이 같은 일을 획책했을 가능성이 충분하기 때문이다.

내막이야 어찌 됐든 유리명왕은 그 활 사건으로 해명을 죽일 결심을 했고, 해명을 죽이라는 부탁을 받은 황룡 왕은 졸본으로 사신을 보내 태자를 초청한다. 이에 해명의 측근들은 초청에 응하지 말 것을 당부하지만, 해명은 그들의 만류를 뿌리치고 황룡 왕을 만난다. 그러나 황룡 왕은 해명의 기개를 높이 평가하여 죽이지 않고 돌려보낸다.

이처럼 황룡 왕이 해명을 살려놓자 유리명왕은 서기 9년 3월에 졸본으로 사람을 보내, 해명에게 칼을 내주고 자결할 것을 명령한다. 이에 해명은 순순히 명령에 복종하여 자결하였고, 이로써 유리명왕은 자신의 아들을 두 명이나 죽인 잔혹한 임금이라는 백성들의 원성을 듣게 된다.

고구려에 이 같은 어려운 상황이 도래하자 기회를 엿보고 있던 동부여의 대소는 사신을 보내 고구려가 동부여를 섬기지 않으면 침략하겠다고 협박을 가한다. 이에 유리명왕은 동부여를 섬길 것을 맹세하는 답장을 보낸다.

그런데 그 무렵 부여에서 내분이 일어난다. 아마 대소와 그의 여섯 형제가 치열한 정권다툼을 벌이고 있었던 모양이다. 그 덕분에 고구려는 전열을 가다듬고 부여의 침입에 대비할 시간을 벌었다.

그리고 서기 12년에 중원의 내분을 틈타 동호와 흉노가 대거 남하하고, 한에 예속되어 있던 요서의 맥족이 대거 봉기하였다. 이에 당황한 신(新)의 왕망은 고구려에 도움을 요청하였다. 하지만 고구려가 원군 요청을 거절하자 왕망은 요서 대윤 전담을 시켜 고구려를 치게 한다. 그러나 고구려의 반격에 밀린 한군은 대패하고, 전담도 전사하고 말았다.

전담의 전사 소식을 접한 왕망은 엄우를 시켜 다시금 고구려를 침략하였고,

이 때 엄우의 계략에 말려든 고구려 장수 연비가 죽음을 맞는다.

이 때부터 유리명왕은 한나라에 대해 대대적인 반격을 가했고, 이 틈을 노려 부여군이 고구려를 침입해 왔다. 하지만 부여군은 태자 무휼이 이끌던 수비대의 전략에 말려 전멸했다.

고구려군이 이렇게 승전을 거듭하자 유리명왕은 서기 14년 8월에 오이와 마리에게 군사 2만을 내주어 고구려 서쪽의 양맥을 치게 하여 아우르고, 다시 진군하여 한나라의 고구려현을 정복하는 데 성공했다.

당시 고구려현은 한의 동방정책을 담당하던 요서의 전초기지였기 때문에, 고구려현을 차지한 것은 한의 동방정책 자체를 무력화시키는 획기적인 성과였다.

이렇듯 만년에 과감한 영토확장 전쟁에 몰두하던 유리명왕은 서기 18년 4월에 넷째 아들 여진이 물에 빠져죽는 불행한 사건을 경험한다. 그리고 그해 7월에 병약한 몸을 이끌고 자신의 휴양처인 두곡에 행차하여 휴양을 하였다. 하지만 그는 건강을 회복하지 못하고 재위 36년 1개월 만에 두곡의 이궁에서 생을 마감했다. 이 때 그의 나이는 57세 가량이었다.

능은 두곡 동원에 마련되었으며, 묘호는 유리명왕(瑠璃明王)이라 하였다.

3. 유리명왕의 가족들

유리명왕은 왕후 송씨를 비롯한 4명의 부인에게서 6남 1녀를 얻었다. 이들 부인 가운데 송양의 1녀 왕후 송씨는 장남 도절을 낳은 듯하며, 송양의 2녀 왕후 송씨는 해명, 대무신왕, 민중왕, 여진 등 4남 1녀를 낳은 것으로 판단된다. 유리명왕은 사서에 기록된 부인 이외에도 여러 명의 부인을 거느렸을 것으로 판단되는 까닭에 사서에 기록되지 않은 자식들도 많을 것으로 보인다. 여섯째 아들 재사는 기록되지 않은 부인의 소생인 것으로 보인다. 하지만 여기에서는 사서에 기록된 인물들에 한정하여 가족사를 정리한다.

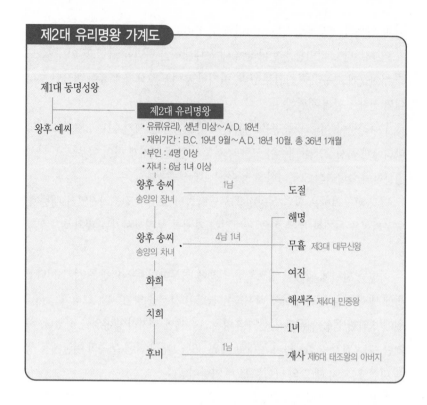

제2대 유리명왕 가계도

제1대 동명성왕

왕후 예씨

제2대 유리명왕
- 유류(유리), 생년 미상~A.D. 18년
- 재위기간 : B.C. 19년 9월~A.D. 18년 10월. 총 36년 1개월
- 부인 : 4명 이상
- 자녀 : 6남 1녀 이상

왕후 송씨 ——— 1남 ——— 도절
송양의 장녀

왕후 송씨 ——— 4남 1녀 ———
송양의 차녀

해명

무휼 제3대 대무신왕

여진

해색주 제4대 민중왕

1녀

화희

치희

후비 ——— 1남 ——— 재사 제6대 태조왕의 아버지

이들 가족들 중에서 대무신왕과 민중왕은 각각 그 실록에서 다루기로 하고, 이외에 이름이 기록된 나머지 가족들의 삶을 간단하게 언급한다.

송양의 1녀 왕후 송씨(생몰년 미상)

유리명왕의 제1왕후 송씨는 유리명왕이 즉위한 이듬해인 서기전 18년 7월에 왕후로 간택되어 입궁하였다.

그녀는 비류 지역의 유력가 송양의 장녀이다. 송양은 한때 비류강 근처에 있던 비류국의 왕이었으나, 동명성왕과의 전쟁에서 패배하여 고구려의 신하가 되었다. 비류국은 고구려에 복속된 뒤에 다물도로 개칭되었으므로, 그는 다물후에 봉작되어 다물도를 다스렸다(송양을 5부족 가운데 하나인 소노부의 부장으로 보는 견해도 있다).

유리명왕이 즉위 후 다물후 송양의 딸을 왕후로 맞아들인 것은 다소 정략적인 성격이 강하다고 볼 수 있다. 비록 아버지 주몽의 후광으로 개국공신들의 보필을 받고 있긴 했으나 실질적인 힘이 없던 유리명왕은 송양의 딸을 아내로 취함으로써 다물도의 군사력을 자신의 지지기반으로 삼으려 했을 것이기 때문이다.

그러나 이 같은 유리명왕의 정치적 목적에 부합하여 왕후로 입궁한 제1왕후 송씨는 생명이 길지 못했다. 그녀는 입궁한 지 1년 3개월 만인 서기전 17년 10월에 요절했기 때문이다.

그녀의 사망 원인은 분명하지 않지만 사망 시점이 결혼 1년 3개월 만인 점을 고려할 때 산욕으로 죽은 것으로 보이며, 이 때 태어난 아이가 장남 도절일 것으로 판단된다.

그녀의 능과 시호에 대한 기록은 남아 있지 않다.

송양의 2녀 왕후 송씨(생몰년 미상)

제2왕후 송씨에 대한 기록은 『삼국사기』 어디에도 나타나지 않는다. 하지만 유리명왕의 셋째 아들 대무신왕의 어머니를 다물후 송양의 딸이라고 기록하고 있다. 그런데 대무신왕은 서기 4년(유리명왕 23년)에 태어났고, 왕후 송씨는 그 20년 전인 서기전 17년에 사망하였다. 따라서 서기전 17년에 사망한 왕후 송씨는 대무신왕의 어머니일 수가 없다.

그렇다면 대무신왕의 어머니는 누구인가? 『삼국사기』의 기록대로 그녀 역시 송양의 딸이라면 유리명왕은 송양에게서 두 명의 딸을 맞아들였다는 결론이 나온다. 당시 풍속으로는 자매가 동시에 한 사람에게 시집가는 일도 허다했으므로 이 같은 일은 얼마든지 있을 수 있는 일이었다. 그런데 고구려사를 기록한 사람들이나 『삼국사기』의 편찬자들이 이 두 사람의 송씨를 한 명으로 처리한 듯하다.

따라서 유리명왕의 제1왕후 송씨가 아닌 그녀의 여동생이자 대무신왕의 어머니 송씨를 여기에서는 제2왕후 송씨로 기록한다.

제2왕후 송씨가 유리명왕에게 시집온 시기는 분명하지 않다. 제1왕후 송씨와 함께 입궁했을 수도 있고, 그녀가 사망한 직후나 아니면 수년 뒤에 입궁했을 수도 있다. 그런데 둘째 아들 해명이 서기전 12년에 태어난 것을 감안할 때 적어도 제1왕후 송씨가 사망한 때로부터 4년이 지난 서기전 13년 이전에는 입궁했다고 보아야 할 것이다. 따라서 제2왕후 송씨의 입궁 시기는 제1왕후 송씨의 사망 직후라고 보는 것이 옳을 것이다.

입궁 후 그녀는 언니의 아들 도절을 키우며 해명, 무휼(제3대 대무신왕), 여진, 해색주(제4대 민중왕) 등 4남과 우씨의 아내가 된 1녀 등을 낳았다.

그녀가 언제 죽었는지는 분명하지 않으며, 능에 대한 기록도 없다.

화희(생몰년 미상)

제1왕후 송씨가 죽은 해인 서기전 17년 10월 유리명왕은 두 명의 후궁을 맞아들인다. 화희(禾姬)는 그 가운데 한 사람으로 골천 출신이다.

이 무렵 유리명왕은 자신의 지지기반을 확충하기 위해 여러 유력자와 혼인 관계를 맺은 흔적이 보이는데, 화희는 그 유력자 가운데 한 집안에서 시집온 여자라고 보아야 할 것이다. 당시 고구려의 행정단위가 대개 곡·천 등이었던 것을 감안할 때 골천은 그 자치구 중 하나로 보인다.

5부족 중에 골천의 유력자인 화희의 가문은 당시의 유력자들 중에서도 꽤나 힘이 있었던 모양이다. 이는 화희가 유리명왕의 애첩인 치희를 내쫓아버리고도 아무런 해를 입지 않은 사실에서 확인된다.

유리명왕은 화희 외에 한(漢)인 출신의 치희를 맞아들였는데, 이 때문에 화희와 치희 간에 다툼이 잦았던 모양이다. 그래서 유리명왕은 양곡에 동궁과 서궁을 지어 두 여자를 따로 거처하게 하였다. 그런데 어느 날 유리명왕이 사냥을 떠난 사이에 화희와 치희 간에는 욕설이 오가는 싸움이 벌어지고 말았다. 이 말다툼 중에 화희는 치희를 향하여 다음과 같은 모욕적인 발언을 한다.

"네 년은 한인의 집에 살던 비첩인 주제에 어찌 이토록 무례할 수 있느냐?"

이 말을 듣고 치희는 분통을 터뜨리며 자기 집으로 돌아가 버렸다. 뒤늦게 이 소식을 들은 유리명왕은 말을 타고 치희를 뒤쫓아갔으나 치희는 돌아오지 않았다. 그래서 허탈한 마음으로 돌아오는 길에 유리명왕이 지었다는 시가 '황조가'이다.

이렇듯 화희와 치희의 싸움 장면을 근거로 할 때 화희는 분명 유력자 집안 출신임이 분명하다.

하지만 화희에 대한 기록은 이것이 전부이다. 그녀가 자식을 낳았다는 기록도 없고, 어떻게 죽었다는 기록도 없다.

치희(생몰년 미상)

치희(雉姬)는 제1왕후 송씨가 죽은 해인 서기전 17년 10월에 화희와 거의 동시에 입궁한 여자이다. 그녀는 한나라 사람의 딸로서 유리명왕의 결혼정책과는 무관하게 입궁한 것으로 보인다.

화희의 말에서 알 수 있듯이 당시 고구려 사람들은 한나라 사람들을 무척 천하게 여겼던 모양이다. 하긴 자기 나라를 떠난 망명인에게 좋은 대접을 했을 까닭이 없을 것이다.

이처럼 고구려 사람들로부터 천한 대접을 받고 있던 한인의 딸이 후궁이 될 수 있었던 이유는 무엇일까? 이는 그녀가 남달리 미색이지 않고는 불가능한 일이다. 말하자면 그녀는 미색으로 소문이 났고, 유리명왕은 그 소문을 듣고 그녀를 후궁으로 취했다는 논리가 가능하다. 따라서 치희는 화희에 비하면 보잘것없는 존재였던 것이다.

그럼에도 유리명왕은 화희보다는 치희를 총애했던 모양이다. 화희는 그 점을 참을 수 없어서 그녀에게 욕설을 퍼부어 내쫓아버렸을 것이다.

화희로부터 모욕적인 언사를 듣고 친정으로 가버린 치희는 돌아오지 않았고, 그녀를 뒤쫓아갔던 유리명왕은 허탈한 마음으로 환궁하였다. 그리고 돌아오는 길에 나무 밑에서 휴식을 취하며 자신의 쓸쓸하고 외로운 마음을 시로 읊었다.

편편황조 鶣鶣黃鳥 (펄펄 나는 꾀꼬리는)

자웅상의 雌雄相依 (암수 서로 정다운데,)

염아지독 念我之獨 (외로운 이 내 몸은)

수기여귀 誰基與歸 (뉘와 함께 돌아갈꼬?)

흔히 '황조가'로 불리는 이 시가 치희에 대한 마지막 기록인 셈이다. 그 후 그녀가 돌아왔는지, 아니면 몇 명의 자식을 낳았는지, 또는 언제 죽었는지 등에 관한 기록은 전혀 남아 있지 않다.

도절(서기전 17년~서기 원년)

도절(都切)은 유리명왕의 맏아들이며, 제1왕후 송씨의 소생인 듯하다. 그리고 그를 송씨의 소생으로 볼 때 서기전 17년에 태어난 것으로 보아야 할 것이다.

『삼국사기』에 도절의 이름이 처음 등장하는 것은 서기전 6년 1월에 부여 왕 대소가 사신을 보내 화친조약을 체결하고 인질을 교환하자고 제의한 기록에서이다. 이 때 도절은 이미 태자에 책봉되어 있었으나 12살의 어린 소년에 불과했다.

부여가 인질을 교환하자고 하자 유리명왕은 이를 승낙한다. 유리명왕은 당시 부여의 강성함을 겁내고 있었고, 한편으론 전쟁을 기피하는 경향을 보였다. 그래서 부여의 화친제의를 받아들여 하루빨리 전쟁의 위협에서 벗어나고 싶었던 것이다.

이 같은 유리명왕의 생각에 따라 도절은 인질이 되어 부여로 떠나야 하는 처지가 되었다. 하지만 도절은 부여로 떠나기를 두려워했다. 또한 부여에 대한 강경론을 고수하는 신하가 많아 유리명왕은 부여와의 화친약조를 지키지 못했다.

이 때문에 그해 11월에 부여는 5만의 군사를 일으켜 고구려에 쳐들어온다. 하지만 다행스럽게도 폭설이 내려 부여의 군사는 퇴각한다. 그렇지만 부여의 전쟁 위협은 좀체 사라지지 않았다.

유리명왕은 어쨌든 부여와 화친을 맺어 전쟁 위협으로부터 벗어나고자 했고, 그래서 지속적으로 화친 의도를 드러낸다. 그러나 그 때마다 강경론자들의 반대에 부딪혀 목적을 이루지 못한다.

강경론자의 대표자는 탁리와 사비였다. 유리명왕은 이들을 제거하지 않고는 목적을 달성할 수 없다는 판단을 하고 '교시사건'을 일으킨다.

유리명왕은 그들을 제거할 계략을 세우고 교제에 쓸 돼지를 놓아주고는 그들로 하여금 도망간 돼지를 잡아오게 하였다. 이에 그들이 돼지를 잡아 더 이상 도망가지 못하도록 다리의 힘줄을 잘라 가지고 오자 교제에 쓸 신성한 제물에 상처를 입혔다는 죄목을 씌워 그들을 죽였다.

이렇게 해서 강경론자들을 누른 유리명왕은 다시금 부여와의 화친을 서두른다. 그런데 이번에는 18살의 청년으로 성장해 있던 도절이 강경한 자세로 유리명왕의 화친정책에 제동을 건다. 그는 부여에 인질로 갈 경우 십중팔구 죽임을 당할 것이라고 판단하였던 것이다. 그러나 유리명왕의 입장은 바뀌지 않았다. 그래서 도절은 서기 원년 1월 죽음을 택한다.

이 죽음이 스스로 택한 자살인지, 아니면 유리명왕의 명령에 의한 자살인지는 분명하지 않다. 하지만 당시 정황으로 봐서 스스로 자살했을 가능성이 더 높다. 즉, 아버지의 명령을 거부할 수도 없고, 부여에 인질로 갈 수도 없는 난처한 상황에 몰리자 스스로 죽음을 택했다는 뜻이다. '도읍을 갈라놓다'는 뜻의 '도절(都切)'이라는 그의 이름에도 자살의 흔적이 남아 있다.

해명(서기전 12년~서기 9년)

해명은 유리명왕의 둘째 아들이며, 제2왕후 송씨 소생으로 서기 4년 16세의 나이로 태자에 책봉되었다. 그의 태자 책봉 한 해 전인 서기 3년에 유리명왕은 도읍을 졸본에서 위나암으로 옮겼는데, 이 때 해명은 졸본에 그대로 남아 있었다. 말하자면 고구려 조정은 당시 일종의 분조(分朝, 특별한 상황에서 임금의 역할을 분리하는 것) 형태를 띠고 있었던 것이다. 따라서 졸본에도 여러 신하가 남아 있었다고 볼 수 있다.

해명은 힘이 세고 용맹이 넘치는 인물이었다. 이 소문을 들은 황룡국의 왕이 해명을 시험하기 위해 튼튼한 활 하나를 선물로 보냈다. 그런데 해명은 황룡국 사신이 보는 앞에서 활을 힘껏 당겨 꺾어버렸다.

서기 8년 1월, 해명의 나이 20세 때 일어난 이 사건은 엄청난 정치적 파장을 몰고 온다. 황룡국 왕이 선물로 바친 활을 사신이 보는 앞에서 해명이 꺾어버렸다는 말을 들은 유리명왕은 "해명은 자식으로서 효성이 없으니, 나를 위하여 그놈을 죽여주시오." 하고 황룡국 왕에게 말한다.

유리명왕은 자신에게 등을 돌린 졸본의 민심 때문에 천도를 결심했는데, 해명은 오히려 그 곳에서 강한 세력을 형성하며 백성들의 지지를 받고 있었다. 이 때문에 유리명왕은 자신의 친아들인 해명을 시기하게 되었고, 한편으론 해명이 반란을 도모할까 봐 몹시 두려워하고 있었던 듯하다. 이런 상황에서 해명이 활을 부러뜨린 사건이 발생한 것이다.

다른 나라에서 가져온 선물을 상대방이 보는 앞에서 부러뜨린 것은 가히 가볍게 넘길 일은 아니었다. 심하면 전쟁도 불사할 만큼 외교상의 커다란 문제가 될 수 있었다. 그런데도 해명은 아무렇지도 않게 그 같은 행동을 저질렀다.

따라서 해명의 이 같은 행동을 전해 들은 유리명왕이 화를 내는 것은 당연한 일이었다. 하지만 그 일이 아들을 죽일 만큼 대단한 일은 되지 못했다. 그런데도 유리명왕은 황룡 왕에게 밀서를 내려 해명을 죽이라는 부탁을 한다. 이는 이미 그 사건이 있기 오래 전부터 유리명왕이 해명을 경계하고 있었다는 뜻이 된다. 말하자면 유리명왕은 분조 형태를 더 오래 유지하다가는 자칫 해명에게 왕위를 찬탈당할 우려가 있다고 생각했던 것이다.

유리명왕의 밀서를 받은 황룡 왕은 활을 부러뜨린 사건이 발생한 지 두 달가량 되었을 무렵인 서기 8년 3월에 졸본으로 사신을 보내 해명태자를 초청한다. 해명이 이 초청에 응하려고 하자 근신들이 강하게 만류하며 말했다.

"이웃 나라에서 이유 없이 갑자기 만나자고 하니, 그 의도가 의심스럽습니다."

이에 해명이 대답했다.

"하늘이 나를 죽이려고 하지 않는다면 황룡 왕 따위가 감히 나를 어떻게 하겠는가?"

해명은 이 같은 결연한 마음으로 황룡국으로 떠났다.

해명을 만난 황룡 왕은 처음엔 그를 죽이고자 했지만, 고구려 조정과의 마찰을 우려한 탓인지 실행에 옮기지 못했다.

하지만 이 사건은 여기서 끝나지 않았다. 이듬해 3월 유리명왕은 자신이 직접 해명에게 자살을 명령한다.

"내가 도읍을 옮긴 것은 백성들을 안정시켜 국가의 위업을 다지려는 것인데, 네가 나를 따르지 않고 힘이 센 것을 믿고 이웃 나라와 원한을 맺었으니, 이것이 자식 된 도리라고 할 수 있겠느냐? 이제 네게 칼을 내리노니 죄를 뉘우치는 마음으로 자결하도록 하라."

유리명왕의 명령을 받은 해명은 즉시 자결할 태세를 갖추었다. 그러자 이를 지켜보던 근신이 그를 말리며 말했다.

"왕의 맏아들이 이미 죽었으므로 태자께서는 후계자가 될 것입니다. 그런데 지금 왕의 사자가 한 번 와서 말한다 하여 자결한다면, 왕의 지시가 진실이라는 것을 어떻게 알겠습니까?"

그러자 해명은 그의 만류를 뿌리치며 말했다.

"지난번에 황룡 왕이 강한 활을 보냈기에, 나는 그들이 우리를 업신여길까 걱정이 되었습니다. 그래서 일부러 활을 잡아당겨 꺾음으로써 답한 것인데, 뜻밖에 왕께 견책을 당하게 되었소. 왕께서 불효의 명목으로 내게 칼을 내려 자결을 명하셨으니, 어떻게 그 명령을 거역할 수 있겠소?"

이 같은 말을 남기고 해명은 여진의 동원 벌판으로 가서 땅에 창을 꽂아 놓고, 말을 타고 힘껏 달려 그 창에 찔려 자결하였다. 이 때 그의 나이 21세였다.

그가 죽자 유리명왕은 태자의 예로 동원에 장사토록 하고, 그 곳에 사당을 세웠다. 그리고 해명이 창에 찔려 죽은 그 곳을 '창원(槍原)'이라고 하였다.

여진(?~서기 18년)

유리명왕의 넷째 아들이다. 언제 태어났는지는 기록되어 있지 않으며, 서기 18년 4월에 물에 빠져죽었다는 기록만 남아 있다.

그가 익사했다는 소식을 듣고 유리명왕은 슬퍼하며 사람들을 풀어 시체를 찾게 하였다. 하지만 시체는 한동안 발견되지 않다가, 수일이 지나서야 비류 사람 제수에 의해서 발견되었다.

그 후 여진은 왕골령에 묻혔으며, 그의 시체를 찾은 제수에게는 금 10근과 밭 10경이 상으로 내려졌다.

이 여진의 죽음은 유리명왕에게 큰 충격을 주었던 모양이다. 여진이 죽은 후 유리명왕은 병상에 누웠고, 그해 10월에 사망한다.

재사(생몰년 미상)

유리명왕의 여섯째 아들로 제6대 태조의 아버지이다. 언제 태어났는지 또는 언제 죽었는지 알 수 없으며, 다만 태조가 왕위에 오르자 왕의 아버지에게 주어지는 봉작인 고추가(古鄒加, 조선의 대원군이나 부원군에 해당함)에 올라 있었다는 기록만 남아 있다.

4. 새로운 도읍지 위나암과 그 위치에 관한 가설들

유리명왕은 서기 3년(유리명왕 22년)에 도읍을 졸본에서 국내의 위나암으로 옮긴다. 이 때 유리명왕이 도읍을 졸본에서 국내의 위나암으로 옮긴 데에는 몇 가지 이유가 있었다. 첫째, 졸본은 구려의 옛 수도였기 때문에 구려시대의 정서가 강하게 남아 있는 곳이었다. 그래서 구려의 중심세력인 5부족의 힘이 강하게 작용할 수밖에 없었다. 게다가 소서노와 그의 아들들인 비류, 온조에 대한 지지세력이 많은 곳이기도 했다. 그 때문에 유리명왕은 졸본 백성들의 민심을 사로잡을 수 없었다.

둘째, 졸본은 변방이 가까워 적의 침입이 용이한 곳이었다. 특히 부여와 아주 근거리에 있는 까닭에 항상 부여의 전쟁 위협에 시달려야만 했다.

셋째, 졸본은 자기 손으로 큰아들 도절을 죽게 한 곳이었다. 이 때문에 졸본의 민심이 유리명왕에게서 멀어졌다.

이 같은 이유 때문에 유리명왕은 졸본이 안정된 곳이 못 된다고 판단했고, 그래서 부여에서 아주 멀리 떨어진 국내의 위나암으로 천도하기에 이르렀다.

새로운 도읍지로 위나암을 택하게 된 근본적인 이유는 다음과 같은 설지의 보고 내용에서도 재확인된다.

"제가 돼지를 따라 국내 위나암에 갔는데, 그 곳 자연이 준험하고, 토양이 오곡을 재배하기에 적합하며, 또한 산짐승과 물고기 등 산물이 많은 것을 보았습니다. 왕께서 그 곳으로 도읍을 옮긴다면 백성들의 복리가 무궁할 뿐 아니라 전쟁에 대한 걱정을 하지 않아도 될 것입니다."

이 같은 설지의 말을 들은 유리명왕은 그해(서기 2년) 9월에 자신이 직접 위나암의 지세를 살피고 돌아온다. 그리고 설지의 말대로 새 도읍지로 적당하다는 판단을 하고 천도를 서두른다.

이 이야기는 유리명왕이 가장 중요하게 생각한 것이 전쟁의 위협에서 벗어나는 일이었다는 것을 알려주고 있다. 즉 졸본성은 변방에서 가까워 항상 불안한 데 비해 위나암성은 부여를 비롯한 중국의 여러 나라로부터 동떨어진 곳에 있었다는 뜻이 된다. 다시 말해서 졸본과 위나암은 거리상으로 비교적 먼 곳이었던 것이다.

그렇다면 이 위나암은 도대체 어디였을까? 졸본을 요동지역으로 비정할 때 위나암은 요동에서 한반도 쪽으로 깊숙이 들어온 지역이라는 것만은 분명하다. 그래서 흔히들 이 위나암성이 중국 길림성 집안현 지역에 있었을 것이라고 추측하고 있다. 이는 집안현에서 광개토왕릉비를 비롯한 많은 고구려 유물과 능이 발견된 데 따른 것인 듯하다.

집안현에는 현재 고구려 시대에 축조된 것으로 밝혀진 집안현성(통구성)이 있는데, 평지에 건설된 이 성의 규모는 동쪽 벽 554.5미터, 서쪽 벽 664.6미터, 남쪽 벽 751.5미터, 북쪽 벽 715.2미터로 성벽의 총길이가 2,686미터에 달한다. 이외에도 집안현성 서북쪽으로 2.5킬로미터 떨어진 지점에 총길이 6,951미터에 이르는 산성이 있다. 많은 학자가 집안현성을 국내성이라고 하고 산성자산성으로 불리는 이 산성을 위나암성이라고 주장하고 있다. 하지만 일부 학자들은 이 산성을 서기 209년에 제10대 산상왕이 새로운 도읍지로 정하게 되는 환도성터라고 주장하기도 한다. 이 산성 안에는 궁궐터로 보이는 큰 집터와 5개의 연못, 샘, 망대 등이 있다.

이 성에서 약 65킬로미터 떨어진 지점에 3개의 좁은 협곡지대를 막아 만든 관마장산성이 있다. 그리고 거기서 약 10킬로미터 떨어진 지점에 작은 석성이 있는데, 이를 대천초소라고 한다. 또 그 부근에는 망파령산성과 패왕조산성이 있는데, 이 성들은 집안현성으로 가는 통로를 차단하고 있다.

이처럼 집안에는 위나암성의 흔적으로 보이는 많은 유물이 남아 있다. 하지만 이 유물들만으로 무조건 그 곳을 위나암성터라고 주장하는 것은 다소 위험한 발상이다.

일부 학자들은 집안이 고구려와 같은 대국의 수도가 들어설 곳이 못 된다는 주장을 펼치고 있다.

유리명왕 37년에 물에 빠져 죽은 왕자 여진을 비류수 사람이 건졌다는 『삼국사기』의 기록은 이들의 반론을 뒷받침하고 있다. 말하자면 위나암성은 비류수 근처에 있었던 것이다. 이 주장이 맞다면 위나암성은 다물도 근처여야 한다.

주몽이 망명하여 처음 머무른 곳이 비류수 가였고, 송양의 비류국(다물도)이 있던 곳도 비류수 상류였다. 또 비류수가 바닷가 근처에 있는 강이라는 것도 이미 언급한 바 있다(「동명성왕실록」, '고구려 민족의 형성과 동명성왕 시대의 주변 국가들' 의 비류 편 참조). 따라서 위나암성을 섣불리 집안현으로 단정하는 것은 발견된 자료에만 의지하는 안이한 발상이라고 보아야 할 것이다.

이처럼 위나암성의 위치는 아직까지 확정되지 못했다. 섣불리 그 위치를 확정하는 것보다는 많은 가설을 세우고 향후 이에 대한 연구에 더욱 박차를 가하는 것이 역사적 사실에 대한 올바른 접근 방법이 될 것이다.

5. 유리명왕 시대의 주변 국가들

선비(鮮卑)

유리명왕 11년(서기전 9년), 고구려는 노략질을 일삼고 있던 선비를 정벌해 속국으로 만든다.

선비는 원래 사르모론(西喇木倫)강 유역에 흩어져 있던 동호족의 지파로서 유목민이다. 이들은 요서 지역 및 대흥안령산맥, 소흥안령산맥, 요동 등 넓은 곳에 분포해 있었으며 유리명왕 당시에는 나라를 형성하지 못했다.

선비란 명칭은 최초로 『초사(楚辭)』 '대초(大招)'에 보이는데 '가는 허리 빼어난 목덜미, 마치 선비 같아라' 는 구절로 보아 어떤 민족을 가리키는 것은 아니었다. 이는 학식이 뛰어나고 세상 이치에 밝아 그 품성이 고고한 사람을 일컫는 것이었다.

또 『후한서』 「오환선비전」에는 '선비는 동호의 지파이다. 따로이 선비산에 의지하여 이름을 얻게 되었다.' 고 기록하고 있는데, 이는 선비라는 명칭이 선비산에서 비롯되었다는 사실을 알려주고 있다. 이를 『초사』 '대초'의 기록과 연결해 보면 선비산은 도를 닦는 고고한 사람들이 사는 산을 일컫는 것이고, 선비족은 그 산을 자신들의 출원지로 보고 있는 것이다. 따라서 '선비' 라는 명칭에는 민족적 자부심이 깃들어 있음을 알 수 있다.

이 같은 명칭을 표방하고 나선 선비족에 대한 기록은 주나라 초의 일들을 다루고 있는 『국어(國語)』 '진어(晉語)' 에도 나타나 있는데, '선비는 동이족' 이라고 기록하고 있다. 흔히 동호와 호맥을 같은 것으로 보는 견해가 있는데, 이를 근거로 할 때 선비족이 동이족의 한 부류라고 말하는 것은 틀린 표현이 아닐 것이다.

유리명왕 당시만 하더라도 선비는 미미한 존재에 불과했다. 인구도 적었으며, 힘도 하나로 결집되지 못했다. 하지만 2세기가 되면 선비족의 힘은 강성해진다. 이 시기의 선비족에는 흉노와 탁발, 정령, 오환, 한족 등이 일부 포함되어 강력한 세력으로 등장한다.

양맥(梁貊)

유리명왕 33년(서기 14년)에 유리명왕은 오이와 마리에게 명령하여 군사 2만으로 양맥을 멸망시키고, 진군하여 한나라의 고구려현을 점령한다. 『삼국사기』는 이 고구려현이 현도군에 속했다고 기록하고 있다.

이 때 멸망당한 양맥은 맥족이 세운 국가 가운데 하나일 것이다. 그리고 양맥을 멸망시킨 후 진군하여 고구려현을 점령했다는 것은 양맥과 고구려현이 인접해 있었다는 뜻이다. 따라서 당시 고구려현은 비록 한에 속해 있었지만 그 백성들은 맥족이었다는 추론이 가능하다.

고구려가 양맥을 무너뜨릴 당시의 정세를 살펴보면 한을 무너뜨린 왕망이 고구려를 침입했다가 패배하고 그에 대한 보복으로 고구려 장수 연비를 꾀어내어 죽임으로써 고구려와 왕망의 신(新) 사이에는 치열한 싸움이 벌어지고 있던 때이다. 따라서 고구려가 양맥과 고구려현을 점령한 것은 왕망의 신을 치기 위한 전초전이었다는 사실을 알 수 있다. 말하자면 양맥과 고구려현은 한에 예속되어 있으면서 한의 동방정책을 위한 전초기지 역할을 했던 것이다. 이에 고구려는 양맥과 고구려현을 점령하여 왕망의 동방정책 자체를 무력화시켰다.

당시 왕망 세력의 영향력은 요서까지밖에 미치지 못했다. 요동에는 고구려와 부여가 버티고 있었기 때문에 요수를 넘지 못했던 것이다. 그러다가 영토확장을 노리고 있던 한의 왕망이 요동의 지리에 밝은 고구려현의 맥족과 양맥을 앞세워 요동을 넘보기 시작했고, 고구려는 이 같은 한의 침략 정책에 맞서 고구려현과 양맥을 점령해 버렸던 것이다.

따라서 양맥과 고구려현의 위치는 요수에 인접한 요서 지역이라는 사실을 알 수 있고, 그들이 요동의 지리에 밝았던 것으로 보아 요수를 쉽게 건널 수 있는 상류 쪽에 자리 잡고 있었다는 추론이 가능하다.

이처럼 요수의 상류에 있던 고구려현이 현도군에 속했다는 것은 현도군 역시 요서 지역에 있었음을 의미한다(현도군에 대해서는 「광개토왕실록」에서 더 자세하게 다루기로 한다).

황룡국(黃龍國)

황룡국은 『삼국사기』 유리명왕 27년(서기 8년)과 28년(서기 9년)에 등장하는 나라 이름이다. 이 황룡국 왕이 선물한 활을 유리명왕의 둘째 아들 해명이 꺾어 버리는 사건이 발생하여 고구려 조정에 커다란 파장을 몰고 왔던 사실은 이미 언급한 바 있다.

그러나 황룡이라는 이름이 처음 등장하는 것은 동명성왕 3년(서기전 35년) 3월의 '황룡이 골령에서 나타났다.' 는 기사이다. 이 때의 황룡이 황룡국을 지칭하는 것으로 본다면 황룡국은 서기전 35년에 처음으로 골령에 세워진 셈이다.

하지만 이 나라에 대하여 고구려가 응징한 흔적이 전혀 없다는 사실을 감안할 때, 황룡국은 고구려에 예속된 자그마한 속국이었을 것이다. 황룡국 왕이 유리명왕의 청을 받는 입장이고, 또 고구려의 태자에게 선물을 해야 하는 처지였던 것도 이를 증명한다. 더구나 황룡국 왕이 선물한 활을 고구려 태자 해명이 부러뜨린 것을 보아도 황룡국은 고구려에 비해 아주 약소한 국가였음을 알 수 있다.

황룡국이 있던 골령은 해명이 머물던 졸본과 멀지 않은 곳이었을 것이다. 왜냐하면 황룡국 왕이 선물을 유리명왕에게 바치지 않고 해명에게 바쳤다는 것은 해명이 머물던 졸본의 영향권 아래 있었다는 뜻이기 때문이다. 졸본을 중심으로 영토 확장에 힘을 기울이던 동명성왕 3년에 '황룡' 에 대한 언급이 있는 것도 역시 이를 증명한다.

▶ 유리명왕 시대의 세계 약사

유리명왕 시대 중국은 전한 말기와 왕망의 신(新)나라 때에 해당하며, 외척 왕망이 한의 정권을 장악하여 정사를 좌지우지하다가 결국 한을 멸망시키고 신을 세운다. 이에 왕망은 동방과 북방으로 팽창정책을 감행하여 흉노를 격파하는 등 성공을 거두는 듯하다가 내부적인 한계와 고구려의 반격에 밀려 뜻을 이루지 못한다.

한편, 서양은 로마의 아우구스투스가 죽고, 티베리우스가 즉위하여 노예해방령을 선포한다. 이 시기에 로마에는 게르만족이 밀려들어 로마의 변방을 압박한다.

제3대 대무신왕실록

1. 신동 무휼의 성장

유리명왕에게는 6명의 아들이 있었으나 첫째 도절은 유리명왕과의 갈등으로 자살하고, 둘째 해명은 황룡 왕이 선물한 활을 부러뜨린 사건으로 유리명왕의 명에 따라 자살하였다. 이에 셋째 아들 무휼이 왕위에 오른다.

무휼은 다물후 송양의 딸 송씨의 소생으로 기록되어 있다. 하지만 유리명왕의 첫 번째 왕후였던 송양의 딸 송씨는 유리명왕 3년(서기전 17년) 10월, 입궁 1년 3개월 만에 죽었다. 따라서 무휼의 어머니 송씨는 서기전 18년(유리명왕 2년) 7월에 유리명왕에게 시집온 송씨가 아니다. 즉, 무휼의 어머니 송씨는 송양의 또 다른 딸이다(「유리명왕실록」 '유리명왕의 가족들' 참조).

이 때문에 여기에서는 무휼의 어머니 송씨를 송양의 차녀로 기록하고, 유리명왕의 제2왕후로 서술했다. 그리고 무휼을 유리명왕의 셋째 아들이자 제2왕후 송씨 소생으로 판단한 것이다.

무휼은 어릴 때부터 매우 총명했던 모양이다. 『삼국사기』 유리명왕 28년(서기 9년) 8월의 기사는 이러한 무휼의 총명함을 단적으로 보여주고 있다.

가을 8월, 부여 왕 대소의 사신이 와서 왕을 꾸짖으며 "우리 선왕이 그대의 선왕 동명왕과 서로 의좋게 지냈다. 그런데 이제 우리 신하들을 이 곳으로 도망하게 하여 유인하는 것은 백성을 늘려 나라를 강성하게 하기 위함이 아니던가. 나라에는 대국과 소국이 있고, 사람에게는 아이와 어른이 있으니, 아이가 어른을 섬기는 것이 순리이듯이 소국은 대국을 섬기는 것이 예법이다. 이제 왕이 예절과 순리로써 우리를 섬기고자 한다면 하늘의 도움으로 나라의 운명이 영원히 보존될 것이나, 만약 그렇게 하지 않는다면 사직을 보존하기 어려울 것이다." 하고 말했다.

　이에 왕은 자위하며 말하기를 "나라를 세운 지 얼마 되지 않아 백성과 군대가 약하므로 치욕을 참고 굴복하여 후일을 도모하는 것이 형세에 합치된다."고 하였다. 그리고 여러 신하와 의논하여 "과인이 바다 한구석에 외따로 살아온 까닭에 미처 예의를 알지 못하였습니다. 이제 대왕의 가르침을 받았으니 어찌 그 명령을 따르지 않을 수 있겠습니까?" 하고 회신하였다.

　이 때, 왕의 아들 무휼은 나이가 아직 어렸다. 그가 왕이 부여에 회신을 한다는 말을 듣고 자신이 직접 부여 사신을 찾아가 말했다. "우리 선조는 신령의 자손으로 현명하고 재주가 많았다. 그런데 대왕이 질투하고 모해하여 부왕에게 참소하는 바람에 말이나 기르는 직위를 부여받아 어려움을 당했다. 이 때문에 불안을 느껴 탈출하였던 것이다. 이제 대왕이 전날의 잘못은 생각하지 않고, 오직 군사가 많은 것을 믿고 우리 나라를 멸시하고 있으니 사신은 돌아가서 대왕에게 '이 곳에 알을 쌓아놓았으니 만약 대왕이 그 알을 무너뜨리지 않는다면 신하와 장수의 예로 섬길 것이요 그렇지 않으면 섬기지 못하겠다.'고 전하라." 고 하였다.

　부여 왕이 이 말을 듣고 여러 사람에게 그 뜻을 두루 물었다. 그 뜻을 알아차린 한 노파가 "알을 쌓아놓은 자는 위태로울 것이요, 쌓아놓은 알을 무너뜨리지 않는 자는 안전할 것이라."고 하였다. 노파의 말은 곧 왕은 자기의 위태로움은 알지 못하고 남이 와서 굴복하기를 강요하고 있으니, 이는 위기를 피하여 자기 나라를 잘 다스리는 것보다 못하다는 것을 의미하는 것이었다.

무휼은 이 때 불과 6세의 어린아이에 불과했다. 그런데 어른들도 해석하기 힘든 말을 서슴없이 내뱉고 있다. 이는 물론 무휼의 총명함을 드러내기 위해서 다소 과장한 내용일 수도 있다. 그렇지만 전혀 터무니없는 기록은 아닐 것이다. 혹 누군가가 무휼에게 그렇게 말하라고 가르쳐주고, 무휼은 단지 전달만 했다고 하더라도 6세의 어린아이가 그 같은 내용을 말했다는 것은 대단한 일이다.

이렇게 6세 때부터 신동으로 불릴 만큼 총명함을 드러내던 무휼은 불과 10세 되던 해인 유리명왕 32년(서기 13년) 11월에 고구려를 침략한 부여군을 방어했다는 기록이 있다. 이 때 무휼은 적을 산골 깊숙이 끌어들여 골짜기에 적을 가두고 기습전을 펼치는 계책을 내놓았다고 한다. 그리고 이듬해 11세 되던 해에는 태자에 책봉되어 유리명왕을 대신하여 군사와 국정에 관한 일을 맡아보았다고 한다.

이 같은 기록을 증명하기라도 하듯 4년 뒤인 서기 18년 10월에 무휼은 유리명왕의 뒤를 이어 15세의 어린 나이로 왕위에 올라 과감한 팽창정책을 펼쳐간다.

2. 급변하는 국제정세와 대무신왕의 팽창정책
(서기 4~44년, 재위기간 : 서기 18년 10월~서기 44년 10월, 26년)

한나라에서 왕망이 왕위를 찬탈한 이후 중원은 왕망군과 농민군의 전쟁에 휩싸인다. 이에 따라 국제정세는 한치 앞을 내다볼 수 없는 상황으로 치닫고, 고구려는 이 기회를 이용하여 영토확장을 위한 정복전쟁에 나선다. 하지만 후한의 성립으로 고구려의 대대적인 팽창정책은 어려움을 겪게 된다.

대무신왕은 유리명왕의 셋째 아들이며, 다물후 송양의 차녀인 제2왕후 송씨 소생이다. 서기 4년에 태어났으며, 이름은 무휼(武恤)이다. 그는 어릴 때부터 신동(神童)으로 불릴 만큼 총명하였고, 유리명왕 33년(서기 14년) 정월에 11

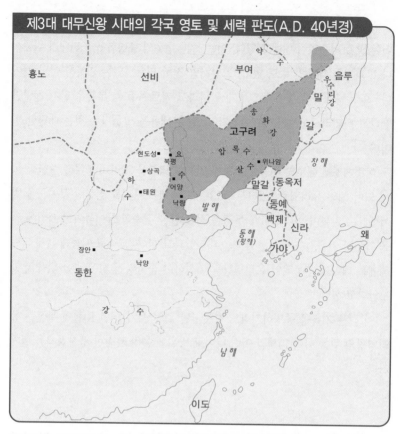

제3대 대무신왕 시대의 각국 영토 및 세력 판도(A.D. 40년경)

흉노 선비 부여 약 수 읍루

우수리강 고구려 송 화 강 말 갈 창 해 압 록 수 현도성 요 북평 살 수 위나암 수 상곡 어양 말갈 동옥저 하 수 태원 동예 낙랑 발 해 백제 신라 왜 동 해 (창해) 장안 낙양 가야 동한 이도 강 수 남 해

대무신왕은 요서 지역으로 적극 진출하여 북평, 어양, 낙랑을 아우르고 현도, 상곡, 태원을 위협한다.

세의 나이로 태자에 책봉되었다. 그리고 서기 18년 10월에 유리명왕이 생을 마감함에 따라 고구려 제3대 왕에 올랐다.

대무신왕이 왕위에 오를 무렵 왕망의 신나라에서는 혼란이 가중되고 있었다. 부패한 정권에 시달리던 백성들이 왕망 정권에 반기를 든 것이다. 그 대표적인 예가 산동 지방의 번숭이 일으킨 '적미(赤眉)의 난'과 녹림산에서 왕광과 왕봉이 주축이 되어 일으킨 '녹림의 난'이었다('적미의 난'은 반란군이 적군을 식별하기 위해 눈썹을 붉게 물들이고 자신들을 적미병이라고 부른 데서 기인하였다).

이들 봉기 세력은 국가 존립의 토대가 되는 농민들이었고, 이 같은 상황을 이용하여 한 왕조의 유씨 일가는 한의 재건을 꿈꾸기에 이른다.

이러한 혼란기를 틈타 대무신왕은 대대적인 팽창정책을 감행한다. 대륙의 맹주였던 한나라의 붕괴와 한나라를 붕괴시킨 왕망 정권의 몰락은 곧 북방의 맹주를 자처하던 고구려와 부여에겐 영토확장의 기회였던 것이다.

팽창정책의 속내를 먼저 드러낸 측은 부여였다. 서기 20년(대무신왕 3년) 10월, 부여 왕 대소는 고구려에 몸통은 두 개인데 머리는 하나뿐인 붉은 까마귀를 보내며 사신을 통해 이렇게 말한다.

"까마귀는 검은 법인데 이제 빛이 변하여 붉게 되었고, 또한 머리는 하나인데 몸이 둘이니, 이는 두 나라가 병합될 징조이다."

대소는 사신을 통해 이 말을 전하면서 부여가 고구려를 합병하겠다는 암묵적인 선전포고를 한다. 이에 대무신왕은 까마귀에 대한 해석을 달리하여 대소의 간담을 서늘하게 만든다.

"검은색은 북방의 색인데, 이제 변하여 남방의 색이 되었다. 또한 붉은 까마귀는 상서로운 것이다. 그런데 그대가 이것을 얻었으나 가지지 못하고 내게 보냈으니 양국의 존망은 알 길이 없구나."

사신으로부터 이러한 해석을 전해들은 대소는 후회를 거듭하였고, 그런 가운데 대무신왕은 부여 정벌을 준비하여 서기 21년 12월에 선제공격을 감행한다. 정벌길에 오른 대무신왕은 9척 장신 괴유를 장수로 맞아들였는데, 이듬해 2월 그는 부여 왕 대소의 목을 벤다.

대소의 죽음은 부여에 엄청난 타격을 안겨다 준다. 왕을 잃은 백성들은 두려움에 떨고, 왕위다툼에서 밀려난 대소의 막내 동생은 부여를 탈출하여 압록곡 부근에 갈사부여를 세운다. 또한 그해 7월에는 대소의 사촌동생이 백성 만여 명을 데리고 고구려에 귀순해온다.

이 무렵 중원에서는 한 왕조의 후예인 유연과 유수 형제가 한의 재건을 맹세하고 신의 군대와 격돌하였다. 그리고 이듬해인 서기 23년에 마침내 왕망을 제거하였고, 2년 뒤인 서기 25년에 유연의 동생 유수가 한의 왕으로 등극한다. 그가 바로 후한(동한)의 광무제다.

이처럼 중원이 급격한 변화를 겪고 있는 가운데 고구려는 안으로 관제를 정비하는 한편 바깥으로 꾸준히 팽창정책을 지속하여 서기 26년 10월에는 개마국을 복속시키고, 같은 해 12월에는 구다국을 복속시켰다. 이 때 대무신왕은 자신이 직접 정벌전쟁에 나서 개마국 왕을 죽이기도 하였다.

고구려의 팽창정책이 가속화되고 있을 무렵 유수는 한의 요동 태수를 앞세워 고구려를 침략한다. 서기 28년 7월 한의 요동 태수가 백만의 군사를 이끌고 위나암을 향해 밀려들자, 고구려 조정은 수비책을 세워 수성전에 돌입하였다. 하지만 한의 요동군은 위나암성을 에워싸고 장기전 태세를 갖췄고, 이에 당황한 고구려군은 난처한 기색을 드러냈다. 이 때 좌보로 있던 재상 을두지는 적군이 암벽성인 위나암성 안에 물이 고갈되기를 기다리고 있을 것이라는 판단을 하고 연못에서 잉어를 잡아 수초로 싸서 적장에게 보낸다. 그러자 적장은 성 안에 물이 있으니 단시일 안에 점령하는 것이 불가능하다고 판단하고 물러간다.

이른바 을두지의 '잉어계책' 덕택에 가까스로 위기를 모면한 대무신왕은 그 이후로도 팽창정책을 지속하여 낙랑을 정복한다.

낙랑 정복에 가장 심혈을 기울인 사람은 대무신왕의 둘째 아들 호동이었다. 호동은 낙랑 정복을 위해 낙랑 왕 최리의 딸과 결혼을 하면서까지 철저하게 정복야욕을 숨기기도 하였다. 그러나 호동은 낙랑 정복의 꿈을 실현하지 못한다. 그는 서기 32년에 대무신왕의 첫째 왕후가 꾸민 계략에 걸려 어머니를 간통했다는 누명을 쓰게 되자, 결국 자신의 결백을 증명하기 위해 자살로 생을 마감한다. 그로부터 5년 후에 대무신왕은 대대적인 공격을 감행하여 낙랑을 복속하게 된다.

하지만 고구려의 낙랑 복속은 후한의 반발에 부딪힌다. 후한은 낙랑 지역이 원래 자신들의 땅이라고 주장하면서 돌려줄 것을 요구한다. 하지만 고구려가 이에 응하지 않자 후한의 유수는 서기 44년에 바다를 통해 낙랑 지역에 병력을 투입하였고, 이에 밀린 고구려는 결국 낙랑을 후한에 뺏긴다.

(『삼국사기』는 이 사건 이후 살수 이남이 한나라에 속하게 되었다고 기록하고 있다. 하지만 이 때의 살수는 한반도의 청천강을 가리키는 것은 아니라고 보아야 한다. 이에 대한 자세한 내용은 '대무신왕 시대의 주변 국가들' 의 낙랑 편에서 다루기로 한다.)

낙랑에 대한 한나라의 대대적인 침입이 있던 서기 44년 10월 대무신왕은 향년 41세를 일기로 생을 마감한다.

능은 대수촌 언덕에 마련되었으며, 묘호는 대무신왕(大武神王)이라 하였다.

3. 대무신왕의 가족들

대무신왕의 가족에 대한 기록은 거의 남아 있지 않다. 다만 두 명의 부인과 그 부인들로부터 각각 아들을 1명씩 얻었다는 사실만 확인될 뿐이다.

대무신왕의 제1왕후는 제5대 모본왕의 어머니이며, 제2왕후는 갈사왕의 손녀 해씨로 호동왕자의 친모이다. 이들 가족 중 모본왕에 대해서는 「모본왕실록」에서 다루기로 하고, 여기에서는 제1왕후와 제2왕후 해씨, 그리고 호동왕자에 관해 언급하도록 하겠다.

제1왕후(성씨 불명, 생몰년 미상)

대무신왕의 제1왕후는 성씨도 확인되지 않을 뿐 아니라, 그녀에 대한 구체적인 기록도 거의 없다. 다만 『삼국사기』 「고구려본기」 대무신왕 15년 11월 기사에 그녀에 대한 아주 짧은 언급이 있을 뿐이다.

대무신왕에게는 그녀 외에도 또 한 명의 부인이 있었다. 그녀는 갈사왕의 손녀 해씨이며, 그녀의 소생이 호동왕자이다. 호동은 대무신왕의 총애를 받았고, 그 때문에 제1왕후는 대무신왕이 그녀 소생이자 맏아들인 해우를 태자로 봉하지 않고 호동을 태자로 세울까 봐 몹시 염려하였다.

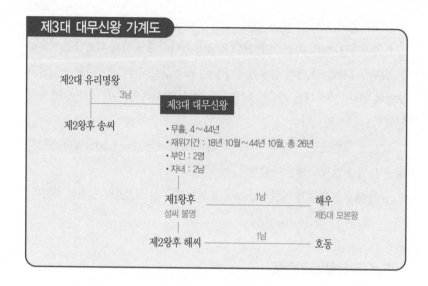

제3대 대무신왕 가계도

제2대 유리명왕
┬ 3남 ┐
제2왕후 송씨

제3대 대무신왕

• 무휼, 4∼44년
• 재위기간 : 18년 10월∼44년 10월. 총 26년
• 부인 : 2명
• 자녀 : 2남

제1왕후 ──── 1남 ──── 해우
성씨 불명　　　　　　　　　　제5대 모본왕

제2왕후 해씨 ──── 1남 ──── 호동

고심 끝에 그녀는 계책을 하나 세웠다. 호동이 자신을 욕보이려 했다고 거짓말을 꾸며댔던 것이다. 하지만 대무신왕은 그녀의 말을 믿지 않았다. 이에 그녀는 울면서 자신의 말이 사실임을 주장했다.

왕후의 결사적인 주장에 밀린 대무신왕은 드디어 호동을 벌주려 하였다. 그러자 이를 안 호동은 결백을 주장하며 자결했다.

제1왕후에 관련된 내용은 이처럼 호동의 기사에 한정되어 있다. 제5대 모본왕의 모후임에도 불구하고 그녀의 출신에 대한 언급이 전혀 없는 것은 모본왕이 폭군인 데다가 자신의 근신 두로에 의해 살해되기 때문일 것이다.

제2왕후 해씨(생몰년 미상)

제2왕후 해씨는 호동의 어머니이며, 부여의 왕족 갈사왕의 손녀이다. 제2왕후 해씨에 대한 기록 역시 호동왕자의 기사에 한정되어 있다. 그녀의 성씨를 해씨라고 단정하는 것은 그녀가 갈사왕의 손녀라는 사실이 밝혀져 있기 때문이다. 갈사왕은 동부여왕 해금와의 여섯째 아들이기에 해씨 성을 썼을 것이고, 그 손녀 역시 해씨라고 보는 것은 당연하다.

그녀가 대무신왕의 두 번째 아내가 된 것은 정략적인 이유에서였을 것이다. 갈사부여를 개국한 갈사왕은 고구려의 배려 없이는 나라를 지탱할 수 없었고, 따라서 조공의 형태를 띠며 고구려 왕실과 혼인관계를 맺었을 것이기 때문이다.

호동왕자(?~서기 32년)

호동왕자는 대무신왕의 둘째 아들이며(실제적으로는 장남), 제2왕후 해씨 소생이다(『삼국사기』는 둘째 아들 해우를 장남으로 기록하고 있다. 이는 그가 적통이고, 왕위를 이었기 때문일 것이다).

호동에 대한 이야기는 『삼국사기』「고구려본기」대무신왕 15년 4월과 11월 기사에 실려 있다. 그 내용은 다음과 같다.

여름 4월, 왕의 아들 호동이 옥저에서 유람하고 있었다. 그때 낙랑왕 최리가 그 곳을 지나다가 그를 만났다. 그리고 물었다.

"그대의 얼굴을 보니 보통 사람은 아니구려. 그대는 북국 신왕의 아들이 아니오?"

낙랑 왕 최리는 마침내 그를 데리고 돌아가서 자기의 딸을 아내로 삼게 하였다. 그 후, 호동이 본국에 돌아와서 남몰래 아내에게 사자를 보내 말했다.

"당신이 국가의 무기고에 들어가서 북과 나팔을 부숴버릴 수 있다면, 나는 예를 갖춰 당신을 맞이할 것입니다. 하지만 그렇게 하지 못한다면 당신을 맞아들일 수가 없소이다."

예로부터 낙랑에는 적병이 쳐들어오면 저절로 소리가 나는 북과 나팔이 있었는데, 그 때문에 그녀로 하여금 이를 부숴버리도록 한 것이었다. 최리의 딸은 예리한 칼을 들고 남모르게 무기고에 들어가서 북을 찢고 나팔의 입을 베어버린 후, 이를 호동에게 알려주었다. 호동이 왕에게 권하여 낙랑을 습격하였다. 최리는 북과 나팔이 울지 않아 방비를 하지 않았고, 우리 군사들이 소리 없이 성 밑까지 이르게 된 이후에야 북과 나팔이 모두 부서진 것을 알았다.

그는 마침내 자기 딸을 죽이고 나와서 항복하였다(낙랑을 없애기 위해 청혼하고, 그의 딸을 데려다가 며느리를 삼은 다음, 그녀를 본국에 보내 그 병기를 부수게 했다는 설도 있다).

겨울 11월, 왕의 아들 호동이 자살하였다. 호동은 왕의 둘째 왕비인 갈사왕 손녀의 소생이었다. 그는 얼굴이 곱살하여 왕의 총애를 받았으며, 이에 따라 이름도 '호동(好童)'이라고 하였다.

첫째 왕비는 호동이 종통을 빼앗아 태자가 될 것을 염려하여 왕에게 참소하였다.

"호동이 나를 무례하게 대하며 욕보이려 하였습니다."

왕이 대답하였다.

"왕후는 호동이 다른 사람의 소생이라 미워하는 게요?"

첫째 왕비는 왕이 자기를 믿지 않음을 알고, 장차 자기에게 화가 미칠 것을 두려워하여 울면서 말했다.

"청컨대 대왕께서 살펴보소서. 만약 그런 일이 없으면, 제가 죄를 받겠습니다."

이렇게 되자 대왕이 호동을 의심하지 않을 수 없어 그에게 죄를 주려 하였다. 이 사실을 안 어떤 이가 호동에게 말했다.

"그대는 왜 스스로 해명하지 않는가?"

호동이 대답하였다.

"내가 만일 해명한다면, 그것은 어머니의 죄악을 드러내는 것이며, 부왕에게는 근심을 더해주는 것이니, 이를 어찌 효라 하겠는가?"

호동은 곧 칼을 품고 엎드려 자결하였다.

이 기록이 호동왕자에 대한 낙랑공주의 애틋한 사랑, 그리고 호동의 비극적인 죽음에 대한 전말이다.

이 사건은 호동이 낙랑 병합의 토대를 마련한 이후 그의 세력이 급성장했다는 사실을 알려주고 있으며, 조정 일부에서는 호동을 태자로 삼으려는 움직임이 있었음을 짐작하게 한다(낙랑공주와 호동왕자의 이야기에서는 낙랑공주가 북과 나팔을 못쓰게 만든 직후에 낙랑이 항복한 것으로 서술하고 있으나, 실제로 낙랑이 망한 것은 이 사건이 있은 지 5년 후의 일이었다).

4. 대무신왕 시대의 전쟁들

고구려의 부여 정벌전쟁

대무신왕은 왕위에 오르자마자 부여를 정복할 계획을 세운다. 한의 내분으로 대륙의 정치질서가 문란해진 가운데 고구려는 대륙의 맹주로 성장하기 위하여 일차적으로 부여를 치기로 한 것이다.

고구려의 정벌계획에 빌미를 제공한 것은 부여 왕 대소였다. 대소는 대무신왕에게 머리가 하나고 몸이 둘인 붉은 까마귀를 보냈는데, 이는 부여가 고구려를 복속하겠다는 뜻이었다. 이에 고구려는 대소의 행위를 선전포고로 해석하고 선제공격을 감행한다.

부여를 공격하기 위해 고구려군이 출정한 것은 서기 21년 12월이었다. 이 혹한의 겨울에 대무신왕은 자신이 직접 군사를 이끌고 부여를 향해 진군하여, 이듬해 2월에 날이 풀리자 부여에 대한 대대적인 공격을 시작했다.

고구려가 부여의 남쪽 변방을 향해 진군한다는 소식을 들은 대소는 군사를 이끌고 직접 출전하였다. 대소는 고구려군이 머물고 있는 곳을 확인하고는 곧장 말을 내달렸다. 하지만 그는 고구려군의 계략에 말려들고 말았다.

고구려군은 진군하던 도중에 아주 넓은 개펄을 발견하자 더 이상 진군하지 않았다. 개펄 주변에는 강이 흐르고 곧잘 짙은 안개가 끼곤 하였는데, 대무신왕은 그것을 이용하여 부여군을 무찌를 생각을 하고 있었던 것이다.

대무신왕은 개펄에서 멀리 떨어지지 않은 곳에 진을 치고 일부 병사들로 하여금 적이 관찰할 수 있는 자리에서 편안하게 쉬도록 하였다. 그리고 나머지 병사들은 보이지 않는 곳에 숨어 적의 내습을 기다렸다.

맞은편에 있던 부여군은 고구려군이 편안하게 앉아 쉬는 것을 보고, 때를 놓치지 않고 기습을 감행하였다. 안개가 자욱하게 깔려 있던 탓에 부여군은 미처 땅바닥이 진흙투성이의 개펄이라는 사실을 간파하지 못했던 것이다.

기습을 감행한 부여군은 졸지에 진흙 수렁에 갇히고 말았다. 전위부대인 기마병들은 말이 진흙에 빠져 허둥대는 바람에 어쩔 줄을 몰랐고, 그들을 지휘하던 대소 역시 마찬가지였다.

고구려군은 그 때를 놓치지 않고 사방에서 돌진하였다. 돌격대의 선봉장은 괴유였다. 그는 부여를 정벌한다는 소식을 듣고 자원한 장수였다. 키가 9척에다 힘은 장사였고, 무기를 다루는 솜씨 또한 대단했다. 그리고 그의 칼날은 부여 왕 대소의 목을 벴다.

왕을 잃은 부여군은 한동안 허둥댔지만 곧 대열을 정비하고 고구려군을 압박해왔다. 고구려군은 수적으로 아주 불리한 상태였다. 그래서 어느 새 그들은 부여군에 의해 완전히 포위되고 말았다.

하지만 부여군은 쉽사리 고구려군을 공격하지는 못했다. 단지 겹겹이 고구려군을 둘러싸고 조금씩 조금씩 거리를 좁혀오고 있었다. 그들은 고구려군의 식량이 고갈되기를 기다리고 있었던 것이다. 식량이 고갈되면 스스로 포위망 속으로 뛰어들 것이라는 판단이었다.

부여군의 판단은 적중했다. 시일이 지나면서 고구려군의 군량미는 고갈되었고, 그 때문에 군사들은 굶주림에 허덕였다. 상황이 이렇게 되자 대무신왕은 두려움에 떨며 탈출로를 모색했다. 그렇게 수일이 흘렀을 때 뜻밖에도 짙은 안개가 깔리기 시작했다. 한치 앞도 구분하기 힘들 정도의 그 짙은 안개는 7일 동안 계속 끼어 있었고, 대무신왕은 그 안개를 이용하여 가까스로 탈출에 성공한다.

고구려군은 안개 속에서 이른바 '허수아비작전'을 썼다. 풀로 허수아비를 만들어 병영 안팎에 세우고 옆에 병기를 꽂아 두었는데, 그것이 마치 보초를 서고 있는 병사들처럼 보였기 때문에 부여군은 섣불리 쳐들어오지 못했다. 그 때 고구려군은 사잇길을 이용하여 밤낮으로 행군하였고, 구사일생으로 위나암성으로 돌아올 수 있었다.

퇴각하는 고구려군은 거의 빈손이었고, 수일 동안 굶은 상태였다. 가지고 있던 병기와 타고 있던 말, 밥을 짓던 가마솥 등 짐이 되는 모든 것을 버리고 오로지 맨몸으로 안개 속을 빠져나와 꽁지가 빠져라고 도망치기에 급급했던 것이다.

그렇게 가까스로 목숨을 부지하여 도성으로 돌아온 대무신왕은 경솔하게 부여를 공격한 것을 후회했다. 그리고 전사자들의 집안을 직접 위로하고, 부상당한 병사들을 문병하는 등 적극적인 수습책을 마련하여 가까스로 백성들의 원성을 누그러뜨렸다.

고구려의 타격 못지않게 부여의 피해도 막중했다. 그들은 왕을 비롯하여 1만의 군사를 잃었으며, 그 여파로 왕족들 사이에 왕위다툼이 벌어져 피비린내 나는 정쟁이 벌어졌다. 이 때문에 대소의 막내 동생은 무리를 이끌고 부여를 빠져나가 압록곡 근처에 갈사부여를 세웠으며, 대소의 사촌동생 가운데 하나는 1만여 명의 백성들을 데리고 고구려에 귀순했다.

이 같은 혼란으로 부여의 국력은 점차 약화되어, 마침내 고구려에게 북방의 맹주 자리를 내주게 된다.

고·한의 위나암성 싸움과 을두지의 '잉어계책'

고구려가 팽창정책을 지속하는 가운데 이에 위기를 느낀 한나라는 서기 28년 7월에 1백만의 군사로 고구려를 침략한다. 침략의 선봉장은 한의 요동 태수였다(『삼국사기』는 '한의 요동'과 '고구려의 요동'을 항상 구분하고 있는데, 이는 당시 고구려에서 요동이라고 명명하는 곳과 한의 요동이 서로 다른 곳이라는 추론을 가능케 한다).

한군이 침략해올 무렵 고구려는 국가체제를 정비하여 재상 좌보와 우보를 중심으로 조정을 운영하고 있었다. 이 때 좌보에는 을두지, 우보에는 송옥구가 임명되어 있었는데, 한군의 침략에 대한 서로의 시각이 달랐다.

우보 송옥구는 적에 대해 선제공격을 감행할 것을 주장하며 말했다.

"신이 듣기로는 덕을 믿는 자는 창성하고, 힘을 믿는 자는 망한다 하였습니다. 지금 중국에는 흉년이 들어 도적들이 봉기하고 있는데, 이유 없이 군사를 일으키니 이는 조정에서 결정한 사항이 아니고, 필시 변방의 장수가 사욕을 채울 목적으로 우리 나라를 침략한 것입니다. 이는 하늘의 이치에 위배되고, 사람의 도리에 어긋나는 행위이므로, 결코 성공하지 못할 것이니, 우리가 험준한 지형에 의지하였다가 불시에 습격을 한다면 적을 반드시 이길 수 있을 것입니다."

하지만 좌보 을두지가 송옥구의 주장에 반대하며 나섰다.

"수가 적은 편은 비록 한때 강했다고 할지라도 결국은 수가 많은 편에게 잡히게 됩니다. 신이 대왕의 군사와 한나라 군사의 수를 비교해 보았는데, 계략으로 그들을 물리칠 수는 있어도 힘으로는 불가합니다."

이에 대무신왕이 물었다.

"계략으로 물리치려면 어떻게 해야 하는가?"

을두지가 대답했다.

"지금 한나라 군사들은 원정을 와서 싸우기에 그 기세를 당해낼 수 없을 것입니다. 대왕께서는 성문을 닫고 우리 군사를 정비하여, 적군이 피로해지기를 기다린 후에 나아가 공격하는 것이 옳을 것입니다."

이렇게 하여 대무신왕은 을두지의 의견을 따랐다. 그런데 한군은 수십 일동안 위나암성을 둘러싼 채로 포위를 풀지 않았다. 이 때문에 오히려 고구려군이 지쳐버렸다. 더군다나 성안에는 물이 고갈되고 있었다.

상황이 이렇게 되자 대무신왕은 다시 신하들을 모아놓고 회의를 했다. 이 때 을두지가 다시 나섰다.

"그들은 우리가 암석지대에 머물고 있으므로 성안에 샘이 없다고 판단한 듯합니다. 그래서 오랫동안 포위하고 있으면 우리가 곤경에 처할 것이라고 믿고 있는 것이지요. 그래서 연못에서 잉어를 잡아다가 수초로 싸고, 술과 함께 한나라 군사에게 보내는 것이 좋겠습니다."

을두지의 의견에 따라 대무신왕은 한나라 군영에 수초로 싼 잉어와 술을 보냈다. 그리고 그들의 위신을 세워주는 내용을 담은 편지도 함께 보냈다. 이에 한의 요동 태수는 성안에 물이 있어 빠른 시간 내에 성을 점령하지 못할 것이라는 판단을 하고 스스로 물러갔다.

고구려는 을두지의 이른바 '잉어계책'으로 피 한 방울 흘리지 않고 적을 격퇴하였던 것이다.

(고구려의 명신들 중에는 이 을두지를 비롯하여 유리명왕 대의 재상 을소와 그의 후손으로 고국천왕 대에 재상을 지내는 을파소, 고구려의 맹장으로 수나라의 30만 대군을 물리친 을지문덕 등이 있다. 백제 온조의 재상 중에도 을음이라는 인물이 있는데 그 역시 고구려 출신이다. 이 을씨들은 아마도 고구려 5부족 중 한 종족을 이루는 귀족 가문이었을 것으로 보인다.)

5. 대무신왕 시대의 주변 국가들

갈사부여(曷思夫餘)

갈사부여는 서기 22년에 부여 금와왕의 여섯째 아들이 세운 국가이다. 이 해에 부여 왕 대소가 고구려와의 전쟁에서 전사하자 남아 있던 대소의 다섯 아우들을 비롯한 왕족들 간에 치열한 왕위다툼이 벌어진다. 갈사부여를 세운 갈사왕은 이 왕위다툼에서 패배하여 몰래 군사를 이끌고 압록곡 근처로 피신한다. 그리고 그 곳에서 해두왕을 죽이고 갈사부여를 세운다.

갈사왕이 죽인 해두왕은 '해두(海頭)'라는 소국의 왕으로 판단되는데, 이 해두라는 명칭이 곧 바닷가를 연상케 하기 때문이다. 바다에 머리를 내민 듯한 땅, 즉 반도에 위치한 국가를 일컫는다는 뜻이다.

이렇게 볼 때 갈사부여의 위치는 발해만 연안의 어느 곳에 설정될 수 있을 것이다.

갈사부여는 고구려와 우호관계를 맺고 있었던 모양이다. 호동왕자의 친모이자 대무신왕의 두 번째 왕후인 해씨가 갈사왕의 손녀라는 사실이 이를 증명해 준다. 말하자면 갈사부여는 고구려와 혼인관계를 맺고, 대신 안전을 보장받은 것이다.

하지만 갈사부여는 오래 가지 못한다. 제6대 태조 16년(서기 68년)에 갈사왕의 손자 도두가 항복함으로써 고구려에 복속되기 때문이다.

개마(蓋馬)

대무신왕 9년(서기 26년)에 고구려는 개마국을 정복하고 그 국왕을 죽인다. 이 때 고구려가 점령한 개마국은 아마도 '개마대산' 근처에 있던 국가였을 것이다. 당시 소국들은 대개 지명을 따서 국명으로 사용했기 때문이다.

이 개마대산에 대한 기록은 『후한서』 동옥저 편에 처음 나타나는데, "동옥저는 고구려의 개마대산 동쪽에 있다."고 했다. 그렇다면 동옥저를 함경도 일대에 설정했을 때 개마대산은 현재의 개마고원이라고 볼 수 있다. 따라서 개마국은 개마고원에 있던 소국이었음을 알 수 있다.

개마국의 점령은 곧 고구려가 처음으로 한반도에 진출했음을 뜻한다. 그 이전의 어떤 기록에서도 고구려가 한반도로 진출한 흔적은 찾을 수 없다.

구다(句茶)

개마국을 패망시킨 서기 26년에 고구려는 그 여세를 몰아 구다국을 정복한다. 개마국이 망했다는 소식을 듣고 구다 왕이 스스로 항복했던 것이다.

개마의 패망 소식을 듣고 구다가 항복했다는 것은 구다 역시 개마 근처에 있던 소국이었다는 뜻이 된다. 그리고 고구려가 개마를 거쳐 구다로 진군했다는 것은 구다가 개마보다 더 남쪽 혹은 동쪽에 있었다는 의미이다.

낙랑(樂浪)

낙랑은 대무신왕 20년(서기 37년)에 고구려에 의해 멸망한 나라이다. 그런데 이 낙랑이라는 이름은 한나라 무제가 위만조선을 무너뜨리고 설치했다는 한사군에서 유래했다는 것이 일반적인 학설이다.

낙랑에 대한 기록은 『한서』에 처음으로 나타난다. 한나라 무제가 위만조선을 무너뜨리고 조선 지역에 네 개의 군을 설치했다는 다음의 기사가 그것이다.

"이로써 마침내 조선은 평정되어 진번, 임둔, 낙랑, 현도 등 네 개의 군이 되었다. 참을 봉하여 홰청후로 삼고 한도를 추저후로 삼았으며, 왕겹을 평주후로 삼고 장은 기후로 삼았다. 최는 부친이 죽었고, 자못 공로가 있었기에 저양후로 삼았다."

여기서 각 지역의 후로 봉해진 다섯 명은 모두 조선의 신하들이었다. 한도와 참은 조선의 재상이었으며, 왕겹은 장수였고, 장은 위만조선의 마지막 왕 우거의 아들이기에 조선의 태자라고 볼 수 있다. 그리고 마지막에 거론된 최는 조선의 재상이었던 노인의 아들이다.

따라서 『한서』의 기록은 한이 멸망시킨 위만조선의 영역을 진번, 임둔, 낙랑, 현도 등 네 개의 군으로 나눈 뒤 조선인으로서 자신들에게 협력한 사람들에게 그 지역을 나눠주어 자체적으로 통치하게 했다는 추론을 가능케 한다.

이 같은 추론은 당이 고구려를 멸망시킨 후에 그 지역을 안동도호부라 하고 고구려의 마지막 왕 보장왕을 조선군왕에 봉하는 사실에서도 확인할 수 있다.

한으로부터 제후 봉작을 받은 사람들과 그 자손들이 대대로 봉작을 세습하며 낙랑군을 비롯한 각 지역을 다스렸다. 즉 한도와 참, 왕겹, 최(最) 등에게는 진번, 임둔, 낙랑, 현도 등을 다스리게 하고 위만조선의 태자인 장에게는 일정한 토지를 떼주고 생활을 보장해 주었다는 뜻이다.

그렇다면 이 네 사람 중 누가 낙랑군을 통치하였을까?

고구려에 의해 멸망할 당시 낙랑의 왕은 최리(崔理, 最와 崔는 둘 다 '높다'라는 뜻을 가지고 있음)라는 사람이었다. 이는 낙랑군이 최씨 성을 가진 사람에게 주어졌다는 뜻이 되고, 최씨 성을 사용했을 법한 사람으로는 노인의 아들 최밖에 없다. 즉, 위만조선 멸망 후 낙랑군은 최에게 주어졌으며, 그 자손들이 그 지역을 다스려 왔다는 의미이다.

그런데 이 낙랑이라는 나라는 어디에 있었을까? 우선 낙랑이라는 이름에서 그 위치를 설정해 볼 필요가 있겠다.

'낙랑(樂浪)'이라는 말을 풀이해보면 '물결을 즐긴다'는 뜻이 된다. 좀더 구체적으로 말하면 '파도를 즐긴다'는 뜻이다. 이는 곧 낙랑이 파도가 넘실대는 바닷가에 자리 잡고 있었음을 의미한다. 말하자면 낙랑은 바다를 끼고 있는 나라였다.

낙랑이라는 이름이 처음 언급된 『한서』에는 한사군의 순서가 진번, 임둔, 낙랑, 현도 순으로 되어 있다. 이 배열은 아마도 한나라의 수도 장안에서 가까운 순서에 따랐을 가능성이 높다. 이 논리에 의지할 때 낙랑은 적어도 현도보다는 한나라에 가까운 곳에 있었다는 설정이 가능하다.

그런데 『후한서』의 '부여국' 편에는 "부여국은 현도의 북쪽 1천 리에 있다."고 쓰여 있다. 다시 말해서 현도는 부여국의 남쪽 경계로부터 1천 리 남쪽에 있다는 뜻이 된다. 또 『후한서』는 "부여의 남쪽은 고구려와 접한다."고 했다. 따라서 현도는 고구려의 서남쪽에 있어야 한다. 그러나 『후한서』 '동옥저' 편에는 현도군과 관련된 다음과 같은 기록이 보인다.

"무제가 조선을 멸하고 옥저의 땅을 현도군으로 삼았다. 후에 이맥들의 침략을 받게 되자 군을 고구려의 서북으로 옮기고, 다시 옥저를 현으로 삼아 낙랑의 동부도위에 예속시켰다."

이 기록에서는 현도가 고구려의 서북쪽으로 옮겨갔다고 했다. 이는 같은 책 '부여국' 편의 "부여국은 현도의 북쪽 1천 리에 있다.", "부여의 남쪽은 고구려와 접한다."는 기록과 모순된다. 또 이 기록을 바탕으로 하면 군의 위치가 상황에 따라 옮겨지고 있음을 알 수 있다. 이는 『후한서』의 편자가 고구려의 땅을 한때 자신들이 지배했다는 논리를 만들어내기 위해 현도의 위치를 조작했을 것이라는 의심을 가능케 한다.

그리고 그 어떤 기록도 현도군이 한반도 안에 있었다는 주장을 만들어내지 못한다. 또한 낙랑이 현도보다 한의 장안에 더 가까이 있었다는 논리를 여기에 대입한다면 낙랑 역시 한반도 안에 있을 수 없다.

『삼국사기』 「고구려본기」에는 낙랑의 위치를 알려주는 다음과 같은 기사들이 있다.

"한나라 광무제가 군사를 보내 바다를 건너 낙랑을 치고, 그 땅을 빼앗아 군현을 만들었다. 이에 따라 살수 이남이 한나라에 속하게 되었다."(대무신왕 27년 9월)

"왕이 장수를 보내 한나라 요동 서안평현을 습격하여 대방의 수령을 죽이고, 낙랑 태수의 처자를 빼앗아 돌아왔다."(태조 94년 8월)

이 두 기록을 분석해 보면 낙랑의 위치는 더욱 명확해진다. 대무신왕 27년 (서기 44년) 9월에 한나라가 고구려로부터 뺏은 낙랑은 고구려가 대무신왕 20년에 정복한 곳이다. 그렇다면 낙랑은 한에 복속되었다는 뜻이고, 그 때로부터 102년 후인 제6대 태조 94년(서기 146년) 8월 기사에 언급되는 낙랑 태수는 바로 한이 서기 44년에 정복한 낙랑 지역의 태수라고 보아야 한다. 그런데 고구려군은 낙랑 태수의 부인을 한의 요동 서안평현에서 붙잡아왔다. 이는 서안평현에 낙랑 태수가 있었다는 뜻이 되고, 낙랑 역시 한의 요동 서안평현에 있었다는 뜻이다.

당시 요동은 난하 동쪽, 랴오허(요하) 서쪽 지역을 의미하므로 낙랑은 난하와 랴오허 사이에 있으면서 난하 쪽으로 치우쳐진 바닷가에 있었다는 결론이 도출된다. 이러한 결론을 바탕으로 할 때 대무신왕 27년 기사에 나오는 '살수'는 현재 북한에 있는 청천강이 될 수 없다. 이 기록에서의 살수는 랴오허강과 주변에 있는 어떤 강을 가리킨다는 것을 알 수 있다. 또한 이는 612년에 벌어지는 을지문덕의 살수대첩이 청천강에서 일어난 사건이 아니라는 사실도 알려준다.

하지만 한의 요수를 현재의 황하로 설정하는 학자들도 있다. 이를 뒷받침할 수 있는 대표적인 기록은 『삼국사기』 「고구려본기」제5대 모본왕 2년의 기사이다.

"2년 봄, 장수를 보내 한의 북평, 어양, 상곡, 태원을 습격하였다. 그러나 요동 태수 채용이 은혜와 신의로써 대접하므로 다시 화친하였다."

이 때 고구려가 점령한 북평, 어양, 상곡은 현재의 북경 근처이며, 태원은 당을 세운 이연이 일어났던 곳으로 황하 조금 못미처에 있는, 현재의 태원시이다. 그리고 이들 지역 가운데 북평을 제외하고는 모두 난하 서쪽에 있다. 그런데 이 곳을 고구려가 점령하자 한 왕 유수는 요동 태수를 보내 화친을 제의한다. 이는 곧 북평, 어양, 상곡, 태원 등이 모두 당시 한나라의 요동에 속했을 가능성을 보여준다. 그렇다면 요수는 바로 황하가 되는 셈이다.

이렇게 황하를 한나라의 요수로 설정할 경우 낙랑은 황하와 랴오허 사이에 있으면서 황하 쪽으로 치우친 바닷가에 있어야 한다. 또 살수는 랴오허와 황하 사이에 있는 어떤 강을 지칭하게 되는데, 황하와 랴오허 사이에는 난하를 포함해서 큰 강만도 5개 이상 있으므로 그 중에 하나를 살수로 보면 될 것이다.

하지만 단지 한나라가 고구려와의 화친관계를 모색하기 위해 요동 태수를 앞세웠다는 사실만으로 황하를 요수로 설정하는 것은 비약적인 부분이 없지 않다.

▶ 대무신왕 시대의 세계 약사

대무신왕 시대 중국은 왕망의 신이 망하고 후한이 들어선다. 한의 재건을 부르짖으며 일어선 후한의 광무제는 주변의 약소국들을 병합하며 팽창정책에 돌입한다. 이에 따라 후한과 선비·흉노·오환의 전쟁이 지속되다가 마침내 후한이 중원의 패권을 장악한다. 이 무렵 유럽의 로마에서는 기독교가 일어나 선교활동을 시작하고 예수의 12제자가 각 지역에서 포교활동을 한다. 그런 가운데 예루살렘에서 스테파노가 첫 순교를 하고 기독교에 입교한 바울이 아테네를 찾아가 포교를 시작한다. 이 무렵부터 『신약성서』가 형성된다.

한편 이 때 인도에서는 쿠샨 왕조가 흥기하여 간다라 문화가 형성된다.

제4대 민중왕실록

1. 민중왕의 짧은 치세
(?~서기 48년, 재위기간 : 서기 44년 10월~서기 48년 모월, 약 4년)

민중왕은 유리명왕의 다섯째 아들이자 유리명왕의 제2왕후 송씨 소생이며, 이름은 해색주(解色朱)이다.

『삼국사기』는 그의 즉위에 대하여 "대무신왕의 아우이며, 대무신왕이 죽었을 때 태자가 아직 나이 어려 정사를 담당할 수 없었다. 이에 따라 백성들이 해색주를 왕으로 세웠다."고 쓰고 있다.

그의 개인 신상에 대한 기록은 이것이 전부이다. 하지만 대신들이 그를 왕으로 추대한 것을 보면 그가 대무신왕의 동복 아우라는 추론이 가능하다. 따라서 그 역시 대무신왕과 마찬가지로 유리명왕의 제2왕후 송씨 소생으로 보아야 할 것이다.

민중왕이 왕위에 오른 것은 대무신왕이 생을 마감한 서기 44년 10월이었다. 왕위에 오른 그는 우선 그해 11월에 많은 죄수를 사면하고, 이듬해 3월에는 신하들에게 큰 연회를 베풂으로써 새로운 왕의 즉위를 알렸다.

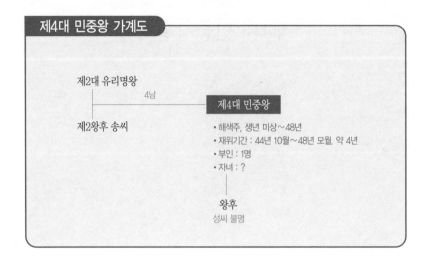

제4대 민중왕 가계도

제2대 유리명왕
　　　　　　　4남
　　　　　　　　　　　　　제4대 민중왕
제2왕후 송씨
　　　　　　　　　　　　• 해색주, 생년 미상~48년
　　　　　　　　　　　　• 재위기간 : 44년 10월~48년 모월. 약 4년
　　　　　　　　　　　　• 부인 : 1명
　　　　　　　　　　　　• 자녀 : ?

　　　　　　　　　　　　　왕후
　　　　　　　　　　　　성씨 불명

　　그러나 서기 45년 5월에 동부 지역에 큰 홍수가 나는 바람에 백성들이 굶주리고, 유랑민이 늘어나는 등 큰 어려움을 겪는다. 이에 민중왕은 국고를 열어 굶주린 백성들을 구제한다. 하지만 어려움은 여기서 그치지 않는다. 서기 46년 겨울에는 설상가상으로 위나암에 전혀 눈이 내리지 않아 백성들은 겨울 가뭄에 시달린다. 이 같은 국가적 어려움은 민중왕을 고통스럽게 하였고, 고통을 이기지 못한 민중왕은 서기 47년에 병으로 드러눕는다.

　　이렇게 어려움이 계속되는 상황에서 그해 10월에 잠우락부의 대가 대승 등 1만여 호가 낙랑으로 가서 한나라에 투항했다. 이 때 투항한 사람들은 아마도 한나라에서 멀지 않은 고구려 변방에 살고 있었던 듯하다. 또한 먼저 낙랑으로 갔다는 기록으로 봐서는 낙랑과 근접한 지역이었을 것이므로 당시 고구려 변방이던 요서 지역의 주민들일 것이다. 나라가 어려워지면서 고구려 조정은 이들에 대해 통치권을 행사할 수 없게 되었을 것이고, 그 틈을 이용해 잠우락부의 대가 벼슬에 있던 대승이 반란을 도모하다가 발각되어 주민들과 함께 한나라에 투항했을 것으로 판단된다.

　　이렇듯 국가의 위기가 계속되는 가운데, 민중왕은 서기 48년 병이 악화되어 죽음을 맞는다.

그는 생전에 사냥을 하다가 민중원에 있는 석굴에 자신을 묻어줄 것을 유언한 적이 있었다. 이에 따라 신하들은 그를 민중원의 석굴에 장사지내고 묘호를 민중왕(閔中王)이라 하였다.

『삼국사기』는 민중왕의 가족들에 대해 전혀 언급한 바 없다. 다만 그의 무덤을 결정하는 과정에서 "왕후와 신하들이 왕의 유언을 어기기 어려워 석굴에 장사했다."는 내용이 남아 있는데, 이 기록은 그에게 왕후가 있었다는 사실을 증명하고 있다. 하지만 그의 왕후에 대한 더 이상의 기록은 남아 있지 않다. 물론 그의 가족들에 관한 기록도 전무하다.

2. 고구려 묘호와 능 위치에 관한 짧은 논고

민중왕의 묘호는 그의 능이 조성된 '민중원'에서 따온 것이다. 고구려 28왕의 묘호 중에서 능의 위치를 그대로 묘호로 사용한 예는 총 12왕이다. 그리고 민중왕은 그 첫 번째 경우에 해당한다.

민중왕 이외에도 능이 있는 지명을 그대로 묘호로 사용한 경우는 모본왕(5대), 고국천왕(9대), 산상왕(10대), 동천왕(11대), 중천왕(12대), 서천왕(13대), 봉상왕(14대), 미천왕(15대), 고국원왕(16대), 소수림왕(17대), 고국양왕(18대) 등이다. 즉, 민중왕이 민중원에 묻힌 것처럼 모본왕은 모본에, 고국천왕은 고국천에, 산상왕은 산상에, 동천왕은 동천에, 중천왕은 중천에, 서천왕은 서천에, 봉상왕은 봉상에, 미천왕은 미천에, 고국원왕은 고국원에, 소수림왕은 소수림에, 고국양왕은 고국양에 묻혔다는 뜻이다.

이처럼 28왕 중 12왕의 묘호가 능이 있는 지명과 동일하다. 동서양을 막론하고 이 같은 사례는 찾아볼 수 없다. 중국의 어느 시대, 어느 왕의 묘호에서도 이런 경우는 찾아볼 수 없으며, 백제나 신라, 왜 등 당시의 어느 나라에서도 이 같은 일은 없었다. 상식적으로 생각해도 능이 위치한 지명을 묘호로 삼는다는 것은 납득할 수 없는 일이다.

더구나 제10대 산상왕본기에는 "31년 여름 5월, 왕이 죽었다. 산상릉에 장례를 지내고, 호를 산상왕이라고 했다."는 기록이 있는데, 이는 능호와 묘호가 같은 이름을 쓰고 있는 대표적인 예이다. 이것은 능이 있는 지명은 곧 능호로 사용됐고, 그 능호는 다시 묘호로 사용되었다는 사실을 증명한다. 말하자면 고구려 28왕 가운데 12왕은 묘호와 능호가 같다.

동서양의 어느 역사책을 뒤져봐도 능호를 묘호로 사용한 경우는 고구려의 12왕밖에 없다. 이것이 과연 있을 수 있는 일인가?

고구려 시대 당시 동북아시아의 모든 국가는 삼황오제와 하 · 은 · 주 시대에 태평성세를 이룬 왕들의 정치를 모범으로 형성된 이른바 '왕도정치' 이념을 구현하고 있었다. 때문에 비록 형식적인 차이가 다소 있긴 했지만 당시의 모든 국가에서 왕에 대한 기본적인 개념은 동일했다. 이는 왕을 세우는 것과 왕에 대한 예의가 동일했다는 뜻이다.

왕에 대한 기본적인 예의란 신하 된 자로서 왕에게 어떤 예를 갖추어야 하는가에 대한 일반적 관례를 의미한다. 이 관례에는 왕을 대하는 신하의 언어와 말투, 왕과 왕족의 혼례, 왕과 왕족의 상례, 이미 죽은 왕에 대한 호칭 등이 당연히 포함되었다. 그리고 그 상례를 대표하는 것은 능과 능호였으며, 죽은 왕에 대한 호칭이 곧 묘호이다. 이 묘호는 그 후손들이 제사를 올릴 때 사용하는 공식적인 존칭어이기 때문에 아주 중요한 의미가 있었다. 따라서 묘호의 제정은 많은 논의와 특별한 절차를 거쳐서 이뤄졌다.

이것이 왕도정치를 추구하던 당시 동북아시아권의 모든 국가에서 공통적으로 시행되던 왕에 대한 일반 관례였다. 그리고 고구려 역시 이 국가들 가운데 하나였다. 따라서 고구려라고 해서 이 일반적인 관례에서 벗어날 수 없었다.

그런데도 유독 고구려에서만 능호가 곧 묘호로 기록된 사례들이 발견된다. 그것도 무려 12번이나 반복되었다.

도대체 어떻게 해서 이런 일이 일어났을까? 이 의문점을 풀어줄 열쇠는 단 하나뿐이다. 그것은 바로 제19대 광개토왕릉의 비문이다.

광개토왕의 정식 묘호는 '국강상광개토경평안호태왕(國岡上廣開土境平安 好太王)'이다. 이 명칭의 맨 앞 세 글자, 즉 '국강상'은 그가 묻힌 지명이며 동시에 능호이다. 그래서 이를 해석하면 다음과 같다.

'국강상에 묻혀 있으며, 땅의 경계를 넓게 열어 평안을 가져다 준 좋고 위대한 왕.'

이것이 바로 제대로 된 고구려 묘호 양식이다. 이 광개토왕의 묘호를 바탕으로 고구려 묘호를 분석해 보면 우선 능의 위치가 먼저 나오고 그 다음으로 치적, 그리고 약칭할 수 있는 명칭, 마지막으로 일반적인 관용어 등으로 나눌 수 있다.

이를 간략하게 기호로 표시해 보면 다음과 같다.

고구려 묘호 = 능 위치(또는 능호) + 치적 + 약칭 + 일반 관용어

이것을 광개토왕의 묘호에 대입해 보면 다음과 같이 나눌 수 있다.

국강상(능호) + 광개토경(치적) + 평안(약칭) + 호태왕(일반 관용어)

따라서 광개토왕의 묘호를 약칭할 때는 '평안왕'이라고 하는 것이 옳을 것이다. 그 뒤에 붙는 '호태왕'은 어느 왕에게나 붙였을 법한 일반적인 관용어 성격이 짙기 때문이다.

이 같은 분석을 바탕으로 할 때 현재 『삼국사기』에서 사용하고 있는 고구려 묘호는 잘못된 것이 대다수이다. 특히 묘호의 맨 앞에 붙는 능호를 묘호로 착각하고 약칭 기술한 12왕의 묘호는 완전히 엉터리라고 할 수 있다.

『삼국사기』의 기초가 된 『구삼국사』의 편자들은 고구려 묘호의 특징을 전혀 파악하지 못한 채 자신들이 편한 대로 묘호의 앞머리만 따거나 묘호의 일부분만을 따서 기록했던 것이다. 아마 이것은 『구삼국사』를 편찬한 신라인들의 무성의에서 비롯된 듯하다.

이러한 신라인들의 무성의한 편찬작업으로 인해 현대인들은 고구려 28왕의 묘호조차도 정확하게 알 수 없게 되었다. 그 때문에 잘못 전달된 묘호를 그대로 사용하고, 또 후대에도 그 묘호를 그대로 물려주어야만 하는 불행한 상황이 초래된 것이다. 참으로 안타까운 일이 아닐 수 없다. 하지만 능이 조성된 곳

의 지명을 알았다는 것은 능을 찾아낼 수 있는 단초를 얻은 것이므로 그저 안타까워하고 있을 일만은 아닌 듯하다.

제5대 모본왕실록

1. 모본왕의 폭정과 두로의 반정
(?~서기 53년, 재위기간:서기 48년 모월~53년 11월, 약 5년)

모본왕은 대무신왕의 맏아들로 대무신왕의 첫 번째 왕후 소생이며, 이름은 해우(解憂, 또는 해애루)이다. 서기 32년 12월에 태자에 책봉되었다. 서기 44년 10월에 대무신왕이 생을 마감했으나 그는 어린 탓으로 왕위에 오르지 못했고, 대신 숙부인 해색주(민중왕)가 왕위에 올랐다. 그리고 서기 48년에 민중왕이 죽자 그 때에야 비로소 고구려 제5대 왕에 즉위하였다.

모본왕의 즉위 과정은 순탄하지 못했다. 그는 이미 태자 책봉 때부터 많은 어려움을 겪었기 때문이다. 『삼국사기』의 기록을 바탕으로 모본왕의 어린 시절을 추론해 보면 대충 다음과 같다.

모본왕의 어머니는 대무신왕의 정비였다. 하지만 그녀는 오랫동안 아들을 낳지 못했다. 그 때문에 대무신왕은 후궁을 맞이하게 되었다. 새로 입궐한 후궁은 갈사왕의 손녀 해씨였다. 그녀는 입궐한 지 오래지 않아 아이를 낳았는데, 아들이었다. 그때까지 아들을 얻지 못했던 대무신왕은 득남한 기쁨으로 아이의 이름을 '호동(好童)'이라고 짓는다.

호동은 총명하고 뛰어난 아이로, 장성함에 따라 그의 뛰어남은 주변 국가에도 알려지게 되었다.

그렇게 호동의 명성이 드높아지고 있을 때 뜻밖에도 제1왕후가 아이를 낳았다. 대무신왕은 그 아이의 이름을 해우라고 지었다(『삼국사기』는 해우를 맏아들로 기록하고 있다. 이는 그가 적통인 데다가 왕위를 이었기 때문일 것이다. 그 같은 『삼국사기』의 기록을 존중하여 여기에서도 그대로 맏아들로 기록하였다).

해우가 아직 어린아이였을 때 호동은 이미 낙랑공주와 결혼하여 낙랑 정복을 꿈꾸고 있었다. 이렇게 되자 자연히 호동은 차기 왕감으로 지목되었고, 이에 따라 왕위 계승권을 둘러싼 치열한 암투가 시작된다.

암투가 벌어지는 가운데, 제1왕후는 계승권을 확보하기 위해 호동을 궁지로 몰아넣는다. 말하자면 호동이 태자에 책봉되리라는 생각에 거만하여 어머니인 자신을 능멸하고 심지어는 욕보이려 했다는 말을 꾸며 호동을 벌줄 것을 간청했던 것이다. 그리고 마침내 그녀의 간청이 받아들여지자 호동은 자신의 결백을 주장하며 자살을 감행한다.

이 사건은 서기 32년 11월에 발생하였다. 그리고 바로 그 다음 달에 대무신왕은 해우를 태자에 책봉한다. 이 때 해우의 나이는 기껏해야 1, 2살밖에 되지 않았을 것이다. 왜냐하면 12년 뒤인 서기 44년에 대무신왕이 죽었으나 그는 어리다는 이유로 왕위에 오르지 못하기 때문이다. 대무신왕이 15살에 왕위에 오른 것을 감안하면 당시 해우는 15살이 되지 못했다는 뜻이다.

나이가 어린 탓으로 왕위에 오르지 못한 것을 보면 그를 대신하여 섭정을 해줄 모후도 죽고 없었다는 것을 알 수 있다. 그렇게 되자 어린 태자는 졸지에 천덕꾸러기로 전락한다.

정식으로 태자에 책봉되었으면서도 왕위에 오르지 못한 해우는 민중왕이 왕위에 올라 있던 4년여 동안 누차에 걸쳐 죽음의 위기를 넘겼을 것이다. 해우는 민중왕에겐 위협적인 존재였을 것이고, 그래서 빌미만 있으면 여지없이 그를 죽음으로 몰고 가려 했을 것이다.

하지만 요행히도 해우는 살아남았다. 그리고 서기 48년에 민중왕이 죽자 드디어 꿈에도 그리던 왕의 자리에 오른다. 이 때 해우의 나이는 기껏해야 17, 18세 정도였을 것이다.

왕위에 오른 모본왕의 성격에 대하여 『삼국사기』는 다음과 같은 기록을 남기고 있다.

"그의 사람됨이 포악하고 어질지 못하여 나랏일을 돌보지 않으니, 백성들이 그를 원망하였다."

이처럼 모본왕은 그다지 덕스러운 성격이 되지 못했던 모양이다. 하지만 즉위시부터 그런 성격을 드러냈던 것은 아니었다.

모본왕은 즉위 이듬해인 서기 49년 2월에 대군을 동원하여 한의 북평, 어양, 상곡(현재 북경 근처), 태원(현재 화북 지방의 태원으로 황하 동쪽 근거리에 있음) 등을 습격하여 빼앗는다. 이 지역들은 한의 도성인 장안에서 그다지 멀지 않은 곳이므로 모본왕은 즉위 초년에 벌써 요서 지역을 정벌하고, 황하의 동쪽을 모두 장악하였던 것이다. 이에 당황한 후한의 유수는 고구려에 한의 요동 태수 채용을 보내 화친을 제의한다(이 때 한나라에서 요동 태수를 화친 사절단으로 보낸 것은 북평, 어양, 상곡, 태원 등이 요동 태수의 관할이었다는 뜻이다. 이는 한의 요동이 곧 황하의 동쪽을 가리킨다는 것과 한의 요수가 황하였다는 해석을 가능케 한다).

한의 화친제의를 받은 모본왕이 이를 받아들임으로써 한과 고구려 사이에는 한동안 평화가 지속된다.

이 무렵 고구려는 몇 년에 걸쳐 이상 기후로 어려움을 겪는다. 모본왕 즉위년에는 홍수가 나서 20개의 산이 무너지더니, 그 이듬해에는 서리와 우박이 심해 농사를 망친다. 이에 모본왕은 국고를 열어 빈민들을 구제하고 유랑민을 안정시킨다.

하지만 경제적 어려움은 정세의 불안으로 이어졌고, 죽음의 위협 속에서 불행한 어린 시절을 보낸 모본왕은 역모를 두려워하며 모든 신하와 주변 사람들

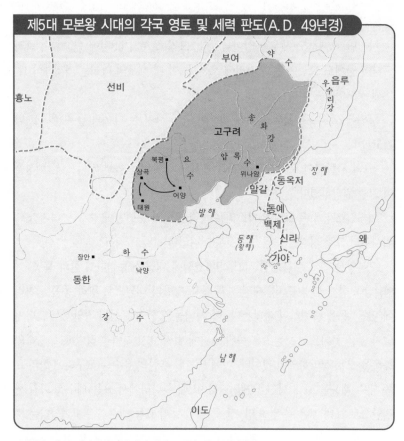

제5대 모본왕 시대의 각국 영토 및 세력 판도(A. D. 49년경)

모본왕은 상곡, 태원까지 진출하여 황하 동쪽을 거의 장악한다.

을 의심하기 시작한다.

그의 이 같은 행동을 『삼국사기』는 이렇게 기록하고 있다.

"모본 4년, 왕이 날이 갈수록 포악해져, 앉을 때는 사람을 깔고 앉으며, 누울 때는 사람을 베고 누웠다. 만일 사람이 조금만 움직이면 가차없이 죽였으며, 신하 중에서 간하는 자가 있으면 그에게 활을 쏘아댔다."

이 짧은 기록은 그의 폭정이 얼마나 대단했는지를 잘 기술하고 있다. 하지만 그의 폭정은 그다지 오래가지 못했다.

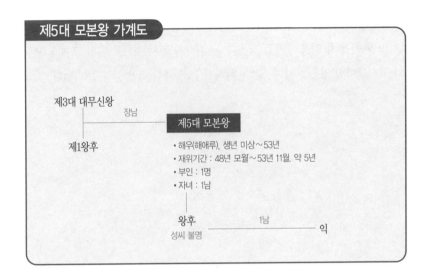

제5대 모본왕 가계도

제3대 대무신왕
    장남
제1왕후

제5대 모본왕
• 해우(해애루), 생년 미상~53년
• 재위기간 : 48년 모월~53년 11월. 약 5년
• 부인 : 1명
• 자녀 : 1남

왕후
성씨 불명   1남   익

모본왕의 충직한 근신 가운데 두로라는 사람이 있었는데, 그는 모본 출신으로 모본왕의 총애를 받았다. 그러나 그는 항상 불안해하고 있었다. 모본왕은 자신이 아무리 총애하는 신하라고 할지라도 한순간만 마음에 들지 않으면 가차없이 죽여버렸기 때문이다. 그 때문에 두려움을 이기지 못하고 눈물을 보이는 두로에게 어떤 사람이 왕을 죽이라고 부추겼다.

"대장부가 왜 우는가? 옛 사람의 말에 '나를 사랑하면 임금이요, 나를 학대하면 원수'라고 했다. 이제 왕이 포악한 짓을 하여 사람을 죽이니, 이는 백성의 원수다. 그대는 백성의 원수인 왕 해우를 처단하라."

이 말을 듣고 용기를 얻은 두로는 서기 53년 11월에 칼을 품고 모본왕을 찾아갔다. 그러자 모본왕은 그를 정답게 맞아들여 앉혔다. 그때 두로는 칼을 빼 모본왕의 목을 찔러 죽였다.

두로의 칼에 맞은 모본왕은 즉사하였고, 신하들은 유리명왕의 여섯째 아들 재사에게서 태어난 궁을 새 왕으로 앉혔다.

모본왕은 모본 언덕에 마련된 능에 묻혔으며, 묘호를 모본왕(慕本王)이라 하였다.

모본왕의 가족에 대한 기록은 거의 전무하다. 다만 모본왕 원년인 서기 48년 10월에 '왕자 익을 태자로 세웠다'는 기사가 있는 것으로 봐서 그에게 왕후와 자식들이 있었음을 알 수 있다. 하지만 그 자세한 내막은 알 길이 없다.

제6대 태조왕실록

1. 태조왕의 고토회복운동과 대국으로 성장하는 고구려
(서기 47~165년, 재위기간 : 서기 53년 11월~146년 12월, 93년 1개월)

　모본왕을 축출한 고구려 조정은 나이 어린 태조를 옹립하여 고조선의 옛 영역을 회복하는 데 주력한다. 이 같은 정책으로 고구려는 요서를 완전히 장악하는 한편 산동반도 너머까지 그 영향력을 확대하여 후한(동한)과 함께 명실공히 대륙의 맹주로 부상한다. 이 때부터 고구려는 독자적인 연호를 사용하며 종주국으로서의 면모를 드러낸다.

　태조는 유리명왕의 여섯째 아들인 고추가 재사의 아들이며, 부여 출신의 태후 해씨 소생이다. 서기 47년에 태어났으며, 아명은 어수, 이름은 궁(宮)이다. 서기 53년 11월에 두로에 의해 모본왕이 살해되자 7살의 어린 나이로 고구려 제6대 왕에 올랐다.

　『후한서』의 기록에 의하면 궁은 "태어나면서부터 눈을 열어 능히 세상을 꿰뚫어볼 수 있었다."고 한다. 그리고 어린 나이로 왕위에 오른 후 소년으로 성장하면서 그 용맹함이 드러나기 시작했는데, 이 소식을 들은 후한 사람들은 고구려를 두려워하기 시작했다.

태조가 왕위에 올랐을 때는 불과 7살의 어린아이였으므로 그의 모후 해씨가 수렴청정하였다(『삼국사기』는 재사의 아내이자 태조의 어머니인 그녀에 대해 단지 부여 여자라고만 언급하고 있으나, 유리명왕 당시 고구려가 부여의 화친제의를 받아들인 사실을 감안할 때 그녀는 부여 왕실녀임이 분명하다. 따라서 여기서는 그녀의 성을 부여 왕족 성인 해씨로 기록한다).

태후 해씨는 과감하고 강단 있는 여자였던 모양이다. 그녀가 수렴청정할 당시 고구려는 국방에 힘을 기울이는 한편 고조선의 고토회복에 매진한다. 서기 55년 2월에는 요서 지역에 10개 성을 쌓아 동한의 침략에 대비했으며, 이듬해인 서기 56년 7월에는 동옥저를 멸하여 동쪽 국경을 창해(현재의 동해)까지 확대하였다.

이 같은 해태후의 정책을 이어받은 태조는 서기 68년에 갈사왕의 손자 도두를 항복시킴으로써 갈사부여를 병합하였으며, 4년 뒤인 서기 70년에는 관나부 패자 달가에게 군사를 내주어 조나를 치고 그 왕을 사로잡았다. 또 서기 72년에는 환자부 패자 설유에게 군사를 내주어 주나를 치고 그 왕자 을음을 사로잡아 고추가로 삼았다.

이렇게 고구려의 세력이 크게 팽창하자 부여는 고구려에 사신을 보내 화친을 제의하였고, 위기감을 느낀 동한은 고구려에 대해 대대적인 침략을 감행할 조짐을 보인다. 이에 고구려 조정은 고조선의 고토회복을 선언하고, 서기 105년에 한의 요동을 선제공격하여 6개 현을 정복하였다. 고구려의 선제공격에 당황한 동한은 급히 군사를 파견하여 요동 태수 경기로 하여금 고구려군을 대적하게 하였다.

동한과 고구려의 싸움은 한의 요동에서 한동안 지속되었고, 고구려는 동한의 세력이 약해진 틈을 타서 산동반도 쪽으로 진출하여 동해군을 점령하고 화북평원 쪽으로 세력을 넓혀나갔다.

이 무렵에 동한은 심한 내분을 겪고 있었다. 전국 각처에서 농민봉기가 일어나 대부분의 지역이 전란에 휩싸였다. 서기 107년부터 시작된 농민봉기는 이후 80년간 100여 차례 계속되었고, 결국 184년에는 황건군의 대봉기로 발전한다. 이 같은 내분과 더불어 외척세력이 강해져 조정을 장악하는 한편, 이를 저지하기 위해 왕이 환관과 결탁함으로써 환관세력의 횡포도 극에 달하게 된다.

이에 반해 고구려의 조정은 매우 안정되어 있었다. 7살에 왕위에 오른 태조는 93년이 넘게 왕위에 머물며 지속적으로 고조선의 고토회복에 주력하였고, 그 결과 영토를 크게 확대하는 한편 동한의 세력을 능가하는 대륙의 강국으로 성장했다.

그 과정에서 서기 101년에는 예맥과 함께 현도를 공략하였고, 서기 118년에 다시 현도로 진출하여 화려성을 무너뜨렸다. 이에 동한은 서기 121년에 유주자사 풍환, 현도 태수 요광, 요동 태수 채풍 등의 군사를 동원하여 고구려에 대항하였다. 그러나 태조의 아우 수성의 맹활약으로 동한군 2천여 명이 죽고, 채풍 등의 군사는 퇴각하였다. 이렇게 되자 동한 조정은 광양과 어양, 우북평, 탁군속국 등에서 병력을 결집하여 고구려에 대항했으나 아무런 성과도 거두지 못했다.

이처럼 동한군을 패퇴시킨 고구려는 그해 4월에 북방의 선비군 8천과 연합하여 동한의 요대현을 공격하였다. 이에 요동 태수 채풍이 군사를 거느리고 대항했으나 신창에서 전사하였다. 이 때 채풍을 호위하던 공조 경모와 공조연 용단, 병마연 공손포 등은 몸으로 채풍을 엄호하다가 함께 몰살하였고, 그들과 함께 죽은 관리들이 1백여 명에 이르렀다.

이 여세를 몰아 고구려는 지속적으로 현도를 공략하였다. 그해 12월에 마한과 예맥의 기병 1만여 명을 동원하여 현도성을 포위하여 현도 수복을 눈앞에 두게 되었다. 이 때 부여 왕이 아들 위구태에게 군사 2만을 내주어 고구려군의 후미를 치는 바람에 현도 수복에 실패하고 말았다. 그래서 이듬해인 서기 122년에 고구려는 다시 한 번 예맥과 마한군을 이끌고 동한의 요동을 공략하였다. 그런데 이번에도 부여군이 동한을 돕는 바람에 숙원사업인 현도 수복의 꿈은 실현되지 못했다.

고구려는 비록 현도 수복에는 실패했지만 고토회복전쟁을 통하여 커다란 성과를 거두었다. 우선 고구려의 요서 지역을 완전히 장악함으로써 동한의 세력을 위축시켰으며, 거기서 더 나아가서 동한의 요동 지역 일부를 점유했을 뿐만 아니라 남쪽으로는 산동반도와 화북평야 일대를 차지하였다. 또한 북방의 선비와 연합세력을 구축함으로써 부여와 동한의 통교로를 완전히 차단하였다.

고구려의 이 같은 영토확장은 단순히 땅이 넓어졌다는 사실을 넘어서 경제적으로도 중요한 의미를 가진다. 당시 고구려의 주무대인 요동 지역은 가뭄과 메뚜기 떼, 우박 등으로 많은 어려움을 겪고 있었는데, 광활한 화북대평원에 진출함으로써 농토가 넓어져 백성들의 생활이 안정될 수 있었다. 또한 발해연안을 완전히 장악하고 동해(황해)의 일부를 차지함으로써 어업을 통한 안정도 꾀할 수 있었다.

이처럼 고구려의 압박이 가속화되고 있었지만 동한은 내분을 겪고 있던 탓에 줄곧 수비태세만 취해야 했고, 급기야는 부여에 원군을 청해야 하는 처지에 놓였다. 그런데 그 무렵 고구려의 태조가 병으로 드러눕자 전쟁은 일시 중단된다. 고구려가 전쟁을 중단하자 태조가 죽은 것으로 판단한 동한은 그 기회를 노려 침략을 계획한다. 하지만 화친파의 주장에 밀려 침략 계획을 취소하고 화친을 제의하기 위해 고구려 조정에 조문사절단을 보낸다.

이 때의 상황을 『후한서』는 다음과 같이 기록하고 있다.

"그해에 궁(태조)이 죽고 아들 수성이 즉위하였다(수성은 아들이 아니라 태조의 동생임). 요광(현도 태수)이 글을 올려 상중인 것을 기회로 병사를 일으켜 그를 치고자 한다 하였더니, 논의하던 모든 신하가 허락함이 옳다고 여겼다. 상서 진충이 이르기를 '궁이 전에 교활하여 요광이 능히 토벌하지 못하였는데, 죽고 나서 치면 의로운 일이 아닐 것입니다. 마땅히 사신을 파견하여 조문하고 이전의 죄를 질책하여 꾸짖은 후 사면하여, 더 이상 책망하지 않음으로써 뒷날의 화친을 기약함이 좋을 듯합니다.' 하기에 안제가 그대로 좇았다."

『후한서』의 기록은 비록 동한측에서 아량을 베푸는 것처럼 묘사되어 있으나 실상은 전혀 다른 양상이었다. 고구려에 화친을 제의하면서 동한은 고구려

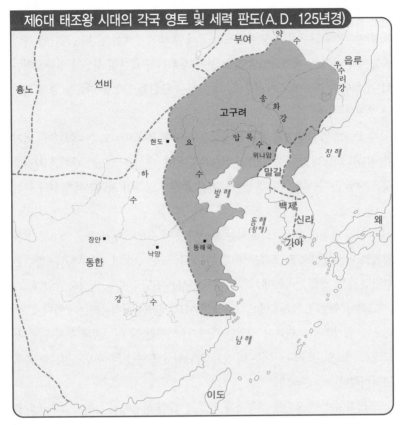

제6대 태조왕 시대의 각국 영토 및 세력 판도(A.D. 125년경)

태조왕은 남진 정책을 감행하여 고구려의 영향권을 양자강 이남까지 확대하고 동으로는 동옥저 등을 장악하여 한반도까지 영토를 확대한다.

에 잡혀간 포로들을 송환해줄 것을 요구하는데, 그 내용은 다음과 같다.

"지금 이후로는 현의 관리와 싸우지 말 것이며, 스스로 친근함으로 함께 하며 살아 있는 자들을 돌려보내 주십시오. 그 환속 값으로 사람마다 (비단) 48필을 주고, 어린아이는 그 반으로 하겠습니다."

서기 122년에 동한의 안제 유고의 이름으로 보낸 이 화친 조건은 가히 굴욕적이었다. 하지만 이렇게 해서라도 동한은 고구려와 화의약조를 해야만 했다. 내부적으로 끊임없이 농민봉기가 계속되고, 궁궐에서는 외척과 환관들의 싸움으로 피비린내가 가실 날이 없었기 때문이다.

한편 이 때 고구려 조정은 태조의 동생 수성이 왕위를 탐내는 바람에 파벌 싸움에 휘말린다. 태조가 노환으로 누운 후부터 권력은 수성에게 집중되었는데, 세월이 흘러도 태조가 죽지 않자 수성은 왕위를 찬탈할 마음을 품게 되었던 것이다.

수성에게 왕위 찬탈을 부추긴 사람은 관나부 우태 미유와 환나부 우태 어지류, 비류나 조의 양신 등이었다. 그들은 은밀히 수성을 찾아가 왕위를 차지할 것을 말했고, 수성은 처음엔 받아들이지 않다가 시간이 지나면서 왕위에 욕심을 내었다.

수성이 왕위를 찬탈하려 한다는 소문이 돌자 좌보 목두루 등은 스스로 병을 핑계로 벼슬을 내놓고 조정에서 떠나버렸다. 또한 수성의 아우 백고는 왕위를 찬탈하지 말 것을 간곡하게 당부했지만 수성은 찬탈의 뜻을 버리지 않았다.

그러나 수성은 그 이후에도 오랫동안 역모 계획을 실천하지는 못했다. 그는 태조가 죽기만을 기다리고 있었던 것이다. 하지만 태조는 좀체 죽지 않았다. 그래서 어느덧 태조의 나이는 백 살에 가까워졌고, 수성의 나이도 일흔을 훌쩍 넘겨버렸다.

그러자 수성은 모반을 계획하게 되었고, 그런 상황에서 동한이 화의조약을 어기고 현도에 둔전육부를 설치하여 고구려를 압박했다. 태조는 서기 146년 8월에 군사를 동원하여 한나라 요동 서안평을 공략하여 대방 현령을 죽이고, 낙랑 태수의 처와 아들을 붙잡아온다.

이 때문에 조정이 급박하게 돌아가자 기회를 엿보고 있던 수성은 모반 계획을 실행에 옮기려 한다. 이에 우보 고복장이 태조에게 수성의 역모 계획을 고변한다. 하지만 이미 때는 늦은 상태였다. 조정과 군권은 거의 수성이 차지하고 있었기 때문에 태조로서도 손쓸 틈이 없었다. 그래서 별수 없이 수성에게 왕위를 넘겨주고 태조는 상왕으로 물러앉는다.

그 후 태조는 별궁에서 여생을 보내다가 19년 후인 서기 165년 3월에 119세를 일기로 생을 마감하였다.

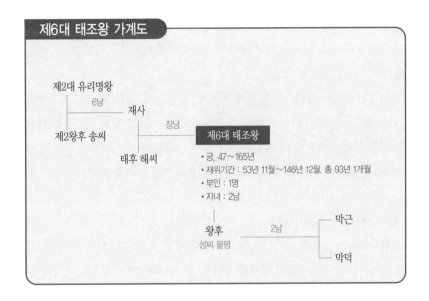

제6대 태조왕 가계도

제2대 유리명왕
6남 ──── 재사
제2왕후 송씨
장남 ──── 제6대 태조왕
태후 해씨
• 궁, 47~165년
• 재위기간 : 53년 11월~146년 12월. 총 93년 1개월
• 부인 : 1명
• 자녀 : 2남

왕후
성씨 불명
2남 ──── 막근
막덕

능에 대한 기록은 남아 있지 않으며, 묘호를 '태조(太祖)'라고 하였다.

2. 태조왕의 가족들

태조왕의 가족에 대한 기록은 거의 남아 있지 않다. 그는 왕후에게서 막근과 막덕 두 아들을 두었다. 하지만 왕후에 대한 기록이 전혀 남아 있지 않으므로 언급을 생략하고, 막근과 막덕의 삶을 간단하게 소개한다.

막근태자(?~서기 148년)

막근태자는 태조왕의 맏아들로 태조왕의 왕후 소생이다. 언제 태어났는지는 전하지 않으나 성장한 뒤에는 숙부인 수성대군과 알력이 있었던 것으로 보인다.

태조왕은 서기 121년에 병상에 누우면서 아우 수성대군에게 정사를 맡긴다. 이 때부터 조정의 권력은 수성에게 집중되었고, 그는 마침내 왕위를 찬탈할 음모를 꾸민다. 그리고 25년 후인 서기 146년에 태조왕을 위협하여 왕위를 빼앗고 스스로 왕이 되었다.

이렇듯 수성이 불법으로 왕위에 오르자, 신하들 사이에서 수성을 제거하려는 움직임이 일어난다. 이를 미리 포착한 수성은 147년 3월에 태조왕의 근신인 재상 고복장을 먼저 제거한 후, 이듬해인 148년 4월에 태조왕의 맏아들 막근태자를 살해한다. 이로써 태자 막근은 비운의 인생을 마감한다.

막덕왕자(?~서기 148년)

막덕왕자는 태조왕의 차남이며 태조왕의 왕후 소생이다. 언제 태어났는지는 알 수 없고, 서기 148년 왕위를 찬탈한 수성에 의해서 친형 막근태자가 살해되자 자신에게도 화가 미칠 것이라 판단하여 스스로 목매어 자결하였다.

3. '태조'라는 묘호에 담긴 역사적 의미

한국과 중국 및 일본 역사를 통틀어 '태조'라는 묘호를 처음 사용한 국가는 고구려이다. 흔히 '태조'라는 칭호는 국가를 세운 사람에게 붙이는 묘호인데, 어째서 고구려 제6대조에 처음으로 붙이게 되었을까? 이것은 단순히 '큰 할아버지' 또는 '큰 조상'이라는 뜻이었을까?

왕의 묘호에 '조(祖)'를 붙이기 시작한 것은 서한 시대부터이다. 서한을 세운 유방의 묘호를 '고조(高祖)'라고 한 것이 그 시작이다. 그 이전에는 '제(帝)' 또는 '왕(王)'을 사용했는데, 중국 대륙을 통일한 '시황'이 처음으로 '황'을 사용했다. 하지만 황 역시 '제'의 범주 속에 들어간다.

이렇듯 묘호에 '조'를 붙인 예는 서한의 '고조'의 경우가 처음이며, 그 같은 칭호를 남긴 최초의 기록은 사마담과 사마천 부자에 의해 만들어진 『사기(史記)』이다. 하지만 서한 시대에도 고조 이외의 모든 왕들의 묘호에 '제'를 사용하였다. 물론 동한은 서한을 잇는다는 의미에서 '고조'라는 묘호를 사용하지도 않았다.

동한 이후 삼국시대에는 모든 왕의 묘호에 '제'를 사용하였고, '조'를 사용한 예는 없다. 그 후 양진시대나, 남북조, 수나라 때까지도 '조'가 사용된 예는 없다. 그러다가 당(唐)나라에 와서 다시금 '조'를 사용하였으며, 이 때부터 묘호에는 '조'와 '종'의 개념이 분명해진다. 그러나 이 때 당을 세운 '이연'에게는 '고조'라는 묘호를 붙인다. 말하자면 '태조'라는 묘호는 이 때까지도 나타나지 않는다는 뜻이다. 중국 역사에서 '태조'라는 묘호가 처음으로 나타나는 것은 5대 시기이다. 그러나 5대 시기에 와서도 '고조'와 '태조'가 혼재되어 있다.

5대 중에 후량과 후주는 건국자를 '태조'라 칭했고, 후진과 후한은 '고조'라 칭했으며, 후당은 당을 잇는다는 의미에서 이 두 묘호를 피했다. 따라서 중국의 역사에서 건국자를 '태조'라고만 칭하기 시작한 것은 송나라 때부터이다. 송, 원, 명, 청 등은 건국자를 모두 '태조'라고 칭하고 있기 때문이다.

이처럼 중국 역사에서 '태조'라는 칭호를 사용한 시기는 고구려에 비해 한참 뒤의 일이다. 5대 시기가 907년에 시작되는 사실을 감안할 때 고구려는 그보다 약 700년 앞서서 '태조'라는 묘호를 사용한 것이다. 때문에 '태조'라는 묘호의 기원은 고구려에서 시작된다는 것을 알 수 있다.

이 '태조'라는 묘호는 나라를 세운 사람에게 붙이는 묘호이다. 하지만 이 칭호를 처음 사용한 고구려인들은 제6대 왕에게 그 묘호를 올렸다. 다시 말해서 '태조'라는 묘호가 처음 사용될 당시에는 반드시 '나라를 세운 사람'에게만 붙이는 칭호가 아니었다는 뜻이다. 그러나 '태조'라는 묘호가 후대에 가서 나라를 세운 사람에게만 붙이는 묘호가 된 것으로 봐서 이 묘호는 결코 일반적인 묘호가 아니다. 이 묘호에는 특별한 의미가 부여되어 있다는 것이다. 즉, 고구려의 제6대 왕은 고구려인들에게 단순히 제6대 임금이라는 사실 이외의 특별한 의미가 있었다는 것이다.

고구려의 시조가 동명성왕이라는 사실은 의심의 여지가 없기 때문에 제6대

왕에게 올린 '태조'라는 묘호는 결코 '나라를 처음으로 연 임금'이라는 뜻은 아니다. 하지만 태조 다음의 제7대를 차(次)대왕, 그리고 제8대를 신(新)대왕이라고 붙인 것을 볼 때 태조는 결코 단순히 '큰 할아버지' 또는 '큰 조상'이라는 뜻만은 아니다. 이것은 흔히 알고 있듯이 '나라를 처음으로 연 사람'에 준하는 호칭인 것이다.

그렇다면 고구려인들은 왜 하필 제6대 왕에게 처음 왕에게나 붙일 법한 '태조'라는 묘호를 올린 것일까?

이는 태조의 업적과 깊은 관련이 있는 듯하다. 태조 때 고구려는 대대적인 고토회복운동을 벌여 고조선의 고토를 거의 회복했다. 또한 이 때 고구려는 동한과 숱한 전쟁을 벌여 군사적 우위를 확보하는 한편 산동 지역 아래쪽에까지 세력을 뻗쳐 대륙의 맹주로 자리 잡게 된다. 이 같은 국력의 강성으로 고구려는 종주국의 면모를 갖추었고, 독자적인 연호를 사용했을 가능성이 높다.

『후한서』에서 태조를 "태어날 때부터 눈을 열어 세상을 꿰뚫어볼 수 있었다."고 표현한 것도 바로 태조 때부터 이렇게 고구려가 강성해진 사실을 은유적으로 표현한 것으로 보아야 할 것이다.

따라서 '태조'라는 묘호는 고구려가 주변국에서 종주국으로 변모한 사실을 담고 있는 칭호라는 것을 알 수 있다. 당시 고구려의 세력으로 봐서 스스로 종주국을 칭한다고 해도 전혀 손색이 없었을 뿐만 아니라 그 어느 나라도 그것에 대해 시비를 걸지 못할 상황이었다. 때문에 고구려인들이 제6대 임금의 묘호를 '태조'라고 붙인 것은 그가 고구려를 재탄생시켰을 뿐 아니라 고구려가 종주국이었다는 사실을 드러내기 위함이라고 보아야 할 것이다.

장수왕 68년 4월의 기사에 "남제 태조 소도성이 왕을 표기대장군으로 삼았다."는 구절이 나온다. 여기서 말하는 남제 태조는 남제의 고제를 일컫는다. 남제의 고제 소도성은 남제를 건국한 인물인데, 고구려에서 그에게 태조라는 칭호를 붙이고 있다. 이는 남제의 소도성이 살아 있을 당시에는 태조라고 불렸음을 의미한다. 즉, 고구려가 제6대 왕에게 태조라는 칭호를 붙인 이래 350여 년이 지난 다음에 남제에서 다시금 태조라는 칭호를 사용한 것이다. 그것도 나라를 세운 인물에게 붙인 칭호였다.

이 같은 사실은 고구려의 태조 이후에 '태조'라는 묘호는 나라를 세운 인물에게 붙이는 칭호로 굳어졌음을 의미한다. 이는 곧 고구려의 제6대 임금 태조가 고구려를 종주국으로 발전시킨 임금임을 확인시켜 주는 것이다(고구려에서는 황제라는 용어를 사용하지 않고 '태왕'이라는 용어를 사용했는데, 이는 황제에 대한 고구려식 표현이라고 보아야 할 것이다. 태왕이 황제와 동격이라는 것은 고구려에 복속된 지역의 우두머리를 왕이라고 부르는 사실에서도 확인된다. 황룡국 왕, 동해국 왕 등이 그 좋은 예이다).

광개토왕릉비문에 '영락'이라는 연호가 나타나는 것도 태조라는 묘호와 무관하지 않을 것이다. 태조 이후 고구려는 국제사회에서 종주국의 지위를 확보하여 독자적인 연호를 사용했기에 제19대 임금인 광개토왕도 '영락'이라는 독자적인 연호 사용이 가능했다.

이를 두고 어떤 이는 '영락'이라는 것은 연호가 아니라고 주장하기도 하고, 또 어떤 이는 단지 광개토왕 대에만 연호를 사용했을 것이라고 말한다. 하지만 고구려의 국력은 광개토왕 때에만 극대화되었던 것이 아니라는 사실을 알게 되면 더 이상 그 같은 주장을 하지 못할 것이다. 고구려는 태조 대에 힘이 막강해져 국제사회에서 종주국의 지위를 확보하고 독자적인 연호를 사용한 이래 꾸준히 그 상황을 이어갔던 것이다.

4. 동한을 상대로 한 고구려의 고토회복전쟁

태조는 고(古)조선의 고토를 회복하기 위해 동한과 많은 전쟁을 치른다. 고토회복의 일차적 목표는 현도군을 수복하는 일이었다. 현도군은 서한의 무제가 설치한 4군 중에서 가장 북쪽에 있는 곳으로, 태조 당대에는 이미 임둔과 진번은 폐지되고 낙랑은 현도에 속해 있었다. 따라서 현도의 수복은 고조선의 고토를 회복하는 일이기도 하였다.

현도 수복전쟁을 수행하기 위해 우선 태조는 서기 55년에 요서 지역에 10개의 성을 쌓았으며, 전쟁 수행시 후방을 안정시키기 위해 서기 56년에는 동옥저를 쳐서 멸망시킨다. 그리고 서기 68년에 현도로 가는 길목에 자리 잡고 있던 갈사국을 복속시키는 것을 시작으로 서기 72년에는 조나, 서기 74년에는 주나를 쳐서 현도 수복의 전초 기지를 마련한다.

이처럼 발해만을 따라 남쪽으로 세력을 뻗치던 고구려는 동한에 비해 상대적으로 강한 해군을 이용하여 점차적으로 산동반도까지 진출하여 자치국으로 남아 있던 연안의 소국들을 차례차례 복속한다. 그리고 서기 105년에 고구려는 동한을 상대로 고토회복전쟁에 돌입한다. 요서 지역에 10개 성을 쌓은 후 무려 50년간 치밀하게 전쟁에 대비한 후 드디어 숙원사업인 고토회복전쟁을 수행하게 되었던 것이다.

이 무렵 동한 왕실은 외척 세력과 근왕 세력이 치열한 정권 다툼을 벌이고 있었다. 서기 88년에 왕위에 오른 화제 유조는 외척의 그늘에서 벗어나기 위해 근위세력을 형성하고 있었고, 그 근위세력의 중심엔 환관들이 포진하고 있었다. 따라서 이 때부터 동한 왕조는 외척과 환관 사이에 벌어진 피비린내 나는 정권 다툼을 경험하게 된다. 특히 고구려가 고토회복의 기치를 내걸고 한의 요동을 공략한 서기 105년엔 화제 유조가 병으로 누워 동한 조정은 한치 앞을 내다볼 수 없는 암흑 속에 갇혀 있었다. 왕의 건재는 곧 환관의 건재를 의미했으며, 왕권의 약화는 외척의 득세를 의미했기 때문이다.

화제가 병으로 눕자 근위세력의 힘은 급격히 쇠퇴하고, 외척이 득세하여 동한 조정은 환관들에 대한 대대적인 숙청작업이 진행되고 있었다.

고구려 조정은 이 기회를 놓치지 않고, 서기 105년 1월에 한나라 요동에 군사를 보내 6개 현을 점령하였다. 하지만 한의 요동 태수 경기가 이끄는 군사가 몰려오자 고구려군은 일단 퇴각했다가 그해 9월에 또다시 한나라 요동을 쳤다. 이에 경기가 다시금 군사를 동원하였고, 고구려군은 또다시 퇴각하였다. 이처럼 치고 빠지는 전략을 통하여 동한의 군사를 요동 지역에 집결시킨 고구려군은 수군을 동원하여 산동반도 일원의 연안 지역을 공략한다.

이렇게 고구려가 동해(당시에는 산동반도 아래쪽 바다를 일컬었다. 산동반도 위쪽은 발해라고 불렀다). 연안을 차지하고 있는 동안 동한 왕실은 쉴 새 없이 정권 다툼을 벌여 서기 106년에는 화제 유조가 죽고 상제 유륭이 즉위했다가, 다시 그해에 유륭이 물러나고 안제 유고가 즉위하였다. 당시 유고는 십대의 어린 왕이었는데, 그 때문에 외척이 득세하였다. 하지만 유고는 성장한 후에 환관들을 중심으로 근위세력을 형성하여 외척들과 대적하게 된다.

유고의 즉위 초년에는 조정이 외척의 손아귀에 있었기 때문에 동한 조정은 비교적 안정된 상태였다. 하지만 전쟁을 수행할 만큼 왕권이 강화되지 못한 까닭에 고구려에 대해 호의적인 입장을 보였다. 고구려 역시 오랜 전쟁으로 국력을 소모한 만큼 동한과 평화를 유지할 필요가 있었다. 그래서 고구려와 동한 사이에 일시적인 평화가 찾아들었다.

그런데 서기 111년 고구려는 다시 동한 조정의 문란을 틈타 고토수복의 깃발을 든다. 이 무렵 동한 조정은 안제 유고가 근위세력을 형성하여 외척에 대항하는 바람에 정권 다툼에 휩싸여 있었고, 고구려는 그 내막을 알아보기 위해 동한 조정에 사절단을 파견한다. 사절단 파견 명목은 현도와 가까운 요서 지역의 군현을 한에 예속시키겠다는 제의를 하기 위함이었다. 이 같은 파격적인 제의를 받은 동한 조정은 기꺼이 고구려 사절단을 맞아들였고, 고구려는 사절단을 통해 동한 조정의 혼란상을 파악할 수 있었던 것이다.

동한 조정이 정권 다툼으로 혼란을 겪고 있다는 확신을 얻은 고구려는 그해 3월에 예맥의 군사를 동원하여 현도를 기습하였다(하지만 이 때의 상황에 대한 자세한 기록은 남아 있지 않다. 아마 이 때 고구려는 현도를 급습하여 동한의 전투 능력을 시험해 보고자 했던 것 같다). 그 후 서기 118년 6월에는 다시금 예맥과 함께 현도를 공략하여 화려성을 장악하였다. 이에 동한 조정은 3년 뒤인 서기 121년에 유주 자사 풍환과 현도 태수 요광, 요동 태수 채풍 등에게 대군을 내주어 고구려 변경 지역에 침입하였다. 그러자 고구려는 태조의 아우 수성으로 하여금 대적하게 하였다.

이 때 수성이 이끌던 군사는 겨우 2천이었다. 이를 얕본 한군은 고구려군을 향해 밀려들었고, 고구려군은 한군을 변방 깊숙이 끌어들였다. 그러다가 한순간에 한군은 협곡에 갇히는 신세가 되고 말았다. 지형에 익숙하지 못했던 그들은 수성의 군사가 겨우 2천밖에 되지 않는다는 사실만 생각하고 겁없이 덤벼들다 고구려군이 쳐놓은 함정에 갇히고 말았다. 몇 만의 한나라 군사가 겨우 2천 명의 고구려 군사에 의해 길목을 차단당한 채 꼼짝없이 협곡에 갇혀버린 것이다. 하지만 고구려군은 선제공격을 하지는 않았다. 한군의 수가 너무 많아 섣불리 공격을 감행했다간 오히려 패배할 확률이 높았기 때문이다. 그래서 협곡 위에서 길목을 차단한 채 적이 나오기만을 기다리고 있었고, 이 사실을 잘 알고 있던 한군은 고구려군의 동태를 살피며 시간을 끌었다.

이렇게 한의 대군이 협곡에 갇혀 있는 동안 고구려는 군사 3천을 동원하여 현도와 요동을 공격하였다. 이미 주력 부대가 다 빠져나간 현도와 요동은 순식간에 고구려군에게 점령되었고, 이 과정에서 동한은 2천여 명의 병력을 잃었다.

요동과 현도가 고구려에 의해 정복되었다는 소식을 들은 동한 조정은 부랴부랴 대응책을 모색하였다. 동한 조정은 우선 광양, 어양, 우북평, 탁군 등지의 군사를 모두 모아 3천여 기병을 형성한 다음 요동과 현도로 보냈다. 그러나 그들 기병이 현도와 요동에 도착했을 땐 고구려군은 이미 철수한 뒤였다. 고구려군은 현도와 요동의 성곽을 불사른 다음 퇴각했던 것이다.

그러나 고구려의 공격은 거기서 그치지 않았다. 3개월 뒤인 그해 4월에 고구려군은 선비의 군사 8천을 포함한 대군으로 현도와 한의 요동에 대한 본격적인 공격을 개시했다. 붕괴된 성곽을 채 수리하지 못한 상황에서 또다시 고구려 대군의 공격을 받은 요동군은 당황하여 어쩔 줄을 몰랐고, 요동 태수 채풍은 혼비백산하여 달아나는 군사들을 수습하며 응전하려 했지만 불가항력이었다.

순식간에 고구려군에 의해 포위된 채풍은 남은 군사 1백여 명과 신창에서 마지막 전투를 벌였다. 이 때 공조연(관직명) 용단과 병마연 공손포 등은 몸으로 채풍을 호위하다가 죽고, 채풍 역시 최후를 맞이하였다.

채풍의 죽음으로 한나라 요동 지역을 습권한 고구려군은 그해 12월에 다시 마한과 예맥의 기병 1만을 비롯한 대군을 거느리고 현도를 공략하여 현도성을 포위하기에 이르렀다. 그러나 현도성의 함락을 눈앞에 두었을 때 동한 조정의 원군 요청을 받은 부여군이 고구려군의 후미를 치는 바람에 현도 수복은 실패하고 말았다.

동한 조정의 원군 요청을 받은 부여 왕은 왕자 위구태에게 군사 2만을 주어 고구려군의 후미를 치게 했고, 이에 당황한 고구려군은 별수 없이 퇴각해야만 했다.

현도 수복을 눈앞에 두고 물러나야 했던 고구려군은 이듬해 가을에 다시금 마한과 예맥군을 포함한 대군을 이끌고 한의 요동과 현도를 급습하였다. 고구려의 대대적인 공격을 받은 한군은 황하 남쪽으로 달아났다. 이에 고구려군은 여세를 몰아 황하를 건너고자 하였다. 그런데 이 때에도 부여군이 후미를 치는 바람에 고구려군은 퇴각해야만 했다.

그 후 고구려는 한동안 현도와 요동을 공략하지 못했다. 태조가 노환으로 병석에 눕고, 설상가상으로 태조의 아우 수성이 왕위를 넘보고 정변을 일으켜 조정을 정권 다툼의 장으로 만들었기 때문에 고토회복의 열기가 완전히 사그라들었던 것이다.

5. 태조왕 시대의 주변 국가들

동옥저(東沃沮)

동옥저는 태조 4년(서기 56년)에 고구려에 복속된 국가다. 옥저는 원래 북옥저, 동옥저, 남옥저가 있었는데, 북옥저는 이미 동명성왕 10년(서기전 28년)에 멸망했고, 남옥저에 대한 구체적인 기록은 남아 있지 않다. 이 세 개의 옥저에 대한 기록은 『삼국지』 '동이전'에 처음으로 언급되고, 『후한서』 '동이전 동옥저' 편에 반복적으로 언급되고 있는데, 그 기록은 다음과 같다.

"동옥저는 고구려 개마대산의 동쪽에 있으며, 동으로 큰 바다를 끼고 있고, 북쪽은 읍루와 부여, 그리고 남쪽은 예맥과 접해 있다. 그 땅은 동서가 좁으며, 남북이 길어서 꺾으면 사방 1천 리다."

이 기록을 바탕으로 볼 때 동옥저는 현재의 함경산맥 동쪽에 해당된다. 좀 더 구체적으로 말하면 동쪽으로는 동해, 서쪽으로는 함경산맥, 남쪽으로는 함흥, 북쪽으로는 두만강을 경계로 할 수 있다는 뜻이다. 이는 물론 개마대산을 현재 개마고원이 있는 함경산맥에 비정할 경우이다.

『후한서』 '동옥저' 편에는 또 "무제가 조선을 멸하고 옥저를 현도군으로 삼았다. 후에 이맥의 침략을 받게 되자 현도군을 고구려의 서북으로 옮기고, 다시 옥저를 현으로 삼아 낙랑의 동부도위에 예속시켰다."는 기록이 있다.

이 기록을 바탕으로 한나라 무제가 설치한 4군 중 현도를 함경도 일대에 비정하는 학설이 생겨났는데, 이는 다소 문제가 있는 주장이다.

현도군이 마음대로 옮겨다닌 점도 문제가 있거니와 태조 대에 고구려가 현도군을 공략하는 내용을 통해서도 처음의 현도군이 함경도 일대에 있었다는 것은 어불성설이다. 또한 문제가 된 『후한서』의 기록을 면밀히 살펴보면 무제가 조선을 멸하고 현도군에 편입시킨 옥저현이 동옥저가 아니라는 사실도 발견할 수 있을 것이다.

'무제가 조선을 멸한 후 옥저를 현도군으로 삼았다.'는 기사 뒤에 북옥저에 대한 기사가 나오는데 거기서 엉뚱하게도 다음과 같은 남옥저에 대한 언급이 있다.

"또한 북옥저가 있는데 일명 치구루라 하며, 남옥저에서 8백여 리 떨어져 있다."

이 기록 이전에 그 어느 곳에도 남옥저에 대한 언급은 없었다. 그런데 북옥저를 설명하면서 갑자기 '남옥저에서 8백여 리 떨어져 있다'고 한 것은 이해 못 할 일이다. 기록의 순서대로라면 의당 북옥저는 '동옥저에서 8백여 리 떨어져 있다'고 해야 옳다. 그런데 왜 앞에서 서술한 동옥저를 언급하지 않고 남옥저를 언급했을까?

이 의문은 무제가 조선을 멸하고 현도군을 설치했다는 옥저는 동옥저가 아니라는 설정을 가능케 한다. 원래 사료는 북옥저를 언급하기 전에 남옥저를 언급했는데 『삼국지』의 편찬자는 남옥저에 대한 기록을 동옥저 편에 슬쩍 끼워 넣은 듯하다. 즉 『삼국지』의 편찬자는 현도군의 위치를 동옥저 지역에 두기 위해 남옥저에 대한 기사를 의도적으로 동옥저 기사 바로 다음에 붙였다는 뜻이다. 『삼국지』의 편찬자는 이를 통해 한나라의 영역을 확대하고, 고구려 지역 전체가 과거 한나라 땅이었다는 주장을 하고자 했던 것 같다.

이 같은 추론은 무제가 현도군을 설치했던 옥저는 동옥저가 아니라 남옥저였다는 주장을 가능케 한다. 그리고 남옥저는 한반도의 동해 연안에 있었던 것이 아니라 중국의 동해, 즉 발해 내지는 황해 연안에 있던 나라였다는 추론이 가능하다.

남옥저를 발해 연안에 설정했을 때 흑룡강 이북에 있는 북옥저와 8백여 리 떨어져 있다는 기록을 이해할 수 있다. 만약 현재 일부 사가들의 주장대로 남옥저와 동옥저가 같은 곳을 일컫고, 또한 동옥저와 북옥저가 나란히 붙어 있었다면 북옥저는 '남옥저에서 8백여 리 떨어져 있다'는 『삼국지』와 『후한서』의 기록을 전면 부인하는 꼴이 된다.

하지만 여기서의 설정대로 북옥저가 흑룡강으로 둘러싸여 있었다면(「동명성왕실록」 '고구려 민족의 형성과 동명성왕 시대의 주변 국가들'의 북옥저 편 참조) 중국의 사서들은 반드시 남옥저를 기준으로 북옥저를 설명했을 것이다. 왜냐하면 중국 고서들은 한결같이 북방에 있는 나라의 위치를 설명할 때 최북단에 위치한 현도군을 기준으로 언급하기 때문이다. '옥저의 땅을 현도군으로 삼았다'는 『후한서』의 기록을 염두에 둔다면 현도군은 곧 남옥저이고, 남옥저는 현도군의 일부로서 발해 연안에 비정할 수 있을 것이다.

이처럼 남옥저의 위치를 파악하고 나면 동옥저가 단 한 번도 중국 세력에 의해 정복된 일이 없다는 사실을 알 수 있다. 동옥저는 고조선 말기에 형성되어 고구려 태조 대까지 유지되다가 서기 56년에 비로소 멸망했던 것이다.

(현재 사학계에서는 남옥저에 대한 언급을 하지 않는다. 하지만 남옥저에

대한 언급 없이는 현도군에 대한 정확한 설명을 할 수 없고, 현도군에 대한 정확한 설명 없이는 우리의 삼국 역사를 정확하게 밝힐 수 없다. 따라서 남옥저에 대한 언급은 매우 중요하다. 동옥저에 대한 설명에 남옥저에 대한 기록을 곁들인 까닭이 바로 여기에 있다.)

조나(藻那)와 주나(朱那)

고구려는 서기 72년에 조나를 정복하고, 서기 74년에 다시 주나를 굴복시킨다. 당시 조나와 주나는 모두 왕이 다스리는 독립된 국가였다. 하지만 아주 작은 나라였던 모양이다. 『삼국지』나 『후한서』의 지리지에 그 같은 이름을 가진 나라가 기록되어 있지 않기 때문이다. 물론 『삼국사기』의 지리지에도 없다.

그렇다면 이 두 나라는 어디에 위치하고 있었을까? 이 물음에 대답하기 위해서는 당시 고구려의 팽창정책에 대해 연구해볼 필요가 있다.

고구려가 조나와 주나를 정복하기 전에 갈사국을 점령한 사실은 매우 중요한 단초이다. 갈사국은 바닷가에 있는 국가로, 한때 해두(海頭), 즉 '바닷머리'로 불린 것으로 봐서 반도에 위치한 국가이다.

발해만에는 대표적으로 산동반도와 요동반도가 있고, 작은 반도로는 황하강 하류의 덕주가 있다. 즉, 갈사국이 반도국이라면 그 위치가 이 세 지역으로 축소될 수 있다는 뜻이다. 그러나 태조 당시에 이미 요서 지역까지 고구려가 점령한 상태였기 때문에 요동반도는 제외된다.

이 두 지역은 모두 고구려와 동한의 접경 지역에 있으므로 당시 고구려의 고토회복전쟁과도 관련을 가질 수 있다. 즉, 당시 고구려는 요서 지역에 10개의 성을 쌓고, 고토회복을 위한 전초기지를 마련하기 위해 갈사국을 복속하고, 연이어 조나와 주나를 병합했다는 것이다.

고구려가 요서에 10개의 성을 쌓았다고 했는데, 그 내용이 『삼국사기』에 언급된 것으로 보아, 이 때 축성된 10개의 성은 그 규모가 매우 컸을 것이다. 또한 10개의 큰 성이 들어섰던 요서 지역은 매우 넓어야만 한다. 대개 하나의 행정 단위에 큰 성이 하나뿐인 점을 감안한다면 10개의 성이 들어섰던 요서 지역의 영역은 황하 하류, 즉 발해만의 덕주까지 미쳤을 가능성도 있다.

이 같은 대대적인 공사는 서기 55년에 시작되었고, 그로부터 13년 후인 서기 68년에 갈사국이 고구려에 복속되었다. 말하자면 고구려의 영역은 한층 남쪽으로 확대된 것이다. 그리고 그로부터 4년 뒤에 조나를 점령한다. 그리고 조나 점령 후 2년 만에 주나를 정복한다.

이는 조나가 갈사국의 남쪽이나 동한의 수도가 가까운 서쪽에 있었을 것이라는 추론을 가능케 한다. 갈사국의 서쪽 또는 남쪽에 있던 조나는 과연 어떤 나라였을까?

조나(邢)를 다르게 조국(國)이라고도 부를 수 있다. 고구려어로 '나(邢)'는 곧 '국(國)'을 의미하기 때문이다. 한때 비류국이었던 '다물도'가 '다물국' 또는 '비류나'로 불린 사실에서도 이는 확인된다. 따라서 '조나'의 중국식 지명은 '조국' 즉 조나라였을 가능성이 높다. 하지만 '나'는 독립된 국가이기보다는 어떤 나라에 복속된 국가를 가리켰다. 비류국이 고구려에 복속된 다음에는 비류나로 불린 것을 보면 알 수 있다.

동한 당시 중국에는 조국, 주국, 제국, 노국 등의 명칭이 남아 있었는데, 이는 춘추 전국 시대 때 조(趙), 주(周), 제(薺), 노(魯)나라 등이 도읍으로 삼았던 지역에 붙여진 지명이거나 또는 그 나라들이 일어났던 지역에 붙여진 지명이었다. 그리고 이들 지역에는 왕족이나 공을 세운 제후, 또는 토호로 전락한 왕족의 후예들이 자치권을 행사하며 다스렸다. 그들은 봉건 제후이자 작은 나라의 왕이었던 것이다.

하지만 이들 작은 나라들은 고구려 입장에서 보면 '국'이 아니라 '나'에 불과했다. 그래서 고구려인들은 조국·주국·제국·노국 등을 조나·주나·제나·노나 등으로 불렀을 가능성이 높다(물론 한자상의 차이는 있지만 당시엔 대개 발음만 같고 한자는 다른 경우가 많았으므로 별로 이상할 것은 없다).

이 같은 추론이 맞는다면 조나는 조(趙)나라의 마지막 근거지였던 지금의 한단에 설정될 수 있고, 주나는 주(周)나라의 발원지인 위수 중류의 섬서성 분양에 설정될 수 있다. 이렇게 볼 때 당시 고구려는 하북성 동쪽 지대를 완전히 장악했다는 뜻이 된다. 이를 증명하듯 태조 대에 고구려와 동한의 주된 싸움터는 우북평, 어양, 상곡, 태원 등 내륙 지역에 한정된다. 말하자면 고구려가 동한을 공격할 당시에는 황하 이북의 해안 지역과 하북평원 일대는 고구려 영역이었다는 뜻이다(대무신왕 대에 이미 고구려군이 북평, 어양, 상곡, 태원 등 대릉하와 황하 사이에 위치한 내륙의 요충지들을 점령한 사실을 염두에 두는 것도 좋을 것이다).

동해곡(東海谷)과 남해(南海)

태조 55년(서기 107년) 10월 기사에 "동해곡 수령이 붉은 표범을 바쳤다. 꼬리가 아홉 자였다."는 기록이 있다.

이 기사의 동해곡을 흔히 한반도의 동해 어딘가로 생각하기 십상이다. 하지만 태조 당시 동해라는 지명은 한반도에 있지 않았다. 현재 동해라고 부르고 있는 한반도 동쪽 바다는 당시에 '창해(滄海)' 또는 '대해(大海)'라고 불리었다.

당시 사람들이 동해라고 부르던 바다는 현재 황해라고 부르는 중국 동쪽 바다였다. 동한 시대 중국 사람들은 요동반도와 산동반도 사이의 바다를 '발해(渤海)'라고 불렀고, 산동반도에서 상해까지를 '동해'라고 불렀으며, 상해 아래쪽 바다를 '남해'라고 불렀다. 발해는 현재도 '발해(渤海, 안개 낀 바다)'라고 부르며, 동해는 '황해(黃海)'와 '동해'로 부르고 있고, 남해는 여전히 '남해'로 부른다. 다만 상해에서 복주(대만 앞바다)까지는 남해와 동해가 겹치는 부분이다.

따라서 태조 55년 10월 기사에 등장하는 동해곡은 산동반도에서 상해 사이에 있는 어떤 곳을 가리킨다. 이 지역에 '동해'라는 이름을 가진 곳은 단 한 곳밖에 없었다. 당시 지명으로 동해군(현재 연운항)이 바로 그 곳이다. 이 곳은 진나라 때에 처음으로 동해군으로 불리다가, 서한·동한 때도 역시 그 이름으로 불렸다. 그리고 삼국시대에는 동해국이 된다.

한나라의 행정구역은 주·군·현으로 구분되었고, 고구려의 행정구역은 천·곡·원 등으로 구분되었다. 때문에 한나라의 동해군은 고구려측에선 동해곡이 되는 것이다. 또한 동해군을 동해곡으로 불렀다는 것은 고구려가 동해군을 차지하고 있었다는 뜻이기도 하다.

태조 62년 8월 기사에 "왕이 남해를 순행하였다."고 했고, 같은 해 10월 기사에 "왕이 남해에서 돌아왔다."는 기록이 있다. 이 기록은 고구려가 당시의 남해, 즉 상해 아래쪽 지역까지 진출했음을 의미한다.

전통적으로 한족과 선비족 등 내륙 지역 출신들은 해전에 약했다. 그들은 배를 잘 다룰 줄 몰랐고, 바다에 대해서도 익숙하지 않았기 때문이다. 하지만 동이족은 상대적으로 해전에 강했다. 동이족은 원래부터 바닷가에 살았기 때문에 바다의 흐름에 능했고, 조선술도 발달되어 있었다. 이 같은 전통을 이은 고구려는 동한에 비해 수군이 강했을 것이고, 해전에도 능했을 것이다. 이는 서한과 동한의 수도가 진령산맥에 둘러싸인 내륙 지역인 데 비해 고구려의 수도는 발해에서 멀지 않은 요동에 있었다는 사실을 통해서도 증명된다.

이처럼 해전에 약했던 동한은 발해와 동해 연안 지역을 고구려에 내줄 수밖에 없었고, 태조가 남해를 순행할 수 있었던 것도 바로 이런 배경에서 가능했을 것이다.

태조가 남해를 순행한 기간은 자그마치 두 달이었다. 말하자면 남해는 고구려의 수도가 있던 요동에서 한 달 이상 걸리는 거리에 있었다는 뜻이다. 이는 곧 고구려의 남해가 결코 발해를 지칭하는 것이 아니라는 사실을 알려주고 있다.

고구려는 뛰어난 해군력을 바탕으로 산동반도는 물론이고 양자강 아래쪽의 상해나 복주까지 진출해 있었던 것이다. 이는 태조 당시 고구려가 중국의 해안 지역을 거의 장악했음을 의미한다.

마한(馬韓)

「고구려본기」에 마한이 처음으로 등장하는 것은 태조 69년(서기 121년) 12월이다. 이 무렵 고구려는 한의 요동과 현도를 공략하기 위해 선비, 예맥, 마한 등의 군사를 동원한다. 그리고 마침내 현도성을 포위하기에 이른다. 마한에 관련된 기사는 바로 고구려가 현도성을 포위하는 다음의 내용에 기록되어 있다.

"12월, 왕이 마한과 예맥의 기병 1만여 명을 거느리고 현도성을 포위하였다."

하지만 이 때 부여 왕이 아들 위구태에게 2만의 병사를 주어 고구려군의 후미를 치는 바람에 현도성을 장악하는 데 실패한다. 그래서 이듬해 가을에 다시요동을 공격한다. 이 때도 고구려는 마한의 병력을 동원한다.

이처럼 고구려가 동한을 공격할 당시에 마한이 언급되자 『삼국사기』의 편찬자들은 다음과 같은 의문을 제기한다.

"마한은 백제 온조왕 27년에 멸망하였는데, 지금 고구려 왕과 함께 군사행동을 하였다 하니, 멸망하였다가 다시 일어난 것인가?"

『삼국사기』 편자들이 이 같은 의문을 던지는 것은 다음과 같은 「백제본기」의 기록들 때문이다.

25년 봄 2월, 왕궁의 우물이 엄청나게 넘쳤다. 한성의 민가에서 말이 소를 낳았다. 머리 하나에 몸은 둘이었다. 점치는 자가 말했다.

"우물이 엄청나게 넘친 것은 대왕께서 융성할 징조이며, 하나의 머리에 몸이 둘인 소가 태어난 것은 대왕께서 이웃 나라를 합병할 징조입니다."

왕이 이 말을 듣고 기뻐하여, 마침내 진한과 마한을 합병할 생각을 하게 되었다.

26년 가을 7월, 왕이 말했다.

"마한이 점점 약해지고 임금과 신하가 각각 다른 생각을 하고 있으니, 그국세가 오래 유지될 수 없을 것이다. 만일 다른 나라가 이들을 합병해 버린다면 입술이 마르고 이가 떨리는 일이 될 터이니, 그 때 가서 후회해도 소용이 없다. 차라리 남보다 빨리 빼앗아 후환을 없애는 것이 낫겠다."

겨울 10월, 왕이 사냥을 간다고 하면서 군사를 출동시켜 마한을 기습하였다. 마침내 마한을 병합하였는데, 오직 원산과 금현 두 성만 굳게 수비하고 항복하지 않았다.

27년 여름 4월, 원산과 금현 두 성이 항복하였다. 그 곳의 백성들을 한산 북쪽으로 이주시켰다. 마침내 마한이 멸망하였다.

34년 겨울 10월, 마한의 옛 장수 주근이 우곡성을 거점으로 반란을 일으켰다. 왕이 직접 5천 명의 군사를 거느리고 공격하였다. 주근은 목매어 자결하였다. 그 시체의 허리를 자르고 처자들도 죽였다.

이것이 「백제본기」에 나오는 마한에 관한 모든 기사이다. 그리고 이 기록은 마한이 온조 27년(서기 9년) 4월에 멸망했다고 말하고 있다. 때문에 『삼국사기』의 편자들이 이미 112년 전에 망한 마한의 군사가 고구려와 함께 동한을 쳤다는 기록에 의문을 제기하는 것은 당연하다. 하지만 고구려가 동한을 칠 당시에 마한의 병력이 동원된 것만은 사실인 듯하다. 그런데 이 사건 이후에 그 어느 기사에서도 마한에 대한 기록은 찾아볼 수 없다. 이는 곧 마한이 백제에게 멸망당한 이후에 다시 일어나지는 못했다는 증거이다. 다만 마한은 백제에 의해 도성을 빼앗긴 이후 고구려에 투항하여 일부 영토를 할당받았을 가능성이 높다. 그 같은 예는 당시의 역사 기록에서도 많이 발견되기 때문이다(마한에 대한 자세한 내용은 『백제왕조실록』 「제1대 온조왕실록」편에서 언급하기로 한다).

▶ 태조왕 시대의 세계 약사

태조 시대 중국은 동한의 광무제가 죽고 명제, 장제, 화제, 상제, 안제, 소제, 순제, 충제, 질제 등 아홉 명의 왕이 교체되었다. 이들 중 광무제, 명제, 장제가 치리했던 60여 년 간은 비교적 안정된 시기로 국가의 토대가 확립된다. 그러나 화제에서 질제에 이르기까지는 외척이 득세하여 왕권이 약화되고, 한편으로는 환관들이 근왕세력으로 성장한다. 이 시기의 왕들은 즉위 당시 나이가 불과 3살에서 15살에 이르는 어린아이였다. 그 때문에 외척들이 권력을 장악하곤 했는데, 왕이 성장하면 환관들을 중심으로 근위세력을 형성하는 바람에 환관의 힘이 강해졌다. 이런 현상은 누차에 걸쳐 반복되어 외척과 환관들 간에 피비린내 나는 싸움이 계속되었다. 이에 따라 조정은 혼란되고, 곳곳에서 농민봉기가 일어났다.

이런 와중에서도 역사가 반고는 『한서』를 편찬하고, 학자 왕충은 『논형』을 저술한다. 또한 장형은 '혼천설'의 체계를 세워 혼천의를 발명함으로써 과학문명의 발전에 획기적인 공헌을 한다.

한편, 이 무렵 서양은 로마의 클라우디우스가 아그리피나에게 독살되고, 서기 54년에 그의 아들 네로가 왕위에 오른다. 왕위에 오른 네로는 서기 59년에 자신의 친모 아그리피나를 죽이고, 다시 자신의 아내 옥타비아를 죽인다. 또한 그는 서기 64년에 로마시를 불태우고, 기독교를 박해하기 시작한다. 이로 인해 베드로, 바울 등이 순교하였고, 유태인들은 반란을 일으켰다. 그리고 서기 68년에 로마에 내란이 일어나 폭군 네로는 스스로 목숨을 끊었다.

네로 이후 로마에는 오토, 비텔리우스, 베스파시아누스 등이 몇 개월 상간으로 왕위에 오르다가 티투스가 즉위함으로써 안정을 되찾는다. 하지만 그가 죽자 네르바, 리아누스 등이 짧게 집권하다가 트라야누스에 이르러 다키아, 아르메니아, 메소포타미아 등을 병합하여 영토를 확장하고, 하드리아누스에 의해 안정을 되찾아 안토니누스 피우스에 이른다.

이 같은 정치적 상황이 지속되는 가운데 기독교에 대한 로마의 박해는 더욱 가속화되고 기독교인들은 『요한복음』을 비롯한 『신약성서』를 완성해간다. 또한 이 시기에 역사가 타키투스는 『게르메니아』, 『연대기』 등을 완성하고, 플루타르크는 『영웅전』을 발표한다.

제7대 차대왕실록

1. 왕위 찬탈을 꿈꾸는 수성과 조정의 혼란

태조의 아버지 재사는 여러 명의 아내에게서 많은 자식을 낳았던 모양이다. 또한 태조의 모후 해씨는 늦게까지 아이를 낳았다. 그 바람에 태조와 수성은 동복 형제임에도 불구하고 터울이 24살이나 되었다.

태조는 이 어린 동생을 무척 아꼈던 모양이다. 마치 자식을 대하듯 그는 동생을 길렀고, 수성은 성장하자 태조의 총애에 의지하여 권력의 핵심으로 떠오른다.

수성은 지략이 뛰어나고 병법에 능한 인물이었다. 그래서 그는 곧잘 전장에 출전하여 공을 세우곤 하였고, 그 덕분에 시간이 흐를수록 정치적 입지가 더욱 강화되었다.

수성이 결정적인 공훈을 세운 것은 태조 69년(서기 121년)에 있었던 동한과의 싸움에서였다. 이 때 수성은 군사 2천을 이끌고 출전하여 동한의 유주 자사 풍환, 현도 태수 요광, 요동 태수 채풍 등이 이끄는 수만의 군사를 협곡으로 유인하는 데 성공한다. 이로 인해 동한군 수만 명이 2천 명의 고구려군 때문에 협곡에 갇혀 꼼짝도 못하는 신세가 되었다. 그 틈을 이용하여 고구려군 3천 명이 요동과 현도로 출정하여 남아 있던 한군을 전멸시키는 큰 승리를 얻었던 것이다. 이것이 수성의 나이 50살 때의 일이다.

이 사건 이후 동한은 급격히 군사력이 약해져 현도와 (한의) 요동에서 패전을 거듭한다. 그리고 급기야 현도와 요동을 고구려에 넘겨줘야 할 처지에 놓이게 된다. 그들은 부여에서 보낸 원군 덕분에 가까스로 현도와 요동을 지키기는 하지만 한동안 고전을 면치 못했던 것이다.

그런데 수성이 전공을 세운 서기 121년 11월에 태조는 노환으로 병석에 눕는다. 그리고 정사를 수성에게 맡기고 자신은 요양을 한다. 말하자면 이 때부터 수성은 태조를 대신하여 대리정치를 하게 됐던 것이다.

하지만 이것이 화근이었다. 태조를 대신하여 정사를 처리하던 수성은 오만방자하여 독단을 일삼았다. 이에 태조는 그의 독단을 방지할 목적으로 서기 123년 10월에 근신들인 패자 목도루와 고복장을 좌, 우보로 삼아 수성을 견제하였다.

이 같은 태조의 견제책 덕분에 한동안 조정은 별 탈 없이 정사를 처리할 수 있었다. 그러나 수성의 힘을 이용하여 권력을 장악하고자 하는 세력이 나타나면서 상황은 급속도로 변화되었다.

수성의 수하 중에는 미유, 어지류, 양신이라는 모사꾼들이 있었다. 미유는 당시 관나부 우태였으며, 어지류는 환나부 우태, 양신은 비류나부의 조의였다.

나부(那部)란 한때 독자적인 영역을 갖고 있다가 동명성왕에 의해 관속으로 편입된 부족자치구였다. 이들 중 관나부와 환나부는 고구려 초기의 5부족 연맹체 중 일부이며, 비류나부는 송씨 일족이 다스리던 비류국이었다가 송양 치세 때에 동명성왕에 의해 고구려에 병합되면서 다물도로 개칭되었다. 그 후 나부체제에 편입되어 비류나부로 불렸던 것이다.

나부에는 나름대로 독자적인 자치 체제가 있었는데, 그 우두머리를 패자라 하고, 그 아래 대주부 · 주부 · 우태 · 조의 등의 작위를 얻은 관리들이 있었다. 이들 인사들은 중앙관료를 겸할 수 있는데, 당시 좌보로 있던 목도루도 나부의 패자였다.

나부의 관료인 미유, 어지류, 양신 등은 중앙관료로 진출하기 위해 수성을 이용하고자 했다. 그래서 수성에게 왕위를 찬탈할 것을 충동질한 것이다.

수성이 태조를 대신하여 대리정치를 한 지 11년이 흐른 서기 132년(태조 80년), 수성은 왜산에서 근신들과 함께 사냥을 즐겼다. 이 때 미유, 어지류, 양신 등이 은밀히 수성을 찾아가 왕위 찬탈을 충동질하며 말했다.

"애초에 모본왕이 죽었을 때, 태자가 불초하여 여러 신하가 대군의 부친 재사 어른을 왕으로 세우려 하였습니다. 그런데 재사 어른께서 자신은 너무 늙었다고 하면서 지금 태왕께 왕위를 양보했습니다. 그렇지만 이는 엄연히 형이 늙으면 아우가 대신해서 왕위를 계승케 하려는 의도였습니다. 왜냐하면 모본왕은 지금 태왕의 종형이기 때문입니다. 그런데 태왕은 이미 늙었음에도 불구하고 전혀 양위할 뜻이 없으니 대군께서는 좋은 계책을 세워야만 할 것입니다."

그들의 말에 수성이 손사래를 치며 대답했다.

"그게 무슨 말인가? 왕위는 맏아들이 계승하는 것이 천하의 예법이다. 엄연히 맏아들 막근태자가 있는데 내가 어찌 감히 왕위를 넘보겠는가?"

수성은 이렇게 해서 일단 왕위 찬탈에 대한 거부 의사를 보였다. 그는 내심 태조가 죽으면 자연스럽게 자신에게 왕위가 돌아올 것으로 생각했던 것이다. 하지만 태조가 자신에게 왕위를 물려주지 않고 태자 막근에게 물려주면 그야말로 닭 쫓던 개 지붕 쳐다보는 격이 되고 만다. 이를 모를 리 없는 수성은 은근히 신하들에게 자신의 속내를 내보이기 시작했다.

그 때 미유가 수성의 찬탈욕에 불을 질렀다.

"아우가 현명하면 형의 뒤를 잇는 일은 옛날에도 많았습니다. 그런데 현명한 사람이 단지 맏아들이 아니라는 이유만으로 왕위를 포기한다면 그 나라 백성은 불행할 것입니다."

미유의 이 말에 수성은 왕위를 찬탈하기로 결심한다. 그러자 이를 눈치 챈 신하들의 반발 움직임이 일었다.

좌보로 있던 패자 목두루는 병을 구실로 관직을 내놓았고, 수성의 이복 동생인 백고(제8대 신대왕)는 수성을 찾아가 강력하게 만류하였다.

서기 138년 3월, 백고는 수성의 왕위찬탈을 저지하기 위해 목숨을 걸고 형을 찾아가 충고했다.

"화와 복은 들어오는 문이 따로 있는 것이 아니라 오직 사람이 불러들이는 것입니다. 지금 형님이 태왕의 아우이자 친족으로서 백관의 우두머리가 되었으니, 지위는 이미 지극히 높고 공로도 또한 훌륭합니다. 따라서 마땅히 충성과 의리를 가슴에 새기고 예절과 겸양으로 욕망을 억제하며, 위로는 태왕의 덕과 같도록 노력하고, 아래로는 민심을 얻어야 하지 않겠습니까? 이렇게 하면 부귀가 형님을 떠나지 않고, 화란이 일어나지 않을 것입니다. 지금 형님은 이를 모르고 향락에 빠져 두려움을 모르고 있으니, 신상에 위태로움이 닥치지 않을까 염려됩니다."

백고의 충고에 수성은 화를 버럭 내며 대답했다.

"감정 있는 사람이면 누군들 향락과 부귀를 마다하겠는가? 하지만 이를 얻는 자는 만 명에 한 명도 되지 않는다. 이제 내가 향락을 즐길 수 있는 처지에 있으니, 내 뜻대로 할 수 없다면 장차 무슨 소용이 있단 말이냐!"

이렇듯 수성은 공공연히 스스로 왕위 찬탈을 정당화하기에 급급했다. 그리고 시간이 흐를수록 그 욕망은 더욱 노골적으로 드러났다. 태조도 이를 염려하며 꿈을 핑계하여 근신들을 불렀다.

서기 142년 9월, 부름을 받고 달려온 근신들에게 태조는 꿈 이야기를 했다.

"간밤에 꿈을 꾸었는데, 표범 한 마리가 호랑이의 꼬리를 물었다. 그래서 점자(占者, 점을 치는 사람)에게 '도대체 이것이 무슨 꿈인지 알겠는가?' 하고 물으니 그 사람 대답이 요상하더구나. 점자가 말하기를 '호랑이는 모든 짐승의 어른이며, 표범은 호랑이의 한 종류로서 작은 짐승입니다. 즉, 호랑이는 왕이라 할 수 있고, 표범은 왕족 중 하나라고 볼 수 있습니다. 따라서 그 꿈은 아마도 친족 중에 하나가 왕위를 노리고 태왕마마의 후대를 끊어놓으려고 한다는 것을 예시하고 있는 듯합니다.' 하지 않겠나. 그 말을 듣고 기분이 몹시 언짢아 그대들을 불렀네. 이제 그대들은 내가 어떻게 하면 좋겠는가?"

태조의 근심 어린 물음에 우보 고복장이 말했다.

"안 좋은 일을 하면 좋은 것도 변하여 나쁜 것이 되고, 좋은 일을 하면 재앙도 도리어 복으로 변하는 것입니다. 이제 마마께서 나랏일을 집안일과 같이 걱정하시니, 사소한 이변이 있다 한들 무슨 걱정거리가 되겠습니까?"

고복장의 위로에 태조는 근심을 거두었다. 하지만 태조가 이미 자신을 의심하고 있다는 사실을 안 수성은 거사를 서두른다.

서기 146년 7월, 수성은 근신들을 모아놓고 다급하게 주문했다.

"태왕이 늙었으나 죽지 않고, 나도 늙어가니 더 이상 기다릴 수 없다. 그대들은 나를 위하여 거사를 추진하기 바란다."

수성의 이 말에 대다수의 근신들은 찬성했으나 그 가운데 한 명이 반대 의사를 내놓았다.

"지금 대군께서는 예사롭지 않은 말을 하셨는데, 모두 직언으로 말리지 않고 명령에 따르려 하니 그들은 단지 간사하여 아첨을 떠는 것입니다. 제가 직언을 해도 좋겠습니까?"

수성이 대답했다.

"그대가 직언을 한다면 그것은 반드시 내게 약이 될 터인데, 무엇을 염려하는가? 어서 해보라."

이에 그 사람이 말했다.

"우리 태왕께서 현명하여, 안팎으로 반역할 마음을 품은 자가 없었습니다. 그런데 대군께서 나라에 공로가 있다 하여 간사하고 아첨하는 무리들과 함께 태왕을 폐위시키려 하니, 이것은 한 오라기 실로 만근의 물건을 매어놓고 거꾸로 끌어당겨 보려는 것과 무엇이 다르겠습니까? 어리석은 사람이라도 그것이 불가능하다는 사실을 알 것입니다. 대군께서 생각을 바꾸어 충효와 공손함으로 태왕마마를 섬기면 마마께서는 대군의 어진 마음을 깊이 헤아려 반드시 양위할 마음을 가질 것입니다. 그러나 그렇게 하지 않으면 앞으로 큰 화가 미칠 것입니다."

이 말에 수성은 몹시 기분이 상하였다. 그래서 근신들에게 명령하여 직언을 한 수하를 죽여버렸다.

그해 10월, 수성의 역모 계획을 눈치챈 우보 고복장이 급히 태조를 배알하여 고했다.

"마마, 수성이 반란을 일으키려 하니 그를 처형하소서."

이에 태조가 말했다.

"내가 이미 늙었고, 수성은 나라에 공이 있으니 내가 그에게 왕위를 주는 것이 옳지 않겠는가. 내가 이 늙은 몸으로 그를 막으려 한들 분란밖에 더 일어나겠는가. 그러니 그대는 너무 근심하지 말라."

태조는 긴 한숨을 토해내며 수성에게 양위할 뜻을 내비쳤다. 하지만 고복장은 강력하게 만류했다.

"마마, 수성은 사람됨이 잔인하고 어질지 못합니다. 만약 그가 오늘 왕위를 물려받는다면, 내일은 마마의 자손들을 해칠 것입니다. 마마께서는 어질지 못한 아우에게 은혜를 베푸는 것만 알고 죄 없는 자손들에게 후환이 미칠 것은 왜 생각하지 못하십니까? 이 불초한 사람의 말을 깊이 새기소서."

고복장의 충언에도 불구하고 태조는 수성에게 왕위를 넘겨주고 말았다. 1백 세가 된 그는 기력도 없을 뿐 아니라 판단력도 흐린 상태였다. 또한 권력은 이미 수성에게 집중되어 있었기 때문에 찬탈을 막으려 해도 막을 수 없다는 것을 알았던 것이다. 그래서 그해 12월에 태조는 수성을 불러 양위 의사를 전달한다.

"짐이 이미 늙어 만사가 힘들구나. 천운이 이제 너에게 있는 듯하다. 그동안 너는 안으로 국정을 총괄하고, 밖으로는 군권을 지휘하여 오랫동안 국가에 대한 공로를 쌓았다. 이는 곧 신하와 백성들의 기대에 부응한 것이니, 내가 너에게 대사를 맡길까 한다. 부디 왕위에 올라 경사를 누리길 바란다."

태조는 이렇게 말하고 상왕으로 물러나 별궁에 머물렀다. 그리고 수성은 태조의 양위 형태를 거쳐 비로소 고구려 제7대 왕에 올랐다.

2. 폭군 차대왕의 즉위와 계속되는 피의 숙청

(서기 71~165년, 재위기간 : 서기 146년 12월~165년 10월, 18년 10개월)

태조를 몰아내고 차대왕이 왕위에 오르자 고구려 조정은 피바람에 휩싸인다. 차대왕은 즉위하자 곧 측근들을 요직에 배치하고 반대세력을 제거하는 한편, 걸림돌이 되는 왕족들을 가차없이 죽였던 것이다. 이로 인해 조정은 혼란에 휩싸이고, 피의 숙청으로 권력을 독식한 차대왕은 폭정을 지속한다.

차대왕은 유리명왕의 여섯째 아들 재사의 차남이며, 태조의 동복 아우로 태조 초기에 수렴청정을 했던 태후 해씨 소생이다. 서기 71년에 태어났으며, 이름은 수성(遂成)이다. 친형 태조의 총애를 받아 요직을 두루 거치며 관직생활을 하였으며, 서기 121년부터는 국정을 도맡았다. 이후 권력을 독식하며 왕위 찬탈을 꿈꾸다 서기 146년 12월에 태조를 압박하여 상왕으로 물러앉고 고구려 제7대 왕에 올랐다. 이 때 그의 나이 76세였다.

왕위에 오른 차대왕은 즉위 2개월 만인 서기 147년 2월에 우선 자신의 최측근인 관나부 우태 미유의 작위를 패자로 격상시킨 후 좌보에 임명하였으며, 3월에는 정적 고복장을 사형에 처했다. 이 때 고복장은 죽음을 통고받고 탄식하며 말했다.

"슬프고 원통하구나! 내가 전날에 선왕의 근신이었으니, 어찌 반역을 도모하는 자를 지켜보고도 말하지 않을 수 있겠는가. 선왕이 내 말을 듣지 않아서이 지경이 된 것이 한스럽구나. 이제 새 태왕이 왕위에 올랐으니 마땅히 백성에게 새로운 정치와 교화를 보여야 옳을 것인데, 정의를 버리고 충신을 죽이려하는구나. 내가 이처럼 무도한 시대에 사니 차라리 빨리 죽는 것이 낫지 않겠는가."

고복장이 이 말을 남기고 죽자 좌보로 있던 목도루는 병을 핑계 삼아 퇴직을 청했다. 목도루는 서기 132년에도 수성이 집권을 획책하자 병을 핑계로 퇴직한 바 있었다. 그리고 차대왕 즉위 후 복직하였다가 다시 퇴직을 청했던 것이다(아마 이 때 미유는 우보로 전직한 듯하다). 그는 명망 있는 신하로 많은 사람의 추앙을 받는 인물이었다. 따라서 그의 퇴직은 차대왕에게 타격을 가하는 일이었다.

하지만 차대왕은 목도루의 퇴직을 기다리기라도 한 듯이 환나부 우태 어지류의 작위를 대주부로 격상시켜 좌보로 임명하였다. 또한 자신이 왕위에 오르는 데 지대한 역할을 한 비류나부의 양신을 조의에서 우태로 작위를 격상시키고 중외대부에 제수했다. 이렇게 하여 조정의 요직은 일시에 차대왕의 측근들로 채워졌다.

측근정치를 통하여 조정을 완전히 장악한 차대왕은 독재체제를 구축하고, 서기 148년 3월에는 자신의 조카이자 태조의 맏아들인 막근태자를 죽인다. 막근태자가 살아 있는 한 태조의 근신들이 끊임없이 역모를 도모할 것이라고 판단하고 마침내 자객을 보내 살해했던 것이다. 이 소식을 들은 태조의 둘째 아들 막덕은 스스로 목숨을 끊어버렸다.

또한 그해 7월에는 자신의 사무(師巫, 임금을 수행하면서 천기와 일기를 보는 사람)를 사냥터에서 칼로 쳐 죽이기도 하였다. 그날 차대왕은 평유원에서 사냥을 하고 있었는데, 흰 여우 한 마리가 그를 따라오면서 울부짖었다. 그래서 차대왕은 활을 빼 여우를 쏘았지만 맞히지 못해 분통을 터뜨리며 점자 사무에게 물었다.

"흰 여우가 따라다니며 우는 것은 도대체 무슨 징조인가?"

이에 사무가 대답했다.

"여우는 원래 요사스럽고 상서롭지 못한 짐승입니다. 더구나 빛깔이 희니 이는 더욱 괴이한 일입니다. 그러나 하늘이 간절한 뜻을 말로 전할 수 없으므로 요괴한 것을 보여주는 것이니, 이는 임금으로 하여금 두려워할 줄 알고 반성할 줄 알게 하여 스스로 새롭게 하도록 하려는 것입니다. 하지만 만약 임금이 덕을 닦으면 화를 복으로 바꿀 수 있을 것입니다."

사무의 말은 차대왕에게 덕을 길러 좋은 정치를 펼치라는 충고였다. 그러자 차대왕은 버럭 화를 내며 사무를 다그쳤다.

"흉하면 흉하다 길하면 길하다 할 것이지, 이미 요사스러운 것이라고 말해놓고 다시 복이 된다고 하는 것은 무슨 거짓말이냐?"

차대왕은 이렇게 화를 내면서 사무를 쳐 죽였다.

이듬해인 서기 149년 5월에는 목, 화, 토, 금, 수성이 모두 동쪽에 모이는 현상이 있었다. 이에 차대왕은 일자(日者, 천문기상을 맡은 관원)에게 그 이유를 물었다. 오성이 한 곳에 모이는 것은 원래 좋지 못한 징조로 알려져 있었지만, 일자는 차대왕이 분노할 것을 두려워하여 거짓말을 하였다.

"이것은 임금의 덕이 충만하여 나라가 화평해지리라는 징조입니다."

일자의 이 말에 차대왕은 기뻐하였다. 이처럼 차대왕이 감언을 좋아하고 옳은 말을 싫어하자 근신 가운데 아무도 직언을 하는 자가 없었다. 그럴수록 차대왕은 날로 포악해져 독단을 일삼고, 눈에 거슬리는 신하는 가차없이 죽였다. 그 때문에 아무도 당시의 일을 기록하지 못했다.

하지만 차대왕의 폭정을 당시 사람들은 자연 현상에 빗대어 다음과 같이 표현하였다.

8년 여름 6월, 서리가 내렸다.
겨울 12월, 우레와 지진이 있었고, 그믐날 객성이 달을 범하였다.
13년 봄 2월, 혜성이 북두에 나타났다.
여름 5월, 그믐날 갑술에 일식이 있었다.
20년 봄 정월, 그믐에 일식이 있었다.

여름에 서리가 내린다거나 겨울에 우레와 지진이 생긴다는 것은 흔히 있는 일이 아니며 당시 사람들에게는 매우 불길한 징조였다. 또한 떠돌이별이 달을 범했다는 것이나 혜성이 북두에 나타났다는 것은 누군가가 차대왕을 제거할 것이라는 예언이다. 거기에다 그믐에 일식이 생긴다는 표현은 빛이 하나도 없는 흑막의 세상을 은유한 것으로 하루빨리 누군가가 그 흑막을 걷어내길 염원한 것이다.

차대왕의 폭압 정치에 의해 철저하게 언로가 차단되자 백성들은 이렇듯 자연현상에 빗대어 당시의 암울했던 상황을 묘사했다.

그 같은 폭정이 계속되던 서기 165년 3월, 노환으로 별궁에서 요양 중이던 태조는 119세로 생을 마감한다. 그리고 이 해 10월에 드디어 차대왕의 폭정은 종말을 고하게 된다.

차대왕의 폭압은 날로 심해졌으며, 그의 향락으로 인해 백성은 굶주림과 학정에 고통받고 간신들은 부패의 늪에서 헤어나지 못하자 연나부 조의 명림답부가 주동이 되어 차대왕을 시해했다. 이 정변에는 차대왕의 측근들도 가담했으니, 차대왕의 폭정이 얼마나 극악했는지 짐작하고도 남을 일이다.

능에 대한 기록은 남아 있지 않으며, 묘호를 '차대왕(次大王)'이라 하였다 (차대왕이란 두 번째 왕이란 뜻인데, 이를 보아도 고구려인들이 태조에 대해 각별한 생각을 가지고 있었다는 것을 알 수 있다).

3. 차대왕의 가족들

차대왕의 가족에 대한 기록은 거의 남아 있지 않다. 다만 제8대 「신대왕실록」에 차대왕의 아들 태자 추안에 대한 언급이 있는 것으로 봐서 왕후와 자녀가 있었던 것만은 분명하다. 이에 태자 추안의 삶을 간단하게 정리한다.

태자 추안(생몰년 미상)

태자 추안(鄒安)은 차대왕의 맏아들이며, 차대왕의 왕후 소생이다. 언제 태어났는지 기록되어 있지 않으며, 언제 태자에 올랐는지도 알 수 없다.

서기 165년 10월 '명림답부의 난'이 일어나 차대왕이 살해되자 그는 궁궐을 빠져나가 몸을 숨겼다. 그 후 신대왕이 즉위하여 대사면령이 떨어지자 스스로 도성 문 앞에 머리를 조아리고 다음과 같이 살려줄 것을 청하였다.

"지난번 나라의 재난(답부의 난)이 있을 때, 제가 죽지 못하고 산곡으로 도망하였다가, 이제 새로운 정치가 베풀어졌다는 소문을 듣고 감히 저의 죄를 말

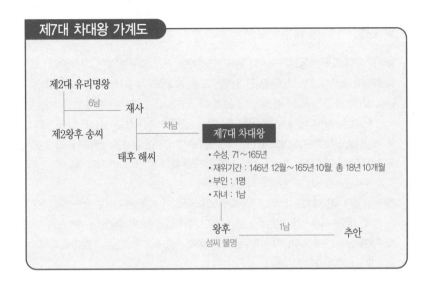

제2대 유리명왕

6남 ─── 재사

제2왕후 송씨

차남 ─── **제7대 차대왕**

태후 해씨

• 수성, 71~165년
• 재위기간 : 146년 12월~165년 10월. 총 18년 10개월
• 부인 : 1명
• 자녀 : 1남

왕후 ─────1남───── 추안
성씨 불명

씀드립니다. 만약 태왕께서 법에 의하여 죄를 주시면, 시체를 저자에 버리는 형벌이라도 달게 받겠으며, 만약 죽음을 면하게 하여 먼 곳으로 추방하신다면 죽을 사람을 살려주시는 은혜로 알겠습니다."

추안의 말을 들은 신대왕은 그에게 사면령을 내림과 동시에 구산뢰와 누두어 두 곳을 녹읍으로 주고, 양국군이라는 봉작도 내렸다.

추안은 그 후 양국군으로 머물며 조용히 살았다. 그 이상의 자세한 삶은 기록되어 있지 않다.

▶ 차대왕 시대의 세계 약사

차대왕 시대 중국은 동한의 제11대 환제(유지(劉志), 서기 146~167년) 치세기이다. 외척 양익이 질제를 죽이고 등극시킨 환제는 모후 양태후의 수렴청정이 끝나자 외척을 견제하기 위해 근위세력을 형성하게 되는데, 그 바람에 환관들이 득세하여 조정이 혼란으로 치닫는다. 이로 인해 내부에서는 각지에서 농민들이 봉기하고, 설상가상으로 외부에서는 남흉노가 반란을 일으키고, 선비는 몽고를 통일하여 운중을 침략한다. 그 후에도 농민봉기가 계속되는 가운데 선비, 남흉노, 오환 등의 침입이 이어지고, 동한은 급속도로 말기 증세를 보이며 멸망의 기운을 드러낸다.

한편, 유럽의 로마에서는 안토니누스 피우스가 기독교 박해를 중지하고 보호령을 내린다. 안토니누스 피우스가 죽은 후에는 마르쿠스 아우렐리우스와 루키우스 베루스가 함께 즉위하는 이변이 일어난다. 이 무렵 로마 북쪽 변방으로 게르만족이 밀려와 드디어 로마 본토를 침입하기 시작한다.

제8대 신대왕실록

1. 신대왕의 즉위와 조정의 안정
(서기 89~179년, 재위기간:서기 165년 10월~179년 12월, 14년 2개월)

명림답부의 정변으로 차대왕이 제거되고 신대왕이 등극함에 따라 고구려 백성들은 폭정의 그늘에서 벗어난다. 신대왕은 화합책을 도모하여 정국을 안정시키는 한편 백성들에 대한 위무정책을 추진하여 소기의 성과를 거둔다. 하지만 국제정세가 급격하게 변해감에 따라 고구려와 동한 사이에 패권 다툼이 진행된다. 이로 인해 고구려 백성들은 몇 번에 걸쳐 전쟁을 경험한다.

신대왕은 고추가(古鄒加, 조선 때의 칭호로는 임금의 아버지인 대원군에 해당) 재사의 셋째 아들이며, 태조와 차대왕의 이복 동생이다. 서기 89년에 태어났으며, 이름은 백고(伯固), 또는 백구(伯句)이다. 누구 소생인지는 기록되어 있지 않으며, 차대왕 재위 때에는 생명을 유지하기 위해 산 속에 몸을 숨겼다가 서기 165년 10월에 명림답부에 의해 차대왕이 제거되자 77살의 노구로 고구려 제8대 왕에 추대되었다.

신대왕은 맏형인 태조보다 42살 아래이며, 둘째 형인 차대왕보다는 18살

아래이다. 『삼국사기』는 차대왕은 태조의 동복 아우라고 기록하고 있으나 신대왕은 단지 태조의 막내 아우라고만 기록하고 있다. 이는 신대왕이 태조의 동복 아우가 아님을 말해준다. 신대왕이 태조보다 42살이나 어리다는 것 역시 그들이 이복 형제임을 증명하는 것이라 하겠다. 따라서 신대왕은 태조 재위시에 그다지 큰 권력을 가지지 못했을 뿐 아니라 차대왕 재위시에는 죽음의 위협에 시달려야만 했을 것이다.

백고는 차대왕이 왕위에 오르는 것을 반대한 인물이다. 서기 138년, 차대왕이 왕위를 찬탈하려 하자 백고는 목숨을 걸고 그를 찾아가 만류한다. 하지만 차대왕은 그의 만류를 뿌리치고 8년 뒤인 서기 146년 12월에 태조를 상왕으로 밀어내고 왕위에 올랐다. 그 후 차대왕은 태조의 아들들을 죽이고 권력을 독식하여 폭정을 일삼았으며, 그 때문에 민심은 날로 흉흉해지고 곳곳에서 반역의 기운이 감돌았다. 이에 백고는 목숨이 위태롭다는 판단을 하고 스스로 산 속에 은둔해 버렸다. 차대왕에게 항상 눈엣가시였기에 언제 차대왕의 칼날이 그에게 향할지 알 수 없는 데다가, 누군가 반정을 도모하기라도 하면 필시 자신도 죽임을 당하리라고 생각했던 것이다.

백고의 예견은 적중했다. 서기 165년 10월 연나부 조의 명림답부가 주동이 되어 반정이 일어났고, 차대왕은 반정세력의 칼날에 목이 달아났다. 반정을 주도한 명림답부는 정권을 장악한 뒤 차대왕의 근신들을 포섭하여 백고를 새 왕으로 추대할 것을 결정하였고, 이에 따라 조정은 백고를 찾기 위해 사람들을 풀었다. 얼마 뒤 백고가 궁궐로 돌아오자 반정공신 명림답부와 차대왕의 근신 어지류 등은 무릎을 꿇고 옥새를 바쳤다. 백고는 관례대로 세 번 사양한 뒤에 옥새를 받아들여 왕위에 올랐다. 그가 바로 고구려 제8대 왕 신대왕이다.

왕위에 오른 신대왕은 우선 정국을 안정시키기 위해 대대적인 사면령을 내리고, 백성들에게는 위무정책을 실시하였다. 그 결과 차대왕의 측근들을 비롯한 대다수의 죄수들이 사면되었다. 그리고 이 소식을 들은 차대왕의 아들인 태자 추안은 궐문 앞에 무릎을 꿇고 사면을 요청하였다. 그는 난이 발생했을 때 궁궐을 빠져나가 산 속에 숨어 있다가 대사면령이 내렸다는 소문을 듣고 용서를 받고자 했던 것이다.

추안이 사면을 청한다는 소리를 듣고 신대왕과 새 조정은 그에게 양국군이라는 봉작을 내리고, 구산뢰와 누두어 두 곳을 봉토로 내렸다. 그에 대한 이 같은 획기적인 배려는 정권의 주도세력인 명림답부 일파가 확실하게 화합정책을 표방하고 있다는 것을 대외에 알리기 위함이었다.

새 조정과 새 왕이 이처럼 화합정책 일변도로 나오자 정국은 빠르게 안정되었고, 학정을 피해 산 속으로 달아났던 백성들도 하산하였다. 이에 따라 고구려 백성들은 20년 만에 안정된 삶을 되찾고 있었다.

신대왕은 화합정책과 함께 조정의 행정체제를 대폭 개선하였다. 재상격인 좌우보 제도를 없애고 국상제(國相制)를 도입하여 초대 국상에 명림답부를 임명하였다.

좌우보 제도를 혁파하고 국상제를 도입한 것은 근본적으로 왕의 권한이 그만큼 약해졌다는 뜻이다. 신대왕은 어차피 반정 혁명세력의 추대로 왕위에 올랐기에 조정은 반정을 주도한 명림답부파에 의해 장악되었고, 그 결과물이 바로 국상제였던 것이다.

초대 국상에 임명된 명림답부의 작호는 원래 조의였다. 그러나 신대왕 즉위 후에는 패자로 격상되었으며, 국상과 내외 병마사를 겸임하였다. 동시에 양맥 부락을 스스로 통치하고 있었기에 그야말로 그에게는 막강한 권력이 주어졌다. 행정권은 물론이고 병권까지 그가 장악했던 것이다. 때문에 그를 '국상(國相)'이라고 부르는 것은 너무도 당연했다.

고구려 조정이 명림답부에 의해 장악되고 있을 무렵 국제 정세는 하루가 다르게 급변하고 있었다. 북방에서는 선비의 세력이 팽창하여 남하하고 있었고, 부여와 동한의 관계는 급격히 악화되고 있었다. 이 때문에 고구려, 선비, 부여, 동한 등의 변방에는 전운이 감돌기 시작했고, 마침내 서기 167년 봄에 부여 왕 부태가 현도군을 공격하면서 걷잡을 수 없는 상황으로 치달았다.

부여가 현도를 공격하게 된 데에는 부여와 현도군 사이에 일어났던 무역 마찰이 근본적인 원인이었다. 당시 부여는 동한 왕실과 두터운 친분 관계를 형성

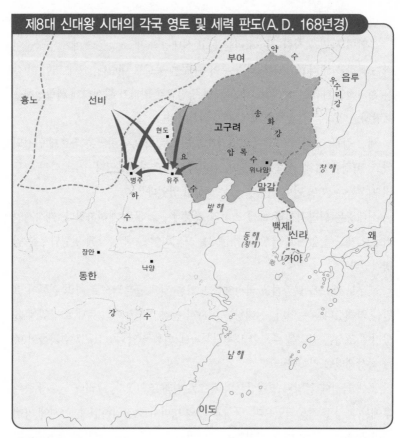

제8대 신대왕 시대의 각국 영토 및 세력 판도(A. D. 168년경)

흉노 / 선비 / 부여 / 약 수 / 읍루 / 우수리강 / 현도 / 고구려 / 송 화 강 / 요 / 압 록 수 / 위나암 / 창 해 / 병주 / 유주 / 수 / 말갈 / 하 수 / 발 해 / 백제 / 신라 / 왜 / 동 해 (동해) / 가야 / 장안 / 낙양 / 동한 / 강 수 / 남 해 / 이도

부여와 동한의 관계가 악화되어 선비와 고구려의 묵인 아래 부여의 현도 공략이 이뤄진다. 이 무렵, 동한의 세력 확대로 고구려의 황하 이남 땅은 거의 상실된 상태였다.

했고, 그로 인해 부여는 동한 본토와의 직접 무역을 시도하였다. 하지만 부여와 동한 조정 사이에 있던 현도군은 이에 불만을 품었고, 이 때문에 부여와 현도군의 관계가 날로 악화되었다. 그리고 마침내 부여는 선비, 고구려 등의 묵인하에 현도에 대한 침략을 감행하였던 것이다.

부여는 군사 2만 명을 동원하여 현도를 쳤다. 하지만 부여는 현도 태수 공손역의 방어전으로 물러나고 말았다. 하지만 한 번 뻗친 전운은 쉽게 사라지지 않았다.

현도군이 부여의 침략을 가까스로 막아내자, 이듬해인 서기 168년 12월에 고구려는 선비족과 연합하여 동한의 유주와 병주를 공격하였다. 동한은 현도 태수 경림에게 군사를 내주어 응전하게 하였다. 그 후 연합군과 동한군은 한동 안 밀고 밀리는 소모전을 지속하다가 화의조약을 맺고 일시적으로 전쟁을 멈추었다.

당시 동한의 강하에서 만이(蠻夷)가 반란을 일으켰기 때문에 경림은 더 이 상 전쟁을 수행할 수 없는 상황이었고, 그래서 고구려에 화의를 제의하였다. 이에 고구려는 현도와 한의 요동군이 형성한 방어벽을 쉽게 뚫을 수 없다는 판 단을 하고 경림의 화의제의를 받아들였던 것이다(이에 대하여 『삼국사기』는 "현도군 태수 경림이 침입하여 우리 군사 수백 명을 죽이자 왕이 자진하여 항 복하고 현도에 속하기를 요청했다."고 기록하고 있다. 하지만 이는 당시 정황 을 따져보면 있을 수 없는 일이다. 동한은 만이의 반란으로 어려움을 겪고 있 었고, 이에 따라 오히려 동한이 고구려측에 화의제의를 해야 할 형편이었기 때 문이다. 따라서 『삼국사기』의 표현은 자신들의 패배를 역사서에 담지 않으려 는 『삼국지』의 왜곡된 표현을 그대로 베껴쓴 것에 지나지 않는다).

동한은 이 때의 울분을 삭이지 못하고 서기 172년(신대왕 8년) 11월에 대군 을 이끌고 고구려 땅을 침략한다. 하지만 고구려의 방어벽을 뚫지 못하고 맥 없이 퇴각하다가 좌원에서 고구려군에 의해 전멸하는 대패(좌원대첩)를 경험 한다.

좌원에서의 승리 이후, 고구려는 한의 요동과 현도를 압박하여 국력을 증강 시켰으며, 동한은 그 후 오랫동안 고구려를 넘보지 못했다.

좌원대첩의 승리로 고구려의 안정에 크게 기여한 초대 국상 명림답부는 서 기 179년 9월에 사망하였고, 그해 12월에 신대왕도 91세를 일기로 생을 마감 하였다. 능은 고국곡에 마련되었으며, 묘호는 '신대왕(新大王)'이라 하였다.

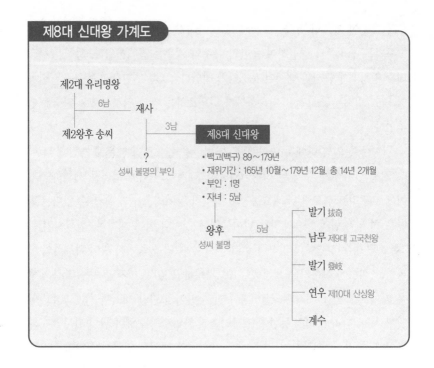

제8대 신대왕 가계도

제2대 유리명왕
┬ 6남
제2왕후 송씨

재사 ┐
3남
?
성씨 불명의 부인

제8대 신대왕
• 백고(백구) 89~179년
• 재위기간 : 165년 10월~179년 12월. 총 14년 2개월
• 부인 : 1명
• 자녀 : 5남

왕후 ── 5남
성씨 불명

├ 발기 拔奇
├ 남무 제9대 고국천왕
├ 발기 發歧
├ 연우 제10대 산상왕
└ 계수

2. 신대왕의 가족들

신대왕은 발기(拔奇), 남무(제9대 고국천왕), 발기(發歧), 연우(제10대 산상왕), 계수 등 다섯 명의 아들을 두었다. 그리고 왕후와 딸들에 관한 기록은 남아 있지 않다. 이에 맏아들 발기를 비롯하여 삼남 발기와 다섯째 계수의 삶에 대해 간단하게 언급하고, 고국천왕과 산상왕은 각 왕의 실록에서 언급하기로 한다.

발기(拔奇, 생몰년 미상)

발기는 신대왕의 맏아들이다. 하지만 신대왕은 그를 태자로 삼지 않았다. 신대왕은 서기 176년 둘째 아들 남무(고국천왕)를 태자로 삼았는데, 이는 맏아들 발기가 태자 재목이 되지 못한다는 판단에 따른 것이었다.

서기 179년 12월, 신대왕이 사망하자 신하들은 태자 남무를 차기 왕으로 옹립하였다. 발기는 이 일에 불만을 품고 있다가 서기 196년에 연나부의 귀족들과 함께 반란을 일으킨다. 이 때 반란에 동조한 사람은 각 장군 휘하에 있던 하층민 삼만 구였다고 하니, 반란군은 총 십만에 육박했을 것이다. 이들 반란군은 요동 태수 공손강에게 항복한 후 비류수 가에 진을 치고 있다가 진압군에게 패배하여 뿔뿔이 흩어진다. 이에 발기는 한의 요동으로 도망쳐 그 곳에서 여생을 보낸다.

발기(發岐, ?~서기 197년)

발기는 신대왕의 셋째 아들이다. 서기 197년 고국천왕이 후사 없이 죽자, 고국천왕의 왕후 우씨는 왕의 죽음을 비밀로 하고 은밀히 시동생 발기를 찾아간다. 그리고 발기에게 왕위에 오를 것을 요청한다. 하지만 발기는 고국천왕이 죽은 사실을 알지 못했다. 그래서 왕후가 반역을 도모하는 것이라고 생각하고 그녀의 제의를 거절하였다. 뿐만 아니라 그는 우씨에게 '여자가 밤에 출입하는 것은 예절에 어긋난다.' 며 핀잔을 주었다. 이에 분개한 우씨는 즉시 발기의 아우 연우를 찾아가 왕위에 오를 것을 요청하였다. 왕후의 요청이 있자 연우는 흔쾌히 왕위에 오를 것을 약속하였다. 그런 후 그들은 그날 밤을 함께 보냈으며, 이튿날 왕후는 신하들에게 선왕의 유명을 구실로 연우를 왕으로 세운다. 그가 바로 산상왕이다.

형수 우씨가 계략을 꾸며 연우를 왕위에 앉힌 사실을 알게 된 발기는 군사를 동원하여 궁궐을 공격한다. 하지만 연우와 우씨는 궐문을 굳게 닫고 수비전을 펼쳤다. 그러자 발기의 군사는 점차 흩어지기 시작했고, 발기는 목숨을 구하기 위해 처자를 데리고 한나라 요동으로 몸을 피했다.

요동으로 간 발기는 요동 태수 공손도에게 군사 3만을 얻어내 고구려를 침입했다. 이에 산상왕은 막내 아우 계수에게 군사를 내주고 발기가 이끄는 동한 군을 대적하게 했다. 고구려와 동한의 싸움은 고구려군의 승리로 끝나고, 발기는 계수에게 포로로 붙잡혔다.

계수가 발기를 처단하려 하자 발기가 꾸짖으며 말했다.

"네가 지금 감히 늙은 형을 죽이려 하느냐?"

이 말에 계수는 차마 형을 죽이지 못하고 소리쳤다.

"연우 형님이 왕위를 사양하지 않은 것은 정의로운 행동은 아닙니다. 하지만 그 때문에 형님이 일시적인 분을 참지 못하고 나라를 멸망시키려 하는 것은 무슨 뜻입니까? 죽은 후에 도대체 무슨 면목으로 선조들을 배알하시려 합니까?"

발기는 이 말을 듣고 부끄러움을 이기지 못하고, 배천으로 도주하여 그 곳에서 스스로 목을 찔러 자결하였다.

계수(罽須, 생몰년 미상)

계수는 신대왕의 다섯째 아들이다. 그는 왕족이었지만, 지략을 겸비한 뛰어난 장수였다. 그래서 서기 184년(고국천왕 6년)에 동한의 요동 태수가 대군을 이끌고 고구려를 공격했을 때 그는 군사를 이끌고 출병하였다. 또 서기 197년에는 셋째 형 발기가 반란을 일으켜 한나라 군사를 이끌고 오자 이를 격퇴하고 발기를 사로잡기도 하였다. 하지만 계수는 발기를 죽이지 않고 놓아주었고, 부끄러움을 이기지 못한 발기는 스스로 목을 칼로 찔러 자결한다. 계수는 이 소식을 듣고 애도하며 발기의 시체를 거둬 빈소를 차렸다.

계수가 한의 요동군을 격퇴했다는 소식이 전해지자 산상왕은 계수를 대궐로 불러 크게 연회를 베풀어주었다. 그런데 이 연회장에서 산상왕은 계수가 발기의 죽음을 애통해하는 것을 못마땅해하며 물었다.

"발기가 타국에 병력을 청하여 나라를 침범하였으니, 이보다 큰 죄는 없을 것이다. 그러나 너는 전쟁에 이기고도 형제애를 발휘해 발기를 놓아주었다. 그렇다면 그것으로 만족해야 할 터인데 너는 여전히 발기의 죽음을 애통해하니, 이는 나를 무도한 놈이라고 생각하기 때문이 아니냐?"

이에 계수가 대답했다.

"저는 죽더라도 이 한마디는 해야겠습니다."

"무슨 말인가?"

"왕후께서 비록 선왕의 유명으로 마마를 즉위하게 하였으나, 마마께서는 예로써 사양하지 않았습니다. 이는 이미 형제간에 우애를 지키고 서로 존중해야 한다는 의리를 저버린 것입니다. 또한 제가 발기의 시체를 거두어 빈소를 차린 것은 마마의 덕을 펼치기 위함이었습니다. 그런데 이로 말미암아 마마께서 노여워하신다면 저는 어떻게 해야 합니까? 마마께서 만약 어진 정치를 펴고자 한다면 발기의 죄악을 잊어버리고, 오직 형제의 예로써 상례를 지내주셔야 할 것입니다. 제가 이 말 때문에 죽는다면 그 죽음을 달게 받겠습니다."

계수의 이 말에 산상왕은 의심을 풀었다. 그리고 계수의 충언대로 왕례로써 발기의 장례를 치러주었다.

계수에 대한 기록은 이것이 전부이다. 그 이후의 삶은 전혀 언급된 바 없다. 물론 그의 가족에 대한 기록도 남아 있지 않다.

3. 명림답부와 좌원대첩

신대왕 시대는 명림답부(明臨答夫)라는 걸출한 인물에 의해서 유지되었다고 해도 과언이 아니다. 신대왕을 왕으로 추대한 사람도 그고, 신대왕 때에 처음 시작된 국상제도를 마련한 사람도 그다. 또한 초대 국상이 되어 신대왕의 모든 정책을 이끌어주고 훈계하며 확립한 사람도 그였다. 따라서 신대왕 시대는 명림답부의 시대라고 해야 할 것이다.

명림답부는 연나부(椽那部, 절노부라고도 함) 출신으로 서기 67년(태조 15년)에 태어났다. 그가 태어난 연나부는 유리명왕 이후에는 주로 왕후를 배출하던 부족이었다. 때문에 고구려 건국 초기의 연나부는 왕실과 친밀한 관계를 유지하고 있었다. 그는 연나부의 조의에 올라 있었다. 조의는 패자, 대주부, 주부, 우태와 마찬가지로 나부에서 부여받는 작위였다. 이들 작위 가운데 조의는 맨 아래 작위에 해당된다.

연나부 조의로 있던 그는 서기 146년에 차대왕이 태조를 밀어내고 왕위를 찬탈하는 사건과 차대왕의 폭정을 경험한다. 차대왕 재위시의 암흑기는 거의 20년간 계속되었고, 폭정으로 민심은 조정과 왕실에 등을 돌린다. 명림답부는 민심에 힘입어 차대왕을 제거할 계획을 세우고, 서기 165년 10월에 마침내 군사를 일으켜 궁성을 치기에 이른다.

명림답부의 봉기에는 많은 신하가 가담하였다. 심지어 환나부(순노부라고도 함) 출신의 어지류와 같은 차대왕 측근 세력도 동조했다. 이 같은 광범위한 지지세력 덕분에 명림답부는 반정을 성공으로 이끈다.

답부가 군사를 일으킨 것은 그의 나이 99세 때였다. 여느 사람 같으면 방에 누워 죽을 날만 기다릴 법한 나이였건만 답부는 그 때 반정의 지도자로 활약했으니, 그의 근력이 얼마나 대단했는지는 짐작하고도 남을 일이다.

1백 세의 노구를 이끌고 칼을 휘두르며 반정을 진두지휘하여 마침내 차대왕을 죽이고 새로운 정권을 창출하는 데 성공한 답부는 새로운 왕으로 신대왕을 지목했다. 신대왕은 당시 목숨을 부지하기 위해 산 속에 은거하고 있었다. 답부는 사람들을 풀어 그를 찾아냈고, 마침내 왕으로 옹립하였다.

신대왕은 즉위하자 반정 일등공신인 그의 작위를 패자로 격상시키고, 초대 국상으로 임명했다. 국상이라 함은 종전에 좌보와 우보에게 주어진 행정권을 모두 행사하는 대단한 위치였다. 거기에다 답부는 내외의 병마사를 겸하였기에 병권마저 장악하였다. 행정권과 병권을 모두 장악한 그의 위세는 어쩌면 왕보다 위에 있는지도 몰랐다. 또한 답부에게는 양맥 부락을 통치할 수 있는 자치권마저 주어졌다. 그야말로 그는 천하를 한 손에 쥔 격이었다.

이 같은 위세라면 왕도 능멸할 소지가 충분했다. 또한 모든 정사를 독식할 기반도 마련된 것이었다. 하지만 다행스럽게도 답부는 인격자였다. 화합을 제일의 정치덕목으로 삼았고, 그것을 위해 쏟은 정치적 결단도 많았다. 반정에 성공한 후에 차대왕의 측근들을 모두 수용한 것을 비롯하여 많은 정치범과 일반 범죄자들을 대거 석방한 것도 그 좋은 예이다. 특히 차대왕의 아들 추안의 죄를 사면해주고, 오히려 봉작까지 내려 봉토를 지급한 것은 그의 화합정치 이념을 그대로 드러낸 대표적인 사건이라고 할 수 있다.

대개 반정에 성공한 세력은 폐왕의 신하들을 모두 숙청하고, 또 폐왕의 가족들을 몰살시키곤 하였다. 그러나 답부는 달랐다. 자신에게 절대 권력이 주어졌음에도 불구하고 피를 부르는 일은 결단코 하지 않았다. 이것이 그의 높은 인격을 대변해주고 있다.

답부의 주도로 이뤄진 신대왕의 정치는 비교적 원만하였다. 급격하게 변해가는 국제 정세에 대한 적응도 빨랐고, 동한과의 패권 다툼에서도 밀리는 법이 없었다. 특히 서기 172년에 있었던 좌원대첩은 그의 뛰어난 판단력을 잘 증명해주고 있다.

서기 172년 11월, 동한은 대군을 이끌고 고구려를 침입하였다. 당시 동한 조정은 외척과 환관의 권력 다툼이 극으로 치달았고, 외부적으로는 선비와 부여의 침입으로 어려움을 겪고 있었다. 여기에다 고구려가 변방을 위협하자 위기 의식에 사로잡혀 선제공격을 감행하였던 것이다.

동한의 대병이 쳐들어온다는 소식을 접한 고구려 조정은 그들을 대처하기 위해 국무회의를 열었다. 적이 쳐들어왔으니 수비전을 펼칠 것인지 아니면 도중에서 맞붙어 싸울 것인지 결정해야만 했다. 신하들의 의견은 맞공격을 하자는 측과 수성전을 펼치자는 측으로 나뉘었다.

먼저 맞공격을 펼쳐야 한다고 주장하는 신하들이 말했다.

"지금 한나라 군사들은 수적으로 우세하다는 사실만 믿고 겁없이 몰려오고 있습니다. 이는 우리를 깔보는 처사이니 속히 군사를 보내 응전하는 것이 옳을 것입니다. 만약 우리가 나가지 않고 성문만 굳게 닫고 있다면 그들은 우리를 겁쟁이로 볼 것입니다. 이는 적으로 하여금 잦은 침략을 하게 하는 빌미가 될 수 있습니다. 그러니 폐하께서는 군사를 보내 적을 치소서."

이에 신대왕이 물었다.

"그렇다면 그에 대한 계책을 말해보오."

"폐하, 우리 나라는 산이 험하고 길이 좁아 적군이 쉽게 들어올 수 없는 곳입니다. 그야말로 한 명이 문을 지키면 만 명이 와도 막아낼 수 있는 천혜의 요새를 가진 것입니다. 하여 한나라 군사가 아무리 많다고 한들 어찌 우리의 공격을 막아낼 수 있겠습니까? 군사를 출동시켜 길목을 지키다가 공격하는 것이 옳을 줄 아룁니다."

이 말을 듣고, 신대왕은 국상 답부의 의견을 물었다.

"국상께서는 어떻게 생각하십니까?"

답부가 대답했다.

"물론 길목을 차단하는 것도 효과가 있을 것입니다. 하지만 그것은 자칫 위험을 초래할 수 있습니다. 한나라의 군사는 우선 수적으로 우세하고, 다음으로 오랫동안 침략을 준비한 정예부대입니다. 때문에 그들의 기세는 대단할 것입니다. 그런데 섣불리 그 기세를 꺾으려 했다간 오히려 말려들 수가 있습니다. 모름지기 병력이 우세하면 공격을 감행하고, 병력이 열세면 수비전을 펼치는 것이 병법의 기본입니다. 지금 한군은 천 리나 되는 먼 길을 오고 있으며, 또 그 먼 길을 따라 군량미를 수송해야 할 입장입니다. 때문에 그들은 단시일에 싸움을 끝내고 돌아가려 할 것입니다. 만약 장기전을 펼치면 스스로 지쳐 쓰러질 것은 자명하기 때문입니다. 해서 우리는 성 밖에 도랑을 깊이 파고 보루를 높이 쌓아야 할 것입니다. 또한 성 밖의 들판을 곡식 한 톨, 사람 하나 없이 텅텅 비워놓으면 그들은 적어도 한 달을 넘기지 못하고 돌아갈 것입니다. 돌아가는 그들은 굶주림과 피로에 지쳐 있을 것이고, 그때 우리가 군사를 내보내 치면 승리를 거둘 수 있을 것입니다."

국상 답부의 견해에 따라 신대왕은 수성전을 펼칠 것을 명령했다. 성 밖의 백성들을 모두 성안으로 집결시키고, 가호는 텅 비워 곡식 한 톨 남기지 않았다. 성 주위에는 깊은 도랑을 파고 물을 채웠으며, 다시 도랑 위에는 높은 축대를 쌓아 외성 역할을 하도록 했다. 그리고 한군이 몰려오기를 기다리고 있었다.

고구려의 계략을 눈치채지 못한 한군은 일사천리로 고구려 영토로 진격하였다. 고구려 진영에 들어왔지만 막는 이 하나 없고, 덤비는 이 하나 없으니 그들은 그야말로 신바람이 났다. 하지만 그것도 잠시였다. 모든 인가가 비어 있고, 가축마저 온데간데없으며, 곡간에는 곡식 한 톨 보이지 않는 것을 보고 점차 두려움에 휩싸이고 있었다. 그리고 고구려 도성에 도착했을 때 그들 앞을 막아서는 것은 깊이 파인 도랑과 높다란 보루였다.

한군은 수적 우세를 믿고 성을 향해 돌진하였다. 하지만 그들은 도랑을 넘기도 전에 보루와 성곽 위에서 쏟아지는 화살 세례를 받아야만 했다. 싸움은 수일 동안 반복되었다. 하지만 한군은 단 한 차례도 도랑을 건너지 못했다.

시일이 흐르면서 한군은 점차 지쳐갔고, 반대로 고구려군은 기세가 올랐다. 마침내 한군이 굶주림과 피로를 이기지 못해 퇴각하기 시작하자 고구려군의 사기는 절정에 달했다.

답부는 그 기회를 놓치지 않았다. 굶주림과 추위에 지친 적군이 맥없이 돌아가자 답부는 장수와 병졸들을 이끌고 몸소 추격전을 벌였다. 만약의 사태를 대비해서 아군은 수천 명만 출전하였다. 그리고 좌원에서 적군의 뒷덜미를 낚아챘다. 지친 한군은 혼비백산하여 달아나기 시작했고, 고구려군은 익숙한 지형을 이용하여 철저하게 적군을 응징했다.

싸움은 고구려군의 일방적인 승리로 끝났다. 굶주리고 지친 수만 명의 한군은 수적 우세에도 불구하고 단지 수천 명의 고구려군에게 전멸하고 말았다. 이 싸움의 결과를 『삼국사기』는 "좌원에서 전투를 벌이니, 한나라 군사가 크게 패하여 한 필의 말도 돌아가지 못했다."고 기록하고 있다. 이것이 바로 이른바 '좌원대첩'의 전말이다.

동한은 이 전투 결과가 너무 치욕스러워 기록을 남기는 것조차 피했다. 이를 두고 일본 사학자들은 중국사서에 기록되지 않았다 하여 '좌원대첩'을 인정하려 하지 않는다. 하지만 『삼국사기』는 좌원대첩을 승리로 이끈 국상 명림답부의 출신과 사망 연도까지 명확하게 기록하고 있다. 이 때 명림답부가 싸운 좌원은 고국천왕 6년(서기 184년)에 요동 태수의 군대를 전멸시킨 장소라는 것도 이 싸움이 역사적인 사실임을 증명하고 있다.

답부가 좌원에서 대승을 거두자 신대왕은 그에게 좌원과 질산을 식읍으로 주었다. 이 때 명림답부의 나이는 106세였다.

그렇게 백발이 성성한 노구를 이끌며 노익장을 과시하던 그에게도 죽음은 찾아왔다. 서기 179년 9월, 노환으로 누워 있던 답부는 기어코 천수를 누리고 113세를 일기로 생을 마감하였다. 그러자 신대왕은 자신이 직접 답부의 빈소를 찾아 애도하고, 7일간 조회를 중지하였다. 그 후 신대왕도 그를 잃은 슬픔에 잠겨 있다가 3개월 뒤인 그해 12월에 생을 마감하였다. 개인적으로는 선생이고, 정치적으로는 든든한 후견인이었으며, 사상적으로는 동지였던 명림답부의 죽음은 아흔 살을 넘긴 신대왕에게는 참아내기 힘든 고통이었을 것이다.

▶ 신대왕 시대의 세계 약사

신대왕 시대 14년은 중국의 동한 제11대 환제 유지(146~167년)의 말기 2년과 제12대 영제 유굉(167~189년) 전기 12년에 해당한다. 이 시기에 동한은 사회적으로는 107년 이후 계속되는 농민봉기로 잠잠할 날이 없는 가운데 곳곳에서 도적이 봉기하고, 정치적으로는 환관과 외척의 싸움이 극에 달해 진번이 환관을 죽이려다 되레 피살당하는 사건이 발생한다. 외부적으로는 선비족이 강성하여 유주와 병주 등 북방이 위협받고 있었고, 부여와 고구려의 요동 및 현도에 대한 공략으로 전쟁에서 벗어나지 못했다.
한편, 로마는 전국에 페스트가 만연하여 인구가 격감하고 변방에서는 게르만족이 밀려들어 사회를 위협하기 시작했다. 그 가운데 루키우스 베루스가 죽고 마르쿠스 아우렐리우스가 독자적으로 권력을 장악한다. 로마는 이 시기에 동한에 사신을 보내고, 게르만 전쟁을 경험하였으며, 카시우스의 반란을 진압한다. 또한 아우렐리우스는 『명상록』을 만들고, 천문학자 프톨레마이오스는 많은 치적을 남기고 죽음을 맞는다.

제9대 고국천왕실록

1. 고국천왕의 개혁정책과 외척의 반발
(?~서기 197년, 재위기간 : 서기 179년 12월~197년 5월, 17년 5개월)

고국천왕의 즉위는 고구려 조정에 개혁 바람을 불러일으킨다. 그의 즉위 당시 연나부와 환나부 출신의 외척들이 조정을 장악하고 있었는데, 고국천왕은 외척세력의 손아귀에서 벗어나기 위해 개혁을 단행한다. 하지만 외척들의 심한 반발에 부딪혀 '좌가려의 난'이 일어나고, 또 외척과 왕족이 연루된 '발기의 난'이 발발하여 한때 위기를 맞는다. 하지만 고국천왕은 이를 극복하고 을파소와 같은 뛰어난 인물을 등용해 사회 변혁을 시도한다.

고국천왕은 신대왕의 둘째 아들로 이름은 남무(男武)이고, 별호는 이이모(伊夷謀)이다. 언제 태어났는지는 알 수 없고, 모후도 밝혀지지 않았다. 서기 176년(신대왕 12년) 3월에 형인 발기를 제치고 태자에 책봉되었다가 3년 뒤인 서기 179년 12월에 신대왕이 사망함에 따라 고구려 제9대 왕에 올랐다.

『삼국사기』는 그에 대해 "키가 9척이고, 풍채가 웅장하며 힘이 셌다. 사무 처리에 있어 관용과 예리함을 겸비하였다."고 기록하고 있다. 이러한 평가가 말해주듯 그는 문무를 겸비하였고, 과단성과 부드러움을 고루 갖춘 개혁적인 인물이었다.

고국천왕은 즉위하자 곧 능력 중심으로 조정을 개편할 뜻을 품는다. 하지만 조정을 연나부와 환나부 출신의 외척들이 장악하고 있었기 때문에 겉으로 표출하지 못한다. 당시 연나부 외척들은 왕권을 능가하는 힘을 행사하고 있었고, 측근 세력이 약했던 고국천왕은 그 힘에 정면으로 도전하기에는 역부족이었다. 이에 고국천왕은 연나부 출신 아내 우씨를 왕후로 책봉하고 연나부와 친밀한 관계를 유지하며 독자적인 힘을 형성하기 위해 기회를 엿보았다.

그런 가운데 서기 184년 동한의 요동 태수가 고구려를 침입한다. 이 무렵 동한은 서기 107년 이후 100여 차례나 계속되던 농민봉기가 마침내 폭발하여 그해 2월에 황건군의 대봉기로 이어지고 있었다. 황건군의 지도자는 장각이었다. 그는 천공장군을 자칭하며 동생 장보, 장량과 함께 농민군을 지도하여 동한 조정을 긴장시켰다. 황건군이 봉기하자 동한의 영제 유굉은 관군을 동원하여 진압하도록 했으나 황건군은 무려 8개월을 버티며 전국을 혼란 속으로 몰아넣었다. 그해 10월, 황보숭이 이끄는 관군에 의해 황건군은 진압되고 장각과 그의 형제들도 전사하였다. 요동 태수의 고구려 침입은 황건적의 난이 진행되던 시기나 또는 황건적의 난 직후에 있었을 것으로 짐작된다.

동한에서 황건적이 난을 일으키자 고구려는 그 기회를 이용하여 현도와 요동을 공략할 계획을 세웠을 것이고, 이를 염려한 동한 조정은 요동 태수를 시켜 고구려에 대해 선제공격을 감행하도록 한 것 같다. 말하자면 공격이 최선의 수비라는 병법의 상식을 답습했다는 뜻이다.

하지만 요동 태수의 고구려 공략은 실패로 돌아가고 말았다. 요서 지역 깊숙이 파고든 한군은 고구려군과의 첫 번째 싸움에서는 승리하였다. 이 때 고구려군을 이끈 장수는 고국천왕의 막내 동생 계수였다. 하지만 그는 한군을 격퇴시키지 못하고 퇴각하였고, 한군은 기세가 등등하여 요동으로 밀려왔다. 이에 고국천왕은 자신이 직접 군사를 이끌고 나가 한군에 대응하였다. 좌원에서 벌어진 이 두 번째 싸움에서 한군은 대패하고 말았다. 『삼국사기』는 이 싸움의 결과를 "적의 머리가 산더미처럼 쌓였다."고 함으로써 한군의 피해가 막중하였음을 나타내고 있다.

이 싸움 이후 고구려는 한군을 압박하여 더 이상 변방을 넘보지 못하도록 하였고, 그 결과에 힘입어 고국천왕은 독자적인 힘을 형성한다. 그때까지 외척 세력에게 밀리기만 하던 왕권도 이제 제자리를 찾고 있었던 것이다. 그렇게 되자 고국천왕은 오랫동안 벼르고 있던 일을 시행한다. 그것은 횡포와 전횡을 일삼고 있던 외척세력을 제거하는 일이었다.

당시 외척세력의 대표자는 좌가려와 어비류였다. 좌가려는 연나부의 패자로서 중앙 권력의 핵심인 평자에 올라 있었으며, 어비류는 환나부의 패자로서 중외대부로 있으면서 좌가려와 함께 권력을 농단하고 있었다. 그들은 모두 왕실의 외척이었으며, 신대왕 등극의 공신 가문이었다. 때문에 신대왕 이후 그들 가문은 왕권을 능가하는 권력을 행사하였다. 하지만 신대왕 재위시에는 명림답부라는 현명한 재상이 있었기 때문에 그들의 권력 남용은 한계가 있었는데, 명림답부가 사망하고 신대왕마저 생을 마감하자 그들은 그야말로 물 만난 고기처럼 조정을 쥐고 흔들었던 것이다. 그들은 성격이 포악하고 파렴치한 행각을 벌이기도 하였다. 즉위 초부터 그들의 행동을 지켜보던 고국천왕은 서기 190년에 마침내 오랫동안 참고 있던 칼을 뽑았다.

고국천왕이 그들 외척들을 숙청하려 한다는 것을 눈치 챈 좌가려와 어비류는 연나부에 속한 네 명의 관료들과 힘을 합쳐 그해 9월에 반란을 일으켰다. 반란군은 점차 세력을 확대해 191년 4월에는 도성을 공격하였다. 고국천왕은 자신이 직접 병력을 수습하여 반란군을 진압하고, 마침내 왕권을 회복하는 데 성공했다.

왕권 회복 후 고국천왕은 대대적인 정계 개편을 시도한다. 그는 각 나부의 귀족들을 영입하던 종래의 관례를 버리고 능력 중심으로 인재를 뽑고자 하였다. 나부체제 대신에 방향부 체제를 확립하여 영토를 동부 · 서부 · 남부 · 북부로 나누고, 4부에 명령하여 국상을 추천하도록 하였다. 대신들은 동부의 안류를 천거하였다. 국상으로 천거된 안류는 자신은 국상이 될 인물이 아니라고 하면서 서압록곡의 좌물촌에 살고 있는 을파소를 천거하였다.

안류의 천거에 따라 고국천왕은 을파소를 불러 우태의 작위를 주고 중외대부에 임명하였다. 을파소는 중외대부라는 직책으로는 자신의 능력을 발휘할 수 없다는 생각으로 이를 사양한다. 그 마음을 헤아린 고국천왕은 그를 국상으로 임명하였다.

고국천왕이 을파소에게 파격적인 대접을 하자 조정 대신들과 외척들은 불만을 드러냈다. 그들은 왕이 지나치게 을파소만을 편애한다고 원망하였고, 을파소가 대신들과 왕을 이간질한다고 고변하기도 하였다. 하지만 고국천왕의 을파소에 대한 신뢰는 대단했다. 그래서 '국상에게 복종하지 않는 자는 친족까지 징벌하겠다.'는 엄명을 내려 조신들이 더 이상 불만을 토로하지 못하도록 하였다.

그 후 을파소는 뛰어난 정치력을 발휘하여 백성과 조신들의 신망을 동시에 얻었다. 고국천왕은 을파소를 앞세워 과감한 개혁정책을 실시한다. 능력에 따라 인재를 고루 등용하고, 국사의 처리에 있어서 상벌 규정을 명확히 하였으며, 환곡제도를 마련하여 백성들의 경제적 안정을 꾀하였다.

환곡제도는 백성들이 가장 많이 굶주리는 3월에서부터 7월까지 국창을 열어 가호의 식구에 차등적으로 구제곡을 빌려주었다가 추수한 뒤인 겨울 10월에 상환하게 하는 구휼제였다. 이는 당시로서는 거의 혁명적인 제도로서 후에 고려와 조선의 환곡제도의 기초가 된다.

을파소의 뛰어난 정치 감각으로 고구려 사회가 정치 · 경제적으로 안정을 유지하고 있을 때, 동한의 중원에서는 엄청난 회오리가 몰아치고 있었다.

184년의 황건적의 난 이후에도 하북의 농민들은 동한 왕조에 반대하며 끊임없이 봉기를 일으켰다. 그들 중에서도 특히 장연이 이끄는 흑산군의 위력은 대단하였다. 흑산을 근거지로 하는 농민군 연합체인 흑산군은 무려 1백만에 달하는 무리를 형성하고 있었던 것이다. 이 외에도 익주에서 일어난 장수와 장로의 오두미도와 청주, 서주 등지에서 활동하고 있던 황건군 잔존세력도 동한 왕조를 위협하고 있었다.

어려운 형국이 계속되는 가운데 189년에 영제 유굉이 죽고 외척 하진이 정권을 장악하였다. 하진은 나이 어린 유변(소제)을 왕으로 세워 조정을 농단하려 했다. 하지만 환관세력이 만만치 않아 뜻을 관철할 수 없었다. 이에 원소와 결탁하여 환관들을 대거 참살하려는 모의를 꾸몄는데, 이 계획이 발각되는 바람에 오히려 하진이 환관들의 손에 죽임을 당하였다. 그 후 원소는 군대를 이끌고 궁성에 난입하여 환관 2천 명을 살상하고 환관정치를 종식시킨다. 그러나 이 같은 유혈사태는 양주의 군벌 동탁의 세력을 키우기에 이르렀다.

동탁은 대군을 이끌고 와 궁성을 장악하고 있던 원소를 몰아낸다. 그리고 유변을 폐위시키고, 당시 9살이던 영제의 아들 유협(헌제)을 왕으로 옹립하였다. 이후 동한은 동탁의 손아귀에 들어갔지만, 동탁은 오래가지 못했다.

서기 192년, 동탁의 수하 왕윤과 여포가 동탁을 살해하였고, 이 때문에 동탁의 수하들끼리 혈투가 이어진다. 이로부터 각처에서 군벌이 대두하여 동한은 몰락하고 군벌들의 세력다툼을 거쳐 이른바 '삼국시대'를 향해 치닫는다.

이 무렵 고구려와 접경 지역인 한나라 요동에는 공손탁, 유주에는 공손찬이 세력을 형성함으로써 고구려는 공손씨 세력과 대치하게 된다. 당시 공손탁은 하북성과 고구려의 요서 지역 일부를 점유하며 고구려 변방을 압박하고 있었는데, 고국천왕 즉위에 불만을 품고 있던 고국천왕의 형 발기(拔奇)는 공손탁에게 의지하여 왕위를 찬탈하려는 계획을 꾸민다.

발기는 이를 위해 소나부[消那部, 연노부(涓奴部)라고도 함]와 결탁한다. 소나부는 동명성왕 이전에는 왕위를 계승하던 부족이라 계루부 중심의 고구려 왕실에 불만이 많았다. 특히 그들은 건국 초부터 왕실의 감시를 받았을 뿐만 아니라 요직에 등용되지도 못했다. 발기는 이 같은 상황을 이용하여 자신의 뜻을 이루고자 하였고, 소나부 귀족들의 동의를 얻어내는 데 성공했다.

그 후 196년에 발기는 소나부 산하 백성 3만여 호를 이끌고 공손탁의 아들 공손강을 찾아가 항복한다. 그리고 비류수 근처에 진을 치고 있다가 공손강으로부터 군사를 지원받아 고구려 도성을 친다. 하지만 공손강의 군사는 고구려 군에게 패퇴하였고, 발기는 가까스로 목숨을 건져 공손강의 영토로 도망쳤다.

이듬해인 197년에는 동한이 사분오열되어 많은 한족이 피난길에 올라 고구려 변방으로 몰려들었다. 고국천왕은 이들을 받아들여 동서남북 4부에 분산 배치하고, 변방 지역의 군대를 증강하여 공손씨의 침입에 대비하였다.

이렇게 백성의 안위와 국방에 전력을 쏟던 고국천왕은 서기 197년 5월에 생을 마감했다. 능은 고국천에 마련되었으며, 묘호는 고국천왕(故國川王)이라 하였다〔고국천왕은 '국양(國壤)' 왕이라고도 불렸는데, 이 '국양'이라는 칭호는 고국천왕 생시에 불린 것으로 당시의 연호에서 따온 듯하다〕.

2. 고국천왕의 가족들

고국천왕은 후사가 없었고, 부인도 왕후 우씨 한 명뿐이었다. 아마 왕후 우씨는 여러 명의 딸만 낳은 듯하다. 하지만 딸들에 대한 기록은 전혀 남아 있지 않다. 또한 우씨 이외에도 여러 명의 후궁을 뒀을 법도 한데, 그들에 대한 기록 역시 보이지 않는다. 이에 왕후 우씨의 삶을 간단하게 언급한다.

왕후 우씨(?~234년)

왕후 우씨는 연(제)나부 출신으로 우소의 딸이다. 서기 180년 2월에 왕후에 책봉되었으며, 서기 190년에 일어났던 좌가려의 난 등으로 많은 정치적 어려움을 겪다가 서기 197년 5월에 고국천왕이 죽자 왕의 유명을 핑계 삼아 고국천왕의 둘째 아우 연우(산상왕)를 왕위에 앉혔다. 이 때문에 고국천왕의 첫째 아우 발기(고국천왕의 형인 발기와 다른 인물임)의 반란이 일어난다. 하지만 발기의 반란은 관군에 의해 진압되고, 그녀는 연우와 재혼하여 다시금 왕후의 자리에 오른다.

우씨를 왕후로 맞이한 산상왕은 아들을 얻지 못해 애태우다가 서기 208년에 관나부 주통천에 살던 후녀라는 여자와 동침한다. 우씨는 이 사실을 전해듣

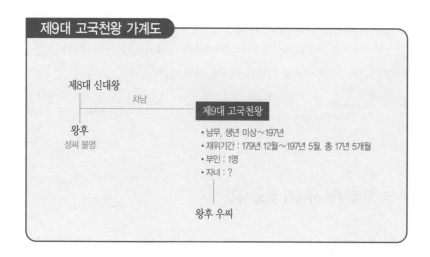

제9대 고국천왕 가계도

제8대 신대왕 ─── 차남 ───

제9대 고국천왕
• 남무, 생년 미상~197년
• 재위기간 : 179년 12월~197년 5월. 총 17년 5개월
• 부인 : 1명
• 자녀 : ?

왕후
성씨 불명

왕후 우씨

고 병사들을 보내 후녀를 잡아 죽이도록 하였다. 그리고 마침내 후녀는 관군들에 의해 체포된다. 하지만 당시 후녀는 산상왕의 아이를 밴 몸이었기 때문에 가까스로 살아남는다. 그리고 아들을 낳았는데, 산상왕은 그 아이의 이름을 교체(동천왕)라고 짓는다.

교체는 성장하여 태자에 책봉되는데, 왕후 우씨는 끊임없이 태자를 괴롭힌다. 하지만 교체는 서기 227년 5월에 산상왕이 죽자 왕위에 오른다. 그리고 우씨는 서기 228년 3월에 왕태후에 봉해진다.

태후에 오른 후에도 그녀는 끊임없이 동천왕을 괴롭히다가 서기 234년 9월에 생을 마감하였다.

그녀는 죽기 전에 다음과 같은 유언을 남겼다.

"내가 행실이 좋지 않았으니, 무슨 면목으로 지하에서 선왕을 보겠는가? 만약 여러 신하가 내 시신을 계곡이나 구덩이에 버리지 않을 것이라면 나를 산상릉 옆에 묻어달라."

그녀의 유언에 따라 동천왕은 그녀를 산상릉 옆에 묻었다. 그러자 그 다음 날 무자(巫者)가 동천왕에게 간곡하게 말했다.

"어젯밤 국양왕께서 제게 내려와서 말씀하시길, '어제 태후가 산상릉으로

가는 것을 보고 분함을 참을 수 없어서 태후와 다투었다. 내가 돌아와 생각하니 낯이 아무리 두껍다 하여도 차마 백성들을 대할 수가 없구나. 네가 조정에 이를 알려서, 나의 무덤을 가리는 시설을 하게 하라.'고 하셨습니다."

무자의 말을 듣고 동천왕은 고국천릉 앞에 일곱 겹 소나무를 심었다고 한다.

3. 고국천왕 시대의 주요 사건

좌가려의 난

좌가려의 난은 190년 9월부터 191년 4월까지 총 7개월에 걸쳐 지속되었던 외척들의 반란사건이다. 이 사건을 주도한 인물은 좌가려였고, 핵심 조력자는 어비류였다.

고국천왕 즉위 당시 조정은 외척들의 영향 아래 있었다. 외척의 득세는 '명림답부의 반정'으로 차대왕이 축출되고 신대왕이 즉위하면서부터 시작됐다. 연나부의 조의였던 명림답부가 반정을 일으켜 차대왕을 제거하고 신대왕을 즉위시키자 신대왕은 명림답부를 국상으로 삼고 정사를 그에게 일임하였다. 또한 신대왕은 연나부에서 왕후를 선택함으로써 연나부 세력을 권력의 핵심으로 끌어들인 듯하다. 이로 인해 조정의 권력은 일부 반정공신 세력에 몰렸는데, 좌가려는 바로 반정공신 세력의 후예였던 것이다.

신대왕 시대의 핵심 세력인 연나부 일파는 권력을 독점하기 위해 반정공신이던 환나부 출신 관료들과 인척관계를 맺은 듯하다. 그 때문에 환나부의 일부 귀족들도 외척의 반열에 올랐는데, 좌가려와 함께 반란의 핵심인사로 떠올랐던 어비류가 바로 환나부 출신의 외척이다. 어비류는 명림답부와 함께 반정공신의 반열에 오른 좌보 어지류와 형제간이었던 것으로 보이며, 패자였던 것으로 봐서 환나부를 대표하는 관료였을 것이다.

이들이 반란을 도모하게 된 것은 고국천왕의 왕권회복을 위한 개혁정책 때문이었다. 고국천왕 즉위 후에도 연나부와 환나부 외척의 권력 독식은 계속되었고, 그 결과 고국천왕 역시 신대왕과 마찬가지로 연나부에서 왕후를 선택해야 했다. 그러나 시간이 흐르면서 고국천왕은 외척의 그늘에서 벗어나기 위해 측근세력을 형성한다. 그리고 힘이 생기자 드디어 외척세력을 몰아내기 위해 칼을 들었던 것이다.

당시 외척들은 백성들에게 많은 횡포와 악행을 행하고 있었다. 이에 대해 『삼국사기』는 다음과 같이 기록하고 있다.

"중외대부 패자 어비류와 평자(評者) 좌가려는 모두 왕후의 친척으로서 권력을 잡고 있었다. 그 자제들이 모두 권세를 믿고 교만하고 사치하였으며, 다른 사람의 딸을 겁탈하고, 남의 토지와 주택을 갈취하였다. 백성들은 이에 원망하고 분개하였다. 왕이 이 소문을 듣고 노하여 그들을 처형하려 하니, 좌가려 등이 연나부의 네 관리와 함께 모반하였다."

이 기록에서 보듯 어비류와 좌가려를 비롯한 외척들의 권력 남용은 극에 달해 있었다. 더구나 외척의 자제들이 민가에 횡포를 일삼고 악행을 저지르고 있다는 보고가 있었다. 이는 외척들을 제거할 기회를 엿보고 있던 고국천왕에게는 호기였다. 그래서 고국천왕은 그들에게 철퇴를 가하려 했는데, 이를 눈치챈 좌가려 등이 반란을 일으켰던 것이다.

반란의 주모자인 좌가려의 관직은 평자였고, 어비류는 중외대부였다. 을파소가 처음에 중외대부에 임명되었다가 다시 국상으로 격상되었던 것을 볼 때 어비류가 맡고 있던 중외대부직은 조선의 정2품 이상의 고위급 관료직에 해당될 것으로 보이며, 평자 역시 그에 뒤지지 않는 직책으로 보인다. 또한 권력의 핵심인 그들이 그 같은 관직에 올라 있는 것으로 봐서 평자나 중외대부는 실무자를 통괄할 수 있는 조정의 중추가 되는 관직일 것이다.

고위직에 올라 있던 그들의 봉작 또한 대단했다. 어비류는 환나부의 패자였으며, 좌가려 역시 패자 내지는 우태에 머물러 있었을 것이다. 어비류가 패자의 신분이었다는 것은 그가 정계의 원로라는 뜻이고, 좌가려가 패자에 올라 있지 못했다는 것은 그의 나이가 비교적 젊었다는 뜻이 된다. 그들이 모두 외척이었던 점을 고려할 때 어지류는 좌가려의 외가 쪽 인물일 가능성이 높고, 좌가려는 왕후 우씨의 친형제였을 것이다.

이들 외척들은 이 같은 배경을 바탕으로 부정과 횡포를 일삼았고, 그의 자제들은 민폐를 끼치며 악행을 서슴지 않았다. 하지만 나라를 쥐고 흔드는 그들의 세력 때문에 아무도 어쩌지 못하는 입장이었다. 고국천왕은 바로 이들과 목숨을 건 일전을 결심했고, 그래서 악행을 일삼는 외척들을 국법으로 다스리기로 하였다. 그런데 좌가려를 비롯한 외척들은 왕명을 거역하고 반역을 일으켰다.

좌가려에게 동조한 세력은 주로 연나부 출신 관료들이었다. 그들 연나부 관료들은 급기야 군사를 동원하여 관군과 대치하기에 이르렀고, 고국천왕은 그들을 진압하지 않으면 안 되었다.

하지만 반군은 쉽사리 무너지지 않았다. 오히려 그들은 지방세력을 규합하여 서서히 도성을 압박해왔고, 마침내 서기 191년 4월에 반군은 도성을 향해 진입하기 시작했다. 고국천왕은 자신의 친위군과 도성 호위군을 징발하여 진압부대를 조직하고, 반군과 일전을 치렀다. 그 결과 반군은 패배하였고, 반역을 주도한 좌가려 등은 처형되었다.

이 사건 이후 외척은 급격히 몰락하였으며, 고국천왕은 마침내 을파소를 등용하여 개혁작업에 박차를 가하게 되었다.

발기의 역모

발기의 역모 사건은 서기 196년 고국천왕의 형 발기가 주동이 되어 일으켰다. 이 사건에는 구려 시대의 왕족이었던 소노부가 가담하였으며, 당시 하북 지역에 세력을 확장하고 있던 동한의 요동 태수 공손도와 그의 아들 공손강도 관련된 중대 사건이었다.

사건의 발단은 신대왕이 맏아들 발기를 태자로 삼지 않고, 둘째 아들 남무(고국천왕)를 태자로 삼으면서 시작되었다. 그 후 신대왕이 죽고 고국천왕이 왕위에 오르자 발기는 강한 불만을 품게 되었고, 고국천왕 말기에 공손씨 세력이 고구려 변방 지역에서 강한 세력을 형성하자 마침내 반역을 도모하였던 것이다.

신대왕의 아들 중에는 발기라는 이름을 가진 형제가 두 명이다. 신대왕의 맏아들 이름이 '발기(拔奇)'이고, 또 셋째 아들의 이름도 '발기(發歧)'이다.

이 때문에 중국의 『삼국지』에서는 두 사람의 사건을 혼동하여 적고 있다. 또한 『삼국지』의 기록을 참고한 『삼국사기』역시 마찬가지다.

특히 『삼국지』는 고국천왕과 산상왕을 같은 인물로 기록하고 있는가 하면, 동천왕의 별호인 '위궁(位宮, 제6대 태조 궁과 닮았다는 뜻)'을 산상왕의 이름으로 잘못 기록하고 있는 등 많은 부분에서 오기가 보인다. 고국천왕 대의 '발기의 역모'와 산상왕 대의 '발기의 난'을 같은 내용으로 기록하고 있기도 하다. 『삼국사기』역시 이 두 사건을 명확하게 구별하지 못했다. 때문에 '발기의 역모'와 '발기의 난'은 지금까지 정확한 실체가 드러나지 않았다.

고국천왕의 즉위에 불만을 품고 있던 왕형(王兄) 발기는 하북 지역에서 모용씨가 득세하자 그 힘을 이용하여 왕위를 찬탈하려는 계획을 꾸몄다. 그래서 그는 우선 왕실에 불만을 품고 있던 소노가(消奴加, 중국 사서는 소(消)를 연(涓)으로 기록하고 있어 소노가는 곧 연노가임) 세력을 찾아간다. 소노가는 곧 소(연)노부의 귀족들을 지칭하므로 소노부라 할 수 있는데, 그들은 동명성왕 이전에는 구려의 왕을 배출하던 부족이다. 그들은 고구려 건국 이후 정치적으로 많은 불이익을 당했다. 항상 계루부 왕실의 감시를 받았고, 중앙의 핵심 관료로 진출할 수도 없었다. 계루부 왕실은 주로 연나부(椽那部, 절노부)에서 왕후를 뽑았기 때문에 외척의 반열에도 오를 수 없었다. 발기가 소노가를 찾아간 것은 바로 그들의 불만을 이용하자는 계략이었다.

발기로부터 반역 계획을 들은 소노가에서는 자신들도 역모에 동참할 뜻을 비쳤다. 발기는 소노가 세력을 이끌고 우선 공손탁에게 투항한 뒤, 공손탁의 지원을 받아 고구려를 칠 계획이었는데, 소노가에서도 그의 계획에 동조하였던 것이다.

소노가의 동조 약속을 받은 발기는 공손탁을 찾아가 자신의 계획을 설명했다. 이에 공손탁의 아들 공손강이 적극적으로 받아들여 마침내 발기는 자신의 뜻을 실행에 옮긴다.

발기는 우선 소노가의 3만 호를 이끌고 공손강에게로 갔다. 그리고 공손강으로부터 원군 약조를 확인한 뒤 비류수 가에 진을 치고 있다가 고구려군이 진압군을 형성하여 몰려온다는 소리를 듣고 공손강의 군대와 더불어 선제공격을 감행했다. 하지만 공손강의 군대는 대패하고 말았다. 발기가 이끌던 소노가의 군대 역시 대패했다. 이에 발기는 간신히 목숨을 건져 공손탁에게 몸을 의탁하여 여생을 보내야만 했다.

이렇게 발기는 고구려 왕실에 반기를 들고 적군을 끌어들였지만, 고국천왕은 그의 가족들을 죽이지는 않았다. 발기의 아들 박위거는 후에 작위가 고추가에 오르게 되는데, 이는 왕족 중에 최상위 작위였다. 이는 고국천왕이 왕위에 오르지 못한 형의 한을 이해하고 그의 가족들을 보살폈다는 증거이기도 하다.

4. 고국천왕의 개혁을 이끈 명재상 을파소

고국천왕 시대의 개혁을 주도한 인물은 을파소였다. 서기 190년 좌가려의 난을 진압한 고국천왕은 마침내 외척들의 그늘에서 벗어나 자신이 구상하던 개혁정책을 실시하는데, 을파소는 바로 이 개혁의 일환으로 영입된 인물이다.

고국천왕의 개혁정책은 두 가지 방향에서 이뤄졌다. 첫 번째는 당시까지 고구려의 행정 기반이었던 나부체제를 탈피하는 것이었고, 다음으로는 신분에 상관없이 인재를 등용하여 백성들의 삶을 획기적으로 향상시키는 일이었다.

이러한 목적을 달성하기 위해 고국천왕은 우선 영토를 동 · 서 · 남 · 북부로 나누었다. 이는 당시까지 권력의 핵심이었던 나부 출신들의 힘을 약화시키는 한편 나부체제 자체를 무력화하려는 의도였다. 나부체제는 근본적으로 혈연을 중심으로 형성된 것이었기 때문에 능력 중심으로 관리를 등용하려던 고국천왕에겐 크나큰 걸림돌일 수밖에 없었다. 따라서 개혁을 위해서는 무엇보다 선행되어야 할 일이 나부체제를 약화시키는 것이었다.

나부체제를 무력화한 후에는 자신의 개혁의지를 현실화시킬 수 있는 인물을 찾아내는 것이 급선무였고, 그래서 인재 등용을 위해 4부에 명령을 내린다.

"근자에 관직이 가문과 배경에 의해 주어지고, 직위는 덕행에 따라 승진되지 못해 그 해독이 백성들에게 미치고, 또 왕실을 동요케 하고 있다. 이는 짐이 총명하지 못했기 때문이다. 이제 너희 4부에 명령하노니, 각기 자기 하부에 있는 현명한 자들을 천거하라."

고국천왕의 명령을 받고 4부 관료들은 서로 의논하여 우선 국상의 적임자를 추천하였다. 국상으로 추천된 사람은 동부의 안류였다. 그래서 고국천왕은 안류를 국상에 임명하고, 국정을 맡겼다. 그런데 정작 국상에 임명된 안류는 자신이 적임자가 아니라고 말하면서 을파소라는 사람을 천거했다.

"신은 미천하여 용렬하고 어리석습니다. 때문에 실로 막중대사인 국정에 참여할 인물이 못 됩니다. 저보다는 서압록곡 좌물촌에 사는 을파소라는 사람이 더 적임자일 것입니다. 그는 유리명왕의 대신이었던 을소의 자손인데, 성격이 강직하고 만사에 지혜로우며 매우 사려 깊은 사람입니다. 그러나 시대를 만나지 못해 등용되지 못하고 농사로 생계를 잇고 있습니다. 마마께서 만약 나라를 잘 다스리려 하신다면 그 사람을 등용하지 않으면 안 될 것입니다."

안류의 말을 듣고 고국천왕은 즉시 을파소에게 사람을 보냈다. 그리고 극진히 예우하여 입궐토록 하였다.

고국천왕은 을파소를 직접 대하고는 과연 안류의 말대로 뛰어난 인물임을 알아보았다. 평범한 듯하면서도 기품을 잃지 않고, 남루한 듯하면서도 귀티가 흐르는 묘한 느낌을 받았던 것이다.

고국천왕은 그에게 우태의 작위를 주고 중외대부 벼슬을 제수했다. 비록 국상은 아니지만 실무를 총괄하는 대단히 중요한 관직이었다. 그러나 을파소는 벼슬을 사양하며 말했다.

"우둔하기 짝이 없는 소신은 감히 명을 감당하기 어렵습니다. 그러니 마마께서는 현량한 사람을 뽑아 더욱 높은 관직을 주시고 정사를 맡겨보소서. 그러면 마마께서 염원하시는 일이 이루어질 것입니다."

을파소가 이렇게 대답하자 고국천왕은 그의 내심을 알아차렸다. 말하자면 중외대부라는 관직으로는 뜻을 제대로 펼 수 없다는 말이었다. 이에 고국천왕은 을파소를 국상에 임명하고 정사를 주관하게 하였다.

이렇게 하여 일개 농부가 어느 날 갑자기 국상이 되었고, 이 때문에 외척과 조신들은 말이 많았다. 하지만 을파소를 익히 알고 있던 사람들은 당연하다는 듯이 고개를 끄덕였다.

사람들의 믿음처럼 을파소는 국상에 오른 후 뛰어난 정치력을 발휘하였다. 그는 백성들이 춘궁기를 넘기기 힘들다는 사실을 알고, 환곡제도를 마련하여 그 어려움을 해소했다. 백성들의 양식이 거덜이 나는 3월에 관곡을 빌려주었다가 추수 이후인 10월에 상환하게 하는 이 환곡제도 덕분에 많은 백성이 굶주림에서 벗어날 수 있었던 것이다. 또한 가문을 따지지 않고 능력에 따라 인재를 등용하였고, 외교정책에 있어서도 강약을 잘 조절하여 무리가 없도록 하였다.

을파소의 뛰어난 정치력은 그를 시기하던 무리들까지도 추종자로 만들며 고국천왕의 개혁정책을 이끌어가는 구심체 역할을 하였다. 그는 산상왕 즉위 이후에도 국상으로 있으면서 많은 난제들을 잘 풀어내다가 서기 203년(산상왕 8년) 8월에 생을 마감하였다. 그가 죽으니 왕과 온 국민이 함께 통곡하였다 한다.

▶ 고국천왕 시대의 세계 약사

고국천왕 시대 중국의 동한은 내외적으로 계속되던 많은 난관을 극복하지 못하고 결국 몰락한다. 특히 184년에 발생한 황건적의 난은 동한의 운명을 결정짓는 역할을 한다. 농민봉기에 시달리던 동한 왕조는 황건적의 난으로 최대의 위기를 맞이했지만, 황보숭 등의 활약으로 가까스로 패망은 모면한다. 하지만 그 후 외척과 환관들의 정쟁이 이어지고, 원소에 의해 환관이 대량 학살되면서 조정은 걷잡을 수 없는 상황으로 변해간다. 거기에다 최대 군벌 세력인 동탁이 소제를 폐하고 헌제를 세움으로써 동한은 죽고 죽이는 싸움의 장으로 전락한다. 동탁은 여포에 의해 죽고, 그 때문에 동탁의 부하들 간에 심한 권력 다툼이 전개되는 가운데 곳곳에서 군벌이 일어나 동한은 몰락하고 중원은 이른바 위 · 촉 · 오로 대표되는 '삼국시대'로 치닫는다.

한편, 이 무렵 서양의 로마에서는 아우렐리우스가 살해되고 코모두스가 즉위한다. 그리고 게르만족이 본격적으로 로마 영내로 진입하여 변방이 혼란케 되고, 그 틈을 타서 사라센족이 로마를 친다. 이 같은 어려운 상황이 도래하자 나르키소스에 의해 코모두스가 살해되면서 4명의 왕이 난립하는 사태가 벌어진다. 그 후 로마는 군벌세력에 의해 장악되어, 황제는 꼭두각시로 전락한다.

제10대 산상왕실록

1. 우왕후의 계략과 발기의 난

서기 197년 여름 5월, 고국천왕이 생을 마감하자 그의 왕후 우씨는 권력에 대한 욕심을 버리지 못하고 왕위 계승에 관해 계략을 꾸민다. 그녀는 좌가려의 난 이후 급격히 약화된 외척세력을 다시 키우는 한편 자신이 왕후의 자리에 그 대로 머물러 있을 수 있는 방책을 강구하였던 것이다.

고국천왕은 아들이 없었다. 때문에 그가 죽으면 당연히 그의 아우들 가운데 한 명이 왕위를 계승해야 했다. 그에게는 세 명의 아우가 있었는데, 첫째 아우 는 발기(發岐)이고, 둘째 아우는 연우이며, 셋째 아우는 계수였다. 이들 셋 가 운데 발기가 가장 연장자였기에 그가 계승하는 것이 무난했다.

하지만 우왕후의 생각은 달랐다. 그녀는 그들 형제 가운데 자신과 의기투합 할 수 있는 사람을 왕위에 앉혀 자신을 비롯한 외척의 입김을 극대화하려는 의 도를 가졌다.

고국천왕이 사망하자 그녀는 그 사실을 비밀로 하고 은밀히 첫째 시동생인 발기를 찾아갔다. 그리고 발기에게 왕의 사망 사실을 알리지 않고 다짜고짜 이렇게 말했다.

"태왕께서 아들이 없으니, 이제 대군께서 왕위를 계승해야 하지 않겠습니까?"

발기는 이 말을 듣고 왕후가 반역을 도모하려는 것으로 알았다. 왕은 이미 오랫동안 병석에 누워 있는 상태였고, 그들이 힘을 합치면 왕을 밀어내고 왕위를 찬탈할 수도 있었기 때문이다. 여기까지 생각이 미친 발기는 신중한 태도를 보이며 반대의사를 내비쳤다.

"천운은 이미 흐르는 곳이 정해져 있는 법이니 경솔하게 생각해서는 안 됩니다. 다시는 그 같은 논의를 입에 담지 마십시오. 그리고 지금은 야심한 시간인데 어찌 아녀자의 몸으로 궁궐 밖을 다니십니까? 이는 예법에 어긋나는 것이니 어서 돌아가십시오."

발기는 단호하게 왕후를 내몰았다. 우왕후는 부끄러움과 분함을 이기지 못하고 급히 발기의 집을 나섰다. 그리고 곧장 연우의 집으로 향했다.

왕후가 찾아왔다는 소식을 듣고 연우는 의관을 정제하고 대문까지 나와 그녀를 맞아들였다. 그리고 다과상을 준비하여 그녀를 환대하였다. 이에 우왕후는 극히 감복하며 말했다.

"대군, 지금부터 제 말을 새겨들어야 합니다. 조금 전에 마마께서 승하하셨습니다. 그런데 태왕은 아들이 없으니 큰 대군께서 대통을 이어야 하겠으나, 그 사람은 나에게 딴마음이 있는지 무례하고 오만하여 예절 없이 대했습니다. 그래서 그 집을 나서자마자 급히 대군을 찾아온 것입니다."

연우는 우왕후의 말이 무엇을 의미하는지 잘 알고 있었다. 그 때문에 그는 우왕후를 더욱 극진히 대접하였다. 심지어는 직접 칼을 들고 그녀에게 고기를 잘라주다가 실수하여 손가락을 다치기까지 하였다. 이에 왕후는 자신의 허리띠를 풀어 그의 다친 손가락을 감싸주었다.

이처럼 서로의 마음이 확인되자 우왕후의 환궁길에 연우가 동반했다. 궁궐에 도착하자 왕후는 연우의 손을 잡고 자신의 처소로 데리고 갔다. 함께 밤을 보내고 아침이 되자 우왕후는 선왕의 유명이라고 거짓말하여 군신들로 하여금 연우를 왕으로 추대하게 하였다.

이 소식을 들은 발기는 노발대발하며 즉시 군사를 일으켜 궁성을 포위하였다. 그리고 연우를 향해 소리쳤다.

"형이 죽으면 그 바로 밑의 아우가 왕위에 오르는 것이 예법이거늘, 네놈이 차례를 어기고 왕위를 찬탈하였으니 이는 죽어 마땅하다. 빨리 항복하고 나오지 않으면 너의 처자를 죽이리라."

발기의 협박에도 불구하고 연우는 궁궐문을 열지 않았다. 이에 발기는 연우의 처와 자식들을 죽이고, 궁성을 공격하기 시작했다. 하지만 궁성이 워낙 요새인 터라 전혀 무너질 기미가 보이지 않았다. 그렇게 3일이 흐르자 발기의 군대는 흩어지기 시작했고, 동조자도 줄어들었다. 발기는 처자를 데리고 한나라의 요동 태수 공손도(탁)를 찾아가 도움을 청했다.

"나는 고구려 태왕 남무의 동복 아우입니다. 며칠 전 형이 후사 없이 돌아가셨는데, 나의 아우 연우가 형수 우씨와 공모하여 왕위에 올랐습니다. 이는 대의와 천륜을 어긴 것이라 군사를 동원하여 응징하고자 하였으나 뜻을 이루지 못하고 이렇게 도움을 청하러 왔습니다. 원컨대 제게 군사 3만을 빌려주어 연우를 치도록 도와주시오."

그의 청을 받아들인 공손도가 군사를 내주자 발기는 후한의 요동군과 함께 고구려를 침입하였다. 이에 연우는 아우 계수에게 군사를 주어 요동군을 대적하게 하였다.

결과는 요동군의 대패였다. 그리고 발기는 목숨을 구하기 위해 달아나다가 동생 계수에게 붙잡히고 말았다. 하지만 계수는 그를 죽이지 않았다. 다만 다음과 같은 말로 발기의 행동을 꾸짖었다.

"연우 형님이 왕위를 사양하지 않은 것은 정의로운 일이 아닙니다. 그렇지만 형님께서 일시적인 분을 이기지 못하고 나라를 패망시키려 한 것은 더 옳지 못합니다. 도대체 죽은 후에 선조들을 무슨 면목으로 뵈려 하십니까?"

발기는 부끄러움과 자책감을 이기지 못하고 스스로 목에 칼을 찔러 자결하였다. 그러자 계수는 발기의 시신을 수습하여 장례 준비를 하였다.

발기가 죽었다는 소식을 들은 연우는 계수를 불러 잔치를 베풀어 주었다. 하지만 연우는 계수가 발기의 시신을 거둬 빈소를 차린 사실을 못마땅해했다. 그래서 계수를 나무라며 말했다.

"발기가 타국에 청병하여 국가를 침략하였으니 이보다 큰 죄는 없다. 하지만 자네는 승전하고도 그를 풀어주었다. 그래서 그를 죽이지 않은 것만 하여도 형제로서 예를 지킨 것인데, 왜 그의 시신을 수습하여 장례 준비를 하는가? 자네는 내가 무도한 인간이라고 힐난하고 싶은 것인가?"

연우의 추궁을 받자 계수는 의연한 자세로 대답했다.

"저는 죽더라도 한마디만 하고 죽겠습니다. 왕후께서 비록 선왕의 유명에 따라 마마를 즉위케 하였으나 마마께서는 예로써 사양하는 것이 예법입니다. 그런데 그렇게 하지 않았으니 이는 형제의 우애를 저버린 행동입니다. 하지만 저는 마마의 덕망을 높이고자 발기의 시신을 거두어 초빈한 것인데, 이로 말미암아 문책을 당할 줄은 몰랐습니다. 마마께서 진정 덕망을 펼치고자 하신다면 형에 대한 상례를 갖춰 장례를 지내주는 것이 옳습니다. 그렇게 하면 누가 마마를 따르지 않겠습니까?"

연우는 계수의 충언을 받아들였다. 그래서 그해 9월에 발기의 장례를 왕례로 치렀다.

이처럼 계수에 의해 가까스로 화합을 이룬 연우였지만, 그의 한계는 분명했다. 왕후 우씨에 의해 왕위에 오른 만큼 그녀의 입김을 무시할 수 없었고, 또한 외척들의 눈치도 살펴야 했다. 그래서 별수 없이 새로운 왕후를 맞아들이지 않고 형의 부인인 우씨를 왕후로 맞아들이는 불륜을 저지르게 된다.

이렇게 우씨에 의해 왕위에 오르고, 불륜을 통해 왕후를 맞아들인 연우가 곧 고구려 제10대 왕 산상왕이다.

2. 산상왕의 환도성 천도와 중국 정세의 혼미
(?~서기 227년, 재위기간:서기 197년 5월~서기 227년 5월, 30년)

우왕후의 모략으로 왕위에 오른 산상왕은 도성 백성들의 원망을 산다. 이에 따라 천도를 결심하는데, 때마침 중원의 정세가 심상치 않게 돌아가자 천도 의지는 더욱 강화된다.

산상왕은 신대왕의 넷째 아들이며, 고국천왕의 둘째 아우이다. 이름은 연우(延優)이며 태어난 연도와 모후는 기록되어 있지 않다. 서기 197년 5월에 고국천왕이 죽자 그의 왕후 우씨가 계략을 꾸며 그를 왕위에 앉혔으며, 그녀 자신은 그의 왕후가 되었다.〔『삼국사기』는 그의 별호를 '위궁(位宮, 제6대 태조 궁과 닮았다는 뜻)'이라고 한다고 했으나 『삼국지』 '동이전'의 내용을 잘 분석해 보면 '위궁'이라는 별호는 동천왕의 것임을 알 수 있다.〕

우왕후의 계략에 힘입어 왕위에 오른 산상왕은 형제간에 왕위계승전쟁을 벌이고, 자신의 형수인 우왕후와 결혼함으로써 조신과 백성들의 비난을 피할 수 없게 된다. 이에 따라 민심이 이반되어 위나암성에서 산상왕의 입지는 더욱 약화된다.

이 무렵 중국에서는 대혼란이 야기되어 동한 왕조는 몰락을 눈앞에 두고 있었다. 황건군 봉기 후 각지에서 군벌이 일어나면서 시작된 혼란은 서기 189년에 환관들에 의해 외척의 핵심인 하진이 살해당하면서 본격화되었고, 다시 원소에 의해 환관 2천여 명이 몰살되면서 걷잡을 수 없는 상황으로 치달았다. 여기에다 양주의 군벌 동탁이 원소를 몰아낸 후 소제 유변을 폐위하고 영제의 아들 유협을 왕으로 세우자 관동주의 목사와 태수들이 관동군을 형성하여 동탁을 토벌하려 한다. 이에 각지의 명가와 군벌들이 우후죽순처럼 들고 일어나 토벌군에 합세하고, 동탁은 부랴부랴 유협을 동반하고 낙양을 벗어나 장안으로 달아난다.

이 때부터 중원은 무법천지로 변하고, 각지에서 군벌이 대두하여 한치 앞을 예상할 수 없는 혼란상이 야기된다. 거기에다 192년에 동탁의 수하 사도 왕윤과 부장 여포가 동탁을 살해하자 양주군장 이각과 곽사가 동탁의 원수를 갚는다는 명분으로 왕윤을 죽이고, 다시 이각과 곽사 사이에 패권 다툼이 일어나면서 양주의 군벌은 공중분해되었다. 이후 관동군 역시 사분오열하여 마침내 동한은 각지에서 일어난 군벌들의 세상으로 변한다.

하북성 중남부인 기주에는 원소, 하북성 동북부인 유주와 요동에는 공손찬과 공손도, 산동성 서남부의 연주에는 조조, 강소성 북부의 서주에는 도겸과 여포, 감숙성의 양주(凉州)에는 마등과 한수, 회수 하류의 양주(揚州)에는 원술, 양자강 하류의 강동에는 손책, 호북성과 호남성의 형주에는 유표, 사천성의 익주에는 유언 등이 각자 군벌을 형성하여 독자적인 세력을 구축하고 있었다.

여러 군벌들은 강한 군벌에 점차 병합되어 갔다. 가장 먼저 패권을 장악한세력은 연주의 조조였다. 그는 192년에 산동성 장청의 제북에서 청주의 황건군을 대파하고 많은 호족을 병합하였으며, 196년에는 헌제 유협을 맞아들여 명실공히 황명을 근거로 세력을 넓혀나갔다. 그 결과 많은 인재가 그의 수하가되었고, 그는 화북의 맹주로 군림하기 시작했다.

조조와 함께 북방에서 맹위를 떨치던 원소는 기주·청주·유주·병주 등을 장악하면서 큰 세력을 형성하여 조조와 경쟁하였고, 남방에서는 손책의 아우 손권이 양자강 하류를 차지하여 세력을 구축하였다. 또한 유표의 수하에 있던 유비는 형주와 익주에서 독자적인 세력을 형성하고 있었다.

이처럼 중국 정세가 혼미한 가운데 산상왕은 198년 2월에 환도성 축성 공사를 시작하였다. 환도성은 중국 전역에 대두한 군벌의 침입을 대비하는 동시에 동한의 멸망 상황을 이용하여 영토를 확장하겠다는 의지로 설치한 전진기지의 본부였다. 또한 위나암성의 민심이 이반됨에 따라 산상왕은 내심 그 곳으로 천도할 계획을 세웠고, 그 때문에 환도성은 전진기지의 모체로서는 지나치리 만치 큰 규모로 조성되었다.

하지만 산상왕의 천도계획은 쉽사리 현실화되지 못했다. 당시 조정의 권력은 위나암을 근거지로 하는 왕후 우씨 일가에게 집중되어 있었고, 민심도 천도를 달가워하지 않았다. 또한 산상왕의 버팀목이 되어주던 국상 을파소도 203년 8월에 생을 마감했으며, 그때까지 산상왕은 대통을 이을 왕자조차 한 명 얻지 못한 상태였다.

이처럼 나약한 정치적 입지를 극복하기 위해서도 산상왕은 천도계획을 실천에 옮길 필요가 있었다. 그래서 을파소의 후임으로 고우루를 국상에 임명하여 조정을 안정시키는 한편, 서기 209년에는 소후 후녀에게서 왕자 교체를 얻었다. 또한 즉위 초기의 흉흉했던 민심도 수습되어 천도론이 명분을 얻고 있었다. 산상왕은 이 시기를 놓치지 않고 서기 209년 10월에 마침내 천도를 감행하였다.

환도성으로의 천도는 산상왕의 왕권을 회복하는 데 많은 도움이 되었다. 우선 외척세력의 압력에서 벗어날 수 있는 계기가 되었으며, 이에 힘입어 서기 213년 정월에는 왕자 교체를 태자에 책봉할 수 있었다. 교체를 태자로 책봉하는 과정에서 우왕후를 비롯한 외척의 강한 반발이 있었으나 산상왕은 조정 대신들의 힘을 빌려 자신의 의지를 관철시켰다. 이로써 고구려는 서기 3년 이후 200여 년 동안 지속되던 국내의 위나암 시대를 종결하고 환도성 시대를 맞이하게 되었다.

산상왕이 이렇게 환도성 천도를 통하여 정치적 안정을 이루고 있을 무렵 중원은 큰 변화를 겪고 있었다. 각지에서 산발적으로 일어났던 군벌들이 위·촉·오의 세 나라로 압축되어 이른바 '삼국시대'가 전개되고 있었던 것이다.

삼국을 일군 주역은 위의 조조, 촉의 유비, 오의 손권이었다. 조조는 황하 상류와 화북 지역 일대를 섭권하였고, 유비는 양자강 중류의 형주와 익주를 중심으로 세력을 넓히고 있었으며, 손권은 양자강 하류의 강남을 주무대로 활동하였다.

이처럼 중원이 신진 군벌 세력들에게 장악되고 있는 상황에서 서기 217년 8월 평주(현재의 하북성)의 호족 하요가 민가 1천여 호를 데리고 고구려에 귀순하였다. 이는 요동의 공손도가 하북성 쪽으로 세력을 뻗쳐옴에 따라 하북성의 호족 하요가 고구려에 도움을 요청하며 몸을 의탁한 것이다. 이는 발해만

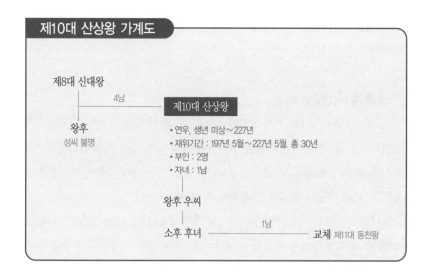

제10대 산상왕 가계도

제8대 신대왕
┬ 4남
왕후   제10대 산상왕
성씨 불명
• 연우, 생년 미상~227년
• 재위기간 : 197년 5월~227년 5월. 총 30년
• 부인 : 2명
• 자녀 : 1남

왕후 우씨

소후 후녀 ─────── 1남 ─────── 교체 제11대 동천왕

연안을 점유하고 있던 고구려가 그들 유민들을 받아들이고 하북성 서쪽 지역으로 세력을 확대하고자 했음을 말해준다.

하지만 산상왕 시대에는 섣부른 영토확장정책을 자제하고, 중원의 상황을 관망하며 안정을 꾀하는 데 주력하였다. 그런 가운데 산상왕은 서기 227년 5월 생을 마감하였다. 능은 산상에 마련되었으며, 묘호는 '산상왕(山上王)' 이라 하였다.

3. 산상왕의 가족들

산상왕은 일찍이 처자를 두었으나 발기의 난 때 모두 살해되었다. 즉위 후에는 형수인 왕후 우씨를 부인으로 맞아들였는데, 우씨는 아이를 낳은 적도 없고 나이도 중년이었기 때문에 그녀에게서 아이를 얻을 수 없었다. 그러다가 서기 209년에 관나부의 주통촌 출신 소후에게서 아들 교체(동천왕)를 얻었다. 따라서 산상왕은 즉위 후 1명의 부인에게서 1명의 아들을 얻은 셈이다. 이에 아들 교체는 「동천왕실록」에서 별도로 다루도록 하고, 여기에서는 소후 후녀에 대해서만 언급한다.

소후 후녀(생몰년 미상)

소후 후녀는 관나부의 주통촌 출신이며, 그녀의 가문은 한미했던 것으로 보인다. 그녀의 어머니가 아이를 잉태했을 때 무당이 점을 치고 말하기를 '반드시 왕후를 낳으리라'고 했다고 한다. 이에 그 어머니가 딸을 낳자 '후녀(后女)' 즉, 왕후가 될 여자라는 뜻의 이름을 지었다.

산상왕이 후녀를 만난 것은 서기 208년(산상왕 12년) 11월이었다. 이 때 교제에 쓸 돼지가 달아난 사건이 발생했는데, 이는 아마 산상왕이 후궁을 들이기 위해 고의로 꾸민 사건인 듯하다. 당시 산상왕은 후궁을 맞아들여 아이를 얻고 싶었으나 왕후 우씨와 외척들의 반대로 뜻을 이루지 못했다. 그래서 편법으로 교시를 풀어주고 수하들로 하여금 후궁감을 물색하도록 한 것으로 보인다.

그 이유야 어떻게 됐든 간에 교시가 달아나자 관리들이 그 뒤를 쫓았다. 관나부의 주통촌에 이르자 돼지가 그 주변을 날뛰며 돌아다녔다. 하지만 관리들이 돼지를 잡지 못하자 20살 가량의 아름다운 여자가 웃으면서 걸어나와 돼지를 잡아주었다. 이에 관리들은 돼지를 안고 돌아왔는데, 산상왕이 그 말을 듣고 그 여자가 보고 싶어 그날 밤에 주통촌에 갔다.

주통촌에서 교시를 잡아준 여자의 집을 찾아간 산상왕은 그녀를 불러 시중들게 하고, 동침할 것을 요구하였다. 그 여자는 혹 아이를 배게 되면 버리지 않는다는 점을 약속받고 산상왕의 요구를 받아들였다. 이 날 산상왕과 동침한 여자가 바로 후녀였다.

산상왕은 후녀와 동침한 후, 자정 무렵에 은밀히 궁궐로 돌아갔다. 그런데 그 이듬해 3월에 왕후 우씨가 그 사실을 알아버렸다. 우씨는 그 때문에 분을 참지 못하고 노발대발하였으며, 급기야 군사를 보내 후녀를 죽이도록 하였다.

우씨가 자신을 죽이려 한다는 소문을 들은 후녀는 남장을 하고 도주하였다. 하지만 도주로에서 병사들에게 붙잡히고 말았다.

병사들은 그녀를 붙잡자 우씨의 명령대로 죽이려 하였다. 그때 후녀는 대담한 자세로 군사들을 꾸짖었다.

"너희들이 지금 나를 죽이려 하는 것은 태왕의 명령이냐, 아니면 왕후의 명령이냐? 지금 내 뱃속에는 아이가 자라고 있는데, 이 아이는 태왕의 혈육이다. 나를 죽이는 것은 좋으나 왕자마저 죽인다면 너희도 죽음을 면치 못할 것이다."

이 말을 들은 병사들은 감히 후녀를 죽이지 못하고 그냥 돌아왔다. 이에 왕후가 화를 내며 다시금 군사를 보내 그녀를 죽이라고 하였다. 하지만 산상왕이 그 소문을 듣고 군사를 보내 후녀를 죽이지 못하게 하였다. 그리고 자신이 직접 후녀를 찾아가 아이를 밴 것이 사실인지, 또한 그 아이가 정말 자신의 아이인지 물었다. 이에 후녀가 대답했다.

"제가 평생에 형제와도 잠자리를 같이 하지 않았는데, 어찌 다른 남자와 잠자리를 같이 했겠습니까? 지금 저의 뱃속에 있는 아이는 진실로 마마의 혈육입니다."

산상왕은 이 말을 듣고 기뻐하였다. 그토록 염원하던 아이를 얻게 되었기 때문이다. 그래서 후녀에게 큰 상을 내리고, 군사를 보내 그녀를 보호토록 하였다.

왕후가 이 소식을 듣고 분함을 이기지 못해 분통을 터뜨렸으나 산상왕의 위로를 받고 더 이상 후녀를 죽이려 하지는 않았다.

그해 9월, 후녀는 마침내 아이를 낳았다. 아들이었다. 산상왕은 기뻐하며 '이는 하느님이 내게 주신 후계자'라고 말하면서, 아이의 이름을 교제에 쓸 돼지에 의해 그 어머니를 사랑할 수 있었다고 하여 '교체(郊遞)'라고 지었다. 이 교체 왕자가 바로 산상왕의 뒤를 이어 왕위에 오르는 동천왕이다.

교체가 태어난 이후, 후녀는 더 이상 쫓겨다니지 않아도 되었다. 더구나 산상왕으로부터 '소후'라는 칭호까지 받았다. 하지만 그렇다고 왕후 우씨의 핍박에서 벗어난 것은 아니었다. 우씨는 그 이후에는 더욱 질투심을 드러내며 그들 모자를 괴롭혔고, 심지어는 교체가 왕위에 오른 후에도 그 같은 행각은 계속되었다.

후녀는 아마 이 과정에서 죽은 듯하다. 동천왕 재위시의 기록에 그녀에 대한 언급이 전혀 없는 것으로 봐서 동천왕이 즉위하기 전에 죽은 것으로 판단되기 때문이다. 하지만 죽은 연도와 무덤에 관한 기록은 전혀 남아 있지 않다.

4. 세 번째 도읍지 환도와 그 위치

서기 209년(산상왕 13년), 고구려는 위나암성에서 환도성(丸都城)으로 천도하였다. 천도의 목적은 여러 가지였다. 산상왕 즉위 당시 왕위 다툼으로 인한 왕족들의 전쟁으로 위나암에 대한 인식이 나빠졌고, 산상왕이 형수인 우씨를 왕후로 맞아들임으로써 민심이 이반되었다. 외척들의 득세로 왕권이 미약해져 조정의 위계도 문란하였다. 산상왕은 이러한 문제들을 해결하면서 동시에 동한의 몰락 상황을 이용하여 영토를 확장할 계획을 세웠다. 그리고 목적을 달성하기 위해서는 천도가 필수라고 판단했다.

새 도읍지로는 환도가 지목되었고, 198년부터 환도성 축성공사에 들어갔다. 축성 명분은 동한의 혼란으로 야기될 수 있는 전쟁에 대비한다는 것이었다. 하지만 축성의 진짜 의도는 동한의 혼란을 이용하여 고조선의 고토를 회복하려는 것이었다.

환도성 축성공사를 주도한 사람은 을파소였다. 을파소는 이미 오래 전부터 동한의 정세를 살피며 영토 확장에 힘을 기울여온 인물이었다. 때문에 그는 이미 동한이 멸망 단계에 접어들었다는 확신을 가질 수 있었고, 산상왕은 그의 판단을 믿었다.

하지만 산상왕은 쉽사리 천도 계획을 실천에 옮기지 못했다. 민심이 안정되지 않은 데다가 외척들의 반발도 대단하였기 때문이다. 설상가상으로 서기 203년에는 국상 을파소마저 사망하였다. 게다가 중원의 정세가 어떻게 변해

갈는지 알 수 없는 상황이었다.

　이러한 이유로 천도 계획은 연기되었고, 환도성은 전진기지의 본부로 자리 매김하고 있었다. 그런 가운데 산상왕은 꾸준히 천도론의 입지를 넓혀 서기 209년 10월에 마침내 환도성으로 옮겨간다. 환도성 축성 후 무려 11년 만에 일 궈낸 성과였다.

　이로써 고구려는 동명성왕이 졸본성에 도읍한 이래 유리명왕이 서기 3년에 국내의 위나암성으로 천도하고, 다시 환도성으로 옮겨감으로써 세 번째 도읍 지에 터전을 잡게 되었다. 고구려 왕실은 동명성왕 이후 졸본성에서는 약 40년을 보냈고, 위나암에서 206년을 지냈으며, 다시금 환도성 시대를 맞이했던 것이다.

　고구려의 세 번째 도읍지가 된 환도성의 위치에 대해서는 여러 가지 설이 있다. 일찍이 다산 정약용은 『북사』의 기록을 인용하여 집안의 서남쪽에 있는 홍석라자에 비정하였고, 최근의 중국 학자들은 집안의 산성자산성으로 비정하고 있다. 현대 사학계 일부에서는 집안의 국내성과 환도성은 이름만 다를 뿐 같은 곳이라고 주장하기도 한다.

　이처럼 많은 학자가 환도성을 집안에서 찾으려는 노력을 하고 있다. 하지만 일부 학자들은 환도성은 집안과 무관하다고 주장한다. 그들은 환도성을 국내 성이라고 주장하는 것은 발견된 유물에 끼워 맞추는 식의 엉터리 논리라고 항변하고 있다.

　그들은 『자치통감』의 정시 7년조의 '고구려가 환도산 아래에 새 수도를 정했는데, 비류수 서쪽에 있다.'는 기사를 인용하고 있다. 그리고 비류수를 현재의 혼강이라 주장하고, 환도성은 그 서쪽에 있다고 생각한다.

　이 설을 주장하는 학자들은 또 서기 342년에 선비족 모용황이 고구려를 침입했을 때 환도성은 함락되었으나 모용씨의 군대가 국내성에 이르지 못했다는 기록을 근거로 국내성과 환도성은 꽤 먼 거리에 있었을 것이라는 주장을 곁들인다. 이 주장에 신빙성을 더해주는 기록이 『요사』에 있다. 『요사』는 환도성이 위나암성으로부터 '서남 200리에 있다'고 전하고 있다. 하지만 이들은 '서남

200리'는 '서북 200리'의 오기라고 주장한다. 그러나 이 역시 역사의 기록을 지나치게 자의적으로 해석하려는 태도이다. 자신들의 주장과 부합될 때는 역사의 기록을 인정하고, 그렇지 않으면 인정하지 않는 태도를 보이고 있다는 것이다.

순수하게 역사의 기록만을 근거로 할 때, 환도성은 위나암으로부터 서남쪽으로 200리 정도 떨어진 곳에 있어야 한다. 물론 위나암성의 위치가 분명하지 않으므로 환도성의 위치 역시 정확하게 알아낼 수 없다는 것을 전제로 해야 할 것이다.

그러나 당시 중국 정세를 고려한다면 환도성이 위나암으로부터 서남 200리에 있었다는 『요사』의 기록은 설득력이 있다. 산상왕이 환도성으로 옮겨갈 무렵 중국은 동한의 붕괴로 전국이 사분오열된 상태였고, 고구려는 그 상황을 이용하여 영토를 확장하려 했을 것이다. 그렇다면 도성이 중국 쪽에 가까울수록 유리하므로 서진정책을 썼다는 뜻이 된다. 그런데 당시 중국 세력은 고구려의 서북쪽으로 치우쳐 있었고, 바닷가 쪽은 상대적으로 소홀하게 생각했다. 더구나 해안 쪽에는 맥족을 비롯해 많은 동이족 계통의 후예들이 흩어져 살았다. 때문에 해전에 능한 고구려가 영토 확장도 꾀하고 안정도 도모하려 했다면 당연히 서남쪽으로 뻗어나가는 것이 이치에 맞다.

산상왕의 서진정책은 동천왕 시대에 이르러 본격화된다. 서기 242년 동천왕은 요동 서쪽에 있는 안평을 공격하여 무너뜨리고, 또 3년 뒤인 245년에는 동해국을 복속시킨다. 당시 안평은 위나라의 안평군을 일컫는 것으로 현재의 덕주에 해당한다. 또한 동해국은 산동반도 아래쪽에 있는 항구로 현재의 연운항을 말한다. 이는 당시 고구려의 서남쪽에 있었다. 이는 곧 고구려가 서남진정책을 실시했다는 것을 의미하며, 환도성 천도는 바로 이 같은 목적을 달성하기 위함이었다. 그리고 고구려는 동천왕 시대에 그 목적을 달성했다.

고구려는 환도성 축성을 통하여 일차적으로 서남진 정책의 교두보를 마련하고, 더 나아가 한때 태조 시대에 차지한 바 있는 산동반도 아래쪽까지 영토를 확장하려 한 것이다. 이 정책이 성공한다면 해상권을 장악할 뿐만 아니라 화북평원 일대의 곡창지대를 얻을 수 있다.

환도성이 위나암에서 서남쪽으로 200리가량 떨어져 있다는 『요서』의 기록과 천도 이후 고구려의 행보가 서남쪽으로 향해 있었다는 것은 결코 우연의 일치가 아니다. 환도성은 축성 당시엔 고구려의 서남진정책의 교두보였고, 천도 이후엔 고구려의 해안 시대를 이끌어가는 구심체였던 것이다.

하지만 환도성의 위치를 정확하게 말할 수 있는 역사적 근거는 없다. 다만 일부 학자들의 주장대로 위나암성이 집안에 있었다면 환도는 그 곳으로부터 서남쪽으로 200리가량 떨어진 본계나 안산 등지에서 찾아야 할 것이다(환도성의 위치는 평양성의 위치와 무관하지 않으므로 「동천왕실록」 '네 번째 도읍지 평양과 그 위치' 에서 더욱 상세한 내용이 언급될 것이다).

▶ 산상왕 시대의 세계 약사

산상왕 시대 중국은 동한이 몰락하면서 각지에서 군벌이 대두하였다. 이에 따라 한동안 군웅이 할거하는 상황이 계속된다. 하지만 시간이 흐르면서 점차 약한 군벌은 강한 군벌에 예속되고, 마침내 위 · 촉 · 오의 삼국시대로 접어든다.

한편, 이 시대 로마에서는 세베루스 왕이 브리튼(브리타니아)을 원정하고, 세베루스성벽을 완성한다. 세베루스가 사망하자 카라칼라가 즉위하여 안토니누스칙령을 공포하고 로마의 모든 자유인에게 로마시민권을 부여한다. 하지만 카라칼라는 피살되고, 마크리누스가 즉위했다가 다시 1년 만에 엘라가발루스가 그를 폐위시키고 왕위에 오른다. 이 때 페르시아에서는 마니교의 교조 마니가 탄생하는 한편 사산 왕조가 창건되어 세력을 확대하였고, 이에 따라 로마와 페르시아 사이에 전쟁이 발발한다.

제11대 동천왕실록

1. 동천왕의 평양 천도와 서진정책

(서기 209~248년, 재위기간 : 서기 227년 5월~248년 9월, 21년 4개월)

동천왕이 즉위하면서 고구려는 서진정책에 박차를 가한다. 중국의 혼란을 이용하여 대륙의 맹주로 부상하기 위한 동천왕의 노력은 고구려의 영토확장으로 이어진다. 하지만 위의 반격으로 도성이 함락되는 등 어려움을 겪는다.

동천왕은 산상왕의 장남이며 소후 후녀 소생이다. 서기 209년에 태어났으며, 아명은 교체, 이름은 우위거(憂位居), 별호는 위궁(位宮)이다. 서기 213년에 5살의 어린 나이로 태자에 책봉되었으며, 서기 227년 5월 산상왕이 죽자 고구려 제11대 왕에 올랐다. 이 때 그의 나이 19세였다(『삼국사기』는 산상왕의 별호를 '위궁' 이라고 기록하고 있으나 이는 중국책 『삼국지』의 내용을 정확하게 이해하지 못한 데서 온 착각이다).

동천왕은 산상왕이 관나부 출신의 후녀에게서 낳은 아들이다. 산상왕은 원래 처자가 있었으나 '발기의 난' 때 모두 죽었기 때문에 왕위에 오른 이후 그는 자식을 얻지 못했다. 더구나 그는 형수인 우씨와 재혼하였고, 우씨는 아이를 낳은 적이 없는 데다 나이가 많은 탓에 자식을 낳지 못했다. 이로 인해 산상왕은 항상 소후(후궁)를 둬서라도 아이를 얻어야 한다는 생각을 하고 있었다. 하지만 왕후 우씨와 외척들의 반대로 소후를 들이지 못한다. 이에 산상왕은 교시(교제에 쓸 돼지)를 이용하여 소후감을 물색하고, 결국 후녀와 동침하여 교체(동천왕)를 얻은 것이다(「산상왕실록」 '산상왕의 가족들' 소후 후녀 편 참조).

교체는 5살이 되던 서기 213년 정월에 태자에 책봉된다. 그의 태자 책봉에는 왕후 우씨와 외척들의 반발이 심했으나 산상왕은 자신의 뜻을 관철시킨다. 하지만 교체는 태자가 된 이후에 우씨로부터 많은 학대를 받는다. 우씨는 사사건건 교체의 행동을 간섭하였고, 때에 따라서는 골탕을 먹이거나 매로 때리기도 하였다. 교체는 그런 환경 속에서도 덕망 있고, 인내심 강한 청년으로 성장한다. 그리고 서기 227년에 마침내 왕위에 오른다.

왕위에 오른 후에도 동천왕은 우씨의 심술로 말미암아 많은 어려움을 당한다. 우씨는 그 특유의 심술로 동천왕이 타고 다니는 말의 갈기를 다 잘라놓기도 하였고, 시종으로 하여금 고의로 동천왕의 옷에 국을 엎지르게 하기도 하였다. 하지만 동천왕은 그런 일에 일체 화를 내는 법이 없었다. 갈기가 잘려나간 말을 보고 "말이 갈기가 없으니 측은하구나."라는 말 한 마디만 했을 정도였다.

우씨의 이 같은 행동은 서기 234년 임종 때까지 계속되었다. 하지만 동천왕은 결코 우씨와 불화를 일으키지 않았다. 또한 외척들을 다치게 하는 일도 없었다. 이 덕분에 신하와 백성들은 동천왕의 덕망을 더욱 높이 평가하였고, 그것은 곧 고구려 백성을 하나로 뭉치게 하는 원동력이 되었다.

동천왕이 덕을 쌓아갈 동안 조정은 잔잔한 변화를 겪고 있었다. 서기 203년에 을파소의 뒤를 이어 국상에 올랐던 고우루가 죽고, 서기 230년 7월에 연나부의 우태 명림어수가 국상에 올랐다.

명림어수는 신대왕 때의 초대 국상이었던 명림답부의 후손이거나 인척일 것으로 판단되며, 연나부 출신이다. 따라서 명림어수를 국상으로 등용한 것은 고국천왕 때에 정계에서 밀려났던 연나부 외척세력과의 결탁을 의미하는 것으로 볼 수 있는데, 여기에는 태후 우씨의 입김이 작용했을 것이다. 이는 동천왕이 연나부 세력을 중용함으로써 외척들과의 불화를 무마하려 했다는 것을 알려준다.

동천왕이 명림어수의 국상 등용으로 연나부 세력에게 힘을 실어준 것은 고국천왕 이후 계속되던 연나부의 불만을 해소하고 화합정치의 기틀을 닦기 위함이었다. 동천왕의 의지는 조신들의 호응을 얻어냈고, 결과적으로 신하와 백성을 하나로 묶으며 조정을 안정시키게 된다. 이러한 안정을 바탕으로 동천왕은 산상왕 때 마련된 서진정책을 더욱 적극적으로 추진한다.

한편, 이 무렵 중국 중원은 위·촉·오의 삼국 구도가 정착되어 있었다. 또한 조조, 유비 등이 병사함으로써 위와 촉은 나라를 일군 1세대 시대는 끝이 나고 유선, 조비 등이 이끄는 2세대 시대를 맞이하고 있었다. 하지만 오나라의 손권은 건재한 상태였다.

이들 삼국의 왕들은 모두 스스로 왕을 칭하였다. 위는 조조의 아들 조비가 220년에 국호를 '위(魏)'라 하고 낙양을 도읍으로 삼았으며, 촉은 유비가 221년에 국호를 '한(漢)'이라 하고 성도를 도읍으로 삼아 유선이 대를 이었으며, 손권은 229년에 왕 칭호를 사용하며 국호를 '오(吳)'라 하고 경구(남경)를 도읍으로 삼았다. 이에 따라 삼국은 조위·촉한·손오 등으로 불리게 되었다.

이들 삼국은 세력다툼을 벌이며 중국 통일을 꿈꾸었고, 동천왕은 그들의 역학관계를 이용하여 세력을 넓히고 대륙에서의 영향력을 확대하고자 하였다. 북방의 맹주인 고구려의 후원을 받기 위해 지리적으로 가까운 위와 오 역시 경쟁적으로 고구려와 외교관계를 맺고자 하였다.

오는 233년에 장군 하달에게 군사 1만을 주어 배로 요동을 방문하였으나 고구려와 외교관계를 맺는 데 실패했다. 하지만 위는 서기 234년에 고구려에 사신을 보내 화친관계를 맺는 데 성공한다. 이렇게 되자 오는 급한 생각으로 2년 뒤인 236년에 사신을 보내 화친을 청하였다. 하지만 고구려는 지리적으로 위와 가까웠을 뿐 아니라 삼국 중 위의 세력이 가장 강하다는 점을 인식해 오의 화친제의를 거절하고, 오의 사신을 억류했다가 그의 목을 베어 위나라에 보냈다. 이로써 고구려와 오는 등을 돌리고 말았다.

제11대 동천왕 시대의 각국 영토 및 세력 판도(A. D. 245년경)

약 수
선비
부여
읍루
우수리강
현도
고구려
송화강
흥노
압록수
요수
평양 (환도에서
평양으로 천도:247년)
환도 말갈
장해
강호
하수
발해
위
장안
낙양
백제
동해 (황해)
신라
가야
왜
성도
강
수
건업
촉
오
남해
이주

중국 대륙에 삼국의 대립으로 혼란이 초래되자 동천왕은 서진정책과 남진정책을 병행하여 영토를 확대하고 태조 대의 땅을 상당 부분 회복한다.

위와 화친을 맺은 고구려는 238년에 위가 사마의를 보내 하북성 일대에서 힘을 형성하고 있던 연나라 왕 공손연을 토벌하자 위를 후원하기 위해 군사 1천을 보낸다. 그리고 사마의에 의해 공손연이 죽고 연이 멸망하자 고구려는 연이 차지하고 있던 한의 구요동 지역으로 세력을 확대하기 시작한다. 이로써 고구려는 은밀히 진행하고 있던 서진정책의 발톱을 드러내게 되었다.

서진정책을 실시하던 고구려는 서기 242년 한의 옛 요동 서쪽 안평(현재 하북성 덕주)을 공격하여 장악하고, 남진하여 하수(황하)를 넘어 산동성 일대까지 세력을 확대한다. 또한 현도를 공략하여 무너뜨려 태조 이래 숙원사업이던 현도 수복을 이루었다. 서기 245년에는 산동반도 아래쪽의 동해국을 점령하여 고구려의 세력은 회수까지 육박하였다. 이로써 고구려는 태조 시대의 영토를 대부분 회복하였다. 이에 따라 고구려인들은 동천왕에게 위궁(位宮, 태조 궁을 닮았다는 뜻)이라는 별호를 붙여준다.

고구려가 서남쪽으로 세력을 확대하며 전쟁을 수행하고 있을 때 동쪽 변방인 한반도에서는 신라가 세력을 넓히며 북상하고 있었다. 이에 따라 고구려는 서기 245년 10월에 군사를 보내 신라의 북쪽 변방을 공략하여 신라군을 퇴각시켰다.

이 무렵 위나라에서는 더 이상 고구려에 밀리다간 하수 이북을 완전히 빼앗기고 말 것이라는 위기감이 팽배해 있었고, 위의 실권자 사마의는 서기 246년 8월에 유주 자사 관구검에게 군사 1만을 내주어 고구려에 예속된 현도를 치게 하였다.

위나라 조정의 공격 명령을 받은 관구검이 자신의 예하 병력 수만 명과 중앙군 1만 명으로 현도를 침입하자 고구려는 그들을 유인하여 안으로 끌어들였다. 위군이 비류수 근처에 이르자 동천왕은 자신이 직접 보병과 기병 2만을 거느리고 나가 응전하였다. 이 비류수 싸움에서 고구려는 위군 3천여 명을 죽이거나 생포하는 대승을 거두었다. 이 전투 이후 퇴각하던 위군은 양맥에서 다시 고구려군에게 포위되어 3천의 군사를 잃고 패주하였다.

관구검의 군사가 계속 패배하자 동천왕은 더욱 거세게 그들을 몰아치고 있었다. 두 번의 싸움에서 대승을 거둔 만큼 동천왕은 자신 있게 관구검을 공략하였던 것이다.

하지만 지나친 공격이 화를 부르고 말았다. 패주하던 관구검이 방어진을 치고 결사적으로 항전하는 바람에 치명타를 입었던 것이다. 이 싸움에서 동천왕은 철기 5천을 앞세웠고, 병력도 2만을 넘었다. 그런데 정예군 3천과 비전투원 8천을 잃자 사기는 땅에 떨어져 쫓기는 처지가 되었다. 위군의 추적을 받던 동천왕은 잔여 중앙 관료와 근위병 1천여 명을 이끌고 압록원으로 도주하였다.

관구검이 이끄는 위군은 도성인 환도성을 공략하여 무너뜨리고, 장군 왕기에게 군사를 내주어 동천왕을 추적하도록 하였다. 하지만 동천왕은 옥저로 몸을 피하여 대열을 정비하였다. 그리고 유유의 결사항전 덕분에 가까스로 전세를 회복하여 상황을 역전시키고, 위군을 몰아냈다.

위군은 물러갔지만 전쟁의 상처는 컸다. 도성인 환도성이 불에 타고, 많은 도성민이 죽임을 당하였다. 이 때문에 동천왕은 도읍을 평양으로 옮겨야 했다.

천도 후 동천왕은 병을 앓았다. 오랜 전쟁으로 심신이 지나치게 지쳐 있었던 것이다. 그리고 이듬해인 서기 248년 9월에 병마를 이기지 못하고 40세를 일기로 생을 마감하였다.

동천왕이 죽자 많은 백성이 슬픔을 이기지 못하고 무덤에 함께 묻히기를 원했다. 이에 대해 『삼국사기』는 다음과 같이 기록하고 있다.

"백성들이 왕의 은덕을 생각하고 그의 죽음을 슬퍼하지 않는 자가 없었다. 근신 중에는 자살하여 순장되기를 바라는 자가 많았으나, 새로 등극한 왕이 예가 아니라 하여 허락하지 않았다. 그러나 장례일에 왕릉에 와서 자결한 자가 아주 많았다. 백성들이 섶을 베어 그 시체를 덮어주었다. 그 때문에 그 곳을 시원(柴原)이라고 불렀다."

덕망과 용기를 겸비하여 백성들로부터 많은 존경을 받았던 동천왕은 이처럼 안타까우면서도 영광스러운 죽음을 맞이했다. 능은 동천 시원(섶동산)에 마련되었으며, 묘호는 '동천왕(東川王)'이라 하였다.

동천왕은 왕후와 후궁 동해녀 등 2명의 부인을 두었으며, 왕후에게서 3남을 얻었다.

두 명의 부인 가운데 왕후는 연불(중천왕), 예물, 사구 등 3남을 낳았다. 하지만 그녀의 출신과 성씨에 대한 기록은 남아 있지 않다. 그리고 제2부인은 동해국 출신으로 서기 245년에 동해국에서 바친 미인으로 기록되어 있다. 동천왕은 그녀를 후궁으로 삼았는데, 소생에 대한 기록은 남아 있지 않다.

동천왕의 자식들 가운데 연불은 「중천왕실록」에서 언급하도록 하고, 예물

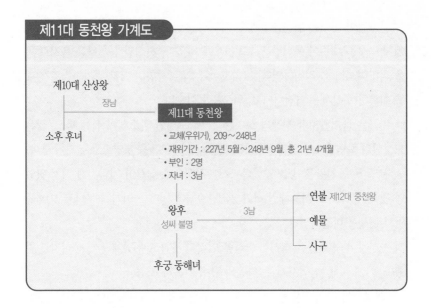

제11대 동천왕 가계도

제10대 산상왕

장남

제11대 동천왕

소후 후녀

• 교체(우위거), 209~248년
• 재위기간 : 227년 5월~248년 9월. 총 21년 4개월
• 부인 : 2명
• 자녀 : 3남

왕후
성씨 불명

3남

연불 제12대 중천왕

예물

사구

후궁 동해녀

과 사구는 별도 언급 없이 간단하게 서술한다.

예물과 사구는 중천왕의 아우라는 기록은 있으나 언제 태어났는지는 알 수 없다. 그들은 중천왕 즉위년인 서기 248년에 반역을 도모하다가 처형되는데, 그 구체적인 내용은 기록되어 있지 않다.

2. 고구려와 위의 패권 다툼

중원이 위·촉·오 삼국으로 분리된 가운데 고구려는 북방의 맹주로서 중원에 대한 영향력을 더욱 확대한다. 하지만 삼국 가운데 국력이 가장 강하고 고구려와 지리적으로 인접해 있던 위나라는 고구려의 세력 팽창에 위기감을 느끼고 있었다. 또한 위와 고구려는 공히 공손씨 세력이 점유하고 있던 하북성과 산동성 일대를 노리고 있었기 때문에 일대 접전이 불가피한 상황이었다.

그러나 고구려와 위는 쉽게 발톱을 드러내지는 않았다. 그들은 서로를 탐색하며 기회를 엿보았고, 그런 가운데 형식적인 평화관계를 유지하고 있었다.

위나라뿐 아니라 촉과 오도 북방의 맹주인 고구려와 화친관계를 맺어 외교적 우위에 서려고 노력하였다. 하지만 촉은 거리상으로 지나치게 멀리 떨어져 있는 데다가 오와 위에 의해 가로막혀 있었기 때문에 고구려와 접촉조차 하지 못했다. 이에 비해 오는 233년에 장군 하달을 공손씨가 차지하고 있던 한의 옛 요동에 파견하여 북방의 정세를 알아보는 한편 고구려와의 화친을 모색했다. 하지만 고구려와 접촉하는 데에는 실패했다.

오나라가 고구려와의 접촉을 시도하자 위기의식을 느낀 위는 부랴부랴 고구려에 사신을 보냈다. 그리고 234년에 고구려와 위는 정식으로 화친협약을 맺었다. 이로써 나머지 두 나라보다 외교적 우위에 서게 되었다.

위가 고구려와 화친관계를 맺으면 가장 위협받는 쪽은 오나라였다. 고구려는 육로뿐 아니라 해로를 통해서도 얼마든지 오나라를 위협할 수 있었다. 그래서 만약 위와 오가 전면전을 벌이는 가운데 고구려가 위를 원조한다면 꼼짝없이 당할 수밖에 없었다. 이 때문에 오 왕 손권은 백방으로 고구려와의 화친관계를 모색하였다. 그리고 급한 나머지 236년 2월에 호위를 사신으로 보내 고구려에 화친을 청하였다.

하지만 고구려는 손권의 화친제의를 냉엄하게 거절하였다. 고구려는 오나라보다는 위나라와 화친관계를 맺는 것이 유리하다고 판단하고 있었기 때문이다. 그런 까닭에 고구려는 오나라의 사신 호위를 억류했다.

이 소식을 들은 위나라는 오의 사신을 자신들에게 압송해줄 것을 요청하였고, 고구려는 이를 거부하다가 위의 요청이 더욱 거세지자 5개월 뒤인 그해 7월에 오의 사신 호위를 죽이고 그 목을 베어 위나라에 보냈다. 오의 사신을 위로 압송하는 것은 오나라에는 치명적인 일이었고 고구려에도 그다지 유리할 것이 없었기 때문에 직접 호위의 목을 베고 화친조약을 지킨다는 의미에서 그 수급만 보냈던 것이다.

이 사건 후 고구려와 위는 서로 사신을 교환하며 한동안 평화관계를 지속하였다. 하지만 238년 위의 실권자 사마의가 하북성과 산동성 일대를 중심으로 공손연이 세운 연(燕)을 공격하면서부터 양국의 공조관계는 깨지기 시작했다.

사마의가 연을 치려 하자 고구려는 일단 원군 1천을 보낸다. 하지만 고구려의 속셈은 따로 있었다. 고구려는 원군으로 보낸 1천을 통하여 위나라 군대의 조직과 실태를 파악하는 한편, 고구려군이 점령한 일부 지역에 대해서는 기득권을 요구할 생각이었다.

하지만 어쨌든 양국의 연합군에 의해 연이 무너지고 공손연 부자는 처형되었다. 이 때부터 연의 영토를 놓고 고구려와 위의 패권 다툼이 본격화되었다.

동천왕 대 고구려와 위의 패권 다툼은 연의 패망 이듬해인 239년에 시작되어 246년까지 약 7년간 계속된다. 이 7년 동안의 패권 다툼은 거의 고구려의 압승으로 이어지지만 마지막 전쟁에서 고구려도 큰 피해를 입는다.

양국의 패권 다툼은 종래 연이 장악하고 있던 하북성과 산동성 지역에서 벌어졌다. 이 곳은 한나라 시대엔 요동과 청주로 불리었고, 연나라 시대엔 공손씨의 땅으로 여겨진 곳이었다. 고구려는 태조 대 이후 누차에 걸쳐 이 곳을 점령한 바 있었기 때문에 지세에 능했을 뿐 아니라 민심의 동태도 잘 파악하고 있었다. 따라서 위와의 싸움에서 일단 우위에 설 수 있었다.

이 같은 우위를 바탕으로 고구려군은 서진정책을 감행하여 242년까지 발해만 연안을 완전히 차지하였다. 242년에는 한의 옛 요동 서쪽 안평(현재 덕주)을 공략하여 무너뜨리고 이어 현도를 공략하여 복속시켰다. 이에 따라 위군은 유주와 병주 쪽으로 밀려났으며, 고구려는 그 여세를 몰아 하수(황하)를 건너 산동반도와 화북평원으로 진출하였다.

당시 위군을 이끌던 장수는 유주 자사 관구검이었다. 그는 239년 이후 지속적으로 고구려군에게 밀려 우북평군, 발해군 등을 잃고 급기야 242년에는 안평군을 빼앗기고 다시 현도에서 밀려남으로써 발해만 연안에서 완전히 쫓겨나는 치명타를 입었다. 거기에다 고구려가 산동반도와 화북평원 일부를 차지하며 강수(양자강) 쪽으로 진군하여 세력을 넓히자 위군은 더욱 위축되었다. 관구검은 이 같은 난국을 타개하기 위해 부하 장수 편장을 보내 안평을 공략하였으나 패퇴하고 말았다.

패배가 거듭되자 관구검은 중앙에 더 많은 지원병을 요청하였다. 그리고 부여에 사신을 보내 지원을 요청하였다. 부여에서는 관료들의 반대에도 불구하고 위의 요청을 받아들였고, 관구검은 245년에 현도 태수 왕기를 부여에 보내 고구려의 후방을 공략하려 하였다.

하지만 왕기는 고구려 본토에는 접근하지 못했다. 그는 군사를 이끌고 숙신으로 올라가 고구려를 공략할 요량이었다. 하지만 숙신과 고구려의 경계는 지형이 험악하고 진창이 많아 접근이 불가능한 곳이었다. 그 때문에 왕기는 고구려 땅을 한치도 밟지 못하고 퇴각해야만 했다.

이에 관구검은 245년 5월에 다시 군사를 보내 현도를 공격했다. 하지만 고구려군의 방어벽을 뚫지 못하고 패퇴해야 했다.

이처럼 누차에 걸쳐 실패만 계속하던 관구검은 전면전을 결심하고 수만 명의 예하 병력으로 먼저 오환의 선우(추장)를 위협하여 항복시키고 그 병력을 흡수하였다. 그리고 오환군과 위군으로 구성된 수만 명의 연합군으로 현도를 향해 진군하였다.

이 소식을 들은 고구려군은 적군의 수가 너무 많을 뿐 아니라 후방에서는 부여와 숙신의 위협마저 계속되고 있는 상황이라 일단 현도에서 철수하였다. 그리고 적을 비류수까지 유인하여 전면전을 펼친다는 계획을 세웠다.

이 계획을 실천하기 위해 고구려측은 단지 몇천 명의 군사만 길목에 배치해 두고 기습전을 펼치며 조금씩 위군을 유인하였다. 그리고 위군이 비류수에 이르자 동천왕이 이끄는 정예군 2만이 철기를 앞세우고 돌진하였다.

고구려군의 이 유인작전은 대단한 성공을 거두었다. 비류수전에서 위군은 일순간에 군사 3천을 잃은 데다가 거기서 100여 리 떨어진 양맥에서 다시 3천의 군사를 잃고 말았던 것이다.

졸지에 6천의 군사를 잃은 관구검은 퇴각하기에 여념이 없었다. 고구려의 동천왕은 이 기회를 놓치지 않으려고 철기 5천을 앞세우고, 정예병 수만 명을 동원하여 관구검이 이끄는 주력부대를 쳤다.

이 두 번의 전투를 통하여 자신감을 얻은 만큼 동천왕은 망설일 이유가 없다는 생각을 하고 있었던 것이다. 하지만 관구검의 주력부대는 쉽게 무너지지 않았다. 오히려 그들은 수성전을 펼치며 고구려군이 힘이 빠지기를 기다리고 있었다. 이를 알아채고 고구려군은 급히 퇴각하였으나 퇴로에서 뒷덜미를 잡히고 말았다.

오랜 공격으로 기진맥진해 있던 고구려군은 퇴로를 차단당한 채 포위되었고, 동천왕은 근위병과 근신 1천여 명만 데리고 가까스로 포위망을 뚫고 나왔다. 하지만 뒤를 따르던 병사들은 뿔뿔이 흩어졌고, 정예병 3천과 부식을 지원하던 민간인 8천이 적에게 생포되거나 죽었다(『삼국사기』는 이 때의 전사자가 1만 8천이라고 했으나 이는 잘못된 기록이다. 『삼국지』는 이 때의 살상포로자가 3천이라고 했고, 비전투원이 8천이라고 기록하고 있다. 이를 『양서』는 1만이라고 기록했는데, 『삼국사기』는 『양서』의 1만과 비전투원 8천을 합쳐 1만 8천이라고 기록한 듯하다).

이처럼 큰 피해를 입은 고구려군은 압록원으로 퇴각하여 전열을 정비하였고, 관구검은 현도 태수 왕기를 시켜 동천왕이 이끄는 주력부대를 뒤쫓도록 하였다. 이에 동천왕은 다시 퇴주하여 옥저로 향했다. 그 사이 관구검은 비어 있던 고구려의 도성 환도성에 침입하여 불사르고 양민을 학살하였다.

한편, 옥저로 향하던 동천왕은 위군의 추격을 늦추기 위해 결사대를 조직하고 밀우를 수장으로 하여 길목을 지키도록 하였다. 동천왕의 명령을 받은 밀우는 왕기의 군대를 저지하는 데 성공했으나 심한 상처를 입었다. 이 소식을 들은 동천왕은 밀우를 구하기 위해 다시 결사대를 조직했다. 결사대의 수장은 유옥구였다. 그리고 그는 가까스로 밀우를 구해내는 데 성공했다.

위군의 추격이 계속되는 가운데 고구려군은 옥저에 이르렀다. 그때 동부 출신 장수 유유가 스스로 죽음을 결심하고 계략을 내놓았다. 유유의 계략은 항복을 위장하여 위군에게 음식을 대접한 뒤 기회를 보아 적장을 죽이고, 적이 혼란된 틈을 이용하여 기습전을 펼친다는 내용이었다.

동천왕은 눈물을 흘리며 유유의 계략을 허락하였다. 그리고 유유는 일부 군사를 데리고 위군에게 항복하며 말했다.

"우리 태왕께서 더 이상 도망갈 길이 없음을 인정하고 항복을 청하고 귀국의 법관에게 목숨을 맡기고자 하셨습니다. 그래서 저를 먼저 보내 변변치 못한 음식으로 피로에 지친 군사들을 대접하라 하셨습니다."

이 말을 들은 위군 장수는 선뜻 항복을 받아들였다. 그들도 이미 피로에 지친 몸이라 더 이상 전쟁을 수행하는 것이 무리였다. 유유는 그 점을 잘 파악하고 있었던 것이다.

동천왕이 항복할 의사가 있다는 말을 듣고 위군 장수는 유유가 가져온 항복 서한을 받으려 하였다. 그때 유유는 숨겨둔 단도를 뽑아 위 장수의 가슴을 찔렀다. 그리고 몰려든 위군에 의해 그의 몸도 처참하게 찢겨 달아났다.

이 때를 놓치지 않고 동천왕은 위군을 쳤다. 위군은 장수를 잃은 까닭에 미처 방비책을 세우지 못했고, 그래서 오직 달아나기에 여념이 없었다.

동천왕은 그 여세를 몰아 위군을 향해 진군하였다. 이 소식을 들은 고구려군은 다시 군기가 되살아났고, 각지에 흩어져 있던 군사들도 대오를 정비하여 위군을 몰아내기 시작했다. 이에 힘입어 산 속에 숨어 있던 백성들도 하산하여 대오에 합류했다.

이렇게 되자 관구검은 전날의 패배를 되새기며 급히 고구려 땅을 빠져나갔다. 고구려군이 그들의 퇴로를 뒤쫓았으나 따라잡지는 못했다.

관구검이 패주한 후 동천왕은 목숨을 걸고 자신을 지킨 밀우와 적장을 찔러 죽이고 전세를 역전시킨 유유에게 1등 공신록을 내렸고, 유옥구에게도 식읍을 내려 공을 치하하였다.

하지만 동천왕은 환도성으로 돌아가지 못했다. 환도성은 이미 잿더미가 되어 있었고, 성안은 온통 망자를 부르는 곡성으로 뒤덮여 있었기 때문이다. 그래서 할 수 없이 피해를 입지 않은 평양성에 머물렀고, 이는 곧 평양 천도로 이어졌다.

3. 네 번째 도읍지 평양과 그 위치

서기 247년 동천왕이 도읍을 평양(平陽)으로 옮김으로써 38년간의 환도성 시대는 막을 내렸다. 관구검의 침입으로 환도성이 잿더미가 되었기 때문이다. 산상왕이 환도성을 쌓은 후 11년 만에 위나암에서 환도로 옮긴 것과는 달리 동천왕은 평양성을 쌓던 해에 곧바로 천도했다. 이는 평양성이 채 완공도 되기 전에 급하게 종묘와 사직을 옮겼다는 뜻이다. 따라서 평양 천도는 환도성이 무너지고 없는 상황에서 동천왕이 취한 불가피한 선택이었다는 것을 알 수 있다.

동천왕이 새로운 도읍지로 선택한 이 평양의 위치는 확실히 밝혀지지 않았다. 『삼국사기』는 이에 대해 "평양이라는 지방은 본래 선인 왕검의 택지였다. 어떤 사람은 동천왕이 왕검에 도읍을 정했다고도 말한다."는 기록을 통하여 동천왕의 평양이 고조선의 왕검성이었다고 주장한다.

평양이라는 지명을 가진 곳은 여럿이었다. 중국 산서성의 임분현 일대도 평양이라는 명칭을 가지고 있었는데, 그 유래는 삼국시대의 위나라로 거슬러 올라간다. 위가 성립되면서 산서성 일대는 평양군으로 불리었는데, 이는 위나라 이전에도 그 곳이 평양이라는 지명을 가지고 있었을 것이라는 추측을 가능케 한다. 또한 위나라 성립시에 처음으로 평양군이라고 불렀다고 하더라도 동천왕이 평양으로 천도할 당시에 이미 위나라에도 평양이라는 지명이 있었다는 뜻이 된다.

낙양에서 황하만 건너면 바로 맞닿는 곳이 임분인데, 만약 이 곳이 고구려의 수도였다면 위와 고구려는 황하를 사이에 두고 마주 보는 형국이 된다.

그러나 동천왕이 황하를 가운데 두고 낙양을 마주 보는 임분에 도읍을 정했을 가능성은 희박하다. 따라서 적어도 동천왕이 평양으로 천도할 당시에 위나라에도 '평양'이라는 이름을 가진 커다란 행정도시가 있었다는 뜻이다. 이는 단순히 평양이라는 지명만 가지고 동천왕의 평양과 고조선의 도읍지 평양을 동일한 곳으로 설정할 수 없음을 대변한다.

일찍이 연암 박지원은 1780년에 쓴 『도강록(渡江錄)』을 통하여 역사적으로 평양이라는 지명을 가진 곳이 여러 군데였음을 밝히면서 '평양'이 도읍을 가리키는 일반명사라는 생각을 밝힌 바 있다.

　박지원이 살아 있을 당시에도 대부분의 사람들이 평안도의 평양을 단군의 평양이고 기자의 평양이며, 고구려의 평양이라고 주장했던 모양이다. 이에 대하여 박지원은 다음과 같이 강하게 비판하고 있다.

　……나는 당 태종이 안시성에서 눈을 잃었는지 또 그렇지 않았는지 알 길이 없다. 그러나 (양만춘이 당 태종을 상대로 싸운) 이 성을 '안시'라고 하는 것은 잘못이다. 『당서』에 보면 안시성은 평양에서 5백 리 떨어져 있고, 봉황성은 (고조선의) 왕검성이라 한다 했다. 그리고 『지지』에는 봉황성을 평양이라 부르기도 한다 하였으니, 어떤 이름으로 일컬어야 옳을지 알 수 없다.

　『지지』에는 옛날 안시성은 '개평현'의 동북방 70리에 있다고 했다. 그런데 개평현에서 동으로 수암하까지가 3백 리이고, 수암하에서 다시 동으로 2백 리를 가면 봉황성이 나온다. 만일 이 성을 옛 평양이라 한다면, 이것은 『당서』의 (안시성은 평양에서) 5백 리 떨어져 있다는 말과 부합된다.

　그런데 우리 선비들은 단지 지금 (평안도의) 평양만 알고 있기 때문에 기자가 평양에 도읍했다 하면 이를 믿고, 평양에 정전이 있다 하면 또 이를 믿으며, 평양에 기자묘가 있다 하면 이 역시 믿는다. 그 때문에 봉황성이 평양성이라고 하면 경악을 금치 못할 것이다. 더구나 요동에 또 하나의 평양이 있다고 하면 해괴망측한 소리라고 나무랄 것이다. 그들은 아직 요동이 본시 조선의 땅이며, 숙신, 예, 맥 등 동이의 여러 나라가 위만의 조선에 예속되었던 것을 알지 못하고 있다. 또 오라, 영고, 후춘 등지가 본시 고구려의 옛 땅임을 알지 못하는 것이다.

　후세의 선비들이 이 같은 경계를 밝히지 못하고 함부로 한사군을 죄다 압록강 이쪽에 몰아넣어서 억지사실을 끌어다가 이곳저곳에 구구히 분배했다. 그래서 (고조선의 평양 앞을 흘렀다는) 패수(浿水)를 그 속에서 찾아다니다가 어떤 이는 압록강을 패수라 하고, 또 어떤 이는 청천강을 패수라 하며, 어떤 이는 대동강을 패수라 한다. 이 때문에 조선의 강토는 싸우지도 않고 저절로 줄어들었던 것이다. 아아, 도대체 무슨 까닭으로 이 같은 짓을 하는가!

평양을 한곳에 정해놓고 패수의 위치를 상황에 따라 앞으로 밀기도 하고 뒤로 물리기도 하는 것이 원인인 것이다. 나는 일찍이 한사군의 땅은 요동에만 있는 것이 아니고 마땅히 여진(청의 본토)에까지 들어간 것이라고 주장했다.

— (중략) —

한나라 이후 중국에서 말하는 패수가 어딘지 일정하지 않은데, 우리의 선비들은 반드시 지금의 평양을 기준으로 삼아 패수를 찾고 있다. 그러나 옛날 중국인들은 요동의 이쪽을 죄다 '패수'라고 하였다. 그 때문에 패수의 위치가 확정되지 않아 항상 사실과 어긋날 수밖에 없는 것이다.

옛 조선과 고구려의 경계를 알려면, 먼저 여진을 우리 국경 안으로 치고, 다음에는 패수를 요동에 가서 찾아야 할 것이다. 그리하여 패수의 위치가 확정되면 강역이 밝혀질 것이고, 강역이 밝혀지면 고금의 사실과 부합될 수 있을 것이다.

따라서 봉황성이 틀림없이 평양이냐고 묻는다면, 이 곳이 기씨(기자조선), 위씨(위만조선), 고씨(고구려) 등이 도읍한 곳이라는 전제 아래 이 곳 역시 하나의 평양일 수 있다고 대답할 수 있을 것이다.

그런데 『당서』 '배구전(裵矩傳)'에서는 "고려(고구려)는 본시 고죽국(高竹國)인데, 주(周)나라가 기자를 봉하였고, 다시 한에 이르러서 사군으로 나뉘었다."고 하였다. 여기서 고죽국이란 지금의 영평부에 있으며, 또 광녕현에는 기자묘가 있다. 그 곳에 관을 쓴 상을 앉혔는데, 명나라 가정(嘉靖) 연간에 병화에 불탔다 하며, 광녕현을 어떤 이들은 평양이라 부르며, 『금사』와 『문헌통고』에는 '광녕·함평은 모두 기자의 봉지'라고 쓰고 있다. 그러니 이로 미루어 본다면 영평과 광녕이 하나의 평양일 것이다.

또한 『요사』에는 다음과 같은 기록이 있다.

"발해의 현덕부는 본시 조선의 땅으로 기자를 봉한 평양성이었다. 이를 요나라가 발해를 무너뜨리고 동경(東京)이라 고쳤으니 이는 곧 지금의 요양현이다.”

이로 미루어 본다면 요양현도 또 하나의 평양일 것이다.

즉, 기씨가 애초에 영평·광녕에 있다가 나중에 연의 장군 진개에게 쫓기어 땅 2천 리를 잃고 차차 동쪽으로 옮겨왔으며, 이는 마치 중국의 진·송이 남으로 옮겨감과 같았다는 뜻이다. 그리하여 머무는 곳마다 평양이라 하였으니, 지금 우리 대동강 기슭에 있는 평양도 그 중의 하나일 것이다……

이처럼 평양이 어떤 특정한 곳을 가리키는 것이 아니라 고조선 시대에 '도읍'이 있던 곳을 부르는 일반명사였을 것이라는 박지원의 주장은 설득력이 있다. 또한 박지원의 주장을 근거로 할 때, 고구려 영토 안에는 이미 고조선 시대부터 평양이라는 명칭으로 불리던 여러 지역이 있었고, 동천왕은 그 가운데 한 곳으로 도읍을 옮겼다는 판단이 가능하다.

또한 동천왕 당시 고구려는 대동강변까지 영토를 확장하지 못한 상태였기에 동천왕의 평양이 평안남도 대동강변의 평양이 될 수는 없다. 따라서 동천왕의 평양과 대동강변의 평양은 전혀 무관한 것임을 먼저 밝혀둔다(대동강의 평양은 광개토왕이 건설한 '하평양'이다. 이에 관한 자세한 내용은 「광개토왕실록」에서 다루기로 한다).

동천왕이 고구려의 네 번째 도읍지로 정한 평양의 위치를 알기 위해서는 천도 당시의 상황을 먼저 파악할 필요가 있다.

동천왕의 평양 천도는 환도성이 위나라 군사에 의해 불탔기 때문에 불가피하게 선택한 일이었다. 또한 평양으로의 천도는 환도로의 천도 때처럼 오랜 준비를 거친 것도 아니었다. 단지 환도성이 더 이상 도성의 구실을 할 수 없었기 때문에 임시방편으로 평양으로 옮겨간 것이다.

이는 342년에 고국원왕이 평양성 증축과 동황성 축성을 위해 일시적으로 환도성으로 옮겨간 사실을 통해서도 드러난다. 이 때 고국원왕은 평양성을 증축하는 동시에 그 주변에 동황성을 쌓는데, 그 축조 기간은 약 9년이었다. 그리고 동황성이 완공되자 고국원왕은 다시 평양으로 돌아온다.

이 같은 사실은 동천왕이 평양으로 옮길 당시 평양성은 도성으로서의 면모를 갖추지 못했다는 것을 말해주고 있다. 말하자면 동천왕의 평양 천도는 환도성 보수를 위해 일시적으로 궁궐을 옮긴 것뿐이라는 뜻이다. 따라서 평양성은 환도성에서 그다지 멀지 않은 곳에 있었을 가능성이 높다. 즉, 환도성이 보수만 되면 언제든지 다시 돌아가려 했다는 것이다. 하지만 동천왕은 환도성 보수 공사를 시도하지도 못하고 생을 마감했고, 이 때문에 고구려왕실은 한동안 평양에 안주하게 되었다.

평양이 임시 수도였다는 것은 고국원왕이 평양성의 증축과 동황성 축성을 위해 일시적으로 환도성을 보수하여 도성을 옮긴 사실에서도 증명된다. 거리상으로 그만큼 가까웠기 때문에 평양성 증축을 위해서 환도성으로 옮겨갈 수 있었다는 뜻이다.

만약 평양성이 아주 먼 곳에 있었다면 차라리 두 번째 수도였던 위나암으로 돌아가는 것이 나았을 것이다. 그런데도 굳이 위나암을 선택하지 않고 평양을 선택한 것은 위나암보다는 평양이 환도에서 가까운 거리에 있었기 때문이라는 추론이 가능하다.

이렇게 볼 때 평양성은 환도성에서 1백 리 이내에 있는 성이었을 것이고, 규모도 그다지 크지 않았을 것이라는 사실을 알아낼 수 있다. 따라서 환도성을 안산이나 본계 등에 비정한다면 평양성은 요양이었을 가능성이 높다. 『요사』에 요양이 기자 조선의 평양성이었다는 기록을 남기고 있는 만큼 요양과 평양은 무관하지 않기 때문이다. 또한 동천왕의 평양이 고조선의 왕검성이었다는 기록도 이를 뒷받침하고 있다.

▶ 동천왕 시대의 세계 약사

동천왕 시대 중국은 위·촉·오의 삼국이 각각 왕국임을 자칭하며 세력 다툼을 벌이고 있었다. 그런 가운데 위가 강세를 나타내며 북방으로 진출하여 공손씨의 연을 멸망시키고, 고구려와 패권 다툼을 벌였다. 또한 오는 남방으로 진출하여 세력을 확대하였고, 촉은 서방으로 진출하여 세력을 확대하고 있었다.

이 시대 로마는 또다시 페르시아와 전쟁을 치렀으며, 페르시아는 조로아스터교를 국교로 삼았다. 로마와 새로운 강국으로 성장한 페르시아의 전쟁은 누차에 걸쳐 계속되고, 그런 가운데 로마는 마르코만니족과 콰디족을 정벌한다. 그러나 세베루스가 죽고 막시미누스 트라쿠스가 추대되어 왕위에 오르면서 로마는 군인 황제 시대를 맞이한다.

이후 로마에는 고트족과 프랑크족이 출현하여 변방을 어지럽힌다. 또한 페르시아와의 전쟁이 지속되는 가운데 막시미누스 이후 고르디아누스 3세, 필리푸스 등이 왕위를 잇는다.

제12대 중천왕실록

1. 중천왕의 국력회복운동과 평양성 시대
(?~서기 270년, 재위기간 : 서기 248년 9월~270년 10월, 22년 1개월)

중천왕은 동천왕 대의 전화로 인해 피폐해진 민심을 안정시키고 국력을 회복하는 데 주력한다. 또한 평양을 도읍지로 정착시키기 위한 노력을 병행한다. 이에 따라 고구려는 평양을 중심으로 국력을 회복함으로써 새로운 도약의 발판을 마련한다.

중천왕은 동천왕의 맏아들이며 이름은 연불(然弗)이다. 누구의 소생인지 분명치 않으며 언제 태어났는지도 기록되어 있지 않다. 다만 정실 왕후에게서 태어난 것만은 확실한 듯하며, 아래로 예물과 사구라는 이름을 가진 2명의 남동생이 있다. 서기 243년 1월에 태자에 책봉되었고, 248년 9월 동천왕이 죽자 고구려 제12대 왕에 올랐다.

중천왕은 왕위에 오르자마자 반란사건을 경험한다. 즉위 2개월 만인 248년 11월에 아우인 예물과 사구가 반란을 일으킨 것이다. 이 반란사건의 원인은 분명치 않으나 아마도 평양성 천도와 왕후 간택 문제에서 비롯된 듯하다.

중천왕이 왕위에 올랐던 때는 평양성 천도 후 1년 7개월 되던 시점이었다. 환도성이 불타자 동천왕은 불가피하게 평양행을 선택했지만, 천도 1년 7개월 만에 사망하고 말았다. 이는 백성에게 새로운 도읍지에 대한 불안을 가져다 주었고, 그에 따라 자연스럽게 환도성으로 돌아가야 한다는 환도론(還都論)이 고개를 들었을 것이다. 하지만 중천왕은 잿더미가 된 환도성으로 돌아갈 수는 없었다. 그래서 어떻게 해서든 평양성을 안정시켜 새로운 도읍지로 정착시키려는 노력을 하게 된다.

평양성을 신도읍지로 정착시키기 위한 첫 번째 노력으로 중천왕은 서둘러 왕후를 맞아들인다. 왕후를 맞아들이면 자연스럽게 축제 분위기가 무르익을 것이고 그것은 곧 평양성을 도성으로 인정하는 데 커다란 역할을 하게 될 것이라는 판단이었을 것이다.

왕후로 간택된 사람은 연(椽)씨였다. 『삼국사기』는 그녀의 출신에 대한 기록을 남기지 않고 있지만 성씨로 봐서는 연나부의 귀족 가문일 것으로 판단된다.

중천왕이 연나부에서 연씨를 간택하여 왕후로 맞아들인 지 채 1개월도 안 되어 예물과 사구가 반란을 일으켰다. 이는 중천왕이 왕위에 오른 지 불과 2개월밖에 되지 않았을 때였다. 말하자면 중천왕의 즉위와 왕후 간택 이후 곧바로 일어난 사건인 셈이다.

예물과 사구는 평양성이 아직 안정되지 못했다는 사실과 중천왕의 즉위식, 또 연씨와의 혼례 등으로 조정이 어수선하게 돌아가고 있는 상황을 포착하여 반란을 도모했다. 따라서 이들의 반란사건은 매우 치밀하게 계획된 일이라는 것을 알 수 있다. 여기에는 연나부에 반대하는 나머지 나부 세력의 지원도 있었을 것이다. 그들은 연나부 중심의 정권으로 인해 전쟁이 계속되고 환도성이 불타는 등 국가의 혼란이 야기되었다는 여론을 형성하고 그것을 기반으로 반역을 도모했을 것이다. 그리고 중천왕의 즉위에 불만을 품고 있던 예물과 사구가 이에 동조함으로써 반란을 현실화했던 것이다.

하지만 예물과 사구의 반란은 실패로 돌아간다. 오랫동안 정권을 장악하고 있던 연나부 세력의 힘에 굴복했던 것이다.

반란사건 진압 후 연나부의 힘은 더욱 강화된다. 그래서 중천왕은 250년 2월에 연나부 출신의 국상 명림어수에게 행정부뿐만 아니라 내외의 군권까지 넘긴다. 이로써 명림어수는 명림답부 이후 가장 강력한 힘을 행사하는 국상이 되었다.

그러나 254년 4월에 명림어수가 사망하자 중천왕은 독자적인 힘을 형성하기 위해 국상을 비류나부에서 선택하였다. 즉위 후 약 6년 동안 명림어수와 연나부의 압력을 받아야만 했던 중천왕은 비류나부의 패자 음우를 국상으로 임명하면서 왕권을 회복하였던 것이다.

이 무렵 평양성은 신도읍지로 자리 잡아갔고, 국토복구사업도 많은 진척을 보이고 있었다. 때문에 중천왕은 자신감을 가지고 스스로 행정권과 군권을 장악하여 왕의 위상을 높이려 했고, 그 방편으로서 비류나부 패자 음우를 국상으로 삼았던 것이다.

하지만 이에 대한 연나부의 반발이 거세게 일었다. 중천왕은 이를 무마하기 위해 자신의 딸을 연나부의 명림홀도에게 시집보냈다. 명림홀도는 명림어수의 손자 정도로 판단되는데, 그를 부마도위로 삼은 것은 비류나부에서 국상을 뽑은 것에 대한 반발을 무마하려는 타협책으로 보아야 할 것이다.

이렇듯 중천왕이 국력을 회복하고 동시에 왕권을 키우고 있을 무렵 위나라에서는 호시탐탐 침략의 기회를 노리고 있었다. 그들은 관구검 퇴각 이후 꾸준히 고구려에 대한 재차 침략을 노렸으나 내부의 불안으로 그 뜻을 관철하지 못했다. 더구나 257년에는 고구려로부터 되뺏은 현도에서 농민폭동이 일어나기까지 하였다. 하지만 위의 실권자 사마소(사마의의 아들)는 고구려에 대한 침략 야욕을 버리지 못했다. 그 야욕은 259년 12월에 울지해의 고구려 침략으로 나타났다.

사마소의 명령을 받고 고구려를 침략한 울지해는 대병력을 이끌고 고구려로 향했다. 그리고 국경을 넘어 평양성을 향해 진주하였다. 그러나 비류수도 넘어보지 못하고 양맥 골짜기에서 대패하고 말았다.

제12대 중천왕 시대의 각국 영토 및 세력 판도(A.D. 268년경)

선비

부여

약수

읍루

우수리강

흉노

강호

하

요수

고구려

송화강

압록수

■평양

말갈

창해

발해

백제

동해
(창해)

백제

신라

가야

왜

진

낙양

강

수

건업

오

남해

이쥬

백제의 고이왕이 대륙에 영토를 개척하면서 백제의 세력이 확대되었다. 반대로 고구려는 내분으로 요서 지역의 패권을 상실한다.

위군이 대군을 이끌고 침략해 온다는 통보를 받은 고구려 조정은 양맥 골짜기에 진을 치고 있다가 급습을 감행하여 패퇴시켰다. 이 때 중천왕은 자신이 직접 군사를 이끌고 전쟁을 수행하였다. 중천왕은 정예 기병 5천을 앞세우고 양맥으로 밀려드는 위군을 공격하여 승리하였는데, 이 싸움으로 위군 8천이 전사하였다.

이 싸움 이후 위나라는 한동안 고구려를 넘보지 못했다. 당시 사마소는 서쪽으로 진출하여 촉한과 전쟁을 치르고 있는 상황이었기 때문에 고구려를 다

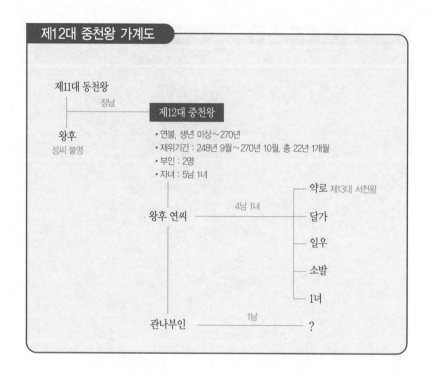

제12대 중천왕 가계도

제11대 동천왕
    장남
왕후   제12대 중천왕
성씨 불명
              • 연불, 생년 미상~270년
              • 재위기간 : 248년 9월~270년 10월. 총 22년 1개월
              • 부인 : 2명
              • 자녀 : 5남 1녀

                                              약로 제13대 서천왕
              왕후 연씨   4남 1녀
                                              달가

                                              일우

                                              소발

                                              1녀

              관나부인   1남
                                              ?

시 침략할 엄두를 내지 못하고 있었던 것이다. 또한 동천왕 때 고구려에 빼앗긴 안평 및 현도 등지를 탈환한 상태였기 때문에 구태여 모험을 감행할 필요도 없었다.

양맥전투 이후 한동안 평화가 지속되는 가운데 중천왕은 국력회복에 주력하고 내실을 다져 군사력과 경제력을 향상시켰다.

한편 이 시기에 위의 실권자 사마소는 한때 사마씨 정권 타도운동이 벌어져 위기를 겪기도 했으나, 그 위기를 넘긴 후에는 더욱 확고한 위치에 올랐다. 그리고 263년에 오랫동안 다퉈오던 촉한을 무너뜨리고 진왕이 되었다. 하지만 그는 265년 8월에 죽고, 그를 이은 아들 사마염이 그해 12월에 원제를 밀어내고 왕에 오른 후 국호를 진(晉)으로 바꾼다. 이로써 조비 이후 45년을 지탱하던 위 왕조는 무너지고 중원은 사마씨의 진 왕조 세상이 된다.

이렇듯 사마염이 중원의 통일을 향해 박차를 가하고 있을 무렵인 서기 270

년 10월, 중천왕은 국력회복이라는 즉위 초의 계획을 관철하고 생을 마감한다. 능은 중천 언덕에 마련되었으며, 묘호는 '중천왕(中川王)' 이라 하였다(중천왕을 '중양왕(中壤王)' 이라 부르기도 하는데, 여기서 '중양' 은 아마도 중천왕 대의 연호인 듯하다).

2. 중천왕의 가족들

중천왕은 왕후 연씨와 관나부인 등 2명의 부인을 두었다. 이들 중 왕후 연씨는 차남 약로(서천왕)와 달가, 일우, 소발과 공주 한 명 등 4남 1녀를 낳은 듯하며 관나부인은 장남을 낳은 듯하다. 하지만 장남에 대한 기록은 전혀 없고 다만 약로가 차남이라는 기록만 있으며, 공주 1명은 연나부의 귀족 명림홀도에게 시집간 것으로 기록되어 있다. 이에 왕후 연씨 및 관나부인, 달가, 일우, 소발 등의 삶에 대해서만 간략하게 언급한다.

왕후 연씨(생몰년 미상)

왕후 연씨는 연나부 귀족 출신으로 서기 249년 10월에 왕후에 간택되어 입궁하였다. 『삼국사기』는 그녀가 어디 출신인지는 밝히지 않았으나 그녀의 성이 연(掾)씨이고, 신대왕 이후 줄곧 연나부에서 왕후가 간택된 것을 감안할 때 그녀는 연나부 출신일 것이다. 그녀의 성인 연씨는 계루부의 귀족 연(延)씨와는 별개의 가문이다.

연나부를 대표하는 가문으로는 우씨, 명림씨, 연씨 등이 있는데, 이 가운데서 명림씨는 주로 정치적인 영향력을 행사했고, 우씨는 왕후를 배출했다. 하지만 연씨는 그다지 큰 역할을 하지 못했다. 중천왕 이전에는 주로 연나부의 우씨 족속 중에서 왕후를 간택했는데, 어떤 경위로 이 때 연씨 가문에서 왕후가 배출되었는지는 알 수 없다.

왕후 연씨를 맞아들인 후에도 중천왕은 관나부의 한 여인을 가까이 하며 총애했던 모양이다. 그녀를 관나부인이라고 했는데, 연씨는 이 여자 때문에 속앓이를 한다. 그리고 몇 번에 걸쳐 위협을 가하며 질투심을 드러냈다. 이에 관나부인은 연씨를 궁지로 몰아넣기 위해 수작을 꾸미다가 중천왕의 미움을 받아 바다에 던져진다.

덕분에 연씨는 중천왕의 사랑을 독차지할 수 있었고, 서천왕을 비롯하여 달가, 일우, 소발, 공주 1명 등 4남 1녀를 낳을 수 있었다.

사망 연대는 알 수 없으며, 능은 중천왕과 함께 중천에 마련되었을 것으로 보인다.

관나부인(?~서기 251년)

관나부인은 관나부 출신의 여인으로 중천왕의 애첩이었다. 그녀는 얼굴이 아름다운 데다가 머리카락은 9척이나 될 정도로 길었다. 중천왕은 왕후 연씨를 맞아들인 이후에도 그녀를 총애하여 소후로 삼으려 하였다. 이 때문에 왕후 연씨는 강한 질투심을 드러내곤 하였다.

연씨는 중천왕이 그녀를 총애하고 있음을 시기하여 다음과 같이 말한다.

"제가 알기로는 서쪽 위나라에서는 긴 머리카락을 천금을 주고 산다고 합니다. 한때 우리 선조께서는 중국에 예물을 보내지 않아 병란을 당하여 쫓겨다니기도 했다는데, 위나라에 머리카락이 긴 미인을 진상하면 그들은 흔쾌히 받아들일 것입니다. 그렇게 되면 우리 나라를 침범하는 일도 없어질 것이고, 혹 우리가 도망다닐 일도 없지 않겠습니까?"

연씨의 말을 들은 중천왕은 그녀가 관나부인을 질투하여 내쫓으려 한다는 것을 알았지만 아무런 반응도 보이지 않았다.

그런데 이 소식을 들은 관나부인은 이 기회에 왕후를 궁지로 몰아넣을 생각을 한다. 그래서 사냥을 나가려는 중천왕에게 달려가 왕후를 참소하였다.

"왕후께서 저에게 욕을 하시면서 '시골 계집이 어찌하여 이 곳에 있느냐? 만약 스스로 돌아가지 않으면 반드시 후회하게 해 주겠다.'고 했습니다. 마마께서 출타하시는 기회가 있으면 왕후께서 저를 죽이려 할 터인데 이를 어찌 하면 좋겠습니까?"

관나부인의 하소연을 듣고도 중천왕은 아무 반응을 보이지 않았다. 그리고 사냥터로 떠났다.

중천왕이 사냥터에서 돌아오자 관나부인은 가죽주머니를 들고 울먹이며 말했다.

"왕후께서 저를 여기에 담아 바다에 버리려 합니다. 마마, 저의 미천한 목숨을 돌보아주시려 한다면 어서 빨리 집으로 보내주십시오. 어찌 이런 상황에서 마마를 모실 수가 있겠습니까?"

관나부인의 이러한 하소연은 왕후를 난처하게 만들기 위해서였다. 중천왕은 그런 그녀의 내면을 잘 읽고 있었다. 그래서 냉기 어린 음성으로 대답했다.

"네가 정녕 바다에 들어가고 싶으냐? 그러면 들어가게 해주겠다."

중천왕은 그렇게 말한 다음 명령을 내려 관나부인을 가죽주머니에 담아 바다에 던지도록 하였다.

중천왕은 그녀에게서 아들을 하나 얻은 듯하다. 아마 중천왕의 장남이 바로 그 아이인 듯한데, 그 때문에 차남인 약로를 태자로 삼은 것 같다.

달가(?~292년)

달가는 중천왕의 셋째 아들이다. 서기 280년(서천왕 11년)에 숙신이 침입할 때 장수로 출전하여 공을 세우며, 이 공로로 안국군에 봉해져 요직을 맡게 된다. 또한 서천왕은 그에게 양맥과 숙신 지역을 통솔하게 하였다.

달가는 인덕이 많아 따르는 사람도 많았다. 하지만 서천왕의 아들 봉상왕은 달가를 시기하였다. 그래서 봉상왕은 292년에 왕위에 오르자 그해 3월에 달가를 죽인다. 이 때문에 백성과 신하들이 봉상왕에게 등을 돌리게 된다.

일우와 소발(?~286년)

일우와 소발은 중천왕의 4남과 5남이다. 그들은 서기 286년(서천왕 17년)에 모반을 꾸미는데, 이 때 그들은 거짓으로 병이 들었다 하여 온탕으로 떠난다. 그리고 주변 세력과 어울려다니면서 서천왕을 비방하며 불온한 말을 퍼뜨린다.

이 소식을 들은 서천왕은 그들을 평양으로 불러올린다. 그리고 혹 그들이 오지 않을 것을 염려하여 국상을 시키겠다는 거짓말을 전하도록 한다.

서천왕이 자신들에게 국상을 맡기겠다고 했다는 소리를 들은 그들은 부랴부랴 평양으로 달려왔다. 하지만 평양에 도착하자마자 체포되어 살해되고 말았다.

▶ 중천왕 시대의 세계 약사

중천왕 시대 중국은 삼국시대의 종말을 앞두고 있었다. 위나라에서는 조씨 왕조가 몰락하고 사마씨가 득세하였는데, 사마의의 아들 사마소는 서기 263년에 촉을 무너뜨린다. 이 때부터 사마씨는 더욱 세력이 확대되어 265년에는 사마소의 아들 사마염이 조씨 왕조를 무너뜨리고 진나라를 세운다. 그리고 진나라는 강남의 오나라를 위협하여 대륙 통일을 향해 매진한다.

이 무렵 로마에서는 건국 1천 년(248년) 기념식을 거행하는 한편 데키우스가 필리푸스를 폐위하고 기독교에 대한 대박해를 시작한다. 하지만 데키우스는 고트족의 침입을 막다가 전사하고 이 때부터 갈루스 1세, 아이밀리아누스, 갈리에누스 등이 단명 왕으로 끝이 나고 발레리아누스가 왕위에 오른다. 그러나 발레리아누스도 페르시아와의 전쟁에서 패배하여 포로가 되는 치욕을 겪는다. 이 때문에 로마는 30명의 참주가 이끌게 되는데, 이 때부터 기독교에 대한 박해는 사라지고 모데나투스, 비제노비아, 아우렐리아누스 등이 차례로 즉위한다. 하지만 혼란은 끊이지 않는다.

제13대 서천왕실록

1. 서천왕의 평화정착 노력과 북방정책
(?~서기 292년, 재위기간:서기 270년 10월~292년 3월, 약 21년 5개월)

중천왕의 국력회복운동을 바탕으로 서천왕은 평화를 정착시키기 위해 매진하며 북방정책을 추진한다. 고구려의 북진에 위협을 느낀 숙신은 고구려의 변방을 노략질하며 항거하고, 이 때문에 조정에서 숙신정벌론이 대두하여 고구려는 모처럼 전쟁 준비에 돌입한다.

서천왕은 중천왕의 차남이며 이름은 약로(藥盧, 혹은 약우(若友)라고도 함)이다. 태어난 연대와 모후에 대한 기록은 남아 있지 않으며, 서기 255년에 태자에 책봉되었다. 그리고 서기 270년 10월 중천왕이 사망하자 고구려 제13대 왕에 올랐다(장남을 제치고 차남인 서천왕이 태자에 오른 경위는 분명치 않다. 다만 장남이 관나부인의 소생이 아닌가 생각된다).

서천왕은 왕위에 오른 이듬해인 서기 271년 정월에 서부 대사자 우수의 딸을 왕후로 삼는다. 또 그해 7월에 국상 음우가 죽음에 따라 음우의 아들 상루를 국상으로 삼는다. 이는 서천왕이 중천왕의 권력분립정책을 그대로 답습하고 있음을 말해준다. 즉, 연나부에서는 왕후를 선택하고 비류나부에서는 국상을 뽑아 힘의 균형을 이루려고 했다는 뜻이다.

이 같은 권력분립정책은 왕권의 강화를 목적으로 하고 있었다. 외척을 재상의 반열에서 제외시킴으로써 권력이 독점되는 것을 방지하고, 한편으론 연나부와 비류나부가 서로를 견제하게 함으로써 조정의 세력 균형을 도모하고자한 것이다.

이에 따라 중천왕 이후 서천왕 대도 조정은 안정을 유지하며 내부의 평화정착에 주력할 수 있었다. 하지만 서기 272년과 273년 이태에 걸쳐 여름 서리와한해가 겹쳐 농사에 큰 지장을 초래한다. 이 때문에 백성들은 굶주리고 유랑민이 발생하여 민심이 흉흉해졌다. 이에 서천왕은 국고를 열어 환곡을 나눠주는등 적극적으로 대처하여 가까스로 경제 위기를 넘긴다.

경제 위기를 넘긴 서천왕은 내부적으로는 안정을 유지하며 밖으로는 북방정책을 수립한다. 이 북방정책은 서기 276년 4월부터 8월까지 약 4개월 동안동북방에 있는 신성을 직접 순시하는 것으로 나타난다. 이 같은 고구려의 북방정책에 따라 숙신이 위협을 느껴, 서기 280년 10월에 변방을 침입하여 고구려인을 학살하는 사태가 벌어진다. 이에 조정에서는 숙신정벌론이 대두하였고,마침내 서천왕은 다음과 같은 명령을 내린다.

"내가 미미한 몸으로 왕위를 이었으나 나의 덕은 백성을 평안케 하지 못했으며, 위엄은 백방에 떨치지 못했다. 이에 인근의 적들이 우리 강토를 침범하였으니, 이제 지략 있는 신하와 용감한 장수를 얻어 외적을 쳐부수고자 한다.그대들은 각각 특출한 계략을 지닌 인재를 천거하기 바란다."

서천왕의 숙신정벌명령이 떨어지자 조정대신들은 대군 달가를 정벌대장으로 천거하였다. 달가는 서천왕의 동복 아우로 세간에 명망이 높고 용맹과 지략을 겸비한 인물이었다.

조정대신들의 천거에 따라 서천왕은 아우 달가에게 군사를 내주어 숙신을치도록 하였다. 고구려의 정예병력이 숙신의 본토를 치고 들어가자 숙신군은당황하며 도주하였고, 그 과정에서 달가는 숙신의 본거지인 단로성을 빼앗고 추장을 생포하여 사형시킨다. 또한 끝까지 버티던 숙신인 6백여 호를 부여의 남쪽 오천으로 이주시켰으며, 7개의 부락을 항복시켜 군영에 예속시켰다.

승전보가 조정에 알려지자 서천왕은 달가를 안국군에 봉하고 도성과 지방의 군사를 통괄하는 임무를 맡겼다. 뿐만 아니라 양맥과 숙신 등의 여러 부락을 통솔하도록 하였다.

고구려가 동북방의 숙신을 정복하는 동안 서쪽에서는 선비가 힘을 키우고 있었다. 선비는 진이 오와 전쟁을 치르는 사이 서서히 남하하여 281년에 요서의 창려현을 습격하더니, 285년에는 추장 모용외의 지휘 아래 진의 유주를 침공하였다. 또한 동쪽으로 부여를 습격하여 부여성을 함락시켰다. 이 때 부여왕 의려는 항전하다가 패색이 짙어지자 자살하였고, 선비는 부여인 1만 명을 자신들의 본토로 끌고 갔다.

이렇게 하여 부여 조정은 완전히 무너졌다. 이후 부여의 일부 세력은 흑룡강을 건너 북옥저로 피신하여 임시 조정을 세웠다. 또 일부 세력은 280년에 오를 무너뜨리고 중원을 통일한 진나라 원군에 힘입어 부여국을 다시 세웠다. 이 때문에 두 개의 부여가 생기는 현상이 빚어졌다.

이처럼 모용 선비에 의해 부여가 둘로 갈라지는 사태가 일어나자 고구려는 북방으로 군사를 보내 부여 영토를 상당 부분 차지하고 북부여원이라 부르는 한편, 북옥저로 찾아든 부여의 임시 조정을 관리하였다. 이로써 고구려는 북방의 영토를 크게 확장할 수 있었다. 이후 북방과 서방에서는 고구려와 모용 선비의 패권 다툼이 이어지게 된다.

서천왕이 북방정책에 매진하면서 자주 도성을 비우자 왕족 내부에서는 모반의 움직임이 일었다. 서천왕의 아우인 일우와 소발이 모반 계획을 세우고 병을 핑계 삼아 온탕에 머물러 있었다. 그러면서 그들은 무리를 모아 불법을 조장하고 국가가 위기에 봉착하여 새로운 임금이 필요하다는 등의 불온한 말들을 퍼뜨린다. 이에 서천왕은 그들에게 사람을 보내 국상을 시켜주겠다는 거짓 칙서를 전한다. 칙서를 받은 그들은 부랴부랴 도성으로 향했다. 하지만 그들은 도성에 발을 들여놓기가 무섭게 서천왕의 명을 받은 역사들에 의해 죽임

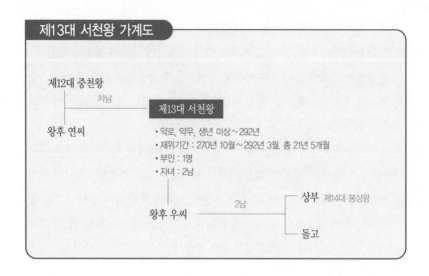

제13대 서천왕 가계도

제12대 중천왕
│── 차남 ──
왕후 연씨

제13대 서천왕
• 약로, 약우, 생년 미상~292년
• 재위기간 : 270년 10월~292년 3월. 총 21년 5개월
• 부인 : 1명
• 자녀 : 2남

왕후 우씨 ──── 2남 ──── 상부 제14대 봉상왕
└── 돌고

을 당했다. 이것이 일우와 소발의 모반 사건 전모이다.

일우와 소발의 모반 사건이 해결되자 서천왕은 다시금 북방정책에 매진하기 위해 서기 288년 4월부터 11월까지 약 7개월 동안 신성을 순시하였다. 이때 동쪽의 해곡 태수가 고래의 눈을 바치기도 하는데, 이는 곧 고구려가 발해를 완전히 장악했음을 의미한다.

그 후 서천왕은 북방을 안정시키며 남방으로의 진출을 노리다가 뜻을 이루지 못하고 서기 292년 3월에 생을 마감하였다. 능은 서천의 언덕(原)에 마련되었으며, 묘호는 '서천왕(西川王)'이라 하였다[서천왕을 서양왕(西壤王)이라고도 불렀는데, 여기서 '서양'은 아마 서천왕 시대의 연호인 듯하다].

2. 서천왕의 가족들

서천왕은 왕후 우씨에게서 상부(봉상왕)와 돌고, 두 명의 아들을 얻었다. 이들 중 왕후 우씨와 돌고에 대해 간략하게 언급하도록 하겠다.

왕후 우씨(생몰년 미상)

왕후 우씨는 연나부 출신이며 우수의 딸이다. 서기 271년 정월에 왕후에 간택되어 입궁하였으며, 두 아들 상부와 돌고를 낳았다. 사망 연대와 능에 대한 기록은 남아 있지 않다.

돌고(?~서기 293년)

돌고는 서천왕과 왕후 우씨의 둘째 아들이며 봉상왕의 동복 아우이다. 그는 덕망이 높고 너그러운 성품으로 백성들의 존경을 받았는데, 이를 시기한 봉상왕은 서기 293년에 그에게 역모죄를 씌워 자결토록 하였다.

돌고에게는 을불이라는 아들이 있었는데, 그는 아버지가 죽자 시골로 도주하여 살았다. 그리고 서기 300년 국상 창조리가 봉상왕을 제거하자 왕위를 이었다. 그가 미천왕이다.

미천왕이 왕위에 오른 후 돌고는 고추가에 추존된다(고추가는 조선 시대의 대원군 또는 부원군에 해당한다. 대원군이나 부원군 이외에 외척이나 왕실에서 그에 버금가는 인물에게 그 같은 봉작이 내려지기도 하였다).

3. 서천왕 시대의 주변 국가

숙신(肅愼)

숙신이라 함은 서쪽으로는 송화강, 남쪽으로는 두만강, 북쪽으로는 동흑룡강과 북극해, 동쪽으로는 동해에 둘러싸인 지역에 살던 부족을 말한다. 이들은 때로 읍루라 불리기도 하고, 물길(勿吉)이라 불리기도 하였다.

『후한서』 '읍루' 편에는 '읍루는 옛 숙신의 나라' 라고 하였고, 『위서』 '물길' 편에도 '물길국은 옛 숙신의 나라이다.' 라고 하였다. 하지만 『삼국지』 '동이전' 에는 '읍루' 편은 있으나 '숙신' 편은 없다. 반면에 『삼국지』의 각 기록에는 '숙신' 이라는 명칭은 자주 사용되고 있으나 '읍루' 라는 명칭은 보이지 않는다. 또한 숙신은 '숙신씨'라고 호칭하고 있지만 읍루나 물길에는 '씨'를 붙이지 않는다. 이는 곧 숙신은 부족을 대표하는 성씨를 나타내는 것이고, 읍루나 물길은 그들이 만든 국호이거나 그들의 마을을 지칭하는 단어였다는 사실로 이해될 수 있다.

『진서(晉書)』 '동이전'에는 '숙신씨는 일명 읍루라 한다.'고 기록되어 있다. 이는 읍루를 대표하는 것이 숙신씨라는 뜻이다. 말하자면 숙신씨는 읍루를 영도하고 있던 씨족 명칭이었다.

이들 숙신씨는 주나라 이전에도 있었으나 세력이 강하지는 못했다. 그리고 한때는 부여의 속국으로서 매년 조공을 바치는 입장이 되었다가, 부여가 약해지자 독립적인 부족국가로 남는다. 그러나 고구려가 팽창함에 따라 우수리강 동쪽으로 밀려났다.

서천왕이 북방정책을 실시하여 고구려 북쪽 변경을 강화하자 숙신은 생존권이 달린 영토를 잃지 않기 위해 대대적인 반고구려정책을 실시하였지만 고구려의 정복전쟁으로 완전히 우수리강 동쪽으로 밀려났다.

숙신은 후에 말갈에 합류되기도 하고, 실위에 합류되기도 하며, 여진의 일부가 되기도 한다.

▶ 서천왕 시대의 세계 약사

서천왕 시대 중국은 진의 사마염이 통일전쟁을 수행하여 272년에는 흉노를 항복시키는 한편 280년에는 오를 무너뜨리고 마침내 중원을 통일한다. 이 무렵 선비족은 모용외의 지휘 아래 조양 지방을 중심으로 힘을 형성하여 부여를 위협하고 진과 고구려의 변방을 노략질한다. 그런 가운데 290년에 진의 무제 사마염이 죽고 혜제 사마충이 즉위한다. 이 때부터 왕후 가씨가 태후를 폐하는 등 정권을 장악한다. 이 시대 진의 진수는 역사서 『삼국지』를 완성한다.

한편 이 무렵 로마는 아우렐리아누스가 다시금 기독교를 박해하고 팔미라 왕국을 멸한다. 그러나 아우렐리아누스는 피살되고 타키우스가 왕위에 오른다. 이 때 페르시아에서는 마니가 순교하여 로마에까지 마니교가 전파된다. 282년에는 카루스가 왕위에 올라 이듬해에 페르시아를 격파하며 힘을 과시한다. 그런데 이 때 갈리아에서 하층민을 중심으로 바가우다이운동이 고양되고 한편에선 카루스가 피살된다. 카루스 피살 후 디오클레티아누스는 동부에서, 막시미아누스는 서부에서 각각 즉위하여 로마는 양분된다.

제14대 봉상왕실록

1. 폭정을 일삼는 봉상왕과 창조리의 반정

(?~서기 300년, 재위기간:서기 292년 3월~300년 9월, 8년 6개월)

　서천왕 사망 후 성정이 포악하고 사치를 좋아하던 봉상왕이 즉위하면서 고구려 조정은 난국을 맞는다. 더구나 선비족 모용부의 강성으로 전란에 휘말리기까지 하여 한치 앞을 내다볼 수 없는 암흑기로 치닫는다. 그럼에도 불구하고 봉상왕의 폭정은 멈추지 않는다.

　봉상왕은 서천왕과 왕후 우씨의 맏아들로 이름은 상부(相夫, 혹은 삽시루(歃矢婁))이다. 언제 태어났는지 분명하지 않으며 태자에 책봉된 연도도 기록되어 있지 않다. 또한 왕위에 오른 시기도 정확하지 않으나 숙부인 달가를 죽인 서기 292년 3월에 왕위에 오른 것으로 판단된다. 그는 어려서부터 교만하고 방탕하며 의심과 시기가 많은 인물이었다. 그 같은 성품은 왕위에 오른 이후 곧 친족 살해도 서슴지 않는 악랄한 모습으로 나타난다.

　292년 3월, 봉상왕은 왕위에 오르자 탈상도 하지 않은 몸으로 안국군 달가를 살해한다. 달가는 서천왕의 동복 아우로 그의 숙부였다. 달가는 서기 280년에 숙신을 물리친 공로로 안국군에 책봉되었고, 그 이후에도 행정 및 군사에 관한 직책을 수행하였다. 또한 서천왕의 명령을 받아 양맥과 숙신 지역을 스스로 운영하기도 하였다. 그는 탁월한 정치력과 덕망으로 자치구를 잘 이끌어 백성들의 신망이 높았다. 봉상왕은 태자 시절부터 달가의 명망을 시기하고 질투하다가 왕위에 오르자 달가에게 역모죄를 씌워 죽인 것이다.

봉상왕이 달가를 죽이자 조신들과 백성들은 폭군이 덕망 높은 달가를 죽였다고 한탄하였다. 백성들은 달가를 외적을 물리칠 수 있는 유일한 인물로 믿었는데, 달가가 죽자 불안에 떨기 시작했던 것이다. 이 같은 불안은 곧 민심 이반으로 나타나 국론이 분열되는 상황으로 치달았다.

그 무렵 고구려의 서북방 일대에서는 선비족의 모용부 추장 모용외가 큰 세력을 형성하여 고구려를 위협하고 있었다. 그들은 부여 왕을 죽인 이래 유주 방면으로 진출하여 세력을 확장한 뒤, 진과 고구려의 변방을 노략질하고 있었다. 그런데 봉상왕의 즉위로 고구려의 조정이 혼란하고 민심이 이반되자 서기 293년 8월에 군사를 이끌고 평양성으로 밀려들었다.

모용외의 급습을 받은 고구려 조정은 일단 봉상왕을 북방의 신성으로 도피시키고 수비태세를 취했다. 이에 모용외는 말머리를 북방으로 돌려 신성을 향해 진격하였다. 모용외의 군대는 기동력이 뛰어난 기병을 이용하여 봉상왕의 도피행렬을 추격하였고, 이 때문에 봉상왕과 조신들은 위기에 직면했다. 이 소식을 듣고 신성의 관리로 있던 북부의 소형 고노자는 급히 군대를 몰아 봉상왕을 맞이하는 한편 기병 5백을 동원하여 모용외와 대적하였다.

모용 선비는 원래부터 말을 잘 다루었지만 고노자의 기병에겐 역부족이었다. 고노자의 뛰어난 전술과 통솔력에 밀려 패퇴하고 말았던 것이다.

모용외의 군대가 패퇴했다는 소식을 들은 봉상왕은 고노자의 작위를 대형으로 높이고 곡림을 식읍으로 내려 전공을 치하하였다. 그리고 다시 평양으로 돌아왔다.

환궁한 봉상왕은 백성들이 불안해하고 있다는 소식을 접한다. 이는 다시 누군가가 자신의 자리를 노리고 있다는 불안감에 시달리는 요인이 된다. 때문에 이번에는 자신의 친동생인 돌고에게 모반의 혐의를 씌웠다. 그리고 자결명령을 내려 그를 죽게 하였다. 이 때 돌고의 아들 을불은 시골로 도주하여 몸을 숨긴 덕에 가까스로 목숨을 부지할 수 있었다.

이렇게 되자 민심은 더욱 흉흉해져 민간에는 곧 나라가 망할 것이라는 소문이 나돌기 시작했다. 이런 가운데 설상가상으로 조정의 버팀목이던 국상 상루가 죽었다. 봉상왕은 남부 대사자 창조리를 국상에 임명하고, 작위를 대주부로 격상시켰다.

창조리가 국상에 올라 조정을 수습하고 민심을 헤아리는 정책을 실시하여 다소간 백성들의 불안은 사라졌지만 봉상왕에 대한 불신은 여전했다.

고구려가 안정을 되찾지 못하자 서기 296년 8월에 모용외는 다시 군대를 이끌고 고구려를 침입하였다. 모용외의 군대는 일사천리로 고구려 변방을 통과하여 어느덧 고국원에 도착하였다. 모용외는 그 곳에서 서천왕의 능을 발견하고 사람을 시켜 파도록 했다. 이 때 부랴부랴 출동한 고구려군이 풍악을 울리며 몰려오자 모용외는 겁을 먹고 도망하였다(이 때의 상황을 『삼국사기』는 '무덤을 파헤치던 사람 중에 갑자기 사망자가 생기고 또한 능 속에서 음악소리가 들렸다. 그는 귀신이 있는 것으로 생각하여 겁을 먹고 군사를 이끌고 퇴각하였다.'고 기록하고 있다. 하지만 이는 고구려군이 풍악을 울리며 몰려오는 것을 과장해서 표현한 것으로 판단된다).

모용외가 물러간 뒤에 봉상왕은 조정 대신들에게 선비족의 침입을 막을 방도를 연구하도록 하였다. 두 차례에 걸친 선비족의 침입으로 겁을 잔뜩 집어먹은 봉상왕은 당황했던 것이다. 이 때 국상 창조리가 신성의 영역을 대폭 확대하고 북부 대형 고노자를 신성의 태수로 삼도록 건의했다. 봉상왕은 고노자를 신성 태수에 임명하고 그에게 북부 지역을 맡겼다.

고노자가 신성 태수가 되자 선비는 감히 침입하지 못했다. 고노자는 백성들을 잘 보살펴 덕망이 높았기에 변방을 안정시키는 데 크게 기여하였고, 군사들의 사기도 드높았기 때문이다.

고노자의 능력에 힘입어 변방은 안정시켰지만 어려움은 계속되었다. 서기

298년 9월, 추수를 앞둔 상황에서 서리와 우박이 내려 농사를 완전히 망쳐버린 것이다. 이 때문에 굶주리는 백성이 늘어나고 국가 경제는 나락으로 치달았다. 그런데도 그해 10월에 봉상왕은 궁실을 증축하는 공사를 감행한다. 이를 위해 많은 백성을 부역에 동원하고, 강제로 세금을 징수하였다.

농사를 완전히 망친 데다가 설상가상으로 봉상왕이 사치와 향락을 위해 고혈을 짜내자 백성들의 원성은 날로 높아갔다. 조정 대신들은 누차에 걸쳐 궁실 증축공사를 중지할 것을 건의했지만 봉상왕은 듣지 않았다. 또한 그는 누군가가 모반을 획책할 것을 염려하여 간신히 몸을 피한 돌고의 아들 을불을 죽이기 위해 전국에 군사를 풀었다. 하지만 을불은 잡히지 않았다.

극도의 어려움이 계속되는 가운데 백성들에겐 또 하나의 재앙이 닥쳤다. 서기 299년 12월에 큰 지진이 일어나 많은 민가가 파괴되고 사람들이 죽은 것이다. 이 때문에 유랑민은 더욱 늘어나고 백성들의 원성은 걷잡을 수 없이 높아져갔다. 그런데 이듬해 정월에 다시 지진이 일어나더니 2월부터 7월까지 무려 5개월 동안 비가 내리지 않아 가뭄이 지속되었다. 흉년이 심해 백성들이 서로 잡아먹는 지경에 이르렀다.

백성들이 지옥 같은 고통을 겪고 있는 상황에서도 봉상왕은 사치와 향락을 멈추지 않았고, 궁실 증축공사도 중단하지 않았다. 그는 15세 이상의 남녀를 징발하여 궁실 증축공사에 동원하였다. 이 때문에 많은 백성이 고향을 떠나 사방으로 유랑하거나 산 속으로 찾아들었다.

이를 지켜보다 못한 국상 창조리는 목숨을 걸고 봉상왕에게 직언을 하였다. 그러나 봉상왕은 전혀 반응이 없었다. 그는 오히려 창조리에게 입을 다물지 않으면 죽이겠다는 협박까지 하였다.

창조리와 조신들은 더 이상 방치했다간 나라가 망할 것이라 생각하고 반정을 계획하였다. 서기 300년 9월, 드디어 반정을 감행하였다.

조신들과 함께 반정을 감행한 창조리는 우선 군사를 일으켜 궁성 호위군을 제압하고, 봉상왕을 붙잡아 별궁에 가두었다. 이렇게 되자 봉상왕은 돌이킬 수 없는 상황임을 알고 자결하였으며, 그의 두 왕자도 함께 자결하였다. 이로써

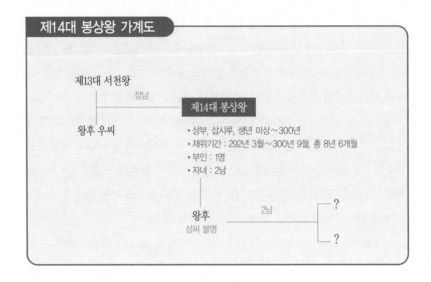

제14대 봉상왕 가계도

제13대 서천왕 ─── 장남 ─── **제14대 봉상왕**

왕후 우씨

- 상부, 삽시루, 생년 미상~300년
- 재위기간 : 292년 3월~300년 9월. 총 8년 6개월
- 부인 : 1명
- 자녀 : 2남

왕후
성씨 불명 ─── 2남 ─── ?
　　　　　　　　　　 ?

봉상왕의 폭정은 종결을 고하였다.

　창조리는 반정을 도모하면서 사람을 시켜 을불을 찾게 했다. 그리고 봉상왕이 폐위되자 을불을 받들어 왕위에 앉혔다.

　봉상왕의 능은 봉상의 언덕(原)에 마련되었으며, 묘호는 '봉상왕(烽上王)'이라 하였다.

　봉상왕의 가족에 대한 기록은 거의 전무하다. 다만 봉상왕이 자결할 당시에 두 아들이 함께 자결했다는 기록만 남아 있다. 이 사실을 근거로 할 때 봉상왕에겐 왕후와 두 명의 아들이 있었다는 것은 증명된다.

2. 창조리의 반정과 그 의미

　봉상왕의 폭정은 날이 갈수록 극악해졌다. 숙부를 죽이고, 친동생을 죽이고, 그것도 모자라 조카를 죽이기 위해 혈안이 되어 있던 그는 사치와 향락을 일삼으며 백성을 괴롭혔다. 그에겐 백성은 단지 억압의 대상이었고, 조신들은 자신의 명령을 수행하는 허수아비에 불과했다.

왕의 폭정이 계속되었지만 조정 대신들은 뾰족한 대응책을 내놓지 못했다. 봉상왕은 누구의 말도 듣지 않았을 뿐만 아니라 눈에 거슬리는 신하는 언제든지 죽일 태세를 보이고 있었기 때문이다.

조정을 이끌고 있던 국상 창조리 역시 봉상왕의 폭정을 가로막지는 못했다. 이 때문에 창조리는 스스로 죄책감을 느끼며 지냈다. 그런 가운데 백성의 삶은 더욱 피폐해지고 가뭄과 지진으로 인한 농민들의 피해는 점점 늘어났다. 심지어는 백성들이 서로 잡아먹는 사태가 벌어지기도 했다. 거기에다 변방에서는 모용 선비의 침입이 염려되고 있었다. 그럼에도 봉상왕은 오직 자신의 사치와 향락만을 추구하며 백성을 부역에 동원하는 짓을 멈추지 않았다. 창조리의 반정은 바로 이 같은 극도의 어려움 속에서 이뤄진 일이었다.

창조리는 반정을 감행하기 전에 봉상왕과 독대하여 목숨을 걸고 직언을 한다. 이와 관련한 『삼국사기』의 내용을 옮겨보면 다음과 같다.

창조리가 왕에게 간하였다.

"천재가 연속하여 일어나고, 흉년이 극심하여 백성들은 살 곳을 잃고 있습니다. 그리하여 젊은이는 사방으로 흩어지고 노약자는 계곡과 수렁을 헤매고 있으니, 지금은 실로 하늘을 두려워하고 백성들을 걱정하여 근신하고 반성할 때입니다. 대왕께서는 이 같은 사정을 생각지 않고 굶주리는 백성들을 데려다가 나무를 깎고 돌을 나르는 부역으로 괴롭히고 있습니다. 이 같은 처사는 왕이 백성의 부모라는 말에 완전히 어긋나는 일입니다. 더구나 지금 주변에는 강한 적이 있습니다. 그들이 만약 우리의 피폐함을 기회로 침범해 온다면 사직과 백성들은 어떻게 되겠습니까? 원컨대 대왕께서는 이를 깊이 생각하소서."

왕이 이 말을 듣고 격노하여 말했다.

"임금이란 백성들이 위로 떠받들어야 할 존재이다. 그러므로 궁실이 웅장하고 화려하지 않으면 권위를 내보일 수가 없는 것이다. 지금 국상은 필시 나를 비방하여 백성들의 칭송을 듣고자 함이 아닌가?"

창조리가 대답했다.

"임금이 백성을 걱정하지 않으면 어질지 못한 것이고, 신하가 임금에게 충언을 간하지 않으면 충성하는 것이 아닙니다. 때문에 제가 이미 국상의 빈 자리를 이었으니 말을 아니할 수 없는 것입니다. 그런데 어찌 제가 감히 백성의 칭송을 구하는 것이겠습니까?"

왕이 웃으면서 말했다.

"국상은 백성을 위해 죽고 싶은 모양이군. 그렇지 않다면 다시는 내게 그 같은 말을 하지 않기를 바란다."

창조리는 왕이 잘못을 고치지 않으려 한다는 것을 알았다. 그리고 자신에게 해가 미칠 것을 두려워하였다. 그래서 그는 왕 앞에서 물러나와 군신들과 의논하여 왕을 폐위하고 을불을 왕으로 세웠다.

이 기록을 근거로 할 때 창조리는 처음부터 반정을 염두에 두고 있었던 것은 아니었다. 그는 어떻게 해서든 봉상왕의 마음을 바로잡아 민심을 수습하고 국정을 정상화하려 했다. 하지만 봉상왕의 폭정은 날로 심해졌고, 그래서 목숨을 걸고 충간을 했다. 그런데 봉상왕은 충간을 받아들이기는커녕 오히려 창조리를 죽이겠다고 협박했다.

봉상왕으로부터 협박을 받은 창조리는 자신의 목숨이 위태롭다는 판단을 하고 자구책을 마련한다. 그리고 그것은 조신들과의 협조 속에서 반정이란 형태로 드러났다.

반정을 감행하기 위해 창조리는 미리 을불을 찾았다. 반정을 도모하려면 반드시 새 왕을 옹립해야 할 것이고, 그 적임자로 을불이 선택되었던 것이다.

이로써 고구려는 동명성왕 이후 세 번째 폐위사건을 경험했다. 제5대 모본왕이 폐위될 때 반정을 도모한 사람은 모본왕의 측근이던 두로였고, 제7대 차대왕을 폐위시킨 사람은 연나부의 조의로 있던 명림답부였다. 이 두 번의 폐위사건은 국정을 주도하고 있던 인물이 아닌 조정 외곽의 인물에 의해 이뤄졌다.

그러나 국정을 도맡고 있는 국상이 직접 반정의 선봉에 선 것은 창조리의 사건이 처음이었다.

그만큼 봉상왕은 조신들로부터 신뢰받지 못한 인물이었던 것이다. 더구나 거의 대부분의 조신이 반정에 참여했고, 모든 백성이 봉상왕의 폐위를 당연시했다. 이는 봉상왕이 얼마나 폭압적이고 독단적인 전횡을 일삼았는지를 잘 보여주는 일이다.

이처럼 창조리의 반정은 봉상왕의 폭정으로 인해 민심이 떠나고 국가 존립에 어려움이 닥치자 국상 창조리를 비롯한 조정 대신들이 구국적 차원에서 함께 감행한 정치혁명이었다. 이 사건이 일어나기 전에 봉상왕은 반정을 염려하여 돌고의 아들 을불을 찾기 위해 군사를 풀었다. 을불만 제거하면 모반의 위협은 거의 사라진다는 계산이었다. 하지만 을불은 가까스로 몸을 숨겨 잡히지 않았고, 결국 창조리의 반정이 성공하자 왕위에 오른다.

제15대 미천왕실록

1. 머슴에서 왕이 된 왕손 을불

미천왕의 이름은 을불이다. 그는 서천왕의 차남이자 봉상왕의 아우인 돌고의 아들이다. 돌고는 서기 293년 9월에 봉상왕의 의심을 받아 자결 명령을 받고 죽었다. 이 때 봉상왕은 을불도 죽이려 하였다. 하지만 을불은 이를 눈치 채고 자취를 감춰버렸다.

을불은 도주한 후 시골로 찾아 들었는데, 수실촌의 음모라는 사람 집에서 머슴살이를 하였다. 음모는 원래부터 성질이 고약하고 심술이 많은 위인이었다. 그래서 을불을 몹시 심하게 다루었다. 심지어는 집 옆의 연못에서 개구리가 울면 수면에 방해가 된다 하여 을불로 하여금 개구리 소리가 나지 않도록 밤마다 돌을 던지게 하였고, 낮이면 나무를 해오라고 독촉하는 등 을불을 잠시도 쉬지 못하게 하였다. 이 때문에 을불은 음모의 집에서 채 1년을 넘기지 못하고 떠났다.

을불은 음모의 집에서 나온 뒤 동촌 사람 재모와 함께 소금 장사를 하였다. 그는 압록에서 소금을 구해다가 주변 마을에 머물며 장사를 했다. 이곳 저곳을 돌아다니며 소금을 팔았기 때문에 거처는 일정치 않았다. 어떤 곳에서는 한 달도 머물렀고, 또 어떤 곳에서는 단지 며칠만 머물기도 하였다. 그러던 어느 날 그는 압록강 동쪽의 사수촌에 머물게 되었다. 그가 머물던 집의 주인은 늙은 노파였다. 그녀는 방세로 소금 한 말을 요구했고, 을불은 그 요구를 받아들였다. 그런데 을불이 그녀의 집을 떠나려 하자 노파는 소금을 더 내놓으라고 하였다. 하지만 을불은 그녀의 요구를 받아들이지 않았다. 노파는 어떻게 해서든 을불의 소금을 뺏어야겠다는 생각을 하고, 을불의 소금 짐에 몰래 자신의 신발을 넣었다.

을불은 이 사실을 알지 못했다. 그래서 소금을 지고 다른 곳을 향해 떠나는데, 노파가 소리를 지르며 쫓아왔다. 그리고 을불의 소금짐에서 신발을 찾아낸 다음 을불을 도둑으로 몰아 관가에 고소하였다.

이렇게 하여 을불은 졸지에 신발 도둑으로 몰리게 되었고, 노파의 말을 곧이들은 압록성 성주는 을불의 소금을 빼앗아 노파에게 줘버렸다. 그리고 성주는 도둑질에 대한 형벌로 을불에게 매질을 하였다.

이 무렵 봉상왕은 전국에 군사를 풀어 을불을 찾고 있었다. 봉상왕은 자신의 악행으로 민심이 흉흉해지자 역모를 염려하여 을불을 죽이려 했던 것이다. 을불은 숨어다녀야 하는 처지였고, 그 때문에 노파가 씌운 도둑 누명에 대해 적극적으로 대처할 수 없었던 것이다.

을불은 한순간에 장사 밑천인 소금을 다 빼앗기고 매질까지 당한 채로 관가 문앞에 내팽개쳐졌다.

민간엔 흉년이 들어 백성들이 서로 잡아먹는 지경이었기 때문에 온 거리에 거지가 넘쳐나고 있었다. 을불도 그들 거지 행렬에 끼어 동냥을 하며 가까스로 목숨을 부지하였다. 몰골이 말이 아니었다. 얼굴은 깡말랐고, 몸은 뼈만 앙상했다. 게다가 옷은 남루하고 머리카락은 지저분하게 헝클어져 있었다.

이런 그의 모습 때문에 아무도 그를 왕손이라고 생각하지 않았다. 봉상왕이 미친 듯이 날뛰며 을불을 잡아들이기 위해 혈안이 되어 있었던 점을 감안한다면 오히려 그의 남루한 행색과 형편없는 몰골은 도피생활에 도움이 되었던 것이다.

을불이 거지들 속에서 간신히 목숨을 부지하고 있을 무렵 궁중에서는 은밀히 반정 계획이 추진되고 있었다.

반정을 주도한 사람은 국상 창조리였다. 그는 봉상왕의 폐도를 더 이상 지켜볼 수 없다는 판단을 하고 동지를 규합하고 있었다. 그리고 한편으론 자신의 수하들을 시켜 을불을 찾게 했다. 반정에 성공하려면 반드시 새로운 왕을 옹립해야 했는데, 창조리는 그 새로운 왕으로 을불을 생각했던 것이다.

창조리는 북부의 조불과 동부의 소우로 하여금 을불을 찾아오라고 명령하였다. 창조리의 명령을 받은 그들은 전국 각지를 돌아다니며 을불을 찾다가 비류수 근처에서 인상착의가 비슷한 인물을 발견하였다. 비록 옷은 남루하고 몰골은 형편없었지만 행동거지가 예사롭지 않은 인물이었다.

조불과 소우는 그의 행동을 예의 주시하며 넌지시 말을 걸었다. 그런데 그의 언변 역시 초췌한 겉모습과는 달리 학식이 깃든 듯하였다. 그래서 조불과 소우는 그를 한적한 곳으로 데려가 다짜고짜 절을 하였다. 상대가 을불인지 아닌지 시험해보기 위해서였다.

"지금 왕이 무도하여 나라가 어지럽고 백성은 굶주리고 있습니다. 이 때문에 국상께서 왕손을 찾아 새로운 시대를 열고자 하니 부디 허락하소서."

두 사람의 난데없는 소리에 을불은 당황했다. 하지만 혹 봉상왕이 보낸 사람들일지도 모른다는 생각에 시치미를 뗐다.

"이보시오, 선비님들. 나는 거지나 다름없는 떠돌이 백성이오. 그런데 어째서 당신들은 내게 절을 하며, 난데없는 소리를 하는 거요?"

하지만 조불과 소우는 물러서지 않았다. 오히려 그들은 시치미를 떼는 을불의 행동에서 새로운 확신을 얻었다. 그래서 이번에는 좀더 직접적으로 말하였다.

"저희는 국상께서 보낸 사람들로서 북부의 조불과 동부의 소우라고 합니다. 저희는 언젠가 먼발치에서 대군을 뵌 적이 있습니다. 부디 저희를 의심하지 마시고 함께 가셔야 합니다. 그래야 악행을 일삼고 있는 지금의 왕을 몰아내고 새로운 시대를 시작할 수 있지 않겠습니까?"

조불과 소우가 이렇게 자신들의 신분을 밝히자, 그제야 을불은 그들을 믿고 따라나섰다.

조불과 소우가 을불을 찾아왔다는 소식을 들은 창조리는 기뻐하며 을불을 조맥 남쪽 민가에 머물게 하였다. 그리고 그 사실을 일체 비밀에 부치고 조심스럽게 반정을 추진해 나갔다.

서기 300년 9월 창조리는 봉상왕과 함께 후산 북쪽으로 사냥을 나갔는데, 이 때 그는 반정에 동참할 사람들을 규합하였다. 창조리는 사냥터에서 뜻이 통할 만한 신하들을 모아놓고 말했다.

"짐작하고들 있겠지만 이제 대사를 의논할 때가 된 듯싶소. 나와 뜻을 같이할 사람들은 내가 하는 대로 하시오."

창조리는 이렇게 말하고 곧 갓에 갈대를 꽂았다. 그러자 주위의 조신들도 모두 갈대를 꽂았다.

조신들의 동의를 얻어낸 창조리는 우선 군사를 일으켜 호위병들을 진압한 뒤에 봉상왕을 붙잡아 별궁에 가두었다. 그리고 을불을 대궐로 데려와 옥새를 바치고 새로운 왕으로 옹립하였다. 그 무렵 별궁에 갇혀 있던 봉상왕은 스스로 목숨을 끊었고, 그의 두 왕자도 자결하였다.

이렇게 하여 을불은 7년여 동안의 파란만장한 도피생활을 청산하고 마침내 고구려 제15대 왕에 올랐다. 그야말로 일개 머슴에서 왕으로 탈바꿈한 것이다.

2. 5호 16국 시대의 전개와 미천왕의 팽창정책
(?~서기 331년, 재위기간 : 서기 300년 9월~331년 2월, 30년 5개월)

미천왕이 왕위에 오를 무렵 중원을 통일한 진은 공중분해되고 있었다. 이른바 '팔왕의 난'을 겪으면서 진은 스스로 침몰하였고, 이 틈을 노려 흉노, 선비 등이 다투어 중원으로 진출하여 나라를 세운다. 고구려 역시 이 상황을 놓치지

제15대 미천왕 시대의 각국 영토 및 세력 판도(A. D. 319년경)

미천왕은 단 선비와 백제를 압박하여 요서 지역의 패권을 장악한다.

않고 과감한 팽창정책을 감행하여 영토확장을 통한 고토회복을 노리게 된다.

미천왕은 서천왕의 차남 돌고의 아들이며, 이름은 을불(乙弗)이다. 태어난 연도와 모후에 대한 기록은 남아 있지 않으며, 서기 293년 9월 봉상왕이 돌고를 죽인 이래 7년여 동안이나 도피생활을 하며 가까스로 목숨을 유지하였다. 그리고 서기 300년 9월에 창조리가 반정을 일으켜 봉상왕을 폐하고 그를 옹립함에 따라 고구려 제15대 왕에 올랐다.

봉상왕이 폐위되고 미천왕이 즉위하자 고구려는 안정을 되찾았다. 조정은 국상 창조리를 중심으로 일사불란하게 움직였고, 미천왕은 오랫동안의 도피생활에서 얻은 경험을 바탕으로 적극적으로 민심을 수습했다.

고구려가 안정을 되찾고 있는 것과는 대조적으로 중원은 큰 혼란에 빠져들고 있었다. 280년에 중원을 통일한 진의 사마염은 통일 초기부터 각 지방에 왕족을 내려보냈는데, 이는 자신이 위 왕조로부터 왕위를 찬탈할 당시 지방의 제후들이 전혀 왕실을 보호하려고 하지 않았다는 점을 인식하여 친위세력을 키우기 위함이었다. 사마염은 자신의 친족들을 왕으로 임명하여 각 지방의 제후로 파견하였고, 그 바람에 전국 27개 지역을 사마씨가 통치하는 상황이 벌어졌다. 이 같은 상황은 사마염의 희망대로 왕실의 힘을 강화시켰다. 하지만 오래가지는 못했다. 사마염이 죽자 각 지역의 사마씨 제후들이 세력다툼을 벌이기 시작했던 것이다.

왕족들의 세력다툼은 사마염이 죽고 혜제 사마충이 즉위한 290년부터 본격화되었다. 이의 발단은 외척인 가씨와 양씨 세력의 정권다툼에서 비롯되었다.

사마예가 즉위하자 외척인 양준과 양태후 부녀가 권력을 장악하였다. 이에 혜제의 왕후 가씨가 초 왕 사마위와 힘을 합쳐 양준을 비롯한 그의 친족들을 제거하고 일당 수천 명을 죽였다. 그리고 여남 왕 사마량으로 하여금 혜제를 보필하도록 하였다. 그런데 가왕후는 사마량의 힘이 커지자 이를 두려워하여 사마위로 하여금 사마량을 죽이도록 하였다. 가후의 부탁을 받은 사마위가 사마량을 죽이자 가후는 다시 사마위마저 죽인다.

가후에 의해 왕실이 쑥대밭이 되자 서기 300년에 조 왕 사마윤이 군사를 일으켜 가후를 죽이고 정권을 장악하였다. 그러나 이듬해에 제 왕 사마경, 성도 왕 사마영, 하간 왕 사마옹 등이 계속 군사를 일으켜 사마윤을 살해한다. 302년에는 사마영과 장사 왕 사마예가 연합하여 사마경을 죽이고, 303년에서 306년까지는 사마옹, 사마영, 사마예가 동해 왕 사마월과 전쟁을 벌이다 죽고, 결국 정권은 사마월의 손아귀로 들어간다. 정권을 장악한 사마월은 혜제를 독살하고 회제 사마지를 옹립함으로써 왕족간의 정권다툼은 종결된다. 이렇게 16년 동안 왕실의 친족끼리 죽고 죽이는 정권다툼을 벌였는데, 이를 흔히 '팔왕의 난'이라고 한다.

　진이 팔왕의 난으로 혼란을 겪고 있는 동안 전국 각지에서는 많은 반란사건
이 일어나 주변의 소수 민족들이 나라를 세우기 시작한다.

　301년에는 익주의 관리가 타지에서 온 유민들을 내몰려고 하다가 되레 유
민들에게 패배하는 사건이 발생했는데, 이것이 소주민족에 의한 반란의 시작
이었다. 익주에서 진나라 관리를 몰아낸 유민들은 저족 출신의 이특을 수령으
로 추대하고 광한을 공격하여 점령하였다. 이특의 아들 이웅은 성도를 함락시
키고 스스로 성도 왕이라고 하였다가, 306년에는 왕을 자칭하고 국호를 '대
성'이라 하였다. 그해에 흉노의 귀족 유연도 왕을 자칭하였는데, 그도 310년에
는 왕으로 자칭하며 국호를 '한(漢)'이라고 하고 평양(현재 소서성 임분시 주
변)을 도읍으로 삼는다.

　유연은 아들 유총과 함께 누차에 걸쳐 낙양을 공략하여 마침내 서기 311년
에 점령한다. 다시 서기 316년에 장안성을 무너뜨리고 회제와 민제를 사로잡
는다. 이로써 진은 몰락하고 이른바 5호 16국 시대가 전개된다.

　이처럼 팔왕의 난 이후 진이 급격하게 몰락하는 상황에서 고구려의 미천왕
은 영토를 확장할 수 있는 절호의 기회를 맞았다고 판단하고 적극적으로 팽창
정책을 실시하여 고조선의 고토회복에 주력한다.

　영토전쟁 초기에는 단연 고구려가 강세를 보였다. 서기 302년에 미천왕은
자신이 직접 군사 3만을 거느리고 현도군을 공격하여 8천 명을 생포하여 평양
으로 이주시켰다. 또한 311년에는 안평을 공격하여 빼앗았으며, 313년에는 낙
랑군을 점령하고 남녀 2천 명을 포로로 잡았다. 314년에는 남쪽으로 진군하여
대방군을 점령하였고, 315년에는 현도성을 격파하였다.

　이 무렵 진(서진)의 낙양이 무너지고, 다시 316년에는 장안이 무너져 진 왕
조가 몰락하고 양자강 이북은 유연에게 완전히 장악된다. 또한 유연은 국호를
조(趙)로 고치고 장안을 국도로 삼는다(역사상 이를 전조라고 부른다). 양자강
이남에서는 317년에 사마예가 왕을 자칭하고 진(동진)을 재건하여 건강(남경)
에 도읍한다.

황하 남쪽의 상황이 이렇듯 대변혁을 겪고 있는 가운데 황하 이북은 고구려와 선비족에 의해 장악된다. 물론 황하 이북에도 유주를 기점으로 진의 잔존세력이 남아 독자적인 세력을 형성하긴 했지만 고구려와 선비의 힘에 미치지는 못하였다.

황하 이북 세력은 진의 잔존세력, 선비, 고구려 등의 세 세력으로 압축되었다. 진의 잔존세력은 왕준이 이끄는 유주군으로 대표되었고, 선비 세력은 모용선비, 단 선비, 우문 선비 등으로 나뉘어 있었다. 고구려는 이들의 역학관계를 이용하면서 영토를 확장하였다.

고구려의 가장 큰 적은 모용외가 이끄는 모용 선비였다. 그들은 이미 위나라 때부터 하북 지역을 장악하여 부여를 몰락 상황까지 몰고 간 바 있고, 또한 위나라 세력을 위축시키기도 하였다. 그리고 봉상왕 때에는 누차에 걸쳐 고구려를 위협한 바 있었다. 이 때문에 고구려는 모용 선비를 적극 견제하는 정책을 써야 했다.

이 때 왕준의 유주군은 세력이 급격히 줄어든 상태였고, 설상가상으로 동이교위 봉석이 병으로 죽었다. 이에 왕준은 유주의 일부를 평주로 승격시키고 자신의 장인인 최비를 평주 자사로 파견하였다. 평주 자사가 된 최비는 단 선비와 우문 선비, 고구려 등에 서신을 띄워 모용 선비를 칠 것을 종용하였다.

최비는 모용 선비가 무너지면 고구려와 우문 선비, 단 선비가 그 영토를 분할해도 무방하다는 약속을 했고, 이에 따라 고구려와 우문, 단 등은 연합군을 형성하여 모용 선비를 치는 데 합의했다.

319년 12월, 드디어 모용 선비를 치기 위해 우문, 단, 고구려가 모용 선비의 수도 극성을 포위하였다. 하지만 모용부를 이끌고 있던 모용외는 그들 연합군이 일시적으로 연합한 세력인 것을 알고 수성전만 펼쳤다. 그리고 연합세력을 이간시키기 위해 우문의 대인 실독관에게 음식을 보냄으로써 은밀히 우문씨와 내통하고 있는 것처럼 행동하였다. 이에 고구려와 단은 우문을 의심하고 철수해버렸다.

고구려와 단이 철군하자 우문의 실독관은 혼자서라도 모용을 무너뜨리겠다며 철군하지 않았고, 그 기회를 노린 모용외는 군사를 보내 우문 선비군을 패퇴시켰다.

이렇게 되자 가장 곤란해진 쪽은 평주의 최비였다. 당시 최비를 평주 자사로 보낸 왕준은 314년 유연의 장수 석륵과의 전투에서 전사하고 없었고, 진나라 역시 패망한 상태였기에 그야말로 그는 사면초가였다. 그래서 별수 없이 최비는 부하 장수 몇 명을 거느리고 고구려로 망명하였고, 남아 있던 최비의 군사들은 모용 선비의 침략을 받아 항복하고 말았다. 그 바람에 모용 선비는 손쉽게 평주를 장악하여 황하 이북의 거대세력으로 성장한다.

평주를 장악한 모용외는 아들 모용인을 보내 최비를 추적하는 한편, 유주 전역을 차지하는 데 성공한다. 그리고 장군 장통을 보내 고구려의 하성을 습격한다. 하성은 고구려 장수 여노가 군대를 지휘하고 있었는데, 그는 장통의 습격을 이겨내지 못하고 패배하였다. 이 때문에 미천왕은 대군을 이끌고 하성으로 향했으나 그가 도착했을 때는 이미 장통이 주민 1천여 호를 포로로 잡아 극성으로 끌고 간 다음이었다.

이 사건 이후 320년부터 고구려와 모용 선비 사이에는 치열한 영토전쟁이 계속된다. 그러는 사이 하북성 남쪽과 화북평원 일대에서는 갈족인 석륵이 후조를 세웠으며, 황하 이남의 감숙성 일대에서는 한족인 장무가 전량을 세우는 등 이른바 16국의 할거정권 시대인 5호 16국 시대가 본격화되고 있었다.

미천왕은 이처럼 한치 앞을 내다볼 수 없는 국제 정세 속에서 후조 등과 화친을 맺으며 국가를 안정시키다가 서기 331년 2월에 생을 마감하였다. 능은 미천 언덕에 마련되었으며, 묘호는 미천왕(美川王)이라 하였다(미천왕을 '호양왕(好壤王)'이라고도 했는데, 여기서 호양은 미천왕 시대의 연호인 듯하다).

3. 미천왕의 가족들

미천왕은 왕후 주씨에게서 사유(고국원왕)와 무, 2남을 얻었다. 사유에 대

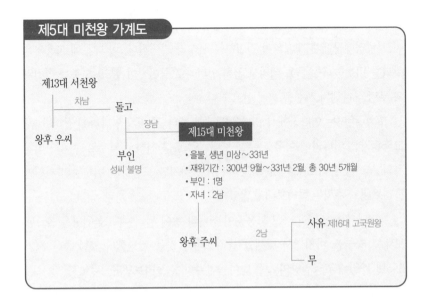

제5대 미천왕 가계도

제13대 서천왕
┌ 차남 ── 돌고
│   └ 장남 ── **제15대 미천왕**
왕후 우씨
         부인   • 을불, 생년 미상~331년
         성씨 불명   • 재위기간 : 300년 9월~331년 2월. 총 30년 5개월
                       • 부인 : 1명
                       • 자녀 : 2남

                              ┌ 사유 제16대 고국원왕
         왕후 주씨 ──── 2남 ──┤
                              └ 무

해서는 「고국원왕실록」에서 별도로 언급하기로 하고, 여기에서는 왕후 주씨와 차남 무에 대해서만 다루기로 한다.

왕후 주씨(생몰년 미상)

왕후 주씨에 대해서는 자세한 언급이 없다. 다만 서기 342년 모용 선비가 세운 연나라가 고구려 도읍인 환도성을 무너뜨리고 그녀를 포로로 붙잡아 갔다가 서기 355년에 환국한 기록이 남아 있을 뿐이다.

서기 342년(고국원왕 12년) 10월, 연 왕 모용황은 용성으로 도읍을 옮긴 뒤 고구려에 대한 대대적인 공격을 결심하고, 그해 11월에 군사 5만 5천을 동원하여 고구려를 침입한다. 이 때 그는 자신이 직접 군사 4만을 이끌고 고구려의 수도 환도를 향한다. 이에 고구려의 고국원왕은 아우 고무에게 정예병력 5만을 내주어 북쪽을 방어하게 하고, 자신은 나머지 병력으로 모용황의 부대와 싸운다. 하지만 이 싸움에서 고국원왕은 대패하여 단웅곡으로 도주하는 신세가 되고, 모용황의 병력은 환도성을 함락하여 고국원왕의 모후인 주씨와 왕후 등을 포로로 잡는다. 이 무렵 북쪽으로 향한 연나라 일부 병력 1만 5천이 고무가 이끄는 정예군에게 대패하여 전멸하는 사태가 벌어진다. 이 때문에 모용황은 주씨를 비롯한 포로들을 데리고 급히 연나라로 돌아가야 했고, 도중에 미천왕의 무덤을 파헤쳐 시신을 꺼내 싣고 간다.

그 후 주씨는 연나라에서 13년을 보내야 했다. 주씨가 연나라에 잡혀간 후, 고국원왕은 연나라에 아우 고무를 보내 스스로를 신하로 낮추고 주씨와 미천왕의 시신을 돌려보내줄 것을 간청하였다. 하지만 모용황은 미천왕의 시신만 돌려보내고 주씨는 돌려보내지 않았다.

그러다가 모용황이 죽고 모용준이 연나라 왕이 된 후에 고국원왕은 볼모를 보내고 공물을 바치면서 주씨를 돌려보내줄 것을 간청했다. 모용준은 서기 355년 12월에 고국원왕의 청을 받아들여 주씨를 돌려보낸다.

이렇게 하여 주씨는 13년여의 이국생활을 청산하고 고국으로 돌아왔다. 하지만 환국 이후 그녀의 삶에 대한 기록은 남아 있지 않다.

왕자 무(생몰년 미상)

고무(武)는 미천왕과 왕후 주씨의 차남이다. 언제 태어났는지는 분명하지 않으며, 서기 342년 11월에 연나라가 침입하자 고국원왕의 명을 받아 정예군사 5만을 이끌고 북쪽 길에서 싸웠다. 그리고 연나라 장수 모용패 등이 이끄는 연군 1만 5천을 격파하여 연나라의 예봉을 꺾었다.

연군 선봉대의 패배가 있자 모용황은 군사를 동원하여 환도성을 불사르고 태후 주씨 및 왕후와 백성 5만을 포로로 잡아 돌아갔다.

이렇게 되자 고국원왕은 이듬해인 343년 2월에 연나라에 예방사신을 보내는데, 이 때 무가 사신을 이끌고 간다. 그리고 고국원왕을 대신하여 모용황에게 신하의 예를 갖추고 공물을 바친 후 돌아온다. 하지만 그 후 그의 삶에 대한 기록은 남아 있지 않다.

▶ 미천왕 시대의 세계 약사

미천왕 시대 중국은 서진이 멸망하여 양자강 북방에서는 5호에 의해 16국 시대가 전개되고 강남에서는 동진이 성립된다. 5호 16국 시대란 흉노, 갈, 선비, 저, 강족 등의 변방 민족이 중원을 차지하여 16국이 흥망을 거듭한 시대를 일컫는다. 이 시대는 304년 흉노족 출신인 유연이 한을 세우면서 시작되어 북위가 통일을 완수하는 409년까지 계속된다. 따라서 미천왕 시대는 5호 16국 시대의 초기에 해당되는 셈이다.

이 시기에 변방족이 세운 대표적인 국가로는 흉노족인 유연이 세운 한(후에 전조로 바뀜), 갈족인 석륵이 세운 후조, 선비족 모용황이 세운 전연 등이다.

이처럼 중국에 여러 변방족의 국가가 난립하고 있을 무렵, 동부와 서부로 갈라져 있던 로마에서는 디오클레티아누스가 기독교에 대한 마지막 대박해를 가하다가 퇴위하고 콘스탄티우스 1세가 들어선다. 하지만 그는 1년여 만에 죽고 그의 아들 콘스탄티누스가 부왕이 되고, 세베루스와 막센티우스가 즉위한다. 하지만 세베루스가 막센티우스와 싸우다가 전사하자 콘스탄티누스는 왕에 올라 기독교에 대한 박해를 중지할 것을 명령하고, 밀라노칙령을 공포한다. 이 무렵 동부에서는 리키니우스가 막센티우스를 죽이고 정권을 장악한다.

하지만 콘스탄티누스가 리키니우스와 싸워 승리함으로써 로마제국은 재통일된다. 이후 니케아 종교회의가 개최되어 아리우스파가 추방되고 로마의 수도는 비잔티움으로 옮겨져 콘스탄티노플이라 개칭된다.

1. 모용 선비의 성장과 고국원왕의 수난

(?~371년, 재위기간:서기 331년 2월~371년 10월, 40년 8개월)

고국원왕이 즉위했을 무렵 모용 선비는 더욱 힘을 강화하여 남하정책을 실시한다. 이 때문에 고구려의 서남쪽 변방이 위협받는다. 거기에다 설상가상으로 산동반도에서는 5호 16국 시대가 시작된 이래 꾸준히 팽창정책을 펴오던 백제가 더욱 힘을 키워 북진정책을 감행하고 있었다. 신진세력의 강성으로 고구려는 잊지 못할 수난을 경험하게 된다.

고국원왕은 미천왕과 왕후 주씨의 장남으로 아명은 사유(斯由), 이름은 소(釗)이다. 언제 태어났는지는 분명하지 않으며, 서기 314년(미천왕 15년) 정월에 태자에 책봉되었고, 서기 331년 2월에 미천왕이 죽자 고구려 제16대 왕이 되었다.

고국원왕은 즉위하자 곧 졸본에 가서 동명성왕의 사당에 제를 올리고, 전국의 도성 주변 지방을 순행하면서 백성들을 위로하고 병든 자들을 구제하였다. 이렇게 민생을 먼저 돌본 후에 서기 334년에는 자신이 거처하던 평양성을 중축하고 평양성 동쪽에 동황성을 축조하기 시작했다. 이듬해에는 북쪽에 신성을 쌓았다. 이는 당시 강성해지고 있던 모용 선비의 침입에 대비한 것이었다.

그 무렵 모용 선비를 이끌고 있던 모용황은 337년에 국호를 연(燕)이라 하고, 남하정책을 시도했다. 모용부는 그때까지 요하 상류의 양안을 본거지로 하고 있었으나 연을 세우면서 발해만 연안의 용성(조양)에 국도 조성작업을 하고 있었다. 고구려가 북쪽에 새로운 성을 쌓은 것도 바로 모용 선비의 남하정책을 의식한 것이었다.

고구려의 예상대로 연의 모용황은 339년에 고구려를 침입하여 북쪽에 새로 쌓은 신성(新城)까지 밀고 왔다. 그들은 무력시위를 벌이며 고구려에 동맹관계를 요청했고, 고국원왕이 이를 받아들이자 군대를 철수했다.

고국원왕은 동맹약조에 따라 이듬해인 340년에 맏아들 구부(소수림왕)를 연의 도성인 양안에 보내 예방케 했다. 고구려 조정은 신진 강국으로 성장한 연의 침입을 막기 위해 태자를 보내 모용황에게 인사를 하게 하는 다소 굴욕스러운 결정을 내린 것이다.

고구려 조정의 저자세에도 불구하고 모용황은 침입 야욕을 버리지 않았다. 그는 중원으로 진출할 계획을 가졌고, 중원을 치기 위해서는 먼저 고구려를 눌러놓지 않으면 안 된다는 생각을 하고 있었다.

연의 침략의도를 눈치 챈 고구려는 서기 342년 2월에 환도성을 수리하고, 그 외곽에 있는 국내성을 보수한 다음 일시적인 천도를 단행한다. 평양성은 동천왕 시대 관구검의 침입으로 환도성이 불타자 임시방편으로 옮겨온 곳이기에 그다지 견고하지 못해 모용황의 침입을 감당하기에는 역부족이었다. 이 때문에 고국원왕은 평양성의 동쪽에 동황성을 축성하여 거처를 옮길 계획이었다. 그런데 연나라 내부 정세가 심상치 않게 돌아가는 데다 모용황이 용성으로의 천도를 서두르고 있다는 소식을 듣고 동황성이 완공될 때까지 비교적 안전한 환도성에 가서 머물기로 했던 것이다.

하지만 환도성으로의 천도는 모용황에게 자신감만 심어준 꼴이 됐다. 마치 고구려가 연나라의 군대를 무서워하여 피하는 듯한 인상을 주었던 것이다. 이에 따라 연나라는 고국원왕이 환도성으로 옮겨 앉은 지 불과 8개월 만인 서기 342년 10월에 용성으로 천도하였다.

당시 고구려는 천도 직후라 조정이 어수선한 상태였다. 평양과 환도의 도성 민들도 갑작스런 천도에 당황하고 있던 터였다. 백성들은 고국원왕의 갑작스런 천도는 곧 모용황의 침략이 임박했기 때문이라는 결론을 내리고 불안해하고 있었다.

모용황은 이를 침략의 호기라고 판단하고 천도 1개월 만인 342년 11월에 대대적인 침략전쟁을 감행하였다.

모용황이 동원한 병력은 총 5만 5천이었다. 그 가운데 4만은 모용황이 직접 인솔하였고, 나머지 1만 5천은 장사 왕우가 이끌었다. 그들의 예상 전진로는 북쪽과 남쪽 두 곳이 있었는데, 북쪽 길은 평탄하고 남쪽 길은 험했다. 때문에 정예부대가 북쪽을 택하고 조력부대가 남쪽으로 진군하는 것이 병법에 따른 상식이었다. 모용황은 그 상식을 깨고 자신이 정예부대 4만을 이끌고 남쪽의 험로를 향했고, 장사 왕우로 하여금 북쪽의 평탄한 길로 가도록 하였다.

모용황의 이 전략은 고구려의 허를 찌르기 위함이었다. 고구려는 고국원왕의 아우 고무에게 정예부대 5만을 내주고 북쪽 길을 지키게 하였고, 고국원왕은 조력부대 1만으로 남쪽 길에 진을 쳤다. 이 같은 군사 배치 때문에 결국 고국원왕은 남쪽의 험로로 먼저 밀려든 모용황의 4만 군사를 막아내지 못하고 단지 호위병 몇 명만 거느리고 도주해야 했고, 미처 몸을 피하지 못한 왕족들과 환도성 백성들은 포로로 잡히고 말았다.

이 때 북쪽 길로 들이닥친 연의 1만 5천 병력은 고무가 이끄는 5만 군사에 전멸당하는 상황이 벌어졌다. 이렇게 되자 모용황은 더 이상 진군을 하지 못하고 돌아가야만 하는 처지가 되었다. 그는 포로로 잡은 태후 주씨와 왕후를 비롯하여 도성민 5만을 용성으로 압송하였고, 도중에서 고구려군의 반격을 받을 것을 염려하여 미천왕의 무덤을 파헤쳐 시신을 꺼내 싣고 가는 파렴치한 행동을 자행한다.

이 때문에 고구려군은 그들의 퇴로를 차단하지 못하고 관망만 해야 하는 처지가 되고 말았다. 또한 용성에 잡혀 있는 태후 주씨와 왕후, 그리고 미천왕의 시신 등으로 인해 고구려는 연나라의 신하국이 되겠다는 서약을 해야만 했다.

치욕적인 외교관계를 맺은 후에도 고구려는 343년 2월에 가까스로 미천왕의 시신만 돌려받았을 뿐 태후와 왕후는 용성에 그대로 남아 있어야 했다. 당시 연나라는 수도를 계현(북경 근처)으로 옮겨 본격적으로 화북평원을 공략할 계획을 세우고 있었다. 그러기 위해서는 고구려를 염두에 두지 않을 수 없는 처지였다. 그래서 태후와 왕후를 볼모로 잡고 있으면서 고구려가 뒤를 치지 못하게 하려 했던 것이다.

한편, 고구려는 환도성이 전화에 휩싸임에 따라 343년 7월에 새롭게 수축한 평양 동황성으로 천도하였다. 또한 동진에 사신을 보내 외교관계를 통해 연나라에 압력을 가하도록 하였다.

하지만 모용황은 애초의 계획대로 발빠르게 영토확장정책을 실시하였다. 우선 344년에 우문 선비를 멸하여 병합하고, 배후를 염려하여 345년 9월에 다시금 모용각을 보내 고구려의 남소를 함락시켰다.

모용황의 팽창정책에 고구려는 속수무책으로 당할 수밖에 없었다. 태후와 왕후가 볼모로 잡혀 있는 상황에서 섣불리 그들과 싸움을 벌일 수 없었던 것이다. 그래서 한동안 연의 정세를 관망하며 온건책으로 일관했는데, 그때 연나라는 중대한 전환기를 맞고 있었다. 고구려에 대해 적대정책으로 일관해 오던 모용황이 348년에 사망하고 그의 아들 모용준이 왕위에 올랐던 것이다.

고구려는 이 상황을 이용하여 연에 대해 온건정책을 쓰고, 태후와 왕후를 환국시키는 작업에 박차를 가한다. 이를 위해 우선 349년에 포로로 잡았던 연의 동이호군 송황을 연나라에 돌려보냈다. 이렇게 되자 모용준은 고구려에 대해 다소 호의적인 태도를 보이기 시작했다. 모용준은 모용황의 정책을 이어받아 적극적으로 남하정책을 실시하고 있었기 때문에 더 이상 고구려와의 관계를 악화시킬 이유가 없었던 것이다.

남하정책을 통해 중원을 노리고 있던 모용준은 남쪽에 진을 치고 있던 단선비를 몰락시킨 후 도읍을 계현으로 옮기고, 다시 화북에서 후조를 멸망시키

제16대 고국원왕 시대의 각국 영토 및 세력 판도(A.D. 371년경)

부여
약수
거란
읍루
우수리강
전연 (몰락)
송
화강
고구려
전량 (몰락)
전진
하
수
요
용성
압록수
말갈
창해
평양
계현
발해
업도
백제
동해 (황해)
백제
신라
가야
왜
장안
강수
건강
남해
동진
이주

고국원왕은 계속된 수난으로 누차 영토를 잃고, 백제의 근초고왕은 발해와 황해를 둘러싼 활 모양의 대국을 일군다.

고 위를 세운 염민을 물리치면서 화북 일대를 통일한다. 그리고 업(하북 임장)으로 도읍을 옮겨 왕을 자칭하게 된다.

이렇듯 연의 시선이 중원에 집중되어 있을 때인 355년에 고구려는 연나라에 사신을 보내 볼모와 공물을 바치고, 태후와 왕후를 돌려보내줄 것을 간청한다. 이에 연나라 조정은 더 이상 고구려와 관계를 악화시킬 필요가 없다는 판단을 하고 태후와 왕후를 고구려로 돌려보낸다.

이후 고구려와 연은 한동안 별다른 충돌 없이 지냈다. 연은 모용준 이래 얼마 동안 번영을 누렸지만 점차 왕실이 사치와 향락에 빠져들면서 멸망의 기운이 감돌기 시작했다. 거기에다 서쪽에서는 저족이 세운 진(前秦)이 세력을 확장하여 연을 압박하기 시작했다.

진은 349년에 저족의 추장 부흥이 건립한 국가이며 초기에는 관중을 근거지로 삼았다가, 부흥의 아들 부건이 장안에 도읍을 정하고 국호를 진이라 칭하게 되었다. 그 후 부생이 뒤를 이어 폭정을 일삼다가 부건의 조카 부견에 의해 제거되었다. 부견은 한족 왕맹을 재상으로 세워 진을 강국으로 건설한다. 그리고 서기 370년에 날로 국력이 쇠락해지고 있던 연(前燕)에 군대를 파견하여 연왕 모용위를 사로잡고 연을 멸망시킨다. 이후 부견은 다시 남하하여 동진의 익주를 탈취하고, 서쪽으로는 구지와 양(前涼), 북쪽으로는 대국 등의 지방 할거세력을 멸망시켜 화북을 통일한다.

진의 성장으로 국제정세가 이렇게 급격하게 변하는 가운데 고구려는 쇠락해가고 있던 연의 영역으로 진출할 기회를 노린다. 그런데 이 때 남쪽에서 또 하나의 신진세력이 북진하고 있었다. 그것은 다름 아닌 백제였다.

백제는 5호 16국 시대가 전개되고 서진이 몰락하여 화북 지역의 주인이 사라진 틈을 노려, 고이왕 대에 형성한 대륙 영토를 기반으로 영역을 넓히고 있었다. 백제는 이미 건국 초기부터 산동반도 주변에 근거지를 형성한 바 있으나 고구려와 후한 세력에 밀려 근거지를 마한이 지배하고 있던 한반도로 옮겼다. 하지만 백제는 낙랑, 말갈 등과 패권 다툼을 벌이며 산동반도를 중심으로 꾸준히 대륙에서의 명맥을 잇다가 마침내 변방족이 강성해져 중원이 여러 나라로 갈라지자 그 상황을 이용하여 일부 근거지를 중심으로 세력을 넓혀 영토를 확장했던 것이다.

특히 백제는 모용씨의 전연이 전진에 의해 멸망을 눈앞에 두자 발해 연안에서 힘을 형성하여 요서 지역으로 진출하고자 하였다. 이에 위협을 느낀 고구려는 서기 369년 9월에 2만의 군사로 백제를 공격하였다. 하지만 치양전투에서 백제의 태자 근구수가 이끄는 군사에 패해 군사 5천을 잃고 오히려 몰리는 입장이 되고 말았다. 그런 가운데 370년에 진나라의 왕맹이 연을 격파하였고, 백

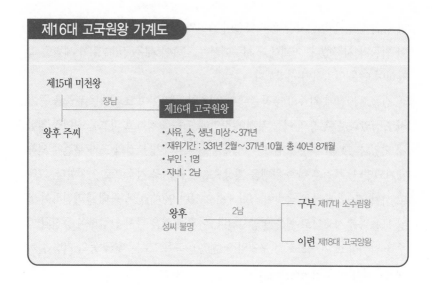

제16대 고국원왕 가계도

제15대 미천왕
┏━━ 장남 ━━ 제16대 고국원왕
왕후 주씨
- 사유, 소, 생년 미상~371년
- 재위기간 : 331년 2월~371년 10월. 총 40년 8개월
- 부인 : 1명
- 자녀 : 2남

왕후   2남   ┏━ 구부 제17대 소수림왕
성씨 불명   ┗━ 이련 제18대 고국양왕

제의 근초고왕은 그 상황을 놓치지 않고 북진정책에 박차를 가한다.

이에 고구려는 371년 9월에 군사를 동원하여 백제를 선제공격하였다. 하지만 패하 강가에 숨어 있던 백제의 복병에게 습격을 당해 패하여 퇴각하였다. 백제는 승세를 놓치지 않고 고구려를 향해 진군하였고, 마침내 서기 371년 10월에 백제의 근초고왕은 자신이 직접 3만 대군을 이끌고 평양성을 급습하기에 이른다. 백제의 기습을 받은 고구려는 미처 대책을 세우지 못하여 수세에 몰렸고, 급기야 군사를 지휘하던 고국원왕이 백제군이 쏜 화살에 맞는다.

고국원왕이 화살을 맞자 태자 구부가 군대를 통솔하여 백제군에 대항한다. 구부의 활약으로 가까스로 평양성을 지키고 백제군을 퇴각시켰지만, 화살에 맞은 고국원왕은 결국 상처가 심해져 생을 마감하고 말았다.

능은 고국원에 마련되었으며, 묘호는 고국원왕(故國原王)이라 하였다. [고국원왕을 '국강상왕(國罡上王)'이라고도 불렀는데, 이는 고국원왕이 고국원의 국강에 묻혔기 때문일 것이다. 또한 『수서』에서는 고국원왕을 '소열제(昭列帝)'로 칭하고 있는데, 이는 고구려가 칭제(稱帝)하였음을 보여주는 좋은 예이다.]

고국원왕은 한 명의 왕후에게서 두 명의 아들을 얻었다. 하지만 왕후의 출신과 성씨에 대한 기록은 남아 있지 않다. 다만 왕후가 342년 겨울 모용황의 침입이 있었을 때 태후 주씨와 함께 연군의 포로가 되었다는 기록만 보인다. 그 후 그녀는 태후와 함께 연나라에 끌려간 듯하며, 태후가 귀국한 355년까지 연에 볼모로 잡혀 있었던 듯하다. 그러나 그 후의 행적에 대해서는 알 길이 없다.

고국원왕의 왕후는 두 명의 아들을 낳았는데, 큰아들은 구부(제17대 소수림왕)이며 둘째 아들은 이련(제18대 고국양왕)이다. 이들 두 아들에 대해서는 「소수림왕실록」과 「고국양왕실록」에서 별도로 언급하게 될 것이다.

2. 고 · 연 전쟁과 불타는 환도성

모용외에 의해 307년부터 강성해지기 시작한 모용 선비는 외의 아들 황이 추장에 오르면서 더욱 강한 신진세력으로 성장한다. 모용황은 국호를 연이라 하고 스스로를 왕이라고 칭했다. 그리고 화북과 중원으로 진출하기 위해 꾸준히 남진정책을 실시하였다. 이에 따라 모용부의 도읍은 극성에서 양원으로, 그리고 다시 용성으로 옮겨졌다. 그들은 이 과정에서 몇 차례 고구려와 패권 다툼을 벌였으며, 모용황에 이르러 마침내 고구려를 제압하기에 이른다.

모용황은 중원으로 진출하기 위해 혈안이 되어 있었고, 이를 위한 일차 계획으로 고구려를 치기로 한 것이다. 그리고 우문 선비와 단 선비를 차례로 굴복시켜 화북 지역을 통일하고 중원을 장악하겠다는 계산이었다.

모용황의 팽창욕에 따라 연은 서기 342년에 용성으로 도읍을 옮기고 고구려에 대한 침략전쟁을 감행한다. 고구려 침략을 위해 꾸준히 준비해온 모용황은 그해 10월에 수하 장군들과 함께 고구려 침략계획을 수립하게 되는데, 이는 입위장군 한이 모용황에게 건의함으로써 전격적으로 결정된 사항이었다.

입위장군 한은 모용황에게 이렇게 말하였다.

"먼저 고구려를 빼앗고, 다음에 우문씨를 멸해야만 중원을 도모할 수 있습니다.”

한은 모용황이 중원으로 진출할 뜻이 있음을 간파하였고, 그러려면 중원으로 진출하기 전에 반드시 고구려를 제압하지 않으면 안 된다는 사실을 피력했다. 만약 고구려를 제압하지 않으면 중원을 노리다가 되레 고구려에 뒷덜미를 잡혀 망할 수도 있다는 생각을 했던 것이다. 그만큼 연나라는 고구려를 가장 무서운 적으로 여기고 있었다.

한의 건의에 따라 모용황은 먼저 고구려를 치기로 하였다. 그리고 고구려 침략계획 역시 한의 입에서 흘러나왔다.

“고구려로 가는 길은 둘 있습니다. 북쪽 길은 평탄하고 넓으며, 남쪽 길은 험하고 좁습니다. 따라서 과거에 고구려를 칠 땐 항상 북쪽 길을 선택했습니다. 그렇기 때문에 고구려군은 이번에도 우리가 북쪽 길을 택할 것으로 판단하여 반드시 북쪽 길에 대군을 배치할 것이 틀림없습니다. 그래서 우리는 그들의 허를 찌르기 위해서 북쪽 길로는 일부 군사만 보내고, 남쪽 길로 대군을 보내야 할 것입니다. 또 남쪽 길로 가는 대군을 먼저 출발시킨 후에 북쪽으로 나머지 병력을 보내야 할 것입니다. 왜냐하면 남쪽의 우리 대군이 적을 섬멸하면 북쪽에 몰려 있던 적의 대군이 남쪽으로 향하게 될 것이고, 그 틈을 이용하여 북쪽을 치면 우리는 남쪽 길과 북쪽 길에서 모두 승리를 거둘 수도 있을 것이기 때문입니다. 그리고 설사 북쪽에서 승리하지 못한다고 하더라도 필시 남쪽 길에서 그들의 심장부를 무너뜨릴 수는 있을 것입니다.”

모용황은 한의 계획을 수용하고, 그해 11월에 총 5만 5천 병력을 동원하여 고구려를 치기로 하였다. 5만 5천 중 4만 병력은 자신이 직접 이끌고 남쪽의 험로로 진군하였으며, 나머지 1만 5천 병력은 장사 왕우에게 맡겨 북로의 평탄로로 진군하게 하였다.

한편, 고구려 조정에서도 연군이 침략해올 것이라고 예상하고 방어작전을 수립하였다. 이 방어계획에서 고구려는 중대한 실수를 저지르고 만다. 연의 입위장군 한의 예상대로 고구려 장수들은 연군이 북쪽 길에 집중될 것이라고 판단했다. 그래서 북쪽에는 정예군 5만을 배치하고 남쪽에는 보충부대 1만만 배치하였다. 북로의 5만은 고국원왕의 아우 고무가 이끌었고, 남로의 1만은 고국원왕이 직접 통솔하였다.

남로의 군대는 비록 1만밖에 되지 않았으나 그 임무는 매우 중대하였다. 우선 고국원왕을 비롯한 왕족들이 모두 이 1만 병력의 보호를 받고 있었고, 환도성의 백성들 역시 그들에 의지해야만 했다. 따라서 환도성을 보호하고 있던 이 1만 병력이 무너지면 고구려는 중심부가 흔들려 제대로 싸워보지도 못하고 항복해야만 하는 처지가 될 것이 뻔했다. 그런데도 굳이 1만의 병력에게 왕족과 도성을 맡긴 것은 설마 적군이 험준한 남쪽 길로 대군을 보내랴 하는 안이한 생각 때문이었다. 비록 이 같은 판단을 했다손 치더라도 왕족과 조신들만이라도 5만 병력과 함께 머물게 했더라면 연군에게 패배하는 수모는 겪지 않았을지도 몰랐다.

그러나 험준한 지형만 믿고 방어계획을 짠 고구려군은 갑작스럽게 남쪽 길로 적의 대군이 밀어닥치자 당황하여 어쩔 줄을 몰랐다. 비록 험한 지형을 십분 활용한다손 치더라도 1만의 병력으로 4만을 막는다는 것은 무리였다. 더군다나 연군은 산악에 익숙한 정예병력인 데 비해 고구려군은 정예병력을 제외한 보충부대였다. 상대가 안 되는 싸움이었던 것이다.

연군의 선봉장은 모용한이었다. 그 뒤에 모용황이 대군을 거느리고 버티고 있었다. 이들을 대적하는 고구려의 장수는 아불화도였다. 하지만 아불화도는 모용한의 좌장군 한수가 이끄는 부대에 대패하여 전사하였고, 곧 이어 연군은 물밀듯이 환도성으로 밀려들었다. 이에 고구려의 1만 군대는 제대로 싸워보지도 못하고 전멸하였고, 환도성은 연군의 수중에 들어갔다.

환도성이 무너지자 고국원왕은 호위병 몇 명과 함께 가까스로 탈출하여 단웅곡으로 도주하였다. 하지만 미처 몸을 피하지 못한 왕족들은 대부분 연군의 포로가 되었다. 심지어는 태후와 왕후까지도 포로의 대열에 끼여 있었다. 한마디로 완전한 패배였다.

환도성에서 이처럼 고구려군이 전멸했다는 소식을 듣고, 북로로 진군하던 연의 왕우도 고구려군을 향해 돌진하였다. 하지만 그들은 고무가 이끄는 5만 군대에 대패하여 전멸하고, 1만 5천 병력을 이끌던 왕우도 전사하였다.

이 소식이 들리자 고국원왕은 병사를 수습하여 전열을 가다듬었고, 모용황은 북로의 5만 군대가 환도성으로 밀어닥칠 것을 염려하여 급히 퇴각할 것을 결정했다. 그때 장수 한수가 모용황에게 말하였다.

"고구려 땅은 지형이 험하고 익숙하지 못한 곳이라 남아 있다간 필시 적에게 당할 것입니다. 그러니 급히 퇴각하는 것이 바람직합니다. 하지만 우리가 퇴각한다고 하더라도 달아났던 고구려 왕과 백성들이 다시 힘을 결집하여 우리 나라를 칠 것이 틀림없습니다. 그렇게 되면 중원의 꿈을 실현하기도 어려울 뿐 아니라 자칫하면 우리가 수세에 몰릴 수도 있습니다. 그러니 고구려 왕의 아버지 무덤을 파헤쳐 그 시체를 싣고, 또 그 왕의 생모와 비를 사로잡아 돌아가야 안전할 것입니다. 우리가 아버지의 시체를 가지고 있고, 생모와 비를 사로잡고 있으면 고구려 왕은 절대로 공격을 하지 못할 것이기 때문입니다. 또 고구려 왕이 제 발로 와서 사죄하기 전에는 시체를 돌려주지 않아야 하며, 생모나 비도 보내지 말아야 중원을 도모할 수 있을 것입니다."

한수의 건의에 따라 모용황은 미천왕의 무덤을 파헤쳐 시신을 꺼내고, 그 시신을 수레에 실었다. 태후 주씨와 왕후 또한 포박하여 용성으로 압송하였다. 그 외에도 환도성 백성 5만을 사로잡아 끌고 갔으며, 환도궁을 불태우고 성을 헐어버렸다.

모용황의 군대가 떠난 뒤 고국원왕은 환도성으로 돌아왔다. 하지만 환도성은 헐렸고, 궁실도 불탔기 때문에 별수 없이 채 완공되지도 않은 평양의 동황성으로 가야 했다. 그 후 고구려 조정은 연에 잡혀간 태후와 왕후, 그리고 미천왕의 시신 때문에 신하국이 될 것을 맹세하고 약 30년간 연과 굴욕적인 외교관계를 맺어야만 했다. 비록 미천왕의 시신은 전쟁 이듬해에 돌려받았지만, 이를 위해 고국원왕의 아우 고무가 모용황을 방문하여 신하의 예를 갖춰야 했다. 또한 345년에 연군이 고구려의 남소를 침입하여 장악했지만 고구려 조정은 아무런 대응도 하지 못하고 영토를 뺏겼다. 게다가 태후와 왕후는 무려 13년 동안 연에 붙잡혀 있어야 했고, 355년에는 그들을 환국시키기 위해서 다시금 왕실에서 볼모를 보내야만 했다.

　단 한 번의 작전 실패로 고구려는 강한 군대를 가졌음에도 불구하고 이처럼 굴욕적인 외교관계에 머물러 있어야만 했던 것이다.

3. 고구려 · 백제의 패권 다툼과 고국원왕의 전사

　연나라는 고구려와의 싸움에서 승리한 뒤 승승장구하며 우문 선비, 단 선비 등을 차례로 멸망시켜 병합하는 한편 남진하여 화북평원의 후조를 멸망시켜 화북을 통일한다. 하지만 361년에 모용준이 죽자 왕실이 사치와 향락에 젖고, 국정이 문란해져 혼란이 야기된다. 그 기회를 이용하여 저족의 전진이 연을 압박한다. 이에 따라 연은 서쪽에서 밀어닥치는 전진을 막는 데 전력을 쏟게 되고, 결과적으로 하북 및 산동을 소홀히 할 수밖에 없었다.

　연나라가 이처럼 발해 연안을 소홀히 하자, 그 곳을 잠식하며 백제라는 신진세력이 힘을 형성한다.

　백제는 유리명왕 때 고구려에서 분리된 세력으로 건국 초에 요동과 하남 지역에서 기반을 형성했다. 하지만 요동 세력은 수년에 걸친 기근으로 백성들이 대거 고구려로 이주함에 따라 요서로 건너와 합류하였다. 그러나 그 이후에도 후한과 고구려 세력이 팽창하자 산동 지역에 일부 근거지만 남겨놓고 한반도를 지배하고 있던 마한의 땅으로 찾아든다. 그 후 마한에서 독자적인 힘을 형성하여 마한을 무너뜨리고 한반도의 신진세력이 되었다. 이렇게 되자 백제는 다시금 산동에 남아 있던 근거지를 확장하여 낙랑, 말갈 등과 세력 다툼을 벌인다. 또 한반도에서는 또 하나의 신진세력으로 부상하고 있던 신라와 세력을 다투게 된다. 이처럼 백제는 시간이 흐르면서 점차 강국으로 성장하여 5호 16국 시대가 전개되던 4세기 초부터는 대륙에서의 기반을 강화하여 산동 지역을 완전히 장악하기에 이른다.

　그 후 백제는 꾸준히 대륙에서의 기반을 확충하여 연이 전진에 밀리는 상황이 되자, 369년을 전후하여 요서 지역으로 진출한다.

백제가 요서 지역을 노리자 발해 연안을 뺏길 것을 염려한 고구려는 369년 9월에 군사 2만을 동원하여 백제를 선제공격한다. 하지만 치양에서 백제의 태자 근구수가 이끄는 군사에 대패해 5천의 병력을 잃고 퇴각하였다.

역사적으로 백제와 고구려의 첫 접촉은 서기 286년에 있었다. 말하자면 백제가 나라를 건국한 지 무려 300여 년이 지난 후에야 비로소 처음으로 두 형제국의 접촉이 있었던 것이다.

서기 286년은 고구려의 서천왕 17년이고, 백제의 책계왕 원년에 해당한다. 이 때 고구려의 서천왕은 북진정책에 성공하여 부여 땅의 상당 부분을 차지하고 다시 남진정책을 감행하여 대방을 쳤다. 그런데 당시 책계왕은 대방 왕의 딸 보과를 왕비로 맞아들인 상태였기 때문에 대방을 지원했다. 대방이 고구려의 침략을 받자 백제에 구원병을 요청했고, 백제의 책계왕은 대방과 백제가 옹서지간이 되는 나라이니 당연히 도와야 한다면서 구원병을 보냈던 것이다. 그 바람에 서천왕의 대방공략은 무위로 끝났고, 고구려 조정은 백제를 원망하게 된다.

하지만 그 후 고구려와 백제는 거의 접촉이 없었다. 그러다가 다시 83년이 지난 369년에 서로 적대관계로 만난 것이다. 그들은 발해만과 요서 지역의 관할권을 놓고 치열한 전투를 벌이는데, 그 과정에서 고국원왕이 전사하는 바람에 백제와 고구려는 같은 핏줄임에도 불구하고 원수관계가 된다.

백제의 팽창정책은 370년에 연나라가 전진에 멸망하면서 더욱 가속화되는데, 이 때 고구려도 연나라의 패망을 계기로 요서 지역을 회복하려 했다. 369년에 있었던 치양전투도 바로 이 같은 맥락에서 이해될 수 있다.

이처럼 같은 지역을 노리고 있었기 때문에 백제와 고구려의 싸움은 불가피하였다. 고구려는 이를 먼저 인식하고 370년에 다시 군사를 동원하여 백제를 공격했다가 오히려 패하에서 복병을 만나 패배하는 바람에 수세에 몰렸다. 백제는 그 기회를 놓치지 않고 북진을 계속하여 요서를 점령하고, 마침내 371년 10월에 요동에 도착하여 고구려의 평양성을 공격하기에 이른다.

이 때 백제의 근초고왕은 태자 근구수와 함께 군사 3만을 이끌고 직접 출전하였다. 백제의 과감한 공격에 당황한 고구려군은 평양성을 중심으로 수성작전에 돌입하였으나 이미 사기가 치솟은 백제군을 당해내지는 못했다. 이 싸움에서 고국원왕은 백제군이 쏜 화살에 맞아 치명상을 입기까지 하였다. 그렇지만 백제군은 평양성을 함락시키지는 못했다. 비록 고국원왕이 쓰러지기는 했지만 태자 구부의 통솔력에 힘입어 고구려군은 잘 버티었고, 먼 거리를 행군한 백제군은 속전속결을 노리다가 고국원왕에게 치명상을 입힌 것에 만족하고 급히 퇴각을 결정했다. 더 오래 버티다간 자칫 고구려군의 반격으로 치명타를 입을 수 있다는 것이 근초고왕의 판단이었다.

백제군이 물러간 다음 고국원왕은 화살에 맞은 상처가 도져 죽는다. 이 소식을 들은 백제군은 사기가 치솟아 그 이후에도 고구려와 대등한 싸움을 벌이며 영토 확장에 주력한다.

동명성왕에게서 나온 형제국인 고구려와 백제는 이처럼 다시 원수로 만나 패권을 다투며 한반도와 중국에서 피비린내 나는 싸움을 벌인 것이다.

(백제의 건국 및 성장 과정, 백제와 중국 대륙과의 연관성, 백제의 요서 지역 경영 등에 대한 내용은 『백제왕조실록』에서 더욱 상세하게 언급한다.)

▶ 고국원왕 시대의 세계 약사

고국원왕 시대 중국은 5호 16국 시대의 절정기이다. 북쪽에선 선비의 모용황이 이끄는 전연이 화북을 통일하고, 서쪽에서는 저족이 세운 전진이 일어나 힘을 강화한다. 그리고 전진은 마침내 동쪽으로 진군하여 연을 무너뜨리고 북방의 맹주로 자리잡는다. 이처럼 대륙의 북쪽에서 연과 전진이 흥망을 거듭하고 있을 때 강남은 동진이 다스리고 있었다. 동진은 서진이 멸망한 후 사마예의 지도 아래 317년부터 왕국을 자칭하였다. 고국원왕이 즉위한 331년은 동진의 3대왕 사마연이 왕위에 올라 있었고, 그 후 342년에 사마악, 344년에 사마염, 361년에 사마비를 거쳐 365년에는 해서공 사마혁이 정권을 장악했다. 그리고 사마혁 정권은 고국원왕이 죽은 371년에 종결된다. 동진은 건국 초기부터 서진의 옛 땅을 회복하기 위해 꾸준히 북벌을 준비하여 347년에는 흉노 귀족 유연이 세운 성한을 멸망시키고, 354년에는 전진정벌에 나서 장안 부근까지 진주하였다. 또한 369년에는 전연을 정벌하여 방두(하남성 준현)에 이른다.

이 무렵 로마는 콘스탄티누스에 의해 통일제국을 만든 이래 콘스탄티노플 시대를 전개하고 있었다. 이는 곧 비잔틴 문화의 전성기로 이어져 성 베드로 대성당과 안티오키아 대팔각당사원 등이 건립된다. 하지만 337년에 콘스탄티누스 1세가 죽자 로마는 셋으로 쪼개진다. 콘스탄티누스의 세 아들인 콘스탄티누스 2세, 콘스탄스, 콘스탄티우스 등이 로마를 삼분하기 때문이다. 그 후 로마는 이 세 형제에 의한 패권 다툼의 장이 되어, 340년에는 콘스탄티누스 2세가 동생 콘스탄스와 싸워 전사하고, 콘스탄스는 다시 콘스탄티우스에게 패배하여 로마는 콘스탄티우스 2세에 의해 통일된다. 그 후 콘스탄티우스 2세는 많은 왕족을 살해하는 한편, 종교적으로는 아타나시우스파를 배격하고 아리우스파를 지지하여 큰 논란을 불러일으킨다. 그리고 그가 죽자 그의 조카 율리아누스가 즉위한다. 그는 전통신을 믿었기 때문에 기독교를 배격하였고, 팽창정책을 실시하여 페르시아를 공략한다. 하지만 363년에 페르시아와의 전투에서 전사하고 만다. 그가 죽자 로마는 다시 양분된다. 발렌티아누스 1세는 로마를 수도로 하여 서쪽을 차지하고, 동생 발렌스는 콘스탄티노플을 수도로 하여 동쪽을 차지한다. 그 바람에 로마는 서로마와 동로마로 갈라지고, 결국 로마는 멸망으로 치닫는다.

제17대 소수림왕실록

1. 문치를 통한 소수림왕의 중앙집권화와 백제 정벌정책
(?~서기 384년, 재위기간:서기 371년 10월~384년 11월, 13년 1개월)

소수림왕이 즉위하면서 고구려는 문치주의를 표방한다. 그의 문치는 곧 중앙집권화와 당시의 혼란스런 국제정세 속에서 외교관계를 원만하게 유지하는 원동력으로 작용하고, 그것을 기반으로 고구려는 고국원왕의 원수를 갚기 위해 꾸준히 백제에 대한 정벌전쟁을 감행한다.

소수림왕은 고국원왕의 맏아들이며 이름은 구부(丘夫)이다. 언제 태어났는지는 분명하지 않으며, 고국원왕 25년인 355년에 태자에 책봉되었다. 그리고 371년 10월에 고국원왕이 백제와의 평양성싸움에서 전사하자 고구려 제17대 왕에 올랐다.

소수림왕은 기골이 장대하고 지략이 뛰어난 인물로 전해진다. 그는 태자에 오르기 전부터 이미 정사에 관여했는데, 전연이 고구려를 위협하던 340년에 고국원왕의 명을 받아 모용황을 예방한 것이 그 시초이다. 이후 그는 고국원왕을 도와 국방과 행정 전반에 걸쳐 많은 경험을 하였고, 외교문제에도 적극 가담할 수 있었다. 이 과정에서 그는 전연의 멸망을 경험했고, 동시에 전진의 성장을 지켜보았다. 백제의 침입으로 아버지를 잃는 아픈 상처도 안게 되었다. 그는 이 같은 경험을 바탕으로 탁월한 외교능력을 발휘하며 문치주의를 표방하는 한편, 고국원왕의 원수를 갚기 위해 백제에 대한 압박정책을 수립한다.

소수림왕이 즉위하던 시기는 중원에 큰 변화가 일어난 때이다. 이미 270년에 모용씨의 전연이 저족의 우두머리 부견이 이끄는 진(前秦)에 몰락하고, 그 잔존 세력은 부견에게 항복하였다. 이렇게 되자 부견은 남진하여 동진의 익주를 탈취하고, 서쪽으로는 구지와 전량, 또 북쪽으로는 소수족의 지방 할거정권을 멸망시킴으로써 화북을 통일한다. 전진은 그 여세를 몰아 동진을 멸하고 중국을 통일하겠다는 야심을 품는다.

하지만 전진은 고구려에 대해서만은 온건한 자세를 보였다. 그들은 동진을 무너뜨리기 위해서는 배후가 안전해야 된다고 보았기에 고구려의 비위를 건드리지 않았던 것이다. 때문에 전진은 비록 전연의 영토를 차지하긴 했으나 한나라 시대의 구요동, 현도, 유주 등의 지역에 대해서는 고구려에 양보하는 자세를 보였다.

고구려는 전진의 의중을 재빨리 파악하고 소수림왕 즉위 초기에 전연이 차지하고 있던 유주 및 현도, 요동 등을 점령하고 하북과 산동으로의 진출을 꾀하였다. 하지만 산동과 하북에서는 백제가 세력을 키우며 북상을 꿈꾸고 있었다. 고국원왕의 전사로 백제에 원한을 품고 있던 고구려는 북진을 추진하고 있는 백제를 응징할 움직임을 보였고, 백제 역시 고구려의 침입을 예상하고 항상 전쟁에 대비하고 있었다.

하지만 소수림왕은 쉽사리 백제를 향해 칼을 빼들지 않았다. 소수림왕은 국제정세에 밝았을 뿐 아니라 정치감각도 뛰어난 인물이었다. 그래서 우선 신흥강국으로 성장하고 있던 부견의 전진과 화친을 맺는 것이 급선무라고 보았고, 또 한편으론 강남의 동진과도 돈독한 관계를 맺어둘 필요가 있다고 판단했다. 그의 이 같은 외교 노선은 백제를 외교적으로 고립시키기 위함이었다. 이에 백제도 동진과 외교관계를 맺어 고구려의 압박정책에 대항하였다.

소수림왕은 이처럼 고도의 외교전략을 구사하며 대내외적으로 문치주의(文治主義)를 표방하였다. 국방 위주의 외교 노선에서 탈피하여 문화적 일체감을 형성하는 외교 형태를 구사하며 전진과 동진의 지지를 이끌어내고자 했던 것이다. 뿐만 아니라 내부적으로는 중앙집권화를 꾀하고 왕권을 강화하려 하였다.

이를 위해 소수림왕은 먼저 전진과 동진에서 크게 부흥하고 있던 불교를 적극 수용하여 종교적 일체감을 꾀하는 한편, 태학을 세워 교육제도를 체계화하였다. 또한 율령을 반포하여 관습법에 의존하던 종래의 통치 형태를 극복하고 법치국가로서의 면모를 일신하였다.

문치주의에 따른 소수림왕의 정책은 중앙집권화를 위한 토대를 만들었을 뿐 아니라 중원의 두 맹주인 전진과 동진의 호응을 얻었다. 이에 따라 고구려의 내정과 외교관계는 그 어느 때보다 안정된다.

고구려 조정은 이러한 안정을 바탕으로 백제 고립화정책을 추진한다. 그리고 376년 11월에 마침내 고국원왕에 대한 복수의 칼을 뽑아들고 백제의 북쪽 변경을 쳤다. 하지만 고구려의 침략에 대비하고 있던 백제의 반격에 밀려 별다른 성과 없이 퇴각해야 했다. 백제는 이 기회를 놓치지 않고 이듬해 10월에 3만의 군사를 이끌고 평양성을 공략하였다.

백제의 기습을 받은 고구려는 한동안 고전하였으나 수성전을 펼쳐 백제군을 퇴각시켰다. 하지만 백제의 평양성 공격 이후 고구려는 시련을 겪는다. 누차에 걸친 전쟁으로 민심이 흉흉해지고 백성들의 삶은 피폐해져 있었는데, 설상가상으로 378년에는 극심한 가뭄이 닥쳐 사람들이 서로 잡아먹는 사태가 발생했다. 게다가 그해 8월에는 고구려의 북쪽 변경 지역에서 새롭게 성장하고 있던 거란족이 침입하여 변경에 있는 8개의 부락을 함락시켰다.

이렇듯 백제, 거란 등이 침입하고 가뭄이 지속되는 바람에 소수림왕의 문치주의 정책은 후반기로 갈수록 퇴색되는 경향을 보인다. 소수림왕은 외적의 침입과 가뭄으로 인한 경제 파탄 등으로 즉위 초기에 보여줬던 열정을 이어갈 수 없었던 것이다. 그런 가운데 소수림왕은 갑작스럽게 밀어닥친 난관을 돌파하

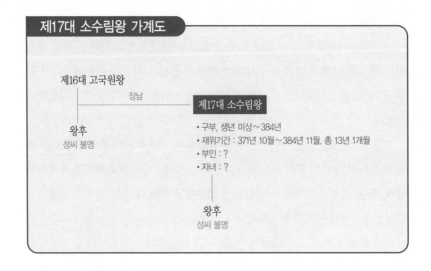

제17대 소수림왕 가계도

제16대 고국원왕
　　　　　　장남
　　　　　　　　　　제17대 소수림왕
왕후
성씨 불명
　　　　　　　　• 구부, 생년 미상~384년
　　　　　　　　• 재위기간 : 371년 10월~384년 11월. 총 13년 1개월
　　　　　　　　• 부인 : ?
　　　　　　　　• 자녀 : ?

　　　　　　　　　　왕후
　　　　　　　　　성씨 불명

기 위해 지나치게 기력을 소모한 나머지 건강이 나빠져 서기 384년 11월에 생을 마감하고 말았다.

능은 소수림에 마련되었으며, 묘호는 '소수림왕(小獸林王)'이라 하였다.

소수림왕은 아들이 없었으며, 그의 왕후에 대한 기록도 남아 있지 않다. 때문에 그의 가족에 대한 기록은 전무한 셈이다.

2. 문치의 흔적들

소수림왕은 즉위와 동시에 문치주의를 표방하고 학문과 종교 및 국가 제도 전반에 걸친 획기적인 개혁작업을 시도하였다. 개혁작업의 일환으로 당시까지 민간에서 암암리에 유포되고 있던 불교를 공인하고, 중앙학문기관인 태학을 세웠으며, 법제도 확립을 위해 율령을 반포하였다. 이 세 가지 사업은 소수림왕의 문치주의가 남긴 대표적인 흔적이다.

불교 공인

소수림왕은 즉위 이듬해인 372년 6월에 전진의 부견이 보낸 승려 순도와 불상 및 경문을 맞아들인다. 순도의 내왕 이전에도 고구려에는 이미 불교가 퍼져 있었지만 국가에서 공식적으로 인정하지 않은 상태였다. 특히 궁중에서는 불교를 엄격히 금지하고 있었다. 하지만 불교에 호의적인 입장이던 소수림왕이 즉위하자 불교를 받아들여 전진 및 동진과의 외교 관계를 원만하게 이끌어야 한다는 주장이 제기되었고, 소수림왕이 이를 받아들임으로써 전격적으로 불교를 공인하게 되었다.

소수림왕의 불교 공인은 부견이 보낸 승려 순도를 맞아들이는 형태로 이뤄진다. 사서의 기록에는 전진의 왕 부견이 사신과 승려 순도를 보낸 것으로 되어 있지만, 실상은 고구려가 전진과 외교관계를 수립하는 과정에서 불교를 수용하겠다는 의지를 밝히고 승려를 보내줄 것을 요청했을 가능성이 더 높다.

전진으로부터 공식적으로 승려를 받아들인 고구려 조정은 동진에도 사람을 보내 승려를 보내줄 것을 요청한다. 이처럼 전진과 동진에 모두 승려를 요청한 것은 소수림왕의 중립외교노선에 따른 것이라 보아야 할 것이다. 비록 전진과 동진은 서로 적대 관계를 형성하고 있었지만 고구려는 그들 두 나라를 모두 수용함으로써 외교적인 안정을 이루고자 했다는 뜻이다.

고구려의 요청에 따라 동진에서도 374년에 승려 아도를 고구려에 보낸다. 이에 고구려 조정은 375년 2월에 최초의 절인 초문사를 창건하여 순도로 하여금 절을 주관하게 하였고, 또한 아불란사를 창건하여 아도로 하여금 주관하게 하였다. 이로써 불교는 조정의 공인 아래 본격적으로 포교활동을 시작하여 급속도로 확산된다. 여기에는 종교적 일체감을 통해 중앙집권화를 용이하게 하려는 소수림왕의 강한 의지가 담겨 있었다(순도의 내왕 이전에도 고구려에 불교가 유포되어 있었다는 것은 각훈이 지은 『해동고승전』의 기록에 따른 것이다. 이 책의 「석망명전(釋亡名傳)」은 이름이 기록되어 있지 않은 스님들에 대한 이야기를 남기고 있는데, 동진의 고승 도림(314~366년)이 고구려 스님에게 법심이라는 중국 스님을 소개하는 서신을 보냈다는 기록이 있다).

태학 설립

불교를 공인하던 372년 6월에 유학 교육기관인 태학(太學, 혹은 대학)이 설립된다. 태학은 국가가 인정하는 최고의 교육기관으로 주로 중앙관료나 귀족들의 자제가 입학하는 곳이다. 이 곳에서는 유학 및 무예를 가르친 것으로 보이는데, 이는 중원의 문화를 적극 수용하여 문치주의를 확립하려는 소수림왕의 정치적 이념에 따른 것이었다.

소수림왕이 설립한 태학은 한국사를 통틀어 기록에 전하는 최초의 학교이며, 최초의 대학인 셈이다. 고구려는 건국 초부터 한자를 사용하고 있었기 때문에 태학 설립 이전에도 교육기관은 있었을 것으로 보인다. 그것은 주로 사설교육기관의 형태를 띤 곳으로 학문과 무예 및 병법을 함께 가르쳤을 것이다. 이런 사설교육기관은 점차 체계화되어 '경당(扃堂)'이란 이름으로 정착한다.

이 경당은 초기엔 그다지 크게 부흥하지 못했으나 태학이 설립된 이후 기초교육기관으로 자리를 굳힌다. 말하자면 태학의 설립이 경당의 발전에 불을 댕긴 셈이다. 따라서 소수림왕의 태학 설립은 고구려의 교육체계를 획기적으로 바꾸는 계기가 되었음을 알 수 있다. 또한 태학의 주요 과목이 유학이었던 점에 비추어 볼 때 태학은 충(忠)의 개념을 강화하는 역할을 하고, 이는 소수림왕의 중앙집권화에 긍정적으로 작용한다.

율령 반포

불교 공인, 태학 설립과 아울러 소수림왕이 남긴 또 하나의 대표적인 업적은 율령 반포이다. 373년에 이뤄진 이 조치는 당시까지 부분적으로 마련되어 있던 국법을 보완하고 정리하여 법질서를 새롭게 확립한 획기적인 사건이었다.

율령 반포 이전에도 고구려에는 성문법이 있었다. 이는 구려 시대부터 꾸준히 축적된 관습법을 바탕으로 형성된 것으로 미완성 상태에 머물렀다. 5부족 연맹체로 출발한 구려는 형법 등의 가장 기초적인 법만 정해놓고 나머지 법령은 5부족의 우두머리가 참여하는 회의를 통해 순간순간 마련했을 것으로 보인다. 그러다가 계루부 중심의 고구려가 출범하면서 성문법의 필요성을 느끼고 분야마다 꾸준히 법체계를 확립하여 소수림왕에 이르러 비로소 완성을 본 것이다.

하지만 소수림왕이 확립한 율령은 단순히 과거의 법들을 정리하고 보완하는 차원에 머물지 않았다. 과거의 법들은 관습법에 의존한 것들이 많았고, 또 이 관습법은 일정한 법칙을 가지기 힘들었다. 그것은 상황에 따라 가변성을 가지기 십상이라 법적 위엄을 확보하기는 어려웠던 것이다. 때문에 그에 따른 폐해도 심각했을 것으로 보인다. 소수림왕은 이 같은 관습법 위주의 법체계로는 급변하는 국제정세를 따라잡을 수 없다는 판단을 하고 즉위와 동시에 중원의 법을 검토케 하여 율령을 마련하도록 지시했다. 그리고 373년에 마침내 율령의 체계가 완성되어 반포하기에 이르렀다.

이 때 반포된 율령은 대체로 동진이 사용하던 진시율령(秦始律令)의 법적 체계를 참고하여 형성되었을 것으로 보인다. 당시 개념으로 율(律)이라고 하면 형벌법전을 의미하고 영(令)이라고 하면 행정법, 사법, 소송법 등을 규정한 것이다. 소수림왕은 종래의 국법에다 이 같은 율령 개념을 도입하여 법망을 보다 체계화함으로써 법치국가로서의 면모를 일신하고자 했다. 물론 이는 중앙집권화와 왕권의 강화와도 직결되는 일이기도 하였다.

3. 소수림왕 시대의 주변 국가

거란(契丹)

거란은 서기 4세기에 처음 등장하며, 『삼국사기』에는 소수림왕 재위시인 378년에 처음으로 나타난다. 378년(소수림왕 8년) 9월에 거란이 고구려 북쪽 변경을 침입하여 8개 부락을 함락시켰다는 기록이 그것이다.

거란은 한자로는 글단(契丹)이라고 표기하는데, 그들의 기원에 대해서는 여러 가지 설이 있다. 그것은 대체로 흉노설, 선비설, 흉노와 선비의 융합설 등으로 나눌 수 있지만 그 어느 것도 정설이라고 말할 수는 없다.

거란이 흉노에서 연원했다는 설은 『구오대사(舊五代史)』의 "거란은 옛 흉노의 종족이다."라는 기록에 근거를 두고 있다. 하지만 『구당서(舊唐書)』는 거란의 근거지가 선비가 머물던 곳이라고 적고 있어 거란이 선비에서 연원했다는 주장을 가능케 한다. 그리고 이 두 가지 설을 합쳐 거란이 흉노와 선비의 융합족이라고 하는 주장이 대두되었다.

거란은 언어적으로 볼 때 선비와 같은 몽고어족에 속해 흉노와는 다소 차이가 있다. 따라서 거란은 선비족 가운데 하나의 부족이 성장하여 흉노의 일부를 복속한 족속이라고 보는 것이 옳을 것이다.

거란은 요하 상류와 대흥안령산맥 사이에 주로 머물렀으며, 점차 세력을 확대하여 7세기경부터 국가 형태를 완전히 갖춘다. 또한 고구려 멸망 이후에는 고구려 영토 중 요하 서쪽 지역을 차지했다가, 다시 세력을 확대하여 10세기 초에는 발해를 무너뜨리고 대제국을 건설한다. 이것이 요(遼)나라이다. 요나라는 1125년 북만주에서 일어난 여진족에게 멸망한다.

▶ 소수림왕 시대의 세계 약사

소수림왕 시대 중국은 전진과 동진의 시대였다. 북쪽에서는 전진이 성장하여 전연을 멸망시키고 다시 전량 등을 무너뜨려 화북을 통일한다. 이후 전진은 계속 남하하여 강남을 주무대로 하고 있던 동진을 위협하여 익주를 빼앗는 등 승승장구한다. 하지만 383년에 전진의 부견은 80만 대군으로 동진을 무너뜨리고 중원을 통일하려다가 오히려 비수에서 동진의 적은 군사에 대패하는 바람에 패망을 눈앞에 둔다.

한편 이 무렵 로마는 동과 서로 갈라져 있었는데, 발렌티아누스 1세가 다스리고 있던 서로마에는 게르만족이 대이동을 시작하여 변방을 위협하였다. 그런 가운데 375년에 서로마의 발렌티아누스 1세가 죽고, 378년에는 동로마를 다스리던 동생 발렌스도 서고트족과 싸우다 전사한다. 이에 따라 서로마에는 크라티아누스가 즉위하고 동로마에는 테오도시우스 1세가 즉위한다. 하지만 크라티아누스는 383년에 암살되고, 테오도시우스는 382년에 고트족에게 도나우강 남쪽을 내주고 자치를 허용함으로써 로마에 대한 게르만족의 위협은 점차 심화된다.

제18대 고국양왕실록

1. 후연의 등장과 고국양왕의 팽창정책

(?~서기 392년, 재위기간:서기 384년 11월~391년 모월, 약 7년)

고국양왕 즉위 무렵은 대륙의 세력 판도가 급변하던 시기였다. 전진이 몰락하고, 모용수가 연(후연)을 재건하여 하북과 요서를 압박한다. 이에 따라 고구려와 후연의 대립은 불가피해지고, 백제 또한 이 기회를 노려 요서 지역으로의 진출을 꾀한다. 이 때문에 고구려는 후연과 백제를 대상으로 숱한 전쟁을 치른다.

고국양왕은 고국원왕의 차남이며, 소수림왕의 동복 아우이다. 모후는 고국원왕의 왕후이고, 태어난 연도는 확실치 않으며, 이름은 이련(伊連, 또는 어지지(於只支))이다. 384년 11월에 형인 소수림왕이 아들 없이 죽자 조신들의 추대에 따라 고구려 제18대 왕에 올랐다.

고국양왕이 왕위에 오르던 384년에는 전진에 의해 멸망했던 모용 선비의 연이 재건되어 있었다. 역사적으로 후연이라고 불리는 이 나라는 모용황의 아들 모용수에 의해 건국되었다. 모용수는 전연을 강국으로 만든 모용황의 아들로 전연 시대에 많은 공을 세웠다. 하지만 모용위가 왕위에 오르면서 왕의 미움을 받았고, 그 때문에 전진의 부견에게 투항하였다. 그 후 전진의 신하로서 많은 역할을 하였는데, 부견이 중원 통일에 너무 집착한 나머지 섣불리 동진을 공략하다가 383년의 비수전투에서 대패한 틈을 이용하여 자신의 군사를 이끌고 하북으로 밀려들었다. 그 후 유주와 기주를 차지하고 국호를 연(후연)이라 하였다.

유주와 기주는 소수림왕 시대에 이미 고구려에 투항한 곳이었다. 따라서 비록 관청을 설치하지는 않았지만 그 곳의 실질적인 지배자는 고구려였다. 그런데 모용수가 대군을 이끌고 그 곳을 점령함으로써 고구려와 모용수는 일전이 불가피하게 되었다. 하지만 모용수가 그 곳을 장악할 당시에 고구려의 소수림왕은 병상에 누워 있는 처지였기 때문에 적극적인 대응을 하지 못했다. 그러다가 소수림왕이 죽고 고국양왕이 즉위하면서 고구려는 후연에 대해 강경한 자세를 보였다.

고국양왕은 즉위 이듬해인 385년 6월에 4만의 군사를 보내 모용수의 부대를 쳤다. 이 때 모용수는 대방 왕 좌를 굴복시켜 그로 하여금 용성을 수비하게 하였지만 고구려군은 그들을 패퇴시키고 현도로 진군하여 현도성을 함락하고 남녀 1만을 포로로 잡아 돌아왔다. 이에 모용수는 그해 11월에 모용농에게 대군을 주어 현도와 구요동을 회복함으로써 고구려에 타격을 가했다.

이처럼 고구려가 후연을 막아내기에 여념이 없을 때 백제는 한반도 쪽에서 고구려의 후미를 칠 준비를 하고 있었다. 이에 고구려는 386년 8월에 군사를 출동시켜 백제를 선제공격하였다. 무력으로 백제를 위압하여 감히 후방을 치지 못하게 하겠다는 계획에 따른 것이었다. 이런 까닭에 고구려는 단지 무력시위만 하였을 뿐 백제에 대해 직접적인 타격을 가하지는 않았다.

덕분에 백제는 섣불리 고구려의 후미를 치지는 못했다. 또한 고구려는 말갈을 압박하여 백제를 공략하도록 했기 때문에 백제는 말갈과의 싸움에 여념이 없었다. 이 때문에 고구려는 백제에 대한 경계를 풀고 후연에 대한 공격을 준비하고 있었다. 이를 눈치 챈 백제가 389년 9월에 한반도 쪽 후미를 급습하자

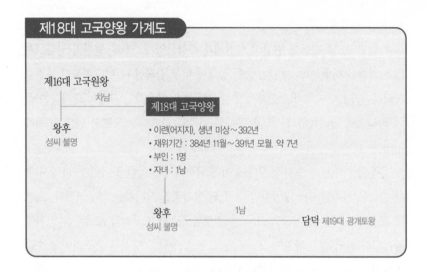

제18대 고국양왕 가계도

제16대 고국원왕
┗ 차남

제18대 고국양왕
• 이련(어지지), 생년 미상~392년
• 재위기간 : 384년 11월~391년 모월. 약 7년
• 부인 : 1명
• 자녀 : 1남

왕후
성씨 불명

1남
담덕 제19대 광개토왕

왕후
성씨 불명

고구려는 후연 공략을 늦춰야만 했다. 게다가 이듬해 9월에 다시 백제가 달솔 진가모를 시켜 도압성을 공략하여 주민 2백 명을 포로로 잡아가는 사태가 벌어졌다.

여기에 설상가상으로 고국양왕이 병으로 드러눕고 말았다. 이에 따라 후연과 백제에 대한 공격 계획은 전면 취소되었고, 고구려 조정은 침통한 분위기에 휩싸였다. 이에 고국양왕은 자신의 병이 심상치 않음을 깨닫고 391년 말에 태자 담덕(광개토왕)에게 왕위를 내주고 자신은 상왕으로 물러앉았다.

상왕으로 물러앉은 고국양왕은 요양을 하며 건강 회복에 주력하였으나, 결국 일어나지 못하고 서기 392년 5월에 생을 마감하였다. 능은 고국양에 마련되었으며, 묘호는 '고국양왕(故國壤王)'이라 하였다.

고국양왕의 가족에 대한 기록은 많이 남아 있지 않다. 왕후에 대한 기록은 전무하며, 단지 장남 담덕에 대한 언급만 있다. 담덕에 대해서는 「광개토왕실록」에서 별도로 언급하기로 한다.

▶ 고국양왕 시대의 세계 약사

고국양왕 시대 중국은 16국 시대의 막바지에 해당한다. 중원 통일을 꿈꾸던 전진은 동진에게 패해 몰락하고 후진, 후연, 서진, 후량 등의 나라가 일어난다. 이후 16국 시대는 40여 년간 계속 전개된다.

이 무렵 로마에서는 기독교가 융성하여 국교로 승격되고, 테오도시우스는 동·서 로마를 재통일하기 위해 매진한다.

제19대 광개토왕실록

1. 광개토왕의 국력신장정책과 고구려의 팽창
(서기 375~413년, 재위기간:서기 391년 모월~413년 10월, 약 22년)

광개토왕은 즉위와 동시에 과감한 영토확장정책을 감행한다. 이에 따라 고구려의 영토는 확대되고, 국제사회에서 고구려의 위상도 제고된다. 이를 위해 광개토왕은 숱한 전쟁을 수행한다. 화북의 새로운 맹주로 부상한 후연, 신진세력 백제, 그리고 왜, 신라, 부여, 거란 등 많은 나라가 고구려와 부딪친다.

광개토왕은 고국양왕의 장남으로 서기 375년에 태어났으며, 이름은 담덕(談德)이다. 모후에 대한 기록은 남아 있지 않으며, 서기 386년(고국양왕 3년) 정월에 12살의 나이로 태자에 책봉되었고, 서기 391년에 고국양왕이 지병이 악화되어 상왕으로 물러남에 따라 17세의 나이로 고구려 제19대 왕에 올랐다.

광개토왕이 즉위할 무렵 국제정세는 혼란을 거듭하고 있었다. 전진이 멸망한 이후 성립된 후진, 후연, 서진, 후량 등이 중국의 북방과 서방에서 세력을 확대하였고, 남방의 맹주 동진은 꾸준히 영토를 확장하며 신진세력과 다툼을 벌이고 있었다. 이 때 한반도에서는 산동과 요서 지역을 차지한 백제가 가야와 왜 등을 끌어들여 연합세력을 형성해 고구려에 대항할 움직임을 보였고, 신라는 강성해진 고구려에 조공하며 백제의 연합세력을 경계하려 하였다.

이처럼 급변하는 국제정세 속에서 광개토왕은 더욱 적극적이고 과감한 팽창정책을 감행하여 고구려의 국력 증진에 주력한다.

고구려의 팽창정책을 가장 먼저 감지한 쪽은 신라였다. 신라는 당시 백제가 주도하는 한반도 및 일본열도의 국제관계에 편입되어 있었는데, 신라 조정은 왜와 사이가 좋지 않았다. 또한 백제와의 관계에서도 열세에 놓여 있었기에 어떤 방법으로든 그 같은 외교관계에서 벗어나고자 했다. 신라는 백제와 왜의 영향권에서 벗어나기 위해 백제에 압박을 가하고 있던 고구려에 눈을 돌렸다. 때마침 고구려가 팽창정책을 감행하며 남하할 기세를 보이자 화친조약을 제의하기에 이른다.

신라의 화친제의는 고구려에도 반가운 일이었다. 고구려는 당시까지만 해도 한반도에 대한 지식이 부족했다. 특히 백제의 근거지인 한반도 남부에 대해서는 아는 것이 거의 없는 상태였다. 그러나 요서 쪽으로 밀려들고 있는 백제 세력을 무너뜨리기 위해서는 한반도의 백제 궁성을 공략하는 것이 가장 효과적이라는 것은 알고 있었다. 이 때문에 한반도 지리에 익숙한 신라와의 화친은 수십만의 병력을 얻는 것보다 나았다.

이렇듯 고구려와 신라는 서로의 이익을 위해 화친을 원했고, 그것은 392년 1월에 신라 내물왕의 조카이며 이찬 대서지의 아들인 실성(후에 실성왕)을 고구려에 볼모로 보내는 형태의 화친조약으로 나타났다. 이렇게 되자 백제, 왜, 가야 등의 연합세력이 신라를 침략할 조짐을 보였다. 이에 신라는 위급한 상황이 도래했음을 고구려에 알려 도움을 청했고, 고구려는 화친약조에 따라 392년 7월에 4만의 군사를 동원하여 우선 백제의 대륙 영토인 요서군과 진평군 일대를 공격하였다.

고구려가 백제의 대륙기지를 먼저 공략한 것은 도성의 안전을 위해서였다. 자칫 한반도 쪽으로 대군을 몰고 갔다가 다시금 하북과 산동의 요서군과 진평군에 주둔하던 3만의 백제 정예병력에게 평양성을 공략당한다면 고국원왕의 사망 때와 같은 곤경에 처할 우려가 있었던 것이다.

하북의 요서군으로 밀려든 고구려의 4만 군사는 백제의 10개 성을 함락시킨 후 주둔군을 남겨두고 다시 북진하였다. 당시 북쪽에는 거란이 새로운 세력을 형성하며 고구려 변방을 노략질하고 있었고, 그 때문에 1만의 백성들이 거란에 붙잡혀 가는 사태가 벌어졌다. 광개토왕은 이를 해결하기 위해 그해 9월에 말머리를 북쪽으로 돌려 거란의 본토를 공격하였다.

고구려의 대군이 몰려오고 있다는 소식을 들은 거란군은 지레 겁을 먹고 달아났고, 광개토왕은 남아 있던 거란인 5백 명과 거란으로 이주당한 고구려 백성 1만을 환국시켰다. 그 길로 다시 남진하여 10월에 백제의 요새인 관미성을 공격하여 20일 만에 함락시켰다. 관미성은 요새 중의 요새로 주위가 바다와 협곡으로 둘러싸여 있는 곳이며, 요서에 머무르던 백제군의 최후 보루였다. 이곳이 고구려군에게 무너지자 백제는 요서군을 상실하고 하수(황하) 남쪽으로 완전히 밀려났다.

이 관미성 전투에서 패배하자 백제 조정에서는 고구려에 대한 대대적인 공격을 감행해야 한다는 주장이 들끓었다. 하지만 백제의 진사왕은 향락과 사치에 빠진 채 이를 방관하였다. 이에 침류왕의 맏아들 아신왕이 사냥터에서 진사왕을 제거하고 새로운 왕이 되었고, 그는 왕위에 오르자 곧 고구려에 대한 공격을 시작했다.

아신왕은 관미성을 되찾기 위해 외숙부인 진무에게 군사 1만을 내주어 393년 8월에 고구려를 치도록 했다. 이에 고구려군은 관미성의 지형적 이점을 이용하여 수성전을 펼쳤고, 백제군은 별다른 성과 없이 퇴각하였다.

394년 7월에 다시금 백제군이 고구려 남쪽으로 진주해왔다. 이에 광개토왕은 군사 5천을 동원하여 수곡성에서 백제군을 퇴각시켰으며, 백제의 재차 침입에 대비하여 남쪽 변방에 7개의 성을 쌓도록 하였다. 그 후 백제가 395년 8월에 다시 침략해오자 광개토왕은 자신이 직접 정예 병력 7천을 이끌고 출전하였다. 그리고 패수에서 백제군 8천을 죽였다.

백제전에서 대승을 거둔 광개토왕은 회군하는 길에 북상하여 거란족이 세운 비려를 쳤다. 그들은 여전히 변방을 노략질하고 고구려 백성들을 잡아갔기 때문에 광개토왕은 군대를 이끌고 그들의 본거지를 들이쳐 비려군을 토벌하고 잡혀간 백성들을 환국시켰다. 한편, 백제의 아신왕은 11월에 자신이 직접 군사 7천을 이끌고 고구려를 치기 위해 바다를 건넜으나 폭설이 내리는 바람에 회군하였다.

이 소식을 들은 광개토왕은 백제에 대한 대대적인 공격을 준비하였다. 이제껏 대륙의 백제기지를 공격하여 더 이상 그들이 평양을 넘볼 수 없도록 만들었다고 판단한 광개토왕은 한반도에 있는 백제의 궁성에 대한 공격계획을 수립했다. 그리고 396년 봄, 드디어 대선단을 이끌고 바다를 건너 백제로 향하였다.

백제로 향한 대선단은 상륙작전을 시도하여 일팔성을 비롯한 50여 개 성을 점령하고 아리수(한강) 이북을 장악하였다. 하지만 백제군은 고구려군이 아리수를 넘지 못할 것이라 생각하고 아리수 건너편에 진을 쳤다. 이에 광개토왕은 선단을 이끌고 아리수를 건넜고, 이에 당황한 백제군은 도성에 집결하여 수성전을 펼쳤다.

하지만 백제군은 고구려군을 막아내기엔 역부족이었다. 이에 따라 백제의 아신왕은 광개토왕에게 남녀 1천 명과 세포 1천 필을 보내 화친을 제의했고, 광개토왕은 아신왕에게 신하의 예를 갖출 것을 요구하였다. 아신왕은 고구려의 이 요구를 받아들여 도성 밖으로 나가 항복을 서약하고 신하의 예를 갖췄다. 이에 광개토왕은 백제 왕족 및 대신 열 명을 볼모로 삼아 귀국길에 올랐다.

백제원정에서 대승을 거둔 고구려는 이 때 획득한 아리수 이북의 백제 땅 58개 성과 7백개 촌을 고구려 영토에 편입시켰으며, 그 곳에 부수도인 하평양(下平壤, 아래 평양으로 대동강변의 평양을 지칭한 것으로 판단됨)을 건설하여 한반도정책의 교두보로 삼았다.

하지만 고구려와 백제의 싸움은 이것으로 종결되지 않았다. 아리수 이북의 땅을 모두 빼앗긴 백제의 아신왕은 영토 회복을 위해 군대를 증강하는 한편, 397년 5월에 태자 전지를 왜에 보내 원병을 요청하였다. 7월에는 대대적인 군

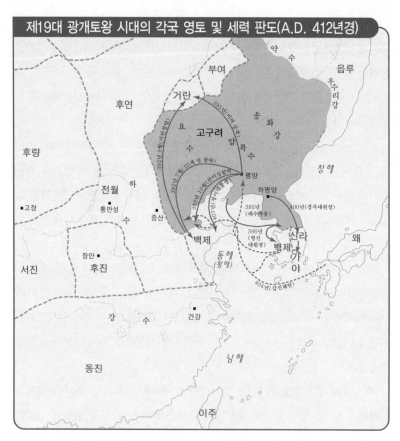

제19대 광개토왕 시대의 각국 영토 및 세력 판도(A.D. 412년경)

광개토왕의 적극적인 고토회복 운동에 힘입어 고구려의 영토는 크게 확장된다. 이에 따라 고구려는 요서와 산동, 한반도 북부에 걸친 거대 국가로 성장한다.

대 사열을 실시하고, 이듬해 3월에는 고구려를 치기 위한 전초기지인 쌍현성을 쌓았다.

이렇게 되자 다시금 양국 간에 전운이 감돌았고, 고구려와 동맹을 맺은 신라에서는 왜의 침입을 염려하게 되었다. 이런 가운데 398년에는 고구려가 백제의 변경을 침입하여 백성 3백여 명을 포로로 잡아 백제가 아리수 이북을 넘보지 못하도록 하였다. 이에 분개한 아신왕은 고구려를 공격하기 위해 군사와 말을 대대적으로 징발하고, 왜에 사람을 보내 신라를 공격해줄 것을 요청했다.

백제는 왜가 신라를 치면 고구려가 원군을 보낼 것이고, 그 기회를 이용하여 고구려를 칠 계획이었다.

이에 왜는 399년에 대선단을 파견하여 신라를 공격하였고, 이 소식을 들은 광개토왕은 신라의 원병 요청에 대비하여 하평양에 내려가 병력을 순시하였다. 그때 신라에서 보낸 사신이 광개토왕을 찾아와 원군을 요청하였고, 광개토왕은 신라의 원군 요청을 받아들여 출병을 결심하였다.

하지만 고구려군은 쉽사리 신라로 떠나지 못했다. 화북의 새로운 맹주로 자리 잡은 후연이 호시탐탐 고구려를 노리다가 급기야 399년 2월에 연 왕 모용성이 병력 3만을 이끌고 신성과 남소성을 공격하여 함락시켰기 때문이다. 이 두 성을 함락시킨 후 모용성은 그 주변 7백 리의 땅을 점령하고 백성 5천여 호를 그 곳에 이주시켜 놓고 돌아갔다.

서북 변방이 위협받자 광개토왕은 한동안 신라에 대한 원군 파병을 보류한 채 연을 주시하였다. 하지만 신라의 상황이 더욱 급박하게 돌아가자 광개토왕은 400년에 보병과 기병 5만을 신라로 보내고, 자신은 나머지 군사와 함께 도성에 머물며 연의 동태를 주시하였다.

고구려의 5만 대군이 밀려오고 있다는 소식을 들은 왜군은 황급히 신라에서 발을 빼기 시작했다. 이에 고구려는 고삐를 늦추지 않고 왜군을 압박하여 들어갔고, 왜는 수천 명의 신라인들을 포로로 잡아 퇴각했다.

이렇게 왜군이 황급히 퇴각하자 고구려의 후미를 치려 했던 백제도 쉽사리 군사를 움직이지 못했고, 결과적으로 백제의 고구려 공격 계획은 수포로 돌아가고 말았다.

고구려군은 이처럼 거의 싸우지 않고 신라에서 왜군을 내쫓았고, 신라의 내물왕은 그에 대한 보답으로 고구려에 대한 조공을 맹세했다.

이처럼 신라에 원군을 보내 군사의 사기를 드높인 고구려는 드디어 후연을 칠 계획을 세우기에 이른다. 그리고 402년에 군사를 동원하여 빼앗겼던 신성과 남소를 회복하고 후연의 평주를 공격하였다. 이에 평주 자사 모용귀가 성을 버리고 도주하였고, 고구려군은 평주를 점령한 후 여세를 몰아 유주를 압박하였다. 그러다가 404년 11월에 다시금 유주로 진격하여 후연의 도성을 향해 치달았다. 그런데 이 와중에 왜와 백제가 연합군을 형성하여 고구려를 공격하였다. 이 때문에 고구려군은 퇴각하여 평주와 신성, 남소 등을 모두 잃고 요동성까지 밀리는 처지가 되었다.

왜와 백제는 산동의 백제군에 근거지를 마련하고 수군을 이용하여 고구려의 대방 지역을 공략했고, 기습을 받은 고구려군은 당황하여 몰리기 시작했다. 이에 광개토왕은 평양의 정예병력을 동원하여 총력전을 펼친 끝에 가까스로 백제와 왜의 연합군을 퇴각시켰다. 또한 요동성을 에워싸고 있던 연군도 고구려군의 수성전을 뚫지 못하고 물러갔다.

이렇듯 후연, 왜, 백제 등의 침략을 가까스로 막아내긴 했지만 고구려의 국력소모는 대단하였다. 그런데 전쟁은 거기서 그치지 않고, 406년 12월에 다시 이어졌다. 후연의 모용희는 그해 7월에 거란을 치기 위해 출병했다가 거란의 병력에 밀려 공격도 하지 못하고 퇴각하는 신세가 되었다. 그러자 그는 퇴로에서 고구려의 공격을 받을 것을 염려하여 고구려의 목저성을 선제공격하였다. 하지만 그들은 이미 피로에 지친 터라 승리하지 못하고 패주하였다.

모용희의 군대가 퇴각한 후 광개토왕은 백제의 대륙기지를 무너뜨리지 않으면 안 된다는 판단 아래 407년 2월에 평양 동황성 및 평양성을 증축 수리하여 전쟁에 대비하고, 보병과 기병 5만을 동원하여 백제군을 공격하였다. 그 결과 백제의 6개 성을 함락하고 백제군 전체를 초토화했다. 이에 따라 백제의 대륙기지는 현격하게 약화되었다.

그 무렵 후연이 무너져 남연과 북연으로 갈라졌다. 고구려와 영토를 맞대고 있는 북연의 왕은 고운이었는데, 그는 모용보의 양자였지만 고구려 출신이었다. 그런 까닭에 고운은 고구려에 대해 호의를 보였고, 고구려 역시 그의 호의를 받아들여 북연과 화친을 맺고 변방을 안정시킬 수 있었다.

변방이 안정됨에 따라 광개토왕은 409년에 왕자 거련을 태자로 삼고, 평양의 백성들을 동쪽의 독산 등 새로 쌓은 6개 성으로 이주시켰다. 또 백제로부터 빼앗은 남쪽 지역을 순행하며 그 곳 백성들을 위무함으로써 내정을 안정시

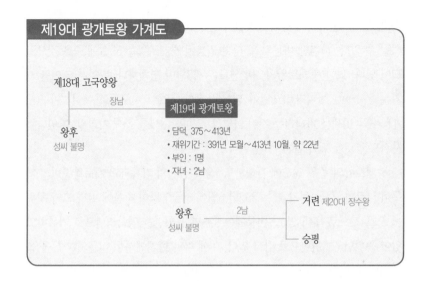

제19대 광개토왕 가계도

제18대 고국양왕
— 장남 →
제19대 광개토왕

왕후
성씨 불명

- 담덕, 375~413년
- 재위기간 : 391년 모월~413년 10월. 약 22년
- 부인 : 1명
- 자녀 : 2남

왕후   2남   —— 거련 제20대 장수왕
성씨 불명   —— 승평

키는 데 주력했다. 이듬해인 410년에는 국력이 쇠락해가던 동부여를 정벌하여 조공을 약속받았으며, 이 때 동부여의 주요 귀족들이 대거 고구려에 귀순하였다.

이처럼 광개토왕은 주변 국가들을 모두 평정하여 고구려의 위상을 한층 높였으며, 재위 말기에는 내정의 안정에 주력하며 오랫동안 지속된 전쟁으로 인해 고통받던 백성들의 삶을 진작시키는 데 열중하였다. 그리고 서기 413년 10월에 39세를 일기로 생을 마감하였다. 능은 국강상에 마련되었으며, 묘호는 '국강상광개토경평안호태왕(國岡上廣開土境平安好太王)' 이라 하였으며, 약칭으로 흔히 '영락제' 또는 '광개토왕' 이라 하였다〔여기서 '영락(永樂)' 은 광개토왕이 사용한 연호이다〕.

광개토왕은 1명의 왕후에게서 거련(장수왕)과 승평, 두 명의 아들을 얻었다. 하지만 왕후에 대한 기록은 전무하며 차남 승평에 대해서도 자세한 언급이 없다.

학계 일부에서는 광개토왕이 태어난 시기를 374년이라고 주장한다. 이는 광개토왕릉비의 '이구등조(二九登祚)' 라는 기록에 따른 것이다. '이구등조' 란

'9가 두 번 된 나이에 왕위에 올랐다'는 의미로 18세에 즉위했다는 뜻으로 해석될 수 있다. 하지만 비문의 또 다른 기록에 광개토왕은 39살에 죽은 것으로 되어 있다. 또한 광개토왕의 사망연도는 413년이 명백하다. 따라서 태어난 시기는 374년이 아니라 375년이 되어야 옳다. 또한 '이구등조'에서 '이구(二九)'가 꼭 18세를 가리키는 것이 아니라 17세와 18세를 함께 가리킬 수 있다는 사실도 염두에 둬야 할 것이다.

광개토왕의 즉위 연도에 관해서도 『삼국사기』의 기록과 광개토왕릉비의 기록이 다르다. 『삼국사기』에는 392년 5월에 고국양왕이 죽음에 따라 그가 왕위에 오른 것으로 되어 있고, 비문에는 395년 을미년을 영락 5년으로 기록하고 있어 즉위년을 391년으로 잡고 있다. 이에 따라 학계에서는 비문의 기록을 옳은 것으로 판단하고 391년을 즉위년으로 보고, 고국양왕의 사망시기도 391년으로 단정하고 있다. 하지만 이 단정은 섣부른 감이 없지 않다. 즉 비문의 기록이 먼저 형성되었다고 해서 『삼국사기』의 기록을 간단하게 무시해버렸기 때문이다.

하지만 『삼국사기』의 기록과 비문의 기록이 모두 맞을 가능성도 충분하다. 말하자면 『삼국사기』는 고국양왕의 사망연도를 기준으로 삼았고, 비문은 광개토왕의 즉위연도를 기준으로 삼았다면 두 기록은 모두 옳을 수 있다는 뜻이다. 이는 곧 고국양왕이 살아 있는 상태에서 왕위를 물려주었다는 뜻이 된다.

역사에는 죽기 전에 왕위를 물려준 사례가 얼마든지 있다. 조선만 하더라도 태조, 정종, 태종 등이 모두 자신이 죽기 전에 선위했고, 세종도 그런 노력을 한 바 있다. 또한 고구려의 제6대 태조도 살아 있는 상황에서 차대왕에게 선위했다. 따라서 고국양왕이 죽기 전에 지병의 악화로 태자에게 선위했을 가능성은 충분하다.

이 때문에 여기에서는 고국양왕이 광개토왕에게 왕위를 물려준 연대를 비문의 기록대로 391년으로 잡고, 고국양왕이 죽은 시기를 『삼국사기』의 기록대로 392년 5월로 보았음을 밝혀둔다.

또한 학계 일부에서는 광개토왕이 백제로부터 빼앗은 영토는 예성강에서 한강 사이에 있는 땅이라고 주장한다. 하지만 예성강과 한강 사이의 백제 땅이란 현재의 경기도 북부 일원에 불과하기 때문에 광개토왕이 일생 동안 취득했다는 64개의 성과 1천 4백 개의 촌이 들어설 수 없는 극히 좁은 지역이다. 따라서 광개토왕이 백제로부터 뺏은 땅을 모두 예성강과 한강 사이의 백제 땅에 한정한다는 것은 무리이다.

광개토왕이 정복한 지역을 예성강과 한강 사이에 한정하는 이유는 예성강을 패수(浿水)로 보기 때문이다(학계의 일부에서는 원래 청천강을 패수로 보았으나, 그렇게 되면 청천강 아래에 있는 대동강변의 평양을 광개토왕 이전에는 고구려 땅이 아닌 것으로 설정해야 하기 때문에 자체적인 모순을 안게 된다. 이에 따라 패수를 평양보다 남쪽에 있는 예성강으로 보아야 한다고 주장하는 것이다).

광개토왕 당시 패수는 한반도에 있던 강으로 볼 수 없으며, 설사 한반도에도 『삼국사기』에 기록된 패수라는 강이 있었다손 치더라도 그것은 후대에 붙여진 이름으로 보아야 할 것이다. 따라서 광개토왕이 정복한 백제 땅 중에서 392년에 획득한 11개 성과 407년에 획득한 6개 성은 백제의 대륙기지인 요서군과 진평군에서 빼앗은 것으로 보아야 한다. 이 17개 성에는 약 7백 개의 촌락이 있었으며, 나머지 7백 개 촌락은 고구려가 406년에 한반도 쪽에서 확보한 58개 성에 있었다. 이 때 고구려는 처음으로 청천강 이남 지역을 점령하였으며, 그 이전까지는 청천강 및 묘향산맥 이남의 서쪽 지역은 백제 땅으로 보아야 한다. 이에 따라 고구려의 하평양(대동강변의 평양) 건설도 406년 이후에야 가능한 것이다(「동천왕실록」, '네 번째 도읍지 평양과 그 위치'와 「광개토왕실록」의 '패수싸움' 참조).

또한 광개토왕의 백제 정벌전쟁과 관련하여 또 하나 중요한 요소가 등장하는데 그것은 한수(漢水)에 관한 문제이다. 이 한수 문제는 단지 광개토왕의 영토확장 문제뿐만 아니라 삼국사 전체의 구도를 바꿔놓을 수 있는 중요한 변수가 될 수 있다. 때문에 한수에 대한 새로운 접근은 곧 삼국사 자체를 다르게 해석하는 열쇠가 될 것이다.

『삼국사기』에 등장하는 '한수(漢水)'는 이 책의 편찬자들에 의해 한반도에 있는 한수(韓水)와 중국 대륙의 '하수[河水, 한나라 시대에는 한수(漢水)라고 불렀을 가능성이 높음]'가 혼동된 채로 사용되었을 가능성을 배제하지 말아야 한다. 왜냐하면 『삼국사기』의 편찬자들은 백제가 대륙에도 영토를 가지고 있었다는 사실 자체를 모르고 있었고, 고구려의 영토에 대해서도 거의 무지한 상태였기에 그들의 지리적 개념은 한계가 있을 수밖에 없었기 때문이다. 따라서 『삼국사기』의 '지리' 편은 일부 한반도에 관련된 부분을 제외하고는 전혀 신빙성이 없다고 보는 것이 옳다.

『삼국사기』에 한수(漢水)가 처음 등장하는 것은 「백제본기」 온조 편의 백제 도읍지와 관련된 부분이다. 여기서 이 책의 편찬자들은 한수를 지금의 한강으로 보도록 기술하고 있다. 그것은 근본적으로 대륙백제에 대한 그들의 무지에서 비롯되었다고 판단된다.

광개토왕릉비에서는 한강을 '아리수(阿利水)'로 기록하고 있는데, 여기서 '아리'는 고구려어로 '크다'는 뜻으로, 순 신라어로 '크다'는 뜻인 '한(韓)'과 같은 의미이다(그 예로 '큰길'을 '한길'이라고 부르며, 경상도 방언에서는 '많이'를 '한거'라고 쓴다).

한강을 '한수(漢水)'라고 부르게 된 것은 당과 교류가 많았던 통일신라 이후일 가능성이 높으며, 광개토왕 당시에는 한강을 고구려에서는 '아리수'로 표기하고, 신라에서는 '한수(韓水)'로 표기했을 것이다. 또한 한수(韓水)의 한(韓)은 마한, 진한, 변한 등 삼한(三韓)에서 유래된 것으로 판단된다.

즉, 한강은 고구려에서는 '아리수'로 불리었고 신라에서는 '한수(韓水)'로 불리었는데, 통일신라 이후 당의 영향을 받아 '한수(漢水)'로 표기했을 가능성이 높다는 뜻이다. 이에 따라 『삼국사기』를 편찬하던 1145년 당시에는 한강이 '한수(漢水)'로 표기될 수밖에 없었다. 또한 김부식을 비롯한 11명의 『삼국사기』 편찬자들은 백제가 대륙에도 영토를 가지고 있었다는 사실을 전혀 몰랐기 때문에 백제의 첫 도읍지인 '하남(河南)'을 '한수의 남쪽'으로 해석하여 지금의 한강 남쪽에 설정했을 것이다. 이 때문에 『삼국사기』의 「백제본기」는 대륙

백제의 기록과 한반도백제의 기록이 뒤엉키게 되었다(백제 도읍지 및 대륙백제에 대한 내용은 『백제왕조실록』에서 더욱 상세하게 다루게 될 것이다).

2. 광개토왕이 수행한 주요 전쟁

광개토왕이 확장한 대부분의 영토는 백제로부터 뺏은 것이었다. 광개토왕은 즉위 초부터 지속적으로 백제를 공격하였고, 백제는 고구려의 공격을 막아내기 위해 왜와 연합하여 대항한다. 하지만 백제는 번번이 싸움에서 패배한다. 이 때문에 광개토왕 말기에 이르러서는 백제의 영토가 산동반도 일부와 한반도 남쪽 서부 지역으로 축소되기에 이른다.

광개토왕이 백제를 강하게 압박한 것은 단지 고국원왕의 원수를 갚겠다는 감정적 차원에서 비롯된 것은 아니었다. 백제는 330년대 이후 지속적으로 대륙기지를 확장하여 고구려의 가장 위협적인 세력으로 성장하였고, 이 때문에 고구려는 371년의 평양성전투에서 왕(고국원왕)을 잃는 아픔을 경험한다. 이에 따라 고구려 조정에서는 백제정벌론이 강하게 대두됐지만 고구려는 고국원왕 이후 국력이 극도로 쇠약해진 상태였기 때문에 백제와의 싸움에서 우위를 확보할 수 없었다.

고구려는 이 같은 현실적인 이유 때문에 소수림왕과 고국양왕 재위시에는 백제에 대해 강경자세를 보이지 못했다. 그런데 광개토왕이 즉위하자 상황은 급변하였다. 광개토왕은 영토확장에 강한 집착을 보였고, 그것은 곧 백제정벌전쟁으로 이어졌다. 이를 위해 광개토왕은 말갈을 압박하여 한반도백제를 공략하게 하는 한편 신라와 연대하여 백제의 후방을 위협하였다.

이후 광개토왕은 관미성전투, 패수싸움, 병신대원정, 경자대원정, 갑진왜란, 정미대출병 등을 치르며 즉위 초에 수립한 팽창정책의 목표를 달성해간다. 이 전쟁들과 관련된 기록들을 살펴보면서 전쟁 경과를 간단하게 언급한다.

관미성전투(392년)

'관미성전투'는 고구려가 백제의 요새 관미성을 함락시킨 큰 전쟁으로 고구려 광개토왕 2년, 백제 진사왕(제16대) 8년에 일어났다.

이에 대한 『삼국사기』의 기록은 다음과 같다.

〔『삼국사기』「고구려본기」 광개토왕 원년 기사〕

가을 7월, 남쪽으로 백제를 공격하여 10개의 성을 점령하였다.

겨울 10월, 백제의 관미성을 공격하여 점령하였다. 그 성은 사면이 절벽이고, 바다로 감싸여 있었다. 왕이 일곱 방면으로 군사를 나누어 공격한 지 20일 만에 함락시켰다(『삼국사기』의 광개토왕 원년은 광개토왕릉비의 영락 2년에 해당함).

〔『삼국사기』「백제본기」 진사왕 8년 기사〕

가을 7월, 고구려 왕 담덕이 4만 명의 군사를 거느리고 와서 북쪽 변경을 침공하여 석현성 등 10여 성을 함락시켰다. 왕은 담덕이 용병에 능통하다는 말을 듣고 대항하기를 회피하였다. 한수(漢水) 북쪽의 여러 부락을 빼앗겼다.

겨울 10월, 고구려가 관미성을 함락시켰다.

왕이 구원에서 사냥하며 열흘이 지나도록 돌아오지 않았다.

11월, 왕이 구원의 행궁에서 죽었다.

이 기록에서 알 수 있듯이 관미성은 백제의 매우 중요한 기지이며 요새였다. 그것은 사면이 절벽으로 둘러싸여 있고, 또한 성 주변은 바다로 감싸여 있었다. 그런데 백제는 이 중요한 기지를 고구려에 빼앗겼고, 그 때문에 한수 북쪽을 상실했다.

광개토왕은 관미성을 점령하기에 앞서 4만 군사를 동원하여 이미 백제의 10개 성을 점령하였다. 그리고 10개 성에서 패배한 백제군은 천혜의 요새인 관미성에 집결하여 고구려군과 대접전을 벌였다. 하지만 중과부적이었다. 백제군은 비록 천혜의 요새에 진을 쳤지만 고구려의 정예병력 4만을 막아내기에는 역부족이었던 것이다. 그래서 접전 20일 만에 관미성은 고구려군에게 함락되고, 백제는 한수 이북을 고구려에 내주고 말았다.

이처럼 백제가 대패를 거듭하는 동안에도 백제의 진사왕은 적극적으로 고구려의 공격에 대비하지 않았다. 그는 광개토왕을 두려워한 나머지 자포자기하는 행동을 보였고, 그래서 급기야 관미성이 고구려군의 공격을 받고 있는 상황에서 사냥을 떠났다. 그리고 열흘 동안이나 정사를 돌보지 않았다. 이 때문에 백제 조정은 왕의 결재를 받지 못해 관미성전투에 적극성을 보일 수 없었던 것이다.

이에 따라 진사왕에 대한 백성들의 원망은 높아졌고, 그 기회를 놓치지 않고 침류왕(제15대, 진사왕의 형)의 맏아들 아신왕이 숙부인 진사왕을 제거한다. 그리고 제위에 오른 아신왕은 고구려에 빼앗긴 관미성을 되찾기 위해 군사를 동원한다.

아신왕의 관미성 수복전쟁에 관한 기록은 다음과 같다.

[『삼국사기』「백제본기」아신왕 2년 기사]
봄 정월, 진무를 좌장으로 임명하여 군사에 관한 일을 맡겼다. 진무는 왕의 외삼촌으로 침착하고 지략이 많았기에 사람들이 그를 추종하였다.

가을 8월, 왕이 진무에게 "관미성은 우리의 북변 요새이다. 그 땅을 지금 고구려가 차지하고 있다. 과인은 이것이 너무나 애통하니, 그대는 응당 여기에 노력을 기울여 땅을 빼앗긴 치욕을 갚아야 할 것이다." 하고 말했다. 그리고 마침내 1만 명의 군사를 거느리고 고구려의 남쪽 변경을 칠 계획을 세웠다. 진무는 병사들의 선두에 서서 화살과 돌을 무릅쓰고 석현 등의 다섯 성을 회복하기 위하여 먼저 관미성을 포위했다. 하지만 고구려 사람들이 성을 둘러싸고 굳게 방비하는 바람에 진무는 군량의 수송로를 확보하지 못하여 군사를 이끌고 돌아와야 했다.

백제는 관미성 수복에 실패하자 이듬해인 394년 7월에 다시금 군사를 동원하여 고구려를 친다. 하지만 수곡성에서 광개토왕이 이끄는 고구려군 5천에 대패하여 퇴각하고 만다.

결국 관미성과 그 주변 10개 성은 완전히 고구려 소유가 되고, 이 때부터 백제는 대륙에서 한수 이남으로 밀려났다.

〔여기서 한수(漢水)는 이미 언급한 바와 같이 지금 한반도 중부 지역을 흐르는 한강으로 볼 수 없다. 당시 고구려의 남쪽 변방은 발해만 연안이었으며, 이 무렵 백제는 발해만 연안의 하북과 산동에 요서군과 진평군을 건설하여 대륙 진출을 확대하고 있었기 때문이다. 또한 고구려의 중심지인 요동을 기준으로 할 때 한반도는 동쪽이지 남쪽이 아니므로 고구려가 친 남쪽의 백제는 하북과 산동에 설정될 수 있는 대륙백제의 기지를 의미한다.

『삼국사기』의 편찬자들은 대륙백제를 전혀 알지 못했기 때문에 고구려의 대륙백제 침략전쟁을 모두 한반도에서 일어난 일처럼 쓰고 있다. 하지만 광개토왕릉비의 기록에서도 나타나듯이 고구려는 백제를 칠 때 해군을 이용하고 있다. 이 기록에는 고구려가 남쪽으로 진군하였다는 내용도 없으며, 한수(漢水)라는 용어도 사용하지 않고 있다. 광개토왕릉비에서는 지금의 한강을 '아리수'로 기록하고 있는데, 이는 『삼국사기』 「백제본기」의 한수를 모두 한강으로 단정할 수 없는 근거라고 할 수 있다. 『삼국사기』 편찬자들은 대륙백제에 대한 개념이 전혀 없었기 때문에 중국의 하수(河水, 황하)를 모두 한반도의 한강으로 착각했다는 것이다.

따라서 광개토왕이 392년에 점령한 '한수' 북쪽의 11개 성은 모두 하수(황하) 북쪽에 설정될 수 있는 백제의 요서군과 진평군에 속한 것이라고 보아야 할 것이다.

이에 대한 더욱 자세한 내용은 『백제왕조실록』에서 다루게 될 것이다.〕

패수싸움(395년)

'패수싸움'은 고구려의 광개토왕 5년, 백제의 아신왕 4년에 있었던 전쟁으로 백제의 아신왕이 한수 이북을 회복하기 위해 벌였다. 이 전쟁에 대해 『삼국사기』의 고구려와 백제의 기록은 다음과 같다.

[『삼국사기』 「고구려본기」 광개토왕 4년 기사]
가을 8월, 왕이 패수에서 백제와 싸웠다. 왕은 그들을 대패시키고 8천여 명을 생포하거나 목 베었다(『삼국사기』의 광개토왕 4년은 광개토왕릉비의 영락 5년에 해당함).
[『삼국사기』 「백제본기」 아신왕 4년]
가을 8월, 왕이 좌장 진무 등에게 명하여 고구려를 치게 하니, 고구려 왕 담덕이 직접 군사 7천을 거느리고 패수에 진을 치고 대항하였다. 우리 군사가 크게 패하여 사망자가 8천 명이었다.
겨울 11월, 왕이 패수 전투의 패배를 보복하기 위하여, 직접 군사 7천을 거느리고 한수를 건너 청목령 아래에 진을 쳤다. 그때 큰눈이 내려 병졸들 가운데 동사자가 많이 발생하자 왕은 회군하여 한산성에 와서 군사들을 위로하였다.

이 기록에서 알 수 있듯이 패수싸움은 아신왕이 한수 이북을 회복하기 위하여 좌장 진무로 하여금 고구려를 공략하도록 한 전쟁이다. 하지만 이 싸움에서도 백제군은 고구려군에게 대패하고 말았다. 사망자가 8천 명이었다고 기록한 것을 보면 동원된 백제군은 그보다 훨씬 많았음을 알 수 있다. 그런데 이 많은 군사가 고구려군 7천에게 대패하였다. 그것도 무려 8천 명이 전사하는 완전한 패배였다.

전사자가 8천이면 포로는 수천 명에 달했을 것이다. 거기에다 부상자까지 합한다면 백제의 피해는 대단한 것이었다. 그런데도 군사를 지휘하던 좌장 진무는 죽지 않았다. 오히려 진무는 복귀한 뒤에 병관좌평으로 승진하였다. 이는 곧 패수에서 전사한 8천 명이 진무 휘하에 있던 병력이 아니었다는 것을 증명한다. 따라서 이 때 전사한 8천의 군사는 출전병력의 일부에 불과하다는 것을 알 수 있으며, 패수에서 살아 돌아온 병력을 감안할 때 총 출전병력은 2만 내지 3만이었을 것이다.

백제의 근초고왕이 371년에 평양성을 칠 당시에 총 병력은 3만이었는데, 이는 대륙에 머물던 백제 병력과 한반도에서 지원된 일부 병력이 합해진 것이라고 보아야 한다. 이 평양성싸움 이후 고구려와 백제는 끊임없이 세력 다툼을 지속했기 때문에 이 때 조성된 백제군 3만은 그대로 대륙에 남아 있었을 것으로 판단된다. 진무가 수장이 되어 동원한 병력은 바로 근초고왕 때에 구성된 백제의 대륙군 3만이었을 것이다.

이 3만의 군대는 패수싸움에서 대패하는 바람에 더 이상 힘을 발휘할 수 없게 되었다. 이에 따라 광개토왕은 더 이상 백제의 대륙군이 평양을 공략할 가능성이 없다고 판단해, 백제의 근거지인 한반도에 대한 대원정을 감행한다.

그런데 학계 일부에서는 이 '패수싸움'이 한반도에서 벌어진 전쟁이라고 주장한다. 그들은 패수를 예성강이라고 단정하기 때문이다. 그리고 이 같은 단정을 바탕으로 광개토왕이 백제로부터 획득한 영토를 예성강과 한강 사이의 경기 일원에 한정시키고 있다.

하지만 패수를 예성강이라고 주장하는 것은 뚜렷한 근거가 없는 주장이다. 이는 패수의 위치 문제에 대한 여러 주장들을 살펴보면 여지없이 증명된다.

패수는 패하 혹은 패강으로도 기록되어 있는데, 조선 시대 이후 '패수(浿水)'에 대한 논쟁은 계속되어 왔다. 하지만 조선 시대까지만 해도 예성강을 패수라고 주장하는 사람들은 거의 없었다. 조선 시대 학자들 가운데 실학자 계열에 있던 사람들은 랴오허(요하) 서쪽의 대릉하, 압록강, 청천강 등을 패수라고 주장했고, 관학자들 사이에선 대동강을 패수라고 주장하는 설이 지배적이었다. 관학자들의 이 같은 주장은 패수가 고조선의 수도인 평양 앞을 흘렀다는 기록에 바탕을 둔 것이다. 말하자면 그들은 대동강변의 평양을 고조선의 평양이라고 믿고 그 남쪽을 흐르는 대동강을 패수라고 생각했다는 뜻이다.

그러다가 일제 시대 이후에는 패수를 예성강으로 보는 견해가 대두하기 시작했다. 이는 광개토왕이 패수에서 백제군을 대파한 기록과 밀접한 관련이 있다. 대개의 학자들은 고조선 및 고구려의 수도 평양을 대동강변의 평양으로 설정하였는데, 막상 광개토왕이 남진하여 백제군과 싸운 곳이 패수였다는 기록에 맞닥뜨리자 종전의 '청천강설' 및 '대동강설'을 스스로 뒤집고 '예성강설'을 내세우게 된 것이다.

패수를 예성강으로 규정하게 된 배경은 평양의 위치 때문이다. 만약 청천강을 패수로 설정할 경우 평양이 패수 남쪽에 있게 된다. 그런데『삼국사기』「백제본기」근초고왕 편에는 고구려가 당시 백제 땅을 침략하여 패하(패수)에서 패배했다는 기록이 있다. 이 때문에 패수는 원래 백제 영토 안에 있던 강이라고 볼 수밖에 없다. 그런데 평양이 패수 남쪽에 설정되면 자연스럽게 평양도 백제 땅이 된다. 또한 패수를 대동강으로 설정하는 경우에도 '청천강설'과 같은 모순을 안게 된다. 패수를 백제가 소유했다면 대동강변의 평양 역시 백제 땅이어야 하기 때문이다. 또 설사 백제가 패수 남쪽만을 점유했다손 치더라도 고구려가 접경 지역에 도읍을 두게 되는 이해할 수 없는 상황이 벌어진다. 이에 따라 일군의 학자들은 광개토왕이 백제군을 격파한 패수를 예성강으로 수정하지 않을 수 없게 되었던 것이다.

패수의 위치가 이렇듯 터무니없이 예성강으로 옮겨지게 된 것은 무엇보다도『삼국사기』의 기록을 모두 한반도 안에서 벌어진 일로 해석하려 하기 때문이다. 일제 시대에 일본사학자들에 의해 주도된 이른바 '한반도사관'에 의거하여 모든 고대 사료를 해석하려 했던 것이다.

그러나 패수에 관련된 많은 기록이 패수가 한반도 안에 있던 강이 아님을 증명하고 있다. 그것은 사마천의『사기』에 나타난 패수에 대한 최초의 기록에서도 드러난다. 그 기록은 다음과 같다.

조선의 왕 만은 옛 연나라 사람이다. 처음 연나라가 번성하였을 때는 진번과 조선을 공략하여 예속시키고 관리를 두어 요새를 건축하였으나 진(秦)나라가 연나라를 멸망시키자 그들을 요동의 바깥 요새에 예속시켰다. 한나라가 일어나서 그 땅이 너무 멀어 지키기가 어려운 곳이라고 판단하여 다시 요동의 옛 요새를 수리하고 패수까지를 경계로 하여 연나라에 속하게 하였다.

연나라 왕 노관이 배반하여 흉노로 들어가니, 위만이 망명하여 무리 1천여 명을 모아 상투를 틀고 만이(蠻夷)의 복장으로 동쪽으로 달아나 변방을 벗어나서 다시 패수를 건너 진나라의 옛 빈 땅에 있는 위쪽과 아래쪽의 요새에 거처하였다. 그리고 점차 진번과 조선의 만이 및 옛 연나라와 제나라의 망명자들을 지배하여 그들의 왕 노릇을 하며 왕험(왕검)에 도읍하였다.

혜제와 고후의 시기에 천하가 처음으로 안정되자 요동 태수가 위만과 약속하여 그를 외신으로 삼았으며, 그로 하여금 변방 밖의 만이들이 변방을 도적질하는 일이 없도록 지키게 하였다. 또한 여러 만이의 우두머리들이 입국하여 천자를 만나고자 하면 이를 가로막지 못하게 하였다. 이 일을 아뢰니 천자께서 허락하였으며, 그런 까닭에 위만은 군대의 위세와 재물을 얻어 주변의 작은 읍들을 침략하여 항복시키니 진번과 임둔 등이 모두 와서 복속하여 땅이 사방 수천 리나 되었다.

(위만이) 아들에게 전하고 손자 우거에 이르니 꾀어낸 한나라의 도망자들이 더욱 늘어났으며, 또한 그때까지 천자를 배알하지 않았다. 게다가 진번 등 인근의 여러 나라가 글을 올리고 천자를 뵙고자 하면 그들을 가로막아 통교하지 못하게 하였다.

원봉 2년(서기전 109년)에 한나라가 섭하를 보내 우거를 꾸짖어 깨닫도록 하였으나 (우거는) 여전히 천자의 조서를 받들지 않았다. 섭하가 돌아오며 국경의 패수에 이르러 수하로 하여금 조선의 비왕 장을 찔러죽이고 곧 패수를 건너 말을 달려 요새로 들어와 버렸으며, 마침내 돌아와서 천자에게 조선의 장수를 죽였다고 보고하였다. 천자께서 그 공로를 높이 평가하여 꾸짖지 않고 섭하를 요동 동부도위로 삼았다. 하지만 조선이 섭하에게 원한을 품고 병사를 동원하여 불시에 공격하여 섭하를 죽였다.

천자가 죄인들을 모집하여 조선을 공격토록 하였다. 그해 가을에 누선장군 양복을 파견하여 제나라 지역에서 발해로 배를 띄워 바다를 건너게 하였으며, 군사 5만을 이끌고 좌장군 순체가 요동을 출발하여 우거를 토벌하였다. 우거는 군사를 출병시켜 험준한 곳에 자리 잡아 대항하였다(『사기』 115권 조선열전 제55).

이 기록에 따르면 패수는 연나라와 조선의 경계였다. 또한 연나라가 한에 멸망된 뒤에는 패수가 한과 조선의 경계였다. 그리고 한나라에서는 조선을 치기 위해서 제나라 지역, 즉 산동반도 지역에서 발해로 배를 띄워야 했으며, 그후 요동을 지나 조선의 수도로 향해갔다. 발해는 산동반도와 요동반도 사이에 있는 바다를 일컫는다. 그런데 산동반도에서 발해 쪽으로 배를 띄웠다면 목적지는 산동반도와 요동반도 사이에 있는 지역이어야 한다. 만약 목적지가 한반도였다면 그들은 발해로 배를 띄우지 않고 동해(황해)로 배를 띄워야 했다. 따라서 연나라와 조선의 경계는 요동반도와 산동반도 사이에 있어야 하며, 패수역시 마찬가지다.

한나라 시대의 요동은 황하 동쪽 또는 난하 동쪽에 비정될 수 있다. 그리고 요동과 조선은 패수를 경계로 했기에 패수는 황하 또는 난하 동쪽과 요동반도 사이에 있는 어떤 강을 가리킨다. 그리고 설사 학계 일부의 주장대로 요동이 랴오허 동쪽을 가리킨다손 치더라도 패수는 요동반도와 랴오허 사이에 있어야 한다. 말하자면 그 어떤 경우에도 패수가 한반도에 설정될 수는 없다는 뜻이다. 또한 요동반도와 랴오허 사이에는 경계로 정할 만큼 큰 강이 없다. 따라서 패수는 적어도 랴오허와 난하 사이 또는 랴오허와 황하 사이에 설정되어야 옳다.

패수의 위치가 이렇게 설정되면 광개토왕 시대에 백제와 고구려가 누차에 걸쳐 싸움을 벌였던 패수는 결코 예성강을 비롯한 한반도 안에 있는 강이 될 수 없다. 뿐만 아니라 랴오허와 황하 사이에 있던 이 패수 지역에서 백제와 고구려가 싸움을 벌였다는 것은 광개토왕이 백제로부터 뺏은 땅이 한반도에 국한되지 않는다는 사실도 증명된다. 그리고 이는 곧 대륙백제가 광개토왕 때부터 세력이 약화되기 시작했음을 말해준다.

패수싸움은 이처럼 대륙백제의 위치를 알려주는 중요한 단서이며, 광개토왕이 넓힌 고구려 영토의 한계를 파악할 수 있는 시금석인 셈이다. 게다가 패수는 한수(漢水)보다 북쪽에 있었다는 것을 감안할 때 한수가 곧 하수(河水, 황하)이며, 백제의 첫 도읍지인 하남(河南)은 하수 남쪽을 의미하고, 백제가 개척한 진평군은 하수 남쪽의 산동반도에, 요서군은 하북 지역에 있었다는 주장을 가능케 한다.

병신대원정(396년)

'병신대원정'은 광개토왕 6년의 일로 패수싸움에서 대승을 거둔 광개토왕이 병신년인 서기 396년(영락 6년)에 대군을 동원하여 백제 정벌에 나선 것을 일컫는다.

패수싸움에서 승리한 광개토왕은 백제의 대륙병력이 거의 무력화되었다는 판단에 따라 백제의 도성이 있는 한반도를 정벌하기 위해 떠난다. 이 같은 내용은 광개토왕릉비의 비문에 다음과 같이 기록되어 있다(〈 〉 속의 글은 논란이 되고 있는 내용이거나 유추한 내용이다. { } 속의 글은 다른 해석이다).

……백잔(百殘, 백제를 낮춰 부른 말)과 신라는 옛날엔 우리의 속민이었기에 조공을 해왔다. 〈그런데 신묘년 이래 왜가 바다를 건너와 백잔을 치고 신라를 공략하여 신민으로 삼았다. {신묘년에 왜가 도래하자 바다를 건너 백잔을 치고 신라를 구원하여 신민으로 삼았던 것이다.}〉 6년(영락 태왕 6년) 병신년에 왕이 몸소 수군을 이끌고 백잔국을 토벌했다.

우리 군사가 백잔의 국경 남쪽에 도착하여 일팔성 — (중략, 여러 성 이름) — 구천성을 공격하여 취했으며 어느덧 백잔의 도성에 근접하였다. 그러나 백잔은 의(義)에 항복하지 않고 군사를 동원하여 덤볐다. 왕은 위엄을 떨치며 노하여 아리수를 건너 선두부대를 백잔성으로 진격시켰다. 백잔의 병사들은 그들의 소굴로 도망쳤으나 곧 그들의 소굴을 포위했다. 그러나 백잔의 군주는 방도를 구하지 못하고 남녀 1천 명과 세포 1천 필을 바치고 왕 앞에 무릎을 꿇고 맹세하였다. "지금부터 이후로 영원토록 노객이 되겠습니다." 이에 태왕은 은혜를 베풀고 용서하여 후에도 그가 성의를 다하며 순종하는지 지켜보겠다고 했다. 이번에 모두 백잔의 58개 성, 7백 개 촌을 얻었다. 또한 백잔주의 형제와 백잔 대신 10인을 데리고 출정했던 군대를 이끌고 국도로 돌아왔다(이 기록 중

왜와 관련된 신묘년 기사는 조작되었다는 설도 있다. 이는 병신년 기사에 신묘년에 일어난 일이 언급된 점과 또 그 내용이 역사적 사실과 거리가 멀다는 이유에서 제기되었다).

이것이 병신대원정에 관한 기록의 전부이다. 이 기록에서 백제와 신라가 예로부터 고구려의 속민으로 조공을 했다는 내용은 과장한 것으로 보이며, 왜가 백제를 치고 신라를 공격하여 신민으로 삼았다는 내용도 백제 공격을 합리화하기 위한 서술로 판단된다.

백제가 고구려와 처음 부딪친 것은 책계왕 원년인 286년이다. 그 후 한동안 교류가 없다가 근초고왕 때 대륙정책을 수립하면서 고구려와 본격적으로 부딪쳤고, 결국 371년의 평양성싸움에서 고국원왕을 전사케 하는 상황에 도달했다. 또한 신라는 245년에 고구려의 침입을 받고 248년에 고구려에 화친을 요청했다. 하지만 신라가 고구려의 속국이 된 것은 아니었다. 따라서 신라와 백제가 고구려의 속민이었다는 기록은 과장된 것이라고 보아야 한다.

또한 왜가 백제를 치고 신라를 공격하여 신민으로 삼았다는 기록 역시 백제 원정을 합리화하기 위한 서술로 보인다. 당시 왜는 백제를 지배한 것이 아니라 동맹관계에 있었으며, 신라는 왜의 침입을 많이 받기는 했으나 그들에게 몰락한 기록은 없기 때문이다. 게다가 당시 왜는 백제나 신라를 무너뜨릴 정도로 강한 힘을 형성하지 못했으며, 오히려 백제로부터 정치·문화적으로 도움을 받는 입장이었다. 따라서 당시 백제, 신라, 왜의 외교관계를 주도한 측은 백제였고, 신라는 이 같은 구도에서 탈피하기 위해 광개토왕 즉위 이듬해인 392년에 고구려와 동맹관계를 맺었다. 그리고 신라가 고구려와 동맹관계를 맺자 왜와 백제는 신라를 협공하려 했고, 이에 위협을 느낀 신라는 고구려에 도움을 청한다. 때문에 왜가 백제를 치고 신라를 공격하여 신민으로 삼았다는 기록은 단지 고구려가 백제를 치는 데 필요한 명분 만들기에 불과한 것이다.

하지만 어쨌든 광개토왕은 이 같은 명분을 내세워 대원정에 나선다. 원정을 위해 고구려는 대선단을 형성하였고, 수군을 이용하여 백제 땅에 상륙하였다.

이 기록에서 광개토왕이 육군을 이용하지 않고 수군을 이용한 사실에 주목해야 한다. 만약 사학계 일부의 주장대로 고구려의 수도가 대동강변의 평양이고 고구려와 백제의 경계가 예성강이었다면 굳이 수군을 동원하여 바다를 통해 백제를 칠 이유가 없다. 해로를 이용한다는 것은 자칫 풍랑을 만나면 제대로 공격도 해보지 못하고 퇴각해야 하는 위험성이 따르기 때문이다. 더구나 고구려군이 바닷길을 이용해 상륙한 곳은 아리수(한강) 북쪽이었다. 그리고 정작 아리수를 건너 백제 도성을 공략할 때는 바닷길을 이용하지 않았다. 그런데 강폭이 좁은 예성강이나 임진강을 통과하기 위해서는 위험성이 높은 바닷길을 이용하고, 강폭이 넓은 한강을 건널 때는 오히려 육로를 이용한다는 것은 상식 밖의 행동이다.

광개토왕이 수군을 이용하여 백제를 친 것은 수군을 이용하는 것이 백제 공략에 가장 유리했기 때문이다. 즉, 한반도의 백제를 치기 위해서는 바닷길을 통하는 것이 가장 안전하고 빠른 방법이었다는 것이다. 이는 당시 고구려의 수도가 한반도 안에 있지 않았다는 것을 방증한다. 말하자면 고구려의 수도가 대동강변의 평양이었다면 굳이 위험 부담이 높은 바닷길을 이용하여 백제를 칠 이유가 없었다는 뜻이기도 하다.

당시 백제와 고구려 사이엔 말갈이 세력을 형성하고 있었다. 말갈은 신라와 고구려의 북쪽 변경지대에서 세력을 형성하여, 틈만 나면 쉴 새 없이 백제와 신라를 공략했다. 백제와 신라를 공략한 말갈은 일곱 종류의 말갈 중 백산 말갈로서 압록강변과 청천강 사이에 거점을 형성했을 것으로 보인다. 이들은 고구려에 조공하면서도 한편으론 독자적인 세력을 형성하여 백제와 신라에 압박을 가하기도 하였다. 하지만 광개토왕의 백제 원정 때에는 말갈군이 동원된 흔적은 전혀 없으며, 말갈을 통과한 기록도 없다. 다시 말해 고구려군은 말갈 지역을 통과하거나 말갈군의 도움을 받았을 가능성이 전혀 없다는 뜻이다. 오히려 육로를 이용할 경우 말갈의 도움을 받아야 하기 때문에 광개토왕은 해로를 이용했던 것이다.

이렇듯 해로를 이용하여 대원정에 나선 광개토왕은 대승을 거둔다. 이 싸움의 승리로 광개토왕은 58개의 성과 7백 개의 촌이 형성된 아리수 이북의 백제 땅을 모두 차지하였다. 또한 아리수를 건너 남진하여 백제의 도성을 공격하였고 백제의 왕족과 신하 10명, 평민 1천 명 등을 포로로 잡았다. 하지만 이 때 광개토왕이 백제 왕의 항복을 받아내고 노객이 되겠다는 서약을 받았다는 것은 다소 과장된 표현일 것이며, 백제 왕이 남녀 1천 명을 바쳤다는 것도 남녀 1천 명을 포로로 붙잡아온 것을 단지 미화시킨 것에 지나지 않을 것이다.

그러나 이 전쟁 이후 백제는 세력이 크게 약화되었고, 빼앗긴 영토도 되찾지 못한다. 그 때문에 동맹국인 왜에 태자를 보내 원군을 요청하게 된다.

한편, 광개토왕은 백제로부터 뺏은 아리수 이북 땅에 부수도인 하평양(下平壤, 아래 평양)을 건설한다. 이는 능비 영락 태왕 9년 기해년조의 '백잔이 맹세를 위반하고 왜와 화통하였다. 왕은 하평양을 순시하였다(百殘違誓 與倭和通 王巡下平壤).'는 기사에서 확인된다.

많은 학자가 이 기사의 '왕순하평양(王巡下平壤)'이라는 문장을 두고 '왕이 (아래로) 평양을 순시했다'고 해석해왔다. 하지만 이 같은 번역이 성립되기 위해서는 '왕하순평양(王下巡平壤)' 또는 '왕순평양(王巡平壤)'이라고 고쳐져야 한다. 때문에 '왕순하평양(南巡下平壤)'이라는 문장에서는 '하평양(下平壤)'을 하나의 단어로 보아야 하며, 따라서 '왕이 하평양을 순시했다'고 번역해야 옳다.

학계 일각에서는 '하평양'을 '남평양'이라고도 부르는데, 이는 당시의 방위 개념에서 하(下)는 남쪽, 상(上)은 북쪽을 의미했다는 사실에 근거한 것이다. 그러나 '상(上)'은 반드시 북쪽만을 가리키는 것이 아니라 왕이 머무는 도성을 가리켰고, '하(下)' 역시 남쪽만을 가리키는 것이 아니라 왕이 머무는 도성 이외의 모든 곳을 가리켰다. 따라서 '하평양'을 무조건 '남평양'이라고 해석하는 것은 잘못이다. '하평양'은 말 그대로 '아래 평양'을 의미하며, 이는 곧 수도인 '평양'에 대비되는 '명칭'이었을 뿐이다. 말하자면 '하평양'은 '작은 수도' 또는 '부수도'로 이해해야 한다는 것이다.

이처럼 광개토왕은 백제로부터 빼앗은 아리수 이북의 영토에 부수도인 하평양을 건설하여 한반도 통치의 중심지로 삼았다. 그리고 이 때 건설된 하평양에 대해 학계 일부에서는 한강 주변이라고 주장하고 있다. 하지만 당시 한강 근처는 고구려, 백제, 신라의 접경 지역이었기 때문에 안전성이 확보되지 않았다. 때문에 고구려의 부수도인 하평양이 한강 주변에 설치되었을 가능성은 거의 없다. 오히려 백제의 경계에서 멀고 고구려에서는 가까운 대동강 북쪽에 부수도가 설치됐을 가능성이 높다. 말하자면 오늘날 학계 일부에서 고조선, 고구려 등의 수도였다고 주장하는 대동강변의 평양은 단지 광개토왕이 건설한 부수도인 하평양에 불과했다는 것이다.

경자대원정(400년)

'경자대원정'은 서기 400년 경자년에 고구려가 왜의 침략을 받은 신라를 구원하기 위해 출병한 사건이다. 신라는 원래 백제, 왜, 가야 등과 외교관계를 맺고 있었다. 하지만 고구려가 한반도 진출을 노리며 신라에 사신을 보내자 신라의 내물왕은 392년 정월에 조카 실성을 인질로 보내며 동맹을 맺었다. 이렇게 되자 백제, 왜, 가야 등은 연합군을 형성하여 한반도 진출을 노리는 고구려에 대항하는 한편, 신라를 압박한다. 그러다가 서기 396년에 고구려가 대원정을 실시하여 아리수 이북의 백제 땅을 차지하자 백제는 왜에 태자를 보내 원군을 요청하고 399년에 우선 고구려와 동맹을 맺은 신라를 공격하기에 이른다. 이에 신라는 백제를 비롯한 연합군 세력에 밀려 궁지에 몰리자 고구려에 사신을 보내 원병을 요청한다. 신라의 원군 요청을 받은 광개토왕은 이듬해인 400년에 보병과 기병 5만을 파견하여 신라를 구한다.

이 같은 내용은 광개토왕릉비 영락 태왕 9년과 10년 기사에 실려 있는데 그 내용은 다음과 같다.

9년 기해년에 백잔이 맹세를 위반하고 왜와 화통하였다. (이에) 왕은 하평양을 순시했다. 그러자 신라가 사신을 보내 왕에게 아뢰기를 그 나라에는 왜인이 가득하여 성들을 모두 파괴하고, 노객(신라 왕)을 천민으로 삼았으니 (고구려에) 의탁하여 왕의 지시를 듣고자 한다고 하였다. 태왕은 인자하여 그 충성심을 칭찬하고, (신라) 사신을 돌려보내면서 밀계를 내렸다.

10년 경자년에 (태왕은) 교시를 내려 보병과 기병 5만을 보내 신라를 구원하게 하였다. (그때) 남거성으로부터 신라성에 이르기까지 왜인이 가득했다. 관군(고구려군)이 그 곳에 이르자 왜적은 퇴각하였다. 이에 우리가 왜적의 뒤를 추적하여 임나가라의 종발성에 이르자 그 성은 즉시 항복하였다. 이에 신라인을 안치하여 병사를 두고 지키게 하였다. 신라성, 감성 등에서 왜구가 크게 함락되었다. 성안에 있던 십분의 구의 신라인들은 왜를 따라가길 거부했다. 이에 신라인을 안치하여 병사를 두게 하였다. 신라성 — (지워져 내용을 알 수 없음) — 나머지 왜군은 궤멸되어 달아났다. 지금껏 신라 매금(寐錦, 이사금 또는 임금)은 스스로 와서 명령을 청하고 조공논사하지 않았다. 하지만 광개토경호태왕에 이르러 신라 매금은 명령을 청하고 조공하였다.

이것이 경자대원정에 관한 기록의 전부이다. 이 기록에 따르면 고구려는 왜와 백제, 가야 등의 연합 세력에 파괴된 신라를 구원하기 위해 보병과 기병 5만을 동원하였다. 하지만 광개토왕은 직접 출전하지 않았다. 광개토왕이 직접 출전하지 않은 것은 이 전쟁의 성격이 고구려의 정벌전쟁이 아니라 신라에 원군을 보내는 것이었기 때문이다. 또한 이 무렵 고구려는 화북의 새로운 맹주로 부상한 후연과 세력 다툼을 벌이던 중이라 광개토왕이 도성을 떠날 수 없는 입장이기도 했다.

하지만 신라의 요청에 따라 원군 5만을 동원한 고구려는 신라 전역에 가득 찼던 왜군을 몰아내고, 임나가라까지 진격하여 성을 함락시키고 그 성을 신라에 넘겨준다. 이렇게 되자 신라는 나라를 구해준 은혜에 보답하기 위해 고구려에 조공하기에 이르렀다.

갑진왜란(404년)

경자년에 신라 땅 거의 대부분을 점령했다가 고구려의 원군 때문에 쫓겨난 왜는 백제와 연합하여 고구려의 본토를 노렸는데, 그 사건이 바로 '갑진왜란' 이다.

왜와 백제는 경자년의 패배 이후 고구려의 본토를 공략하여 잃었던 영토를 회복할 계획을 세운다. 기회를 노리던 그들은 고구려가 402년에 후연에 빼앗 겼던 남소와 신성을 되찾기 위해 후연의 평주를 공격하자 본격적으로 고구려 침공계획을 수립하였다. 당시 고구려는 후연에 빼앗겼던 남소와 신성을 회복 한 후 404년 11월에 후연의 평주를 공격하여 함락시켰다. 그 후 고구려가 여 세를 몰아 유주와 후연의 도성에 대한 공격을 펼쳤다. 왜와 백제는 이 기회를 놓치지 않고 해로를 통해 고구려의 대방 지역을 공격하였다. 이렇듯 백제와 왜 의 기습을 받은 고구려는 급히 병력을 후퇴시켰고, 그 바람에 추격해온 후연군 에게 쫓겨 요동성 함락을 눈앞에 두게 되었다. 이 때 광개토왕은 중앙의 정예 군을 이끌고 대방으로 출동하여 백제와 왜의 연합군을 격퇴하고, 요동성을 구 한다.

이 갑진왜란에 관한 내용은 능비의 영락 태왕 14년 갑진년 기사에 전한다. 그 내용은 다음과 같다.

14년 갑진년에 왜가 법도를 어기고 대방 지역을 침략하였다. (그들은) 백잔 군과 연합하여 석성을 공략하였다. 〈늘어선 배에서 많은 적들이 몰려왔다.〉 왕 은 몸소 군사를 이끌고 그들을 토벌하기 위해 평양을 출발하였다. 그리고 …… 봉에서 적과 만났다. 왕은 적을 막아서며 대열을 끊고 좌우에서 공격하였다. 왜군은 궤멸되었고, 죽은 적은 수없이 많았다(〈　〉속의 내용은 단지 '연선(連 船, 늘어선 배)' 이라는 문구만 확인되고, 나머지 내용은 추론한 것임).

이 기록에 의하면 갑진왜란은 왜와 백제의 연합군이 수군을 동원하여 고구 려의 대방 지역을 공격한 사건이다. 백제는 당시 대륙에도 기지가 있었기 때문에 왜와 백제의 연합군은 백제의 대륙기지인 산동반도에 집결하였다가 일시에 고구려를 습격하였던 것이다.

고구려는 당시 후연을 공격하느라 많은 병력을 유주로 보낸 상황이었기 때문에 백제와 왜의 기습은 고구려에 심대한 타격을 주었다. 이 사건으로 고구려는 점령 직전에 있던 유주 땅을 포기하고 퇴각해야 했으며, 전세가 역전되어 후연군에게 쫓기는 신세가 되고 말았다. 심지어는 요동 지역의 요새인 요동성이 함락될 지경에 이르렀다. 이 때 다행스럽게도 광개토왕이 직속부대인 도성 병력을 이끌고 왜와 백제군을 물리쳤기에 요동성은 함락을 면할 수 있었다.

이처럼 갑진왜란은 고구려의 팽창정책에 찬물을 끼얹은 사건이며, 이 때문에 고구려는 다시 한 번 백제의 대륙기지를 공략한다. 말하자면 백제의 잔여 대륙 세력을 축출해야만 평양의 안전을 보장받을 수 있다고 본 것이다.

정미대출병(407년)

정미대출병은 갑진왜란에 대한 보복전으로 서기 407년에 있었던 사건이다. 갑진왜란으로 유주 정복 계획이 좌절되자 광개토왕은 군사 5만을 동원하여 백제의 잔여 대륙기지에 대해 대대적인 공격을 감행하여 그 곳에 머물러 있던 백제군과 왜군을 공략한다. 이 사건에 관한 내용은 능비의 영락 태왕 17년 정미년 기사에 다음과 같이 기록되어 있다.

17년 정미년에 보병, 기병 5만을 출병시키라는 명령을 내렸다. — (내용 지워짐) — 왕은 사방 포위작전을 지시했다. 적은 대부분 궤멸되었으며, 개갑 1만여 영과 수를 헤아릴 수 없을 만큼 많은 군자기계를 획득했다. 돌아오는 길에 사구성, 누성, 우불성, ……성을 격파했다.

이처럼 정미대출병은 백제의 대륙기지를 무력화하려는 전쟁이었다. 하지만 백제의 기지를 완전히 무너뜨리지는 못했다. 다만 갑진왜란 이후 군기가 되살아난 백제군과 왜군의 사기를 꺾고, 사구성을 비롯한 6개의 성을 빼앗았을 뿐이다. 그리고 이를 통하여 고구려는 백제의 대륙군을 무력화하고자 한 본래의 계획은 달성한 셈이다.

3. 광개토왕릉비와 그 내용

광개토왕릉비의 정확한 명칭은 '국강상광개토경평안호태왕비(國岡上廣開土境平安好太王碑)'이다. 이 비석은 광개토왕의 아들인 장수왕이 선왕의 공적을 기리고 묘지를 지키는 연호(烟戶, 일종의 관노비)들에 대한 규정을 남기기 위해 서기 414년에 능의 동쪽에 건립한 것이다.

이 비석의 모양은 아래와 위가 넓고 가운데가 좁은 형태다. 높이는 6.39미터이고 아랫부분의 너비는 제1면이 1.48미터, 제2면이 1.35미터, 제3면이 2미터, 제4면이 1.46미터이다. 또한 아랫부분을 받치고 있는 좌단은 화강암으로 되어 있으며, 길이는 3.35미터, 너비는 2.7미터로 불규칙한 장방형을 이루고 있다. 그리고 좌단의 두께는 고르지 못하여 동남측이 0.16미터, 서북측이 0.63미터이다.

이 비에는 사방으로 비문이 기록되어 있는데, 비문의 글자 총수는 원래 1,775자였으나 판독할 수 없는 글자가 141자이다. 그리고 141자 중 앞뒤 문맥으로 추측 가능한 글자가 9자이므로 현재 132자에 대한 판독이 불가능하다.

비문의 내용은 크게 세 부분으로 나뉜다. 첫째 부분은 고구려의 건국과 관련하여 추모(주몽), 유류(유리), 대주류(대무신왕) 등 3대의 왕위 계승에 대한 것과 광개토왕의 즉위에 대한 내용이다. 둘째 부분은 광개토왕의 치적을 적은 것으로, 여기에는 백제정벌, 신라구원, 부여정벌 등에 대한 내용들이 쓰여 있다. 셋째 부분은 광개토왕이 생시에 내린 교시에 근거한 묘비와 연호의 규정을 적고 있다.

이 같은 비문의 내용은 그 어느 사서에서도 찾아볼 수 없는 귀중한 사료로서 고구려 및 그 주변 국가의 역사 이해에 많은 도움을 주고 있다. 하지만 불행히도 그 내용의 일부는 지워지고 없으며, 또한 확인되는 글자 중에도 판독에 따라 그 내용이 달라질 수 있는 것들이 많다. 그 때문에 해석 문제를 놓고 학자들간에 심각한 대립이 계속되고 있다. 이에 여기서는 능비의 발견과 탁본 과정을 간략하게 기술하고, 비문의 내용 중 광개토왕의 치적과 관련된 부분의 원문과 번역문을 옮긴다.

발견 과정

광개토왕릉비는 현재 중국 길림성 통화전구 집안현 태왕촌 대비가에 있다. 이 곳 집안은 압록강 중류 만포진에서 마주 보이는 곳이며, 그 주변에서 고구려의 고분과 유적지가 발견되고 있다.

이 능비는 장수왕에 의해 414년에 건립된 이래 발해 때까지 제대로 보전되다가, 발해가 멸망하고 요를 세운 거란이 발해를 멸망시키고 그 곳을 차지하면서 세인들의 기억 속에서 사라져 갔다. 그리고 요를 멸망시킨 만주족이 금을 세운 후에는 광개토왕릉비가 금 왕조의 능비로 인식되기에 이르렀다. 이 때문에 집안은 후대인들에겐 금의 왕성으로 인식되었고, 명대를 거치면서 그 같은 인식은 더욱 굳어졌다. 그리고 명을 멸망시킨 만주족이 청을 세우면서 그 곳을 자기 나라의 발상지라 하여 세인들의 출입을 금지했다. 이 때문에 조선의 학자들은 당연히 이 능비를 금 왕조의 묘비로 여겼고, 이수광 같은 학자는 『지봉유설』에 금나라 시조의 비라고 기록하기에 이르렀다. 물론 이 무렵 비각은 이미 사라지고 능비는 땅속에 묻힌 상태였다.

그런데 19세기에 이르러 청은 집안에 대한 봉금 명령을 풀고 그 곳에 회인현을 설치했다. 이에 따라 민가가 들어서고, 농사를 짓기 시작했다. 그리고 1880년경에 땅을 개간하던 농부 한 사람이 이 비석을 발견하여 관아에 신고함으로써 능비는 다시금 빛을 보게 되었다.

탁본과 판독

농부에 의해 능비가 발견되자 그 곳 수령이었던 장월이라는 관리가 금석학에 조예가 있던 부하 관월산을 시켜 처음으로 탁본작업을 시도하였다. 그리고 부분적인 탁본이 만들어져 북경의 금석학계에 소개되기에 이르렀다. 이 때부터 능비는 금석학계의 비상한 관심거리가 되었다.

그 후 중국 금석학계는 정교한 탁본을 마련하기 위해 많은 공을 기울였으나 쉽게 성취하지 못했다. 그런 가운데 중국을 여행하던 일본군 밀정 하나가 능비를 발견하고 탁본을 떴다. 사카와라는 이 육군 중위는 탁본작업을 하면서 일부 글자를 변조했는데, 이 탁본을 기초로 하여 이른바 '쌍구가묵본(雙鉤加墨本)'이 마련된다. 일본은 이 쌍구가묵본을 입수하자 군의 참모본부를 중심으로 비밀리에 판독작업을 시작하여, 1889년에 판독 내용을 세상에 공포하였다.

한편, 중국에서도 1885년부터 비문에 대한 연구를 본격화하고 있었다. 그리고 1889년에 일본이 비문의 내용을 공포하자 양국이 경쟁적으로 탁본작업을 시도한다. 이 과정에서 좀더 값비싸고 정교한 탁본을 얻으려는 노력이 가속화되어 비면에 석회칠이 되는 등 변조가 이뤄진다. 이런 까닭에 비문은 오독되고, 비면은 마모되는 지경에 이르렀다.

또한 설상가상으로 1890년대 이전의 탁본이 거의 사라져 능비 연구에 차질을 초래했다. 그리고 일본은 러·일전쟁 승리 이후 자유롭게 능비에 접근하여 능비 연구는 물론이고 능비 주변의 유적지 연구를 독점한다. 이에 따라 비문과 유적에 대한 해석이 일본의 시각에 한정되는 경향을 띤다.

그로부터 오랜 공백기를 거쳐 1957년에 이르러 임지덕 등의 중국 학자들에 의해 능비 주변의 유적지 연구가 새롭게 시작되었고, 1963년에는 박시형 등의 북한 학자들이 거기에 가담함으로써 능비 연구는 전환점을 맞이한다. 그러나 1882년 사카와가 비문의 일부 문자를 변조한 까닭에 아직까지 그 내용을 정확하게 판독하지 못하고, 논란이 지속되고 있다.

비문의 주요 내용

전술한 바와 같이 비문은 세 부분으로 나눌 수 있다. 동명성왕, 유리명왕, 대무신왕 등의 이야기로부터 광개토왕에 이르는 과정 및 비의 건립 경위를 간단하게 기술한 첫째 부분은 묘비 제1면 1행에서 6행에 해당한다. 둘째 부분은 광개토왕의 정복 전쟁을 기술한 부분으로 제1면 7행에서 제3면 8행에 걸쳐 있으며, 묘비 및 연호에 관한 내용을 다룬 셋째 부분은 제3면 8행에서 제4면 9행에 해당된다.

이 세 부분 중 첫째 부분은 표현상의 차이가 다소 있으나 『삼국사기』의 내용과 크게 다르지 않고, 셋째 부분은 고구려사 연구의 자료적 가치는 있으나 별도 언급을 요구하지 않는 내용이라고 판단된다. 그러나 둘째 부분인 광개토왕의 정복에 관한 기록은 해석의 접근방법에 따라 많은 논란이 될 수 있으며, 사료적인 가치도 가장 높다. 이에 여기에서는 이 둘째 부분의 원문과 번역문을 옮겨 적는다(원문 중 지워진 부분에는 * 표시를 하고 다른 관점의 번역문은 { } 속에 넣는다. 또한 이해를 돕기 위해 연도마다 분리 기술한다).

(1) 영락 태왕 5년(395년) 을미년 기사

永樂五年 歲在乙未 王以碑麗 不歸 * 人 躬率往討 過富山 負山 至鹽水上 破其三部落六七百營 牛馬群羊 不可稱數 于是旋駕 因過襄平道 東來 * 城 力城 北豊 王備獵游觀土境 田獵而還

영락 5년, 그때는 을미년이었다. 왕은 비려가 붙잡아간 사람들을 귀환시키지 않자 몸소 군대를 인솔하고 토벌에 나섰다. 부산을 지나 염수의 상류에 이르러 3개의 부락 육칠백 영(마을)을 격파하고 수없이 많은 소와 말, 그리고 양떼를 노획하였다. 거기서 돌아오면서 양평도를 거쳐 동쪽으로 * 성, 역성, 북풍에 이르렀다. 왕은 사냥을 준비시켰다. 그리고 국토를 즐기며 구경도 하고 사냥도 하면서 돌아왔다.

(2) 영락 태왕 6년(396년) 병신년 기사

百殘新羅舊是屬民 由來朝貢 而倭以辛卯年來 渡海破百殘 ＊＊新羅 以爲臣
民 以六年丙申 王躬率水軍 討伐殘國 軍至窠南攻取 壹八城 曰模盧城 各模盧城
于氐利城 ＊＊城 閣彌城 牟盧城 彌沙城 古舍蔦城 阿旦城 古利城 ＊利城 雜珍
城 奧利城 勾＊城 古模耶羅城 須鄒城 ＊＊城 ＊而耶羅城 瑑城 於利城 ＊＊城
豆奴城 農賣城 沸城 比利城 彌鄒城 也利城 大山漢城 掃加城 敦拔城 ＊＊＊城
婁賣城 散那城 那旦城 細城 牟婁城 于婁城 蘇赤城 燕婁城 析支利城 巖門㠀城
林城 ＊＊＊＊＊＊利城 就鄒城 ＊拔城 古牟婁城 閏奴城 貫奴城彡 穰城 曾
拔城 宗古盧城 仇天城 ＊＊＊逼其國城 殘不服義 敢出迎戰 王威赫怒 渡阿利
水 遣刺迫城 殘兵歸穴 就便圍城 而殘主困逼 獻出 男女生口一千人 細布千匹 王
自誓 從今以後永爲奴客 太王恩赦始迷之愆 錄其後順之誠 於是得 五十八城 村
七白 將殘主弟并大臣十人 旋師還都

백잔(百殘, 백제를 낮춰 부른 말)과 신라는 옛날엔 우리의 속민이었기에 조
공을 해왔다. 〈그런데 신묘년 이래 왜가 바다를 건너와 백잔을 치고 신라를 공
략하여 신민으로 삼았다.{신묘년에 왜가 도래하자 바다를 건너 백잔을 치고 신
라를 구원하여 신민으로 삼았던 것이다.}〉 6년(영락 태왕 6년) 병신년에 왕이
몸소 수군을 이끌고 백잔국을 토벌했다. 우리 군사가 백잔의 국경 남쪽에 도착
하여 일팔성 구모로성 각모로성 우저리성 ＊＊성 각미성 모로성 미사성 고사
조성 아단성 고리성 ＊리성 잡미성 오리성 구＊성 고모야라성 ＊＊＊성 ＊이
야라성 전성 어리성 ＊＊성 두노성 농매성 비성 비리성 미추성 야리성 대산한
성 소가성 돈발성 ＊＊＊성 누매성 산나성 나단성 세성 모루성 우루성 소적성
연루성 석지리성 암문종성 임성 ＊＊＊＊＊＊리성 취추성 ＊발성 고모루성
윤노성 관노성 삼양성 승발성 종고로성 구천성 ＊＊＊핍기국성을 공격하여
취했으며 어느덧 백잔의 도성에 근접하였다. 그러나 백잔은 의(義)에 항복하지
않고 군사를 동원하여 덤볐다. 왕은 위엄을 떨치며 노하여 아리수를 건너 선두
부대를 백잔성으로 진격시켰다. 백잔의 병사들은 그들의 소굴로 도망쳤으나
곧 그들의 소굴을 포위했다. 그러나 백잔의 군주는 방도를 구하지 못하고 남녀

1천 명과 세포 1천 필을 바치고 왕 앞에 무릎을 꿇고 맹세하였다. "지금부터 이후로 영원토록 노객이 되겠습니다." 이에 태왕은 은혜를 베풀고 용서하여 후에도 그가 성의를 다하며 순종하는지 지켜보겠다고 했다. 이번에 모두 백잔의 58개 성, 7백 개 촌을 얻었다. 또한 백잔주의 형제와 백잔 대신 10인을 데리고 출정했던 군대를 이끌고 국도로 돌아왔다.

(3) 영락 태왕 8년(398년) 무술년 기사

八年戊戌 教遣偏斯觀 帛愼土谷 因便抄 得莫斯羅城 加太羅谷 男女三百餘人 自此以來 朝貢論事

8년 무술년에 일부 군대를 백신의 토곡에 보내 순찰하도록 했다. 그 결과 막사라성, 가태라곡의 남녀 3백여 명을 잡아왔으며, 이로부터 조공하고 정사를 보고했다.

(4) 영락 태왕 9년(399년) 기해년 기사

九年己亥 百殘違誓 與倭和通 王巡下平壤 而新羅遣使白王云 倭人滿其國境 潰破城池 以奴客爲民 歸王請命 太王恩慈 稱其忠誠 特遣使還 告以密計

9년 기해년에 백잔이 맹세를 위반하고 왜와 화통하였다. (이에) 왕은 하평양을 순시했다. 그러자 신라가 사신을 보내 왕에게 아뢰기를 그 나라에는 왜인이 가득하여 성들을 모두 파괴하고, 노객(신라왕)을 천민으로 삼았으니 (고구려에) 의탁하여 왕의 지시를 듣고자 한다고 하였다. 태왕은 인자하여 그 충성심을 칭찬하고, (신라) 사신을 돌려보내면서 밀계를 내렸다.

(5) 영락 태왕 10년(400년) 경자년 기사

十年庚子 教遣步騎五萬往救新羅 從南居城至新羅城 倭滿其中 官軍方至 倭賊退 自倭背急追至任那加羅從拔城 城卽歸服 安羅人戌兵 拔新羅城 *城 倭寇大潰 城內十九 盡拒隨倭 安羅人戌兵 新羅城＊＊其＊＊＊＊＊＊＊＊言＊＊且＊ ＊＊＊＊＊＊＊＊＊＊＊＊＊＊＊＊＊＊＊＊＊＊辭＊＊＊出＊＊＊＊＊＊＊

殘倭遺逃 拔＊城 安羅人戍兵 昔新羅寐錦 未有身來論事 ＊＊＊＊廣開土境好
太王＊＊＊寐錦＊家僕勾請＊＊＊朝貢

10년 경자년에 (태왕은) 교시를 내려 보병과 기병 5만을 보내 신라를 구원
하게 하였다. (그때) 남거성으로부터 신라성에 이르기까지 왜인이 가득했다.
관군(고구려군)이 그 곳에 이르자 왜적은 퇴각하였다. 이에 우리가 왜적의 뒤
를 추적하여 임나가라의 종발성에 이르자 그 성은 즉시 항복하였다. 이에 신라
인을 안치하여 병사를 두고 지키게 하였다. 신라성, 감성 등에서 왜구가 크게
함락되었다. 성 안에 있던 십분의 구의 신라인들은 왜를 따라가길 거부했다.
이에 신라인을 안치하여 병사를 두게 하였다. 신라성 ― (지워져 내용을 알 수
없음) ― 나머지 왜군은 궤멸되어 달아났다. 지금껏 신라 매금(寐錦, 이사금 또
는 임금)은 스스로 와서 명령을 청하고 조공논사하지 않았다. 광개토경호태왕
에 이르러 신라 임금은 명령을 청하고 조공하였다.

(6) 영락 태왕 14년(404년) 갑진년 기사

十四年甲辰 而倭不軌 侵入帶方界 和通殘兵＊石城 ＊連船＊＊＊ 王躬率往
討 從平穰 ＊＊＊鋒相遇 王幢要截盪刺 倭寇潰敗 斬煞無數

14년 갑진년에 왜가 법도를 어기고 대방 지역을 침략하였다. (그들은) 백잔
군과 연합하여 석성을 공략하였다. 〈늘어선 배에서 많은 적들이 몰려왔다.〉 왕
은 몸소 군사를 이끌고 그들을 토벌하기 위해 평양을 출발하였다. 그리고 ……
봉에서 적과 만났다. 왕은 적을 막아서며 대열을 끊고 좌우에서 공격하였다.
왜군은 궤멸되었고, 죽은 적은 수없이 많았다(〈 〉 속의 내용은 단지 '연선(連
船, 늘어선 배)' 이라는 문구만 확인되고, 나머지 내용은 추론한 것임).

(7) 영락 태왕 17년(407년) 정미년 기사

十七年丁未 敎遣步騎五萬 ＊＊＊＊＊＊＊＊＊ 王師四方合戰 斬煞蕩盡 所獲
鎧鉀一萬餘領 軍資器械 不可稱數 還破沙溝城 婁城 牛由城 ＊城＊＊＊＊＊＊城

17년 정미년에 보병, 기병 5만을 출병시키라는 명령을 내렸다. ― (내용 지

위짐) — 왕은 사방 포위작전을 지시했다. 적은 대부분 궤멸되었으며, 개갑 1만
여 영과 수를 헤아릴 수 없을 만큼 많은 군자기계를 획득했다. 돌아오는 길에
사구성, 누성, 우불성, ＊성, ……성을 격파했다.

(8) 영락 태왕 20년(410) 경술년 기사

十年庚戌 東扶餘舊是鄒牟王屬民 中叛不貢 王躬率往討 軍到餘城 而餘舉
國駭服 獻出＊＊＊＊＊＊王恩普覆 于是施還 又其慕化隨官來者 味仇婁鴨盧
椯社婁鴨盧 肅斯舍鴨盧 ＊＊＊鴨盧 凡所攻破城六十四 村一千四百

20년 경술년, 동부여는 옛날 추모(주몽)왕의 속민이었으나 중도에 배반하
여 조공을 하지 않았다. 왕이 몸소 군대를 이끌고 토벌에 나섰다. 군대가 부여
성에 이르자 부여는 거국적으로 두려워하여 굴복했다. 그리고 — (지워지고 없
음) — 를 바쳤다. 왕의 은덕이 모든 곳에 미치자 환국하였다. 또 그때에 왕의
교화에 감화되어 관군을 따라 미구루압로, 타사루압로 숙사사압로, ＊＊＊압
로 등이 왔다. (왕은) 일생 동안 64개 성 1천 4백 촌을 공격하여 무너뜨렸다.

▶ 광개토왕 시대의 세계 약사

광개토왕 시대 중국은 전진이 멸망한 후 일어선 후연과 북위가 화북에서 다툰다. 하지
만 후연은 오래가지 못하고 무너져 남연과 북연으로 갈라진다. 이후 북연은 유지되지만
남연은 동진에게 멸망된다. 이외에 서량, 북량, 남량, 하 등의 국가들이 난립하여 16국
시대의 마지막을 장식한다.

이 무렵 로마에서는 서로마의 발렌티아누스 2세가 피살되고 테오도시우스 황제가 로마
를 재통일한다. 그리고 로마를 통일한 테오도시우스는 기독교를 국교로 삼고 이교를 금
지한다. 그 후 테오도시우스가 죽으면서 로마를 다시 두 아들에게 나눠줌에 따라 로마
는 동·서로 완전히 분리된다. 분리된 동·서 로마는 각자의 독립적인 정권을 형성하며
독자적인 행보를 시작한다. 이 같은 분단은 곧 로마 몰락의 원인이 된다.

제20대 장수왕실록

1. 태평성세를 일군 장수왕과 남북조 시대의 전개
(서기 394~491년, 재위기간 : 서기 413년 10월~491년 12월, 78년 2개월)

장수왕 시대는 중국에서는 이른바 '5호 16국 시대'가 종결되고 '남북조 시대'가 시작되는 시기이다. 때문에 중국 대륙은 다시 한 번 거대한 소용돌이에 휘말리고, 고구려는 이러한 상황을 적절하게 이용하며 세력 팽창의 기회로 삼는다. 그 과정에서 장수왕은 백제의 한성을 공격하여 무너뜨리고 개로왕을 참수하여 소수림왕 이후 지속적으로 계속되던 고국원왕에 대한 복수전을 마무리한다.

장수왕은 광개토왕의 맏아들이며, 이름은 '거련(巨連)'이다. 394년에 태어났으며, 모후에 대한 기록은 남아 있지 않다. 409년에 태자에 책봉되었고, 413년 10월에 광개토왕이 죽자 20살의 나이로 고구려 제20대 왕에 올랐다.

장수왕이 즉위할 무렵 중국 대륙의 북방에서는 선비족 탁발부가 세운 북위가 세력을 팽창하며 신진세력으로 등장한 북연을 압박하고 있었다. 북연은 이때 내부적인 변화를 겪고 있었는데, 북연의 초대 왕인 고운이 부하에게 살해되자 실권자인 풍발이 사태를 수습하고 왕위에 올랐다. 풍발은 원래 후연의 중위 장군으로 있다가 군주인 모용희가 학정을 거듭하자 그를 살해하고 정권을 장악하여 고운을 왕으로 추대했던 인물이다. 그는 왕위에 오른 후 스스로를 '대왕(大王)'으로 높이고 세력을 확대했다. 이 바람에 북위와 잦은 충돌을 겪을 수밖에 없었던 것이다.

북방이 이렇게 변화를 겪고 있는 동안 남방에서는 동진이 남연을 병합하고 오랫동안 지속되던 농민봉기를 종결시켰으며, 서방에서는 서진이 남량을 압박하여 정복을 눈앞에 두었다.

이처럼 국제정세가 급격하게 변화하는 가운데 장수왕은 외교관계를 안정시키기 위해 우선 강남의 맹주인 동진과 화친을 맺고 북방의 상황을 관망하였다. 그리고 북위의 세력이 팽창하자 그들과도 외교관계를 맺고 북연을 견제하였다.

한편 내부적으로는 왕권의 위상을 높이고 조정을 일신하기 위하여 427년에 평양성으로 천도하였다. 이로써 고구려 조정은 343년에 고국원왕이 동황성을 도읍으로 삼은 이래 84년 만에 다시금 평양성으로 돌아간 것이다.

이렇듯 고구려가 내부를 안정시키며 국제정세를 관망하고 있는 동안 중국은 여전히 세력다툼을 벌이며 새로운 형국으로 치달았다. 남방의 맹주 동진은 후진을 멸망시켜 세력을 확대했지만 한편으론 오랫동안 시달린 농민봉기의 후유증에 시달리고 있었다. 특히 농민봉기 중에 권력이 확대된 장군 유유의 힘이 막강해지면서 동진 왕실은 불안에 떨어야만 했다. 그리고 420년에 유유의 협박을 이기지 못한 동진 왕실은 그에게 왕위를 내주었고, 왕위에 오른 유유는 국호를 송(宋)으로 바꾸었다. 이로써 동진 시대는 종결되고 대륙의 형세는 새로운 형국으로 접어들어 이른바 '남북조 시대'를 예고하였다.

대륙의 남쪽에서 이처럼 새로운 왕조가 들어설 때 북방의 맹주를 자처하고 있던 북위 역시 세력을 확대하여 북방의 통일을 꿈꾸고 있었다. 송이 건립될 당시 북방에는 아직 북위, 서량, 북량, 북연, 서진, 하 등의 나라가 패권을 다투었는데, 북위는 이들의 싸움을 적절하게 이용하며 화북통일작업을 지속하였다. 서량이 421년에 북량에게 멸망되고, 서진이 431년에 하에게 멸망되었다. 그러나 하나라는 그해에 무혼의 침략을 받아 멸망되어, 북방은 북위, 북연, 북량 등으로 축소되었다.

이들 나라의 패권다툼 중에서 북위와 북연의 싸움은 고구려에 직접적인 영향을 끼쳤다. 이들의 싸움은 북연 왕 풍발이 살아 있을 때만 해도 대등한 양상을 보였으나 430년에 풍발이 죽자 북위가 유리해졌다. 풍발이 병사하자 풍발의 아우 풍홍과 아들 풍익이 왕위다툼을 벌였고, 결국 풍홍이 조카인 풍익과 그 형제들을 제거하고 새로운 왕으로 등극하였다.

그러나 왕위다툼은 조정을 동요케 해 국가 전체의 위기로 이어졌으며, 한편으론 북위의 침략을 용이하게 하였다. 그 결과 북연이 북위의 힘에 밀려 몰락을 눈앞에 두었고, 마침내 풍홍은 서기 435년에 고구려에 밀사 양이를 보내 자신이 의탁할 수 있도록 도와달라는 편지를 보내기에 이르렀다. 북위의 기세로 봐서 도저히 더 이상 버텨낼 수 없겠다는 판단을 하고 잠시 고구려에 의탁한 뒤에 후일을 도모하겠다는 의도였다. 이에 장수왕은 풍홍의 밀사에게 긍정적인 회신을 주었다. 그리고 풍홍의 예측처럼 북위는 436년 4월에 대군을 동원하여 북연의 백낭성을 공격하여 승리하였고, 풍홍은 급히 고구려에 밀사 양이를 보내 도움을 청했다.

풍홍으로부터 구해달라는 요청을 받은 장수왕은 장수 갈로와 맹광에게 수만의 군사를 내주어 북연의 밀사 양이와 함께 풍홍을 맞이해오도록 하였다. 고구려군이 자신을 맞이하려 하자 풍홍은 도성인 용성에 남아 있던 백성들을 동쪽의 고구려 땅으로 이주시키고 궁궐에 불을 질렀다. 그리고 고구려 땅으로 향하였다.

북위는 이 소식을 듣고 사신 봉발을 고구려에 파견하여 풍홍을 위나라로 압송할 것을 요청했다. 하지만 장수왕은 풍홍이 위나라로 갈 경우 고구려를 위태롭게 할 수도 있다는 판단을 하고 북위의 요청을 거절하였다. 이 때문에 위에서는 한때 고구려를 공격해야 한다는 논의가 일었으나 실행에 옮기지는 못했다.

고구려의 도움으로 가까스로 목숨을 부지한 풍홍은 요동성에 머물면서 재기를 다짐했다. 그런데 풍홍은 자신의 처지를 생각하지도 않고 오만한 태도를 보이며 장수왕에게 함부로 대하였다. 이에 분노한 장수왕은 438년 3월에 풍홍을 평곽으로 가게 했다가 다시 북풍에 머물도록 하였다. 또한 풍홍의 시종을 빼앗고, 태자를 볼모로 잡았다. 그러자 풍홍은 분개하여 남조의 송나라에 사신을 보내 자신을 받아달라고 요청하였다.

풍홍의 요청을 받은 송의 유유는 그를 받아들이기로 하고, 사신 왕백구 등을 고구려에 보냈다. 그리고 풍홍을 자신들에게 넘겨줄 것을 요청했다. 이에 장수왕은 풍홍이 송으로 가는 것이 고구려에 이롭지 못하다는 판단을 하고 장수 손수와 고구로 하여금 군사를 이끌고 가서 풍홍과 그의 가족들을 죽이라고 하였다.

손수와 고구는 북풍에서 풍홍과 그의 가족 10여 명을 참살하였다. 하지만 송의 사신 왕백구가 풍홍의 군사 7천여 명을 이끌고 손수와 고구가 이끄는 고구려군을 습격하는 바람에 고구는 죽고 손수는 생포되었다. 이 소식을 들은 장수왕은 즉시 대군을 동원하여 풍홍의 군사를 치고 왕백구를 사로잡았다. 그리고 사신 편에 송으로 압송시켰다. 이에 송의 유유는 고구려의 압력을 이기지 못하고 왕백구를 감옥에 가뒀다가 고구려의 눈을 피해 석방하였다.

한편, 이 무렵 북위의 왕 탁발도는 북량을 공격하였고, 439년에 마침내 북량을 함락시키고 화북을 통일하였다. 이로써 중국은 남쪽엔 한족의 송 왕조가, 북쪽엔 선비의 위 왕조가 성립되어 본격적인 '남북조 시대'를 열었다. 이는 곧 중국이 16국이 난립하던 혼란기를 종식하고 안정기에 접어들었음을 의미한다.

중원이 안정되자 장수왕은 오랫동안 미뤄왔던 백제에 대한 복수전을 다시 전개한다. 하지만 이를 눈치 챈 백제는 이미 427년에 신라와 화친을 맺고 고구려의 침략에 대비하고 있었다. 그런 가운데 440년에 신라가 고구려의 한반도 쪽 변경을 침략하여 변방 장수를 죽이는 사건이 발생했다. 이에 고구려는 군사적 대응을 검토했고, 다급하게 된 신라는 사신을 고구려에 보내 사죄하였다. 그러자 고구려는 일단 신라의 사죄를 받아들여 한동안 평화를 유지하였다.

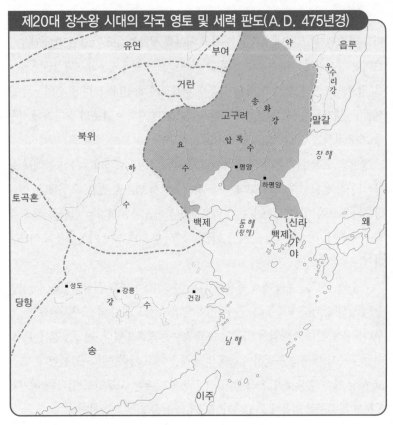

제20대 장수왕 시대의 각국 영토 및 세력 판도(A. D. 475년경)

장수왕은 백제에 대한 압력을 강화하고 한반도에서 한강 유역 이남으로 영토를 확장한다.

하지만 시간이 더해갈수록 신라가 백제와 친해지자 장수왕은 454년 7월에 군사를 동원하여 신라의 북쪽 변경을 공격하고, 이듬해 10월에는 백제를 공격하였다. 이에 신라와 백제가 동맹약조에 따라 연합군을 형성하였고, 고구려는 그들 연합군에 밀려 한동안 양국에 대한 공격을 중지하였다.

이 무렵 북위는 세력을 강화하고 안정을 확보하여 고구려에 압박을 가하고 있었는데, 466년에는 위의 문명태후가 위 왕의 후궁이 미비하다 하여 고구려의 공주를 위에 시집보낼 것을 요구하였다. 하지만 장수왕의 딸은 이미 출가한 상태였기 때문에 장수왕은 아우의 딸을 대신 보내겠다고 답신하였다. 위는 이

답신을 받아들여 안락군 탁발진과 상서 이부를 고구려 국경에 보내 폐백을 전달하였다.

이렇게 하여 고구려와 위는 사돈관계를 맺을 상황이 됐는데, 조정 중신 가운데 하나가 양국의 혼인관계를 반대하고 나섰다. 그는 북위가 이미 북연과 혼인관계를 맺은 후 북연을 공격한 사례를 들면서, 위가 혼인 운운하는 것은 무엇보다도 고구려의 지형을 탐색하기 위한 수작이라고 주장했던 것이다. 그의 주장이 옳다고 판단한 장수왕은 위에 편지를 보내 아우의 딸이 죽었다고 거짓말하였다. 그러자 위는 다시금 사신을 보내 종실의 딸이라도 달라고 요구하였다. 하지만 장수왕은 위의 요구를 차일피일 미루면서 이행하지 않았다. 그러는 사이 위 왕이 바뀌어 결국 혼인 문제는 무효화되었다.

이렇듯 위와 대등한 관계를 형성하며 내정을 안정시키던 장수왕은 468년 2월에 말갈 군사 1만을 동원하여 신라의 실직주성을 빼앗는다. 이 때부터 고구려와 나제연합군의 치열한 전쟁이 이어진다. 469년에는 백제가 군사를 동원하여 고구려의 남쪽 변경을 침략하였고, 또한 위에 사신을 보내 고구려가 위에 대적하고 있으므로 공격할 것을 요청하였다. 하지만 위가 이를 거절함으로써 백제의 의도는 관철되지 않았다.

이 소식을 들은 고구려는 백제를 공략하기 위해 승려 도림을 백제에 잠입시켰다. 그리고 도림으로 하여금 개로왕을 충동질하여 대대적인 토목공사를 벌이도록 했다. 이 때문에 백제 백성들의 원성이 높아가자 고구려는 475년에 대군을 거느리고 백제를 침입하여 도성을 무너뜨리고 개로왕을 사로잡았으며, 곧 아차성 밑으로 끌고 가 참수하였다.

이로써 고구려는 소수림왕 이래 국가의 숙원 사업이던 고국원왕에 대한 원수를 갚았다. 하지만 신라의 원군 1만이 백제를 도움에 따라 고구려는 점령했던 한성을 포기하고 물러나야만 했다. 이 사건으로 백제는 한성이 완전히 붕괴되어 도읍을 웅진(공주)으로 옮겼다.

고구려가 한반도를 공략하고 있는 동안 중국 남쪽에서는 송 왕조가 몰락하고 제(齊) 왕조가 일어섰다. 송은 450년경부터 북위의 남침을 받아 국력이 약

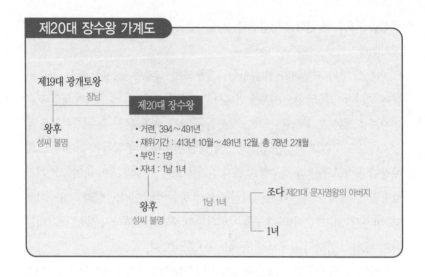

제20대 장수왕 가계도

제19대 광개토왕
　　　　장남
　　　　　　　　제20대 장수왕

왕후
성씨 불명
　　・거련, 394～491년
　　・재위기간 : 413년 10월～491년 12월, 총 78년 2개월
　　・부인 : 1명
　　・자녀 : 1남 1녀

　　　　　　　　　　　　　　　　　　조다 제21대 문자명왕의 아버지
왕후　　　　1남 1녀
성씨 불명
　　　　　　　　　　　　　　　1녀

화되어 있었는데, 설상가상으로 무장과 왕족들이 정권다툼을 벌이며 내전을 벌였다. 그런 와중에서 군벌을 형성한 소도성은 479년에 반란을 일으켜 송의 유씨 왕조를 폐하고 제나라를 세웠던 것이다.

　　제를 세운 소도성은 왕으로 등극하자 곧 고구려에 사신을 보내 화친을 요구했고, 장수왕은 이 요구를 받아들여 여노를 사신으로 보냈다. 하지만 북위는 이 같은 양국관계를 인정할 수 없다 하여 바다에서 여노를 붙잡았다. 이 때문에 한동안 고구려와 위는 외교적 마찰을 빚으며 대립했으나 위가 고구려의 사신 여노를 놓아줌으로써 사태는 해결되었다. 그 후 장수왕은 다시금 제에 사신을 보내 화친을 맺었다.

　　이렇듯 장수왕 시대 전반에 걸쳐 고구려는 중국 국가들과 원만한 외교관계를 맺으며 내정을 안정시켰다. 그러나 한편으론 백제와 신라에 대해서는 강경책을 쓰며 영토를 확장하였다. 그래서 475년에 백제의 도성을 빼앗아 아리수 이남으로 진출한 이래 486년에는 신라의 호산성을 쳐서 점령하였고, 이에 따라 고구려의 한반도 진출은 개국 이래 가장 극대화되었다.

　　장수왕은 이처럼 외교와 내정을 안정시키고, 한편으론 영토를 확장하여 태평성세를 구가하면서 무려 78년이란 오랜 세월 동안 재위했다. 그리고 서기 491년 12월, 노익장을 과시하던 그는 98세를 일기로 생을 마감하였다.

능은 어느 곳에 마련되었는지 분명치 않으며, 묘호는 '장수왕(長壽王)'이라 하였다.

그의 부고를 듣고 북위의 왕 탁발원굉은 흰색의 위모관을 쓰고 베로 만든 심의를 입은 채로 궁궐 동쪽 교외에서 애도식을 거행했다. 그는 또한 알자 복야 안상을 고구려에 보내 장례식에 참여하도록 하였다. 위 왕의 이 같은 애도식은 곧 위와 고구려의 외교관계가 어떠했음을 보여주는 단적인 예이다.

장수왕은 1명의 왕후에게서 고추가 조다(助多)와 공주 1명을 얻었다. 이들 가족 중 왕후에 대한 기록은 남아 있지 않고, 조다는 부인에게서 나운(문자명왕)을 얻은 후 일찍 죽은 것으로 기록되어 있다. 또한 공주에 대해서는 시집갔다는 기록만 있을 뿐 이름과 구체적인 행적은 남아 있지 않다.

2. 을묘정벌과 개로왕의 죽음

서기 475년(장수왕 63년) 을묘년 2월에 장수왕은 몸소 군사 3만을 이끌고 백제 정벌에 나선다. 82살의 나이에도 불구하고 노익장을 과시하며 전장으로 향한 장수왕은 증조부 고국원왕의 원수를 갚고, 동시에 아리수 남쪽까지 영토를 확장하여 한반도에 대한 영향력을 확대하고자 했던 것이다.

장수왕은 이 전쟁을 위해 이미 백제에 첩자를 보내놓았다. 장수왕의 명령을 받고 백제에 잠입한 고구려 첩자는 도림이라는 승려였다. 도림은 스스로 국가를 위해 첩자가 될 것을 자처했고, 장수왕은 그의 충성심을 믿고 백제로 보냈다.

도림은 장수왕의 밀명을 받은 후 거짓으로 죄를 짓고 쫓기는 신세가 되었다. 그리고 국경을 넘어 백제 땅으로 잠입했다.

백제의 개로왕은 바둑과 장기를 몹시 즐겼는데, 도림 역시 바둑에 능하였다. 그래서 도림은 백제에 도착하자 곧 백제 왕궁으로 찾아가 개로왕에게 글을 올렸다.

"제가 어려서부터 바둑을 배워 경지를 알고 있으니, 이를 대왕께 보이고자 합니다. 미천한 재주지만 대왕께 드릴 것은 이것밖에 없습니다."

이 편지를 읽은 개로왕은 즉시 도림을 궁궐 안으로 데려오라고 했다. 그리고 당장 바둑판을 가져오라 하여 도림의 실력을 알아보았다.

개로왕이 대국을 해보니 도림은 과연 국수였다. 그래서 개로왕은 도림을 최상의 손님으로 대접하며 자주 불러 바둑을 두었다. 그리고 바둑에서 지면 곧잘 이렇게 말하였다.

"짐은 대사를 늦게 만난 것이 너무나 안타깝습니다. 진작 만났더라면 즐거움이 몇 배는 더했을 것인데 말이오."

이렇듯 개로왕의 도림에 대한 신뢰는 대단했다. 그리고 개로왕이 도림에게 더욱 깊이 빠져들었을 때 도림이 넌지시 말하였다.

"저는 이국 사람인데 대왕께서 이렇듯 극진히 대접해 주시니 몸둘 바를 모르겠습니다. 저는 단지 가진 재주가 바둑 몇 수 가르칠 수 있는 것뿐이라 아직 대왕께 털끝만큼의 이익도 드린 적이 없지 않습니까?"

이 말에 개로왕은 손사래를 치며 말했다.

"어허, 거 무슨 말씀이오. 그대와 같은 바둑 친구를 얻는 것이 내 평생의 소원이었소. 그러니 그대는 단지 내 옆에 머무르는 것만으로도 평생의 소원을 이뤄준 것이오. 소원을 이뤄준 사람은 생명의 은인과 같은 법인데, 어찌 그대가 내게 준 이익이 없단 말이오. 혹여라도 내 주변을 떠날 생각은 하지 마시오. 불편하거나 섭섭한 일이 있으면 내가 모두 해결해 드리리다. 그리고 혹 내게 이익이 되는 말이 있거든 알려도 주시오."

"그렇다면 제가 한말씀 올려도 되겠습니까?"

"물론입니다. 꺼리지 말고 말해 보시오."

"대왕의 나라는 사방이 모두 산과 언덕, 강과 바다이니 이는 하늘이 내린 요새입니다. 이 때문에 사방의 이웃 나라들이 감히 대왕의 땅을 넘볼 생각을 하지 못하고 있는 것이지요. 그런데 만약 대왕께서 국가의 위엄을 지금보다 더 높이 세운다면 이웃 나라들은 스스로 엎드려 대왕을 섬길 것입니다.

무릇 국가의 위엄은 왕의 위엄에서 비롯되고, 왕의 위엄은 치적에서 비롯된다고 했습니다. 하지만 지금 대왕께서 머무시는 궁실은 낡았으며, 대왕의 백성들을 감싸고 있는 성곽은 허물어져 있습니다. 게다가 선왕의 유골은 들판에 가매장된 채로 버려져 있지 않습니까? 이래서야 어떻게 대왕의 위엄이 서겠으며, 또 국가의 위엄이 설 수 있을지 소인은 염려스러울 뿐입니다."

도림이 이렇게 말하자 개로왕은 큰 소리로 웃으면서 호쾌하게 대답했다.

"듣고 보니 대사의 말이 옳소이다. 그간 짐은 백성과 왕실에 너무 소홀했던 것이 사실이오. 그런데 오늘 이렇게 그대가 충언을 해주니 너무나 기쁩니다. 내 당장 대사의 말대로 궁실을 보수하고 성곽을 높이 쌓아 백성들의 근심을 없애고 국가의 권위를 세우겠소."

도림에게 호언장담한 후 개로왕은 국가 전역에서 백성들을 징발하여 성곽을 쌓고 궁실을 개수하기 시작했다. 또한 선왕인 비유왕의 능을 조성하고, 강변에는 둑을 쌓아 홍수에 대비하였다.

개로왕이 대대적인 공사를 벌이는 바람에 점차 백성들의 원성은 높아갔고, 국고는 바닥났다. 이 때 도림은 백제를 빠져나가 고구려로 돌아갔고, 장수왕에게 백제의 내부 사정을 보고했다. 이에 장수왕은 군사 3만을 이끌고 백제 도성을 공략했던 것이다.

고구려군이 몰려오고 있다는 소식을 듣자, 그제야 개로왕은 도림에게 자신이 농락당했음을 깨달았다. 하지만 이미 때는 늦은 상태였다. 오랫동안 계속된 부역으로 백성들은 지쳐 있었으며, 군대 또한 기강이 해이해져 있었다. 이에 개로왕은 스스로의 어리석음을 한탄하며 비상한 각오로 대책을 마련했다.

개로왕은 고구려군이 도성으로 밀려들 것을 대비하여 아우 문주에게 군사를 내주고 왕족들과 함께 남쪽으로 내려갈 것을 명령했다. 그리고 자신은 도성에서 끝까지 싸울 요량이었다.

이 무렵 고구려군은 이미 무서운 기세로 남진하고 있었다. 선봉장인 대로 제우를 비롯하여 백제에서 투항한 재증걸루, 고이만년 등의 장수들은 어느덧 백제 도성 북쪽 성을 공략하여 7일 만에 함락시켰고, 다시 진군하여 개로왕이 머물고 있는 남쪽 성을 공격하였다. 이에 개로왕은 몇몇 근위병을 데리고 가 까스로 도성을 빠져나와 남쪽으로 향하였다. 하지만 재증걸루에게 붙잡히고 말았다.

재증걸루는 개로왕을 생포하자 우선 군주에 대한 예의를 갖추기 위해 큰절 을 하였다. 그는 비록 죄를 짓고 고구려로 달아난 사람이긴 했지만 원래는 백 제의 장수였기 때문이다. 하지만 예의를 갖춘 후에는 다시 일어나 개로왕의 얼 굴을 향하여 세 번 침을 뱉고 죄목을 따졌다. 그리고 아차성 밑으로 끌고 가서 사형시키도록 하였다.

이 무렵 남쪽으로 내려갔던 개로왕의 아우 문주는 신라로 가서 원군을 요 청하였다. 그리고 신라에서 1만의 병력을 얻어 한성 수복작전에 돌입했다. 이 처럼 신라와 백제가 연합하여 공략하자 고구려는 개국 후 처음으로 함락시킨 백제의 한성을 포기하고 그해 9월에 남녀 포로 8천을 데리고 평양으로 돌아 왔다.

▶ 장수왕 시대의 세계 약사

장수왕 시대 중국은 5호 16국 시대를 종결하고 남북조 시대로 진입했다. 북쪽은 선비의 탁발부가 세운 북위가 화북을 통일하였고, 남쪽에서는 420년에 동진을 몰락시킨 송이 새 왕조를 일으켰다. 하지만 송은 북위의 압박과 정권다툼에 시달리다 8세 59년 만인 479년에 몰락하고, 소도성에 의해 제 왕조가 일어났다.

한편 이 시기 유럽은 엄청난 격동기를 맞이한다. 4세기 이후 세력을 확장하던 게르만족이 드디어 로마를 위협하는데, 415년에 왕국을 세운 서고트족은 417년에 알라니족을 멸망시키고, 418년에는 에스파냐를 점령한다. 또한 서로마에 진출한 게르만족 용병 출신 장수들이 세력을 확대하다가 456년에는 급기야 용병장수 리키메르가 서로마 제국의 정권을 장악한다. 그 후 리키메르는 465년에 세베루스왕이 죽자 왕을 세우지 않고 자신이 직접 통치하기에 이른다. 하지만 왕이 없는 상황이 자신에게 불리하다는 것을 깨달은 리키메르는 467년에 허수아비 왕 안테미우스를 세우고 정권을 독식한다. 하지만 리키메르는 스스로 왕이 되지는 못한 채 죽고, 게르만 용병대장 오도아케르가 정권을 장악한다. 그리고 오도아케르는 476년에 어린 왕 로물루스 아우구스툴루스왕을 폐한다. 이로써 서로마는 몰락하고 게르만족이 유럽을 점령한다. 하지만 오도아케르가 점령하고 있던 이탈리아 지방은 490년에 동고트에게 격파된다. 이로써 서유럽은 이베리아반도의 서고트, 프랑스 지역의 프랑크, 독일 지역의 부르군트, 이탈리아 북부 지역의 롬바르드, 이탈리아 남부 지역의 동고트, 영국 지역의 앵글로색슨 왕국 등이 성립되어 세력다툼을 벌인다.

제21대 문자명왕실록

1. 문자명왕의 영토수호 노력과 나제연합군의 협공
(?~서기 519년, 재위기간:서기 491년 12월~519년 모월, 약 28년)

문자명왕은 광개토왕과 장수왕에 의해 확장된 영토를 수호하기 위해 백제와 신라 연합군과 지속적인 전쟁을 벌인다. 하지만 문자명왕은 나제연합군에 밀려 많은 난관에 부딪히고, 결과적으로 고구려의 영토는 다시 축소되기에 이른다.

문자명왕은 장수왕의 손자이며 이름은 나운(羅雲)이다. 아버지는 장수왕의 맏아들 고추가 조다인데, 그가 결혼 후에 일찍 죽음에 따라 장수왕은 손자인 나운을 궁중에서 양육하여 장손으로 삼았다. 그리고 서기 491년 12월에 장수왕이 죽자 나운은 고구려 제21대 왕에 올랐다.

문자명왕이 즉위하자 위(북위) 왕 탁발원굉은 고구려에 사신을 보낸다. 그리고 왕자를 보내 자신을 예방할 것을 강요한다. 하지만 문자명왕은 왕자는 병이 들어 보낼 수 없다고 거절하고, 대신 종숙 승간을 위에 보냈다. 이후 고구려와 위는 서로 사신을 교환하며 화친을 맺고 외교관계를 원만하게 운영하였다.

제21대 문자명왕 시대의 각국 영토 및 세력 판도(A.D. 500년경)

약 수
유연
거란
물길
우수리강
고막해
송 화 강
말갈
고구려
북위
압 록 수
요 수
창 해
하 수
평성
평양
하평양
업도
백제
동 해
(왕해)
신라
왜
장안
낙양
백제
가야
토곡혼
성도
강릉
강 수
건강
제
남 해
이주

문자명왕은 장수왕이 확대한 영토를 지켜내지 못한다. 서쪽 땅은 요수 동쪽으로 위축되고, 한반
도에서 한강 이북으로 밀려난다.

이 무렵 고구려의 북쪽 부여에 물길이 침입하여 부여성을 함락하고, 부여의
일부를 병합하였다. 또한 한반도 남쪽 경계에서는 백제와 신라가 호시탐탐 침
략의 기회를 엿보고 있었다. 이 같은 변방 정국의 변화에 따라 고구려는 방비
를 강화하고 주변 국가의 정세를 살폈다.

그런 가운데 493년 2월에 물길에 의해 함락된 부여의 왕이 처자를 거느리
고 고구려에 투항해왔다. 이로써 서기전 4세기 이래 약 800년 동안 지속되던
부여 왕조는 완전히 몰락하였다.

한편, 한반도 쪽 남쪽 경계에서는 신라군이 침입하여 계속 북상하였다. 신라는 동해안을 거슬러 올라와 함흥을 거쳐 493년 7월에는 대동강을 넘었다. 이에 고구려군이 청천강 근처에 진을 치고 신라군의 북진을 차단한 후 대대적인 반격을 가하자 신라군은 퇴각을 거듭했다. 이후 고구려군은 신라군을 견아성으로 몰아넣고 포위했지만 안타깝게도 백제의 원군 3천이 밀려와서 후미를 치는 바람에 다시 퇴각해야만 했다.

백제에 의해 이처럼 신라 공략에 실패한 고구려는 이듬해 8월에 군사를 동원하여 백제의 치양성을 공격하였다. 고구려군이 치양성을 완전히 포위했는데, 이번에는 신라 원군이 백제를 돕는 바람에 또다시 퇴각하였다.

당시 신라와 백제는 서로 혼인관계를 형성하고 동맹을 맺은 상태였기에 고구려의 공격에 대해서 항상 연합군을 형성하였다. 이 때문에 고구려는 쉽사리 백제와 신라를 공략할 수 없었다. 더구나 백제는 488년에 대륙에서 북위의 침략에 맞서 대승을 거둔 이래 꾸준히 대륙백제의 세력을 확장하고 있었고, 이는 고구려의 대륙 쪽 변방과 한반도 쪽 경계를 동시에 위협하는 요소가 되고 있었다.

하지만 이 같은 난관에도 불구하고 문자명왕은 신라를 지속적으로 공격하였다. 495년 7월에는 신라의 우산성을 공격했다가 오히려 패배하여 물러났고, 이듬해 8월에 다시 우산성을 공략하여 마침내 함락시켰다. 이렇게 되자 신라는 고구려에 휴전을 제의했고, 고구려는 신라의 제의를 받아들여 백제 공략에 주력한다.

그 무렵 백제 땅에는 오랫동안 가뭄이 계속되고 있었다. 그 때문에 백제의 민심이 흉흉해지고, 경제가 어려움에 처했다. 그리고 급기야 499년 8월에는 기근에 시달린 백제 백성 2천 명이 고구려로 투항하는 상황이 벌어졌다. 이런 가운데 백제는 신라가 고구려와 휴전한 것을 책망하였고, 그 결과 475년 이래 지속되던 백제와 신라의 동맹관계는 종결되었다.

백제와 신라의 결별은 고구려에게는 희소식이었고, 또한 백제 공략의 기회이기도 했다. 하지만 그 무렵인 502년 8월에 메뚜기 떼가 몰려오는 바람에 고구려는 농사를 완전히 망쳐 경제가 피폐해졌다. 게다가 설상가상으로 두 달 뒤에는 큰 지진이 일어나 가옥이 파손되고 많은 사망자를 내는 바람에 고구려의 민심은 극도로 악화되었다. 백제는 이 기회를 놓치지 않고 그해 11월에 고구려의 남쪽 변방을 공략하였고, 다시 이듬해 11월에 군사 5천으로 수곡성을 공략하였다.

이렇듯 백제의 침략은 계속되고 있었지만 고구려는 내부 경제의 어려움으로 방어전에만 주력해야 했다. 뿐만 아니라 경제적 어려움은 위와의 무역량을 대폭 줄이는 결과를 낳아 위 왕실의 비난을 받기도 했다.

문자명왕은 이러한 난국의 원인이 모두 백제에 있다고 결론짓고, 506년 11월에 군사를 동원하여 백제를 공격했다. 그러나 폭설로 인해 동사자가 늘어나는 바람에 제대로 싸워보지도 못하고 퇴각해야만 했다. 그리고 이듬해인 507년 10월에 장수 고로를 파견하여 말갈과 함께 백제의 한성을 치기로 하였다. 하지만 이번에도 백제군에 밀려 퇴각해야만 했다.

그 후 문자명왕은 한동안 주변 국가들과 평화상태를 유지하며 내부 경제를 다졌다. 또한 외교적 안정을 위해 위와의 관계를 돈독히 하고, 한편으론 남방에서 제 왕조를 무너뜨리고 일어난 양나라와도 화친을 맺었다. 이에 따라 고구려 경제는 다시 살아났고, 백성들의 생활도 안정되었다.

이러한 안정은 곧 국력의 강화와 군사력의 증강으로 이어졌고, 결과적으로 백제 공략의 기틀을 마련할 수 있었다. 그래서 문자명왕은 512년 9월에 백제를 침공하여 가불성과 원산성을 함락시키고 남녀 1천여 명을 포로로 잡는 대성과를 올린다. 이는 문자명왕이 백제와 싸워 승리한 최초의 전쟁이었다. 또한 이 전쟁의 패배로 백제는 적어도 문자명왕 재위 기간 동안에는 더 이상 고구려를 침입하지 못했다.

이에 따라 문자명왕은 재위 후반기 7년 동안은 비교적 태평성대를 누리다가 519년에 생을 마감하였다. 능에 대한 기록은 남아 있지 않으며, 묘호는 '문자명왕(文咨明王)'이라 하였다.

문자명왕이 죽었다는 소식을 듣고 수렴청정을 하고 있던 북위의 영태후는

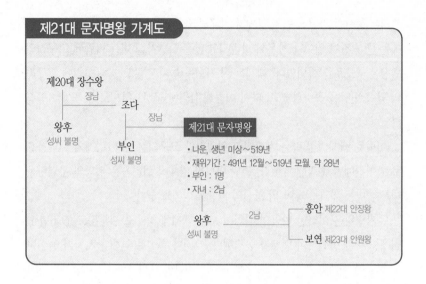

제21대 문자명왕 가계도

제20대 장수왕
─ 장남
조다
─ 장남
왕후
성씨 불명
부인
성씨 불명

제21대 문자명왕
- 나운, 생년 미상~519년
- 재위기간 : 491년 12월~519년 모월. 약 28년
- 부인 : 1명
- 자녀 : 2남

왕후
성씨 불명
─ 2남
흥안 제22대 안장왕
보연 제23대 안원왕

동당에서 애도의식을 거행했으며, 사신을 보내 장례에 참석하도록 하였다. 이는 고구려와 북위의 관계가 대등하였음을 보여주는 좋은 예이다(문자명왕을 '명치호왕(明治好王)'이라고도 불렀는데, 여기서 '명치'는 문자명왕의 연호인 듯하다).

문자명왕은 한 명의 왕후에게서 흥안(제22대 안장왕)과 보연(제23대 안원왕) 등 두 명의 아들을 얻었다. 왕후에 대한 기록은 남아 있지 않아 다룰 수 없고, 두 아들에 대해서는 「안장왕실록」과 「안원왕실록」에서 별도로 언급하기로 한다.

▶ 문자명왕 시대의 세계 약사

문자명왕 시대 중국은 남북조 중기에 해당한다. 이 때 북쪽에서는 북위가 효문왕, 선무왕, 효명왕 등이 차례로 즉위하며 비교적 안정을 누렸다. 하지만 왕권이 약화되어 강력한 통치력을 발휘하지는 못했다. 한편, 남쪽에서는 제 왕조가 혼란을 지속하다가 502년에 옹주 자사 소연의 반란으로 무너진다. 소연은 정권을 장악한 후 제왕 소보권을 폐위하고 자립하여 국호를 양(梁)으로 고친다. 이후 소연(무제)은 무려 47년간 재위한다.

이 시기 유럽은 로마가 몰락한 이래 서유럽에서 거대한 변화가 일어난다. 493년에는 테오도리쿠스가 오도아케르를 죽이고 이탈리아 지역에 동고트 왕국을 건설하고, 북아프리카 지역에는 반달 왕국이 건립된다. 또한 프랑스 지역을 점유한 프랑크의 클로비스 1세는 496년에 기독교로 개종하여 세력을 확대한다. 뿐만 아니라 그는 이듬해 서갈리아를 정복하여 팽창정책을 지속적으로 추진한다. 이 무렵 동유럽에서는 동로마가 페르시아와 전쟁을 지속하며 세력다툼을 벌였으며, 슬라브족이 도나우강 하류로 이동하여 정착지를 물색하고 있었다.

제22대 안장왕실록

1. 안장왕의 치세와 국제정세의 변화
(?~서기 531년, 재위기간:서기 519년 모월~531년 5월, 약 12년)

안장왕은 문자명왕의 장남이며, 이름은 흥안(興安)이다. 모후에 대한 기록은 남아 있지 않으며, 태어난 연도도 알 수 없다. 서기 498년(문자명왕 7년) 7월에 태자에 책봉되었고, 519년에 문자명왕이 죽자 고구려 제22대 왕에 올랐다.

문자명왕이 즉위할 당시 중국은 남쪽엔 양 왕조, 북쪽엔 위 왕조가 서로 세력을 다투며 대립하고 있었다. 안장왕은 문자명왕의 정책을 이어받아 이들 양국 관계에 직접 뛰어들지 않는 중립외교노선을 유지하고 있었다. 위와 양의 비중을 똑같이 두고 양쪽과 모두 화친을 맺은 것이다. 하지만 위는 자신들이 먼저 생긴 국가일 뿐 아니라 거리상으로도 가깝다는 점을 강조하며 양나라와의 외교관계를 단절할 것을 요구하곤 하였다.

그러나 안장왕은 위의 요구가 부당하다며 수용하지 않았고, 관례대로 520년 정월에 양나라에 사신을 보냈다. 그러자 양나라도 그해 2월에 사신 강주성을 보내 안장왕에게 의관, 칼, 패물 등을 바쳤다. 이에 위나라는 뱃길로 돌아가는 양나라 사신을 체포하기에 이른다. 이 때문에 위와 양은 관계가 더욱 악화되었고, 고구려는 그 같은 상황을 적절하게 이용하며 국익을 챙겼다. 당시 위는 왕실과 선비 귀족의 불화로 국론이 분열되는 양상을 보였고, 양은 지속되는 농민봉기로 항상 내정이 불안한 상태였다. 때문에 이들 양국은 고구려와의 외교관계에 집착할 수밖에 없었으며, 이 점을 잘 알고 있던 고구려는 실리적 노선에 바탕을 두고 중립외교로 일관할 수 있었던 것이다.

이 같은 외교적인 안정은 광개토왕 이후 지속되던 백제압박정책을 강화시키는 결과로 나타났다. 당시 백제는 고구려를 대신한 말갈과의 오랜 전쟁으로 지쳐 있었는데, 설상가상으로 521년(무령왕 21년)에는 천재지변이 잇따랐다. 그해 5월에는 홍수로 많은 지역이 물에 잠기더니 8월에는 메뚜기 떼가 몰려와 그나마 남아 있던 농작물마저 황폐화시켰다. 이 때문에 많은 백성이 굶주림에 시달렸고, 이를 이기지 못한 9백여 호의 백성이 신라로 대거 이주하는 사태가 벌어졌다. 그런데 이듬해 10월에는 다시 지진이 발생하여 가호가 무너졌다.

이처럼 천재지변이 계속되자 무령왕은 고구려와 말갈의 침입을 염려하며 523년 2월부터 15세 이상 되는 장정들을 대거 징발하여 쌍현성을 중수하도록 하였다. 이 때문에 굶주림에 지친 백성들의 원성은 더욱 높아졌고, 그런 가운데 격무에 시달린 무령왕은 그해 5월에 죽음을 맞았다.

고구려는 이 같은 호기를 놓치지 않았다. 안장왕은 523년 8월에 군사를 동원하여 백제의 대륙기지를 공략하게 하였다. 안장왕은 문자명왕 때에 잃은 하수(황하) 이북 지역을 되찾으려 하였고, 마침내 그 기회가 왔다고 판단했던 것이다. 하지만 패수에서 백제 장군 지충이 이끄는 1만의 군대에 막혀 큰 성과를 거두지 못했다.

이렇듯 고구려의 예봉을 꺾은 백제의 성왕은 고구려의 재침입에 대비하기 위해 525년에 신라의 법흥왕에게 사신을 보내 화친을 제의했다. 이에 법흥왕은 백제의 화친을 받아들여 사신을 교환하였다. 이로써 신라와 백제는 501년 이후 단절됐던 동맹관계를 복구하였고, 삼국의 관계는 또 한 번 전기를 맞이

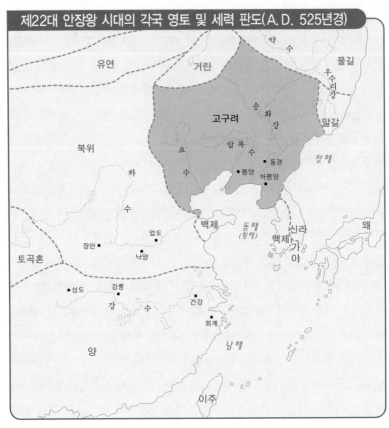

제22대 안장왕 시대의 각국 영토 및 세력 판도(A. D. 525년경)

유연 | 거란 | 약 수 | 물길

우수리강

고구려 | 송화강 | 말갈

북위 | 압록수 | 동경 | 창 해

요수 | 평양 | 하평양

하수

백제 | 동 해 (창 해) | 신라

장안 | 업도 | 왜

낙양 | 백제 가야

토곡혼

성도 | 강릉 | 강 수 | 건강

회계

양 | 남 해

이주

안장왕의 노력으로 고구려는 요수 지역을 다시 되찾고, 백제와 북위를 상대로 세력 다툼을 벌인다.

한다.

이 무렵, 북위에서는 중대한 사태가 벌어지고 있었다. 위 왕 탁발원굉 이후 위 조정은 한족 지주층의 지지를 얻기 위해 선비족과 한족의 결혼을 장려하고 선비의 성을 한족의 성으로 바꾸게 하는 등 한족화정책을 실시하였는데, 이 때문에 선비 귀족들의 불만이 고조되었다. 그리고 급기야 523년에는 하북성 일대의 군인들이 봉기를 일으켰다. 이후 산동, 섬서, 감숙성 지역에서도 대규모 군사봉기가 일어났다. 그리고 군사봉기는 수년 동안 계속되어 위의 서부 지역은 혼란 속에서 헤어나지 못했다. 이 같은 혼란으로 북위 왕실은 마침내 무너

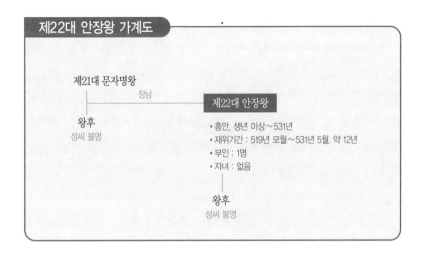

져, 534년에 서위와 동위로 분리된다.

이 상황을 이용하여 백제는 대륙기지를 확대하려는 의도를 드러냈고, 이를 눈치 챈 고구려는 529년 10월에 대군을 동원하여 백제의 대륙기지를 선제공격하였다. 안장왕은 자신이 직접 수만 명의 병력을 이끌고 백제의 북변 요새인 혈성을 공격하여 무너뜨렸다. 이에 백제는 보병과 기병으로 구성된 대륙군 3만을 전부 동원하여 고구려군에 대항하였다. 그리고 양국 군사는 오곡벌판에서 대혈전을 벌였다.

결과는 고구려의 대승이었다. 백제군은 무려 2천 명의 전사자와 수천의 부상자를 내고 퇴각하였고, 고구려는 그 여세를 몰아 백제군을 궁지로 몰았다. 또한 한반도 쪽 전선에서도 비슷한 양상이 재현되었다. 고구려군은 아리수를 넘어 진군하였고, 백제군은 수성전을 펼치며 가까스로 버텼다.

두 나라의 전쟁은 거의 2년간 계속되었다. 그리고 시간이 지날수록 백제군은 점점 수세에 몰렸다. 그 결과 대륙의 하수 이북 지역과 한반도의 차령산맥 이북 지역이 거의 고구려군에 의해 점령되었다. 그러나 그때 고구려군 진영에는 철수명령이 떨어진다. 그동안 백제에 대해 강력한 압박정책을 주도하던 안장왕이 531년 5월에 숨을 거뒀던 것이다.

능에 대한 기록은 남아 있지 않으며, 묘호는 안장왕(安臧王)이라 하였다.

[안장왕 사망 후에도 백제는 반격을 가할 입장이 되지 못했다. 또한 이 전쟁의 여파로 백제는 대륙에서의 기반을 대부분 상실하였다. 그 때문에 성왕은 538년에 웅진성을 버리고 사비성으로 옮겨간다. 뿐만 아니라 '백제'라는 국호도 버리고 '남부여'라는 새로운 국호를 사용하기에 이른다. 이는 백제가 535년에 새롭게 일어난 동위(東魏)의 침략을 받아 대륙의 기반을 완전히 상실하게 된다는 것을 의미한다.]

안장왕의 가족에 대한 기록은 전혀 없다. 또한 안장왕은 아들이 없었으므로 동생 보연이 왕위를 이었다.

▶ 안장왕 시대의 세계 약사

안장왕 시대 중국은 남북조의 말기로 진입한다. 북조의 북위는 한족화정책의 후유증으로 선비 귀족들이 중심이 된 군사봉기에 직면하여, 급기야 몰락의 위기에 몰리게 된다. 이 과정에서 탁발후, 탁발자유, 탁발공 등이 차례로 왕위에 올랐다 물러나는 등 정치적 혼란이 가중된다. 하지만 남조의 양나라는 지속되는 농민봉기 속에서도 비교적 안정을 누리며 평화기를 지속한다.

이 시대 유럽은 서부와 동부로 나뉘어 다르게 발전한다. 서부는 서로마 멸망 이후 프랑크, 서고트, 동고트, 부르군트, 앵글로색슨 등의 국가들이 정착되었고, 그 과정에서 형성된 영웅서사시 「베어울프」, 「아서왕 이야기」 등이 민간에 회자된다. 한편 동부에서는 동로마의 유스티니아누스 1세가 왕으로 등극하여 페르시아군을 격파하고, 『유스티니아누스 법전』 등을 완성한다. 이 무렵 베네딕트회가 성립된다.

제23대 안원왕실록

1. 계속되는 천재지변과 안원왕의 복구 노력
(?~서기 545년, 재위기간 : 서기 531년 5월~545년 3월, 13년 10개월)

안원왕은 문자명왕의 차남이며, 안장왕의 아우로 이름은 보연(寶延)이다. 안장왕은 아들을 낳지 못했기 때문에 보연을 자주 궁중으로 불렀다. 보연은 키가 7척 5촌이나 될 정도로 기골이 장대하였으며, 인품 또한 뛰어나 세인의 존경을 받았다. 이런 까닭에 형인 안장왕은 그를 무척 총애하였고, 결국 계승자로 삼기에 이르렀다. 그리고 531년 5월에 안장왕이 죽자 보연은 고구려 제23대 왕에 올랐다.

안원왕이 즉위했을 때 중원의 최강국이었던 북위는 내란에 시달리고 있었다. 이 같은 상황은 528년에 호태후가 위 왕 탁발후를 살해하고 자신의 당질을 왕위에 앉히면서 시작됐다. 자신의 당질 원조를 왕으로 옹립한 호태후는 그때부터 수렴청정을 하며 정권을 장악했다. 당시 선비의 귀족들은 탁발원굉에 의해 5세기 말부터 계속되던 왕실의 한족화정책에 반발하고 있던 터였는데, 호태후가 왕을 폐위하자 이를 기화로 반란을 일으켰던 것이다.

반란의 주모자는 글호족의 추장 이주영이었다. 호태후의 섭정에 불만을 품고 있던 그는 군사를 일으켜 낙양을 장악하고 호태후를 사로잡았다. 또한 호태후가 옹립한 원조를 익사시키고 왕족과 신하 2천여 명을 살해하였다. 이 때 살해된 귀족 가운데 대부분은 한족 관리였다.

정권을 장악한 이주영은 원자유를 왕으로 세우고 조정을 농단하였다. 하지만 원자유는 그의 꼭두각시 노릇을 거부하고 기회를 엿보다가 이주영을 죽인다. 그러나 원자유는 이주영의 아들 이주조에 의해 다시 죽임을 당하고, 이주조는 종실 원공을 왕으로 세워 정권을 장악한다. 그런데 이 무렵 하북성에서 고환이 군사반란을 일으켜 이주조에 대항하였고, 결국 이주조를 제거하고 종실 원수를 새로운 왕으로 세운다. 이로써 고환은 이주씨를 제거하고 새로운 실력자로 군림하였다.

하지만 왕으로 등극한 원수는 고환을 싫어한 나머지 낙양을 탈출하여 서쪽에서 세력을 형성하고 있던 우문태에게 의지한다. 이에 고환은 종실 원선견을 왕으로 세웠고, 그 후에 업성으로 도읍을 옮겼다. 이 무렵 서쪽의 권력자 우문태는 자신을 찾아온 원수를 살해하고 원보거를 새 왕으로 옹립하여 장안에 도읍을 정한다. 그 결과 북위는 동위와 서위로 갈라지게 된다.

이들 두 나라 중 고구려에 먼저 손을 내민 쪽은 동위였다. 동위는 지리적으로 가까울 뿐 아니라 서위를 견제하기 위해서는 고구려의 도움이 필수적이었기 때문에 업도를 도성으로 삼은 534년에 고구려에 사신을 보내고 화친을 제의했다. 이에 고구려는 동위의 화친제의를 받아들이고 산동의 대륙백제에 대해 압력을 가해줄 것을 부탁했다.

동위는 산동 지역의 일부가 백제의 영역이라는 점을 못마땅해하고 있던 터라 고구려의 부탁과 상관없이 백제를 공략했다. 이 때 백제의 대륙기지는 529년 이후 3년 동안 계속된 고구려의 침략으로 매우 약화되어 있었기 때문에 동위의 공략을 막아낼 수 없었다. 이에 백제는 양나라에 도움을 청했지만 양나라는 고구려와 동위와의 관계를 생각해 원군을 보내지 않았다. 이 결과 백제의 대륙기지는 붕괴되어 동위에 함락되고 말았고, 이 때부터 백제는 대륙의 기반

제23대 안원왕 시대의 각국 영토 및 세력 판도(A. D. 540년경)

동위의 성장으로 백제는 대륙 영토를 잃고, 고구려 또한 크게 위축되어 요수 동쪽으로 움츠러든다.

을 완전히 상실했다.

이렇게 되자 백제의 성왕은 538년에 도읍을 사비(부여)로 옮기고 국호를 '남부여'로 바꾸었다. 그리고 잃은 땅을 만회하기 위해 540년에는 고구려의 우산성을 공격하였다. 우산성은 고구려가 498년에 신라로부터 빼앗아 한반도 남진의 전략기지로 사용하던 곳이었다. 백제는 우산성을 차지하면 고구려의 한반도 지역 공략을 저지할 수 있다고 판단한 것이다.

그 무렵 고구려는 535년 여름에 발생한 대홍수와 그해 겨울에 일어난 지진,

그리고 536년 여름에 닥친 가뭄, 또 그해 가을에 밀려온 메뚜기 떼 등에 의한 피해로 극심한 어려움을 겪고 있었다. 2년 동안 계속된 자연 재해는 백성들을 기근에 시달리게 했고, 이 때문에 많은 유랑민이 발생하여 민심은 극도로 악화되었다. 안원왕은 민심 이반을 막기 위해 전국을 순행하며 백성들을 위로하였고, 한편으론 경제적 궁핍을 조속히 해결하기 위해 동위와 양나라에 원조를 요청하는 상황이었다.

백제의 성왕은 고구려의 경제적 파탄을 놓치지 않고 우산성을 공략했던 것이다. 백제가 우산성을 공략하자 고구려는 미처 손을 쓰지 못하고 수세에 몰렸다. 그래서 일시에 우산성은 백제군에 의해 포위되고 말았다. 이에 경제적 어려움을 극복하기에 여념이 없던 안원왕은 사태의 심각성을 감지하고 중앙의 정예기병 5천을 급히 우산성으로 보냈다.

정예기병 5천이 당도하기까지 우산성의 고구려군은 사력을 다해 싸웠고, 마침내 함락 직전에 기병 5천이 백제군의 후미를 친 덕분에 가까스로 성을 지켜낼 수 있었다.

이처럼 백제군에게 기습을 받아 혼쭐이 났지만 고구려는 그 이후 보복전을 전개할 수 없었다. 수년 동안 계속된 재해로 어려움을 겪고 있는 데다가 설상가상으로 여름에 우박이 내리는 등 이상기온현상이 몇 년 동안 기승을 부렸기 때문이다.

안원왕은 재위기간 내내 이처럼 재해에 시달리며 노심초사했는데, 설상가상으로 544년 12월에 자식들이 왕위계승권을 놓고 다툼을 벌였다. 장남 녹군(양원왕)과 다른 아들 세군 사이에 한바탕 전쟁이 벌어져 녹군이 세군을 죽이고, 그 가족을 몰살시키는 사태가 벌어졌다. 안원왕은 그 사건이 일어난 지 3개월 만인 545년 3월에 생을 마감하였다. 묘호는 '안원왕(安原王)'이라 하였으며, 『일본서기』에는 향강상왕(香岡上王)이라고 기록되어 있다. 이는 곧 그가 향강상에 묻혔다는 의미이다.

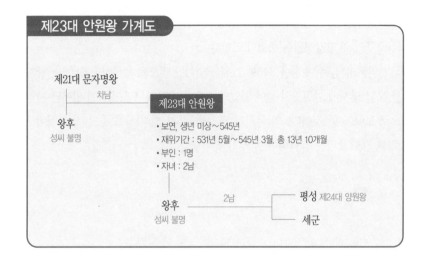

제23대 안원왕 가계도

제21대 문자명왕
├ 차남 → **제23대 안원왕**

왕후
성씨 불명

• 보연, 생년 미상~545년
• 재위기간 : 531년 5월~545년 3월. 총 13년 10개월
• 부인 : 1명
• 자녀 : 2남

왕후 ── 2남 ─┬─ **평성** 제24대 양원왕
성씨 불명   └─ **세군**

2. 안원왕의 가족들

안원왕의 가족에 대한 기록은 거의 남아 있지 않다. 다만 『일본서기』에 그의 두 아들 녹군(평성)과 세군이 왕위를 다투다가 세군이 녹군에게 패해 죽은 것으로 기록되어 있다. 아마도 녹군은 양원왕을 지칭하고, 세군은 그의 아우 중 하나였던 것으로 보인다. 하지만 두 사람이 같은 어머니에게서 태어났는지는 분명하지 않다. 녹군에 관해서는 「양원왕실록」에서 별도로 언급하기로 하고, 여기서는 세군에 대해서만 간단하게 서술한다.

세군(細群)

안원왕의 아들로 544년 12월에 난을 일으켜 왕위를 차지하려 했다. 왕자들이 왕권 경쟁을 했던 것으로 봐서 당시 안원왕은 중병이 들어 병상에 있었던 것으로 보인다.

당시 상황을 『일본서기』는 이렇게 기록하고 있다.

"고구려에 대란이 일어나서 주살당한 자가 많았다. 「백제본기」에 말하였다. 12월에 고구려국의 세군과 녹군이 궁문에서 싸웠다. 북을 치며 싸웠다. 세군이

져서 포위를 풀지 않은 지 3일이 되었다. 세군의 자손을 모두 잡아죽였다. 백국(고구려)의 향강상왕이 죽었다고 한다."

(『일본서기』는 이 일을 545년 12월에 일어난 것으로 기록하고 있으나, 왕자들의 난 당시에 안원왕이 살아 있었던 것으로 봐서 544년 12월에 일어난 사건으로 보아야 할 것이다. 『일본서기』도 「백제본기」의 기록을 옮겨 적은 것이므로 그 정도 오차는 감안해야 할 것이다.)

▶ 안원왕 시대의 세계 약사

안원왕 시대 중국은 여전히 남북조를 유지하고 있었다. 남쪽의 양은 개국자인 소연이 다스리고 있었고, 북쪽의 북위는 내란이 일어나 동위와 서위로 갈라졌다. 동위는 업도에 도읍하여 황하 동쪽의 산서, 산동, 하남, 강소성 지역을 차지하였으며, 서위는 장안에 도읍하고 서천, 화중, 감숙성 지역을 차지하였다.

이 시대 유럽에서는 프랑크가 부르군트를 병합하여 세력을 확대했으며, 동로마는 페르시아와 화친을 맺은 후에 반달 왕국을 정복하여 아프리카로 진출하고, 다시 동고트를 멸망시켜 이탈리아반도를 장악했다. 그 후 동로마는 다시금 페르시아와 전쟁을 치러 시리아, 메소포타미아, 아르메니아 등을 정복한다. 하지만 이탈리아 지역에서 다시 동고트가 흥기하는 바람에 이탈리아 대부분 지역을 동고트에 빼앗긴다. 한편 이 시기에 성 소피아 대성당, 이레네 성당 등이 건립된다.

제24대 양원왕실록

1. 양원왕의 계속되는 패전과 고구려의 위축
(?~서기 559년, 재위기간:서기 545년 3월~559년 3월, 14년)

양원왕은 안원왕의 맏아들이며, 이름은 평성(平成)이다. 언제 태어났는지는 분명하지 않으며, 모후에 대한 기록도 남아 있지 않다. 다만 어려서부터 총명하고 지혜로웠으며 호방한 성격을 지녔던 것으로 전해진다. 안원왕 3년인 서기 533년에 태자에 책봉되었고, 545년 3월에 안원왕이 죽자 고구려 제24대 왕에 올랐다.

그는 왕위에 오르기 전에 한 차례 홍역을 치렀다. 부왕 안원이 병상에 있을 때 아우 세군이 반란을 일으켜 왕위를 찬탈하려 했던 것이다. 이 때문에 그는 세군과 목숨을 건 한판 싸움을 벌여야 했다. 기습적으로 난을 일으킨 세군은 반란 초기엔 승기를 잡았던 모양이다. 그는 군대를 이끌고 단숨에 궁궐까지 밀려왔고, 태자 평성은 금위병을 동원하여 가까스로 궁궐을 지켰다. 그리고 시간이 흐르면서 세군의 군대는 궁지에 몰렸고, 결국 3일 만에 난은 진압됐다. 하지만 병상에 누운 아버지가 보는 앞에서 형제간에 벌인 혈전인 만큼 이 사건은

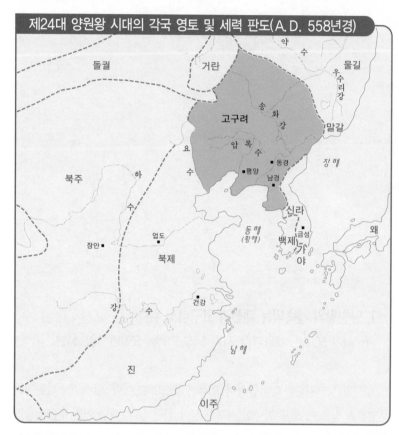

제24대 양원왕 시대의 각국 영토 및 세력 판도(A. D. 558년경)

양원왕 대에 신라의 성장이 주목할 만한 일이다. 백제는 한층 위축되고 고구려도 한반도 동북방의 패권을 신라에게 빼앗긴다.

고구려 조정을 크게 흔들어 놓았고, 양원왕의 위상도 크게 약화되었다.

양원왕이 즉위했을 때 국제정세는 또 한 번 큰 변화를 겪고 있었다. 북위가 동위와 서위로 갈라져 세력이 약화되자 북쪽에서는 돌궐이 일어나 고구려의 서쪽 변경을 위협하였고, 진흥왕이 즉위한 후 급속도로 성장한 신라는 점차 세력을 확대하며 고구려의 한반도 쪽 변경을 노렸다. 또한 백제는 나날이 성장하는 신라와 손을 잡고 고구려 공략에 박차를 가했으며, 북쪽 변방에서는 물길과 말갈이 힘을 강화하여 남진을 지속하였다.

사방이 적의 위협에 놓이자 양원왕은 이 위기를 타개하기 위하여 전쟁 준비에 돌입하였고, 547년 7월에 백암성을 개축하는 한편 신성을 수리한다. 그리고 이듬해 정월에 동예 지역에 주둔하던 군사 6천을 동원하여 아리수 이북의 백제 요새인 독산성을 공격한다. 하지만 독산성을 함락시킬 무렵 신라 장군 주령(또는 주진)이 기갑병 3천을 이끌고 백제군에 가세하는 바람에 퇴각하고 말았다.

고구려, 백제, 신라가 한반도에서 치열하게 패권다툼을 벌이고 있는 동안 중국의 정세도 심상치 않게 돌아가고 있었다.

북위가 동위와 서위로 분리된 이후 남조의 양나라는 동위를 공격하여 영토를 확장하고자 했다. 하지만 번번이 전쟁에서 패하는 바람에 그 뜻을 이루지 못하고 있었는데, 547년에 동위의 장군 후경이 동위의 실질적 통치자인 고징과 불화를 겪다가 하남 지역의 13개 주를 가지고 양나라에 귀순했다. 이에 양왕 소연은 그를 환대하였는데, 막상 양나라에 귀순한 후경은 그 곳의 복잡한 내부사정에 염증을 느끼게 되었다. 후경은 모반을 계획하고 549년에 군사를 일으켜 양나라 건강(남경)의 왕성을 포위했고, 마침내 함락시켜 소연을 궁중에 연금하기에 이른다. 그 후 소연이 궁중에서 굶어죽자 스스로 왕위에 올랐는데, 이 때부터 양나라는 정권다툼의 각축장으로 전락한다.

그런데 중국의 혼란은 비단 남조의 혼란으로만 그치지 않았다. 550년에 동위의 실력자 고환이 죽자 그의 아들 고양은 동위 왕 원선견을 폐위하고 자신이 왕위에 오른다. 그리고 그는 국호를 제(北齊)라 칭한다. 이렇게 되자 서위에서는 실력자 우문태의 아들 우문각이 왕위를 노린다.

중국 대륙이 급격한 변화를 겪자 고구려는 신경을 곤두세우며 중국 쪽을 경계한다. 그런데 이를 눈치 챈 백제는 550년 정월에 고구려의 도살성을 기습하여 함락시킨다. 이에 고구려는 보복전을 펼치며 백제의 금현성을 공격하였다. 이렇게 되자 고구려와 백제는 서로 전면전이 불가피하게 되었고, 시간이 지남에 따라 양쪽 병력은 피로에 지쳐갔다.

고구려와 백제가 소모전을 벌이는 동안 신라는 양국의 전력이 약화되기를 기다리며 어부지리를 노리고 있었다. 그리고 마침내 고구려군과 백제군이 지치자 금현성과 도살성을 공격하여 고구려군과 백제군을 내쫓고 두 성을 차지하였다. 이 사건으로 백제와 신라의 동맹은 깨지고, 삼국관계는 새로운 양상으로 발전하게 된다.

신라의 강성으로 삼국관계가 새로운 국면으로 접어들 무렵 또 하나의 세력이 고구려의 서북쪽 변방을 향해 몰려오고 있었다. 북위의 멸망 이후 꾸준히 성장하고 있던 돌궐이 어느덧 거란을 뒤로하고 고구려의 국경을 위협하기 시작했던 것이다. 551년 가을에 그들은 고구려 국경을 넘어 침입해 왔으며, 9월에는 평양성 북쪽의 신성을 포위하였다. 하지만 신성을 함락시키지 못하자 군대를 이동하여 백암성을 공략하였다. 이에 양원왕은 장군 고흘에게 군사 1만을 내주어 그들과 대적하게 하였고, 고흘은 뛰어난 용병술로 군대를 인솔하며 돌궐군 1천을 죽이고 승리하였다.

그런데 신라가 이 상황을 이용하여 고구려의 한반도 쪽 변경을 침략하였다. 신라의 진흥왕은 거칠부를 수장으로 내세워 고구려 공략에 나섰고, 돌궐군과의 싸움으로 전력이 대폭 약화된 고구려군은 신라의 침입을 막아내지 못하고 10개의 성을 빼앗겼다. 이로써 고구려의 한반도 쪽 영토는 평안남북도와 황해도, 함경북도 지역으로 축소되었다.

이처럼 상황이 불리하게 전개되자 양원왕은 만일의 사태를 위해 더 안전한 새로운 도읍지를 물색하여 552년에 장안성을 축성한다. 이 무렵 신라는 백제와 싸움을 벌여 신주를 차지하고 더욱 세력을 확대한다. 이에 백제의 성왕은 진흥왕에게 화친을 제의하고 자신의 딸을 진흥왕의 후비로 시집보내 양국간에 결혼동맹을 맺었다.

하지만 백제와 신라의 관계는 이전 같지 않았다. 이미 신라가 백제와의 동맹을 파기했기 때문에 양국의 결혼동맹은 그다지 큰 의미가 없었던 것이다. 그 때문에 백제의 성왕은 왜에 왕자 창을 보내 원병을 요청하였고, 고구려는 이 기회를 이용하여 백제를 공략할 계획을 수립하였다. 그런데 뜻밖에도 이 때에 북제의 공격을 받은 거란 백성 1만여 호가 귀순해오는 바람에 백제공격계획을

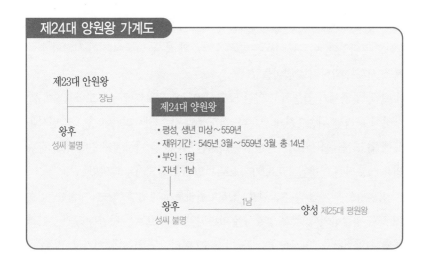

제23대 안원왕

장남

제24대 양원왕

왕후
성씨 불명

• 평성, 생년 미상~559년
• 재위기간 : 545년 3월~559년 3월. 총 14년
• 부인 : 1명
• 자녀 : 1남

왕후
성씨 불명

1남

양성 제25대 평원왕

미뤄야만 했다. 그 무렵 신라와 백제의 관계는 더욱 악화되었고, 급기야 554년 7월에 백제의 성왕이 야음을 틈타 신라를 공격하려다가 되레 복병에게 살해되는 사태가 발생했다. 이에 고구려는 백제에 대한 대대적인 공격계획을 수립하고 554년 10월에 백제의 요충지인 웅천성을 공격하였다. 하지만 위덕왕(왕자 창)이 이끄는 백제군에 밀려 퇴각하고 말았다.

이후 양원왕은 더 이상 백제 공략에 나서지 못했다. 오랫동안 계속된 전쟁으로 병사들은 지쳐 있었고, 거듭된 패배로 사기는 완전히 땅에 떨어져 있었는데, 중국의 정세마저 심상치 않은 상황으로 치달았기 때문이다.

557년에 서위의 실력자 우문태가 죽자 그의 아들 우문각이 서위 왕 탁발곽을 죽이고 스스로 왕위에 올랐다. 그리고 국호를 주(北周)라고 하였다. 이렇게 하여 북조에는 북제와 북주가 건립되었다. 한편, 남조에서도 한동안 권력쟁탈전이 계속 이어지다가 552년에 상동 왕 소역이 후경을 제거하고 왕이 되었는데, 종실인 옹주 자사 소찰이 이에 불만을 품고 서위에 항복한다. 그리고 소찰은 서위의 세력을 등에 업고 소역을 제거한다. 하지만 소찰은 서위의 통제를 받는 허수아비왕에 불과하였다. 이 때 장군 왕승변과 진패선은 소역의 아들 소방지를 왕으로 옹립해 소찰에 대항하였고, 얼마 뒤에 진패선이 왕승변을 살해하고 다시 557년에 소방지를 폐위한 후 자신이 왕위에 오른다. 또한 국호도 진(陳)으로 바꾼다. 이로써 중국은 북쪽엔 북주와 북제, 남쪽엔 진이 성립되어 남북조 시대는 막바지로 접어들었다.

중국의 정세가 급변하고 있던 557년 10월에 고구려에서도 모반사건이 발생하여 나라를 뒤숭숭하게 만든다. 환도성의 장수 간주리가 흉흉해진 민심을 등에 업고 군대를 일으켰던 것이다. 하지만 반란군은 관군에게 진압되고, 간주리는 생포되어 처형됨으로써 가까스로 반란이 확산되지는 않았다.

양원왕은 이처럼 많은 고난을 겪으며 위태롭게 왕위에 머물다가 559년 3월에 생을 마감하였다. 능은 양강상에 마련되었으며, 묘호는 양원왕(陽原王)이라 하였다〔양원왕을 '양강상호왕(陽崗上好王)'이라고도 하는데, 여기서 '양강상'은 능이 위치한 지명인 듯하다〕.

양원왕의 가족에 대한 기록은 거의 남아 있지 않다. 그는 한 명의 왕후에게서 아들을 한 명 얻었는데, 그 아들의 이름은 양성(평원왕)이다. 양성에 대해서는 「평원왕실록」에서 별도로 언급한다.

제25대 평원왕실록

1. 평원왕의 화친정책과 수나라의 강성
(?~서기 590년, 재위기간:서기 559년 3월~590년 10월, 31년 7개월)

평원왕은 양원왕의 맏아들로 이름은 '양성(陽成)'이다(중국 사서에는 '탕 (湯)'으로 기록되어 있다). 언제 태어났는지는 분명치 않으며, 모후에 대한 기록도 남아 있지 않다. 양원왕 13년(557년)에 태자에 책봉되었고, 559년 3월에 양원왕이 죽자 고구려 제25대 왕에 올랐다.

평원왕 즉위 당시 고구려의 국력은 상당히 위축된 상태였다. 한반도 쪽에서는 신라가 세력을 확대하여 함경도 지역까지 진출한 상태였고, 대륙의 서쪽 변경에서는 북주와 돌궐 등이 압박을 가해오고 있었다. 이처럼 양쪽 변방이 모두 위협을 받자 고구려 조정은 어느 쪽에 대해서도 적극적인 대응을 할 수 없었다. 더구나 양원왕 재위시의 지나친 국력 소모로 고구려의 군사력은 광개토왕 이후 최악의 상황이었다. 고구려는 이 같은 상황을 극복하기 위해 국경을 접하고 있던 북제와 남쪽의 진나라 등과 화친을 맺고 이들 압박 세력을 경계했지만 그다지 큰 도움을 얻지 못했다. 이에 따라 평원왕은 즉위 이후 줄곧 주변 국가에 대해 온건한 태도를 보이면서 가급적 전쟁을 기피하는 경향을 보인다.

평원왕은 즉위 이듬해인 560년에 북제와 진나라 사신을 맞이하고 화친을 맺었으며, 그해 2월에는 졸본으로 가서 동명성왕의 사당에 제를 올렸다. 그리고 돌아오는 길에 자신이 머무른 지역의 죄수들을 대거 사면하여 민심을 진작시켰다.

그러나 평원왕의 행로는 순탄치 않았다. 561년 6월에는 대홍수가 발생하여 경제적 파탄을 예고하더니, 563년에는 가뭄이 오랫동안 계속되어 민심을 흉흉하게 하였다. 이에 평원왕은 평시의 음식을 줄이고 산천에 제단을 마련하여 기우제를 올리는 등 백성들과 고통을 함께하는 자세를 보임으로써 민심을 수습한다.

이 무렵 한반도에서는 백제와 신라가 치열한 패권다툼을 벌이고 있었다. 진흥왕 즉위 이후 과감한 팽창정책을 실시하여 영토를 확장한 신라는 지속적으로 백제를 압박하였다. 이에 백제는 가야, 왜 등과 동맹을 맺고 신라에 대항하였으나 무섭게 달아오른 신라의 기세를 꺾지는 못했다. 더구나 신라는 562년에 대가야를 점령하고 백제의 후미를 위협하는 한편 왜에 사신을 보내 백제와 왜의 동맹관계를 와해시키는 정책을 구사하고 있었다.

신라의 성장은 고구려에도 매우 위협적이었다. 신라의 진흥왕은 568년에 고구려로부터 뺏은 영토에 황초령순수비와 마운령순수비를 건립하여 그 지역에 대한 소유권을 확인하였는데, 이는 고구려로서는 매우 비위가 상하는 일이었다. 하지만 서쪽 변경을 압박하는 돌궐, 거란, 북주 등으로 인해 신라의 그 같은 행동에 대해 적극적인 대응을 할 수 없었다. 이에 평원왕은 신라를 견제하기 위한 방책으로 570년에 왜에 사신을 파견하였다.

사절단은 570년 4월에 고구려를 출발하여 그해 7월에 왜에 도착하였고, 572년 7월에 귀국하였다. 이들 사절단은 왜 조정의 극진한 대접을 받았고, 결과적으로 화친을 맺는 데 성공한다. 이는 곧 왜를 통해 신라의 후미를 공략할 수 있는 기반을 확보했다는 점에서 커다란 외교적 성과였다.

사절단이 왜에서 돌아올 즈음 평원왕은 오랜만에 경제적 안정을 누리며 궁실을 중수하는 작업을 명령해놓고 있었다. 또한 패하 벌판으로 나아가 사냥을 즐기며 한가한 시간을 보내기도 하였다. 그러나 그해 8월에 가뭄이 한동안 계속되더니 메뚜기 떼가 농토를 덮쳐 민간경제를 무너뜨렸다. 이에 평원왕은 즉시 궁궐 중수 작업을 중단시키고 사냥을 비롯한 향락생활을 멈추고 민간경제 회복에 나섰다.

평원왕이 민간경제 회복에 부심하고 있을 때, 그동안 호시탐탐 침략의 기회를 엿보고 있던 북주가 요동을 침략하였다. 이에 평원왕은 직접 군사를 이끌고 북주군과 대항하였고, 마침내 배산에서 북주군을 격퇴하여 난국을 수습하였다. 이 전쟁에서 온달이 두각을 나타내어 평원왕의 사위로 인정받고 대형의 직위에 오른다.

북주와의 전쟁으로 군사들의 사기가 드높아지자 평원왕은 신라에 빼앗긴 영토를 회복하려는 생각을 갖는다. 이를 위해 그는 외교적인 노력을 하는데, 574년에 다시금 왜에 사신을 보내 화친관계를 재확인하고 북주에 사신을 보내 화친을 제의했다. 이에 북주는 고구려의 화친제의를 받아들이고 사신을 보내왔다. 이로써 고구려는 백제와 신라를 제외한 주변의 모든 나라와 화친관계를 맺었다.

평원왕의 화친정책은 내부적으로 평화를 정착시키고 외부적으로 신라를 고립시키려는 의도에서 비롯되었다. 하지만 이 당시 신라도 북제, 왜 등과 외교관계를 맺고 있었으므로 고구려의 의도처럼 신라가 고립되는 상황은 도래하지 않았다.

그 무렵, 중국에서는 큰 변화가 일어났다. 577년에 북주 왕 우문옹이 북제를 공격하여 멸망시킨 것이다. 거기에다 우문옹이 죽고 다시 제4대 왕인 우문빈이 등극하여 몇 개월 만에 죽자 외척인 양견이 조정의 권력을 장악하였다. 양견은 그 이듬해에 지방의 제후들을 제거한 후 제5대 왕인 우문천을 폐위하고 스스로 왕위에 올랐다. 또한 국호를 수(隋)로 고치고 장안에 도읍을 정하였다.

중국의 이 같은 변화에 따라 평원왕은 수나라에 사신을 보내 양견의 인물

됨됨이와 정책 방향을 알아보게 하였다. 귀국한 사신의 보고에 의해 양견이 매우 야심찬 인물이라는 것을 알게 되자 평원왕은 전쟁에 대비하였다. 이를 위해 우선 백성들의 부역을 대폭 줄이고 양잠과 농사에 대한 지원을 하여 민심을 안정시키는 한편 지속적으로 수나라에 사신을 보내 그들의 동태를 살피도록 하였다.

수나라의 양견은 처음엔 고구려에 대해 매우 호의적인 태도를 보였다. 양견은 남쪽의 진을 먼저 공략해 중국을 통일하겠다는 생각을 했고, 이를 위해서도 고구려와 우호관계를 맺을 필요가 있었던 것이다.

하지만 고구려는 양견을 항상 경계하였다. 수나라를 다녀온 사신들은 한결같이 양견이 호방한 성격이며 통일에 대한 야심이 대단하다는 보고를 하였다. 이 때문에 평원왕은 양견이 고구려에 대해 특별히 호감을 보이는 것은 남쪽의 진나라를 치기 위한 술책에 불과하다는 판단을 하고 있었다. 그래서 평원왕은 586년에 양원왕이 쌓은 장안성으로 도읍을 옮겨 수나라의 침입에 대비하였다.

고구려의 예상처럼 양견은 588년에 남쪽의 진을 공격하여 이듬해에 강남지방을 완전히 장악함으로써 중원통일의 꿈을 이뤘다. 이 소식을 접한 평원왕은 머지않아 양견이 고구려를 침입할 것이라 판단하고 군량미를 비축하고, 군사를 늘리는 등 전쟁 대비책을 세웠다. 양견은 590년에 고구려에 사신을 보내 수나라에 조공할 것을 요구하였지만 평원왕은 그의 요구를 받아들이지 않았다. 이 결과 수와 고구려의 일전이 불가피하게 되었다.

이렇듯 수와의 전쟁 준비에 분주하던 평원왕이 590년 10월에 생을 마감하는 바람에 고구려는 한층 더 어려운 상황에 몰렸다.

능은 평강상에 마련되었으며, 묘호는 평원왕(平原王)이라 하였다(평원왕을 '평강상호왕(平崗上好王)'이라고도 부르는데, 여기서 '평강상'은 평원왕이 묻힌 곳인 듯하다).

평원왕은 두 명의 왕후에게서 3남 1녀를 낳았다. 제1왕후는 태자 원(영양왕)과 평강공주를 낳았으며, 제2왕후는 왕자 성(영류왕)과 대양왕(보장왕의 아버

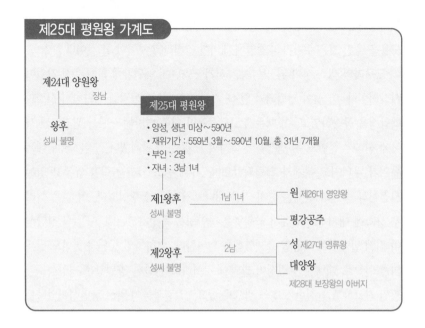

제25대 평원왕 가계도

제24대 양원왕
　　　　　　장남
　　　　　　　　　　　제25대 평원왕

왕후
성씨 불명
　　　　　　• 양성, 생년 미상~590년
　　　　　　• 재위기간 : 559년 3월~590년 10월. 총 31년 7개월
　　　　　　• 부인 : 2명
　　　　　　• 자녀 : 3남 1녀

　　　　　　　　제1왕후　　　1남 1녀　　　원 제26대 영양왕
　　　　　　　　성씨 불명　　　　　　　　　평강공주

　　　　　　　　제2왕후　　　2남　　　　　성 제27대 영류왕
　　　　　　　　성씨 불명　　　　　　　　　대양왕
　　　　　　　　　　　　　　　　　　제28대 보장왕의 아버지

지)을 낳았다. 이들 가족 중 제1왕후와 제2왕후, 대양왕 등에 대한 기록은 전무
하므로 언급을 생략하고, 평강공주에 대해서는 '평강공주와 온달' 편에서 별도
로 언급하기로 한다. 또한 영양왕과 영류왕에 대해서는 각 왕의 실록에서 다루
게 될 것이다.

2. 일곱 번째 도읍지 장안성과 그 위치

평원왕은 서기 586년에 도성을 평양성에서 장안성으로 옮긴다. 이로써 고
구려는 장수왕이 427년에 평양성을 도성으로 삼은 이래 159년 동안 계속되던
평양성 시대를 마감한다.

평원왕이 도읍을 장안성으로 옮겨간 586년은 수나라가 대국으로 성장하여
중국 통일을 꿈꾸고 있을 때였다. 그리고 고구려는 수나라가 강남의 진나라를

무너뜨리면 반드시 침략해올 것이라고 판단하고 있었다. 따라서 장안성으로 도읍을 옮긴 것은 수나라의 침입에 대비한 조처라고 보아야 할 것이다.

고구려의 새 도성이 된 장안성은 서기 552년에 양원왕에 의해 축성 작업이 시작되었다. 이 성이 건립되기 한 해 전인 551년에는 돌궐이 침략하여 신성과 백암성을 공략하였고, 이 때문에 고구려군이 서쪽 변방에 군사를 집결시킨 사이에 신라가 한반도 쪽 변경을 침략하여 10개 성을 탈취했다. 또한 550년에는 동위가 무너지고 북제가 건립되었으며, 서위 왕조 역시 몰락을 앞두고 있는 시점이라 중원의 정세는 한치 앞을 내다보기 힘든 상황이었다. 이 같은 어려운 상황에 대처하기 위해서 양원왕은 장안성을 축성하였는데, 이는 곧 장안성이 전쟁 발발시에 이용할 요새였음을 의미한다. 말하자면 중원과 한반도 정세의 불안으로 대대적인 전쟁이 발발할 것이라고 판단한 양원왕은 평양성보다 훨씬 견고하고 안전한 도성을 필요로 했고, 그 결과물이 바로 장안성이었다는 것이다.

하지만 양원왕은 장안성으로 도읍을 옮기지 못했다. 이는 적어도 양원왕 시대까지는 장안성이 도성으로 삼을 수 있을 만큼 완벽한 형태가 되지 못했음을 뜻한다. 말하자면 장안성은 양원왕 사망 후에도 평원왕에 의해 꾸준히 축성 작업이 지속되어 마침내 도성의 면모를 갖출 수 있었던 것이다.

이렇듯 장안성은 552년부터 586년까지 약 30여 년 동안 축성 작업이 계속 이어졌을 정도로 대규모 성곽이었다.

평원왕은 장안성으로 천도한 후 4년 만에 사망하지만, 그를 계승한 영양왕은 수나라에 대해 선제공격을 감행하고, 백제와 신라에 대해서도 적극적인 공세를 취한다. 말하자면 고구려인들은 장안성으로 옮겨간 후에 잔뜩 움츠렸던 기세를 펴기 시작했던 것이다. 이는 장안성으로의 천도가 고구려인들에게 큰 힘을 불어넣어 주었다는 것을 의미한다.

그렇다면 고구려인들에게 이처럼 자신감을 준 장안성은 어디에 있었을까? 평원왕이 새로운 도성으로 삼은 장안성의 위치와 관련하여 『삼국사기』는 다음과 같은 기록을 남기고 있다.

영양왕 9년, 왕이 말갈 군사 1만여 명을 거느리고 요서를 침공하였으나, 영주 총관 위충이 우리 군사를 물리쳤다. 수나라 문제가 이 소식을 듣고 크게 노하여 한 왕 양과 왕세적 등을 모두 원수로 임명하여 수륙군 30만을 거느리고 고구려를 치게 하였다.

여름 6월, 문제가 조서를 내려 왕의 관작을 삭탈하였다.

한 왕 양의 군대가 유관에 도착하였을 때 장마로 인하여 군량미의 수송이 중단되었다. 이에 따라 군중에 식량이 떨어지고 전염병이 돌았다. 주나후는 동래에서 바다를 건너 평양성으로 오다가 풍파를 만나 선박이 거의 유실되거나 침몰되었다.

이 기사는 수나라 왕 양견이 군사를 동원하여 고구려의 도성을 공격하려 한 내용을 담고 있다. 이 당시 고구려의 도성은 장안성이었고, 따라서 수나라의 주나후가 바다를 건너 공격하려고 했던 평양성은 곧 장안성을 의미한다고 보아야 한다. 그리고 이는 수나라가 당시 고구려의 도성을 평양성으로 인식하고 있었다는 뜻도 된다. 그렇다면 평양성과 장안성은 가까운 거리에 있었다는 추론이 가능하다.

수나라의 주나후가 배를 띄운 동래는 현재 산동성의 봉래(蓬萊)이다. 그리고 이 곳에서 배로 가장 가까운 곳은 요동반도 끝에 붙은 대련의 여순이다. 이사실은 곧 고구려의 장안성이 한반도와 무관함을 알려준다. 만약 주나후가 한반도의 대동강 쪽으로 가고자 했다면 봉래에서 배를 띄우지 않고 산동반도 동쪽 끝에 있는 위해(威海)에서 배를 띄웠을 것이기 때문이다. 따라서 주나후의 목적지인 평양성은 적어도 요동반도를 거치는 것이 가장 빠른 길이고, 이는 평양이 요동반도에서 멀지 않은 곳에 있었다는 것을 알려준다.

이 같은 결론에 근거할 때 장안성은 동천왕의 평양성 주변에 있었다는 뜻이 되며, 이는 곧 장안성을 평양성이 있었던 요양 근처에서 찾아야 한다는 의미가 된다(「동천왕실록」 '네 번째 도읍지 평양과 그 위치' 참조).

3. 평강공주와 온달장군

평원왕을 거론하면 으레 평강공주 이야기가 등장한다. 또한 평강공주는 온달이라는 인물을 떠올리게 하는데, 이 이야기에는 다소 설화적인 요소가 가미되어 있다. 『삼국사기』 45권의 '열전' 편에 등장하는 온달에 관한 기사도 다분히 설화적인데, 그 내용을 옮겨보면 다음과 같다.

온달은 고구려 평강왕(평원왕) 때 사람인데, 얼굴은 못나고 우스꽝스러웠지만 마음씨는 고왔다. 그는 집이 몹시 가난하여 항상 밥을 빌어 어머니를 봉양하였는데 늘 누더기를 입고 다녀 사람들이 그를 '바보 온달'이라 부르며 놀려댔다. 이 때 평강왕에게는 어린 딸이 있었는데 어찌나 자주 울던지 평강왕이 공주의 울음을 그치게 할 요량으로 이렇게 말했다. "네가 너무 울어서 항상 내 귀를 시끄럽게 하니 너는 커서 사대부의 아내가 되기는 다 글렀다. 그러니 바보 온달에게나 시집가거라." 왕은 공주가 울 때마다 이런 농담을 던지곤 하였다.

어느덧 공주의 나이가 16세가 되어 혼기가 차자 평강왕은 딸을 상부 고씨에게 시집보내려 하였다. 그러자 공주가 말하기를 "아버님께서 항상 저에게 말씀하시기를 '너는 커서 온달에게나 시집가거라.' 하셨는데 이제 와서 무슨 까닭으로 말씀을 바꾸십니까? 시정의 필부도 거짓말을 하지 않는데 하물며 대왕께서 거짓말을 한대서야 말이 되겠습니까? 예로부터 '임금은 농담을 하지 않는다.'는 말이 그래서 나온 것 아니겠습니까? 오늘 상부 고씨에게 시집가라 하신 아버님의 말씀이 잘못되었으므로 소녀는 감히 따르지 못하겠습니다." 했다. 그러자 평강왕이 불같이 화를 내어 말했다. "네가 정녕 내 말을 듣지 않겠다면 내 딸이라고 할 수 없으니 어찌 같이 살 수 있겠느냐? 그러니 네 마음대로 네 갈 길로 가거라."

그러자 공주는 많은 패물을 가지고 홀연히 궁궐을 빠져나와 온달의 집을 찾아갔다. 물어 물어 그의 집을 찾아간 공주는 눈먼 노모 앞에 엎드려 절을 하며 아들이 있는 곳을 물었다. 이에 공주의 냄새를 맡은 노모가 말했다. "내 아들은 가난하고 보잘것없어 그대같이 귀한 이가 가까이 할 사람이 못 됩니다. 지금 그대의 몸에서는 향기가 나고 그대의 손은 부드럽기가 솜과 같으니 필시 천하의 귀인인 듯한데 누구의 꾐에 빠져 여기까지 오게 되었습니까? 내 자식은 굶주림을 참다 못하여 느릅나무 껍질을 벗기러 산에 간 지 오래인데 아직 돌아오지 않았습니다." 공주가 그 집을 나와 산 밑에 이르렀을 때 저만치서 느릅나무 껍질을 지고 오는 온달을 보았다. 공주가 그에게 다가가 자기를 아내로 맞아들일 것을 얘기하니 온달이 불끈 화를 내며 말했다. "이는 어린 여자가 취할 행동이 아니니 그대는 필시 여우나 귀신일 것이다. 그러니 나에게 가까이 오지 말라!" 그렇게 온달이 뒤도 돌아보지 않고 가버리자 공주는 혼자서 사립문 밖에서 잤다. 그 다음 날 날이 밝자마자 다시 들어가 모자에게 그간의 자초지종을 얘기하였다. 온달이 우물쭈물 결정을 내리지 못하고 있는데 그의 노모가 말했다. "내 자식은 비천하여 귀인의 짝이 될 수 없고 우리 집은 몹시 가난하여 그대가 거처하기에 적당치 않습니다." 그러자 공주가 말했다. "옛말에 이르기를 '한 말의 곡식도 방아를 찧을 수 있고, 한 자의 베도 꿰맬 수 있다.' 고 하였으니 두 사람이 마음만 맞는다면 빈부귀천이 무슨 상관이겠습니까?"

이렇게 두 사람을 설득한 공주는 가지고 온 패물을 팔아 땅이며 집이며 소와 말들을 사들였다. 온달이 말을 사러 나갈 때 공주가 이르기를 "말을 살 때는 반드시 나라에서 쓸모가 없다고 내다 파는 말을 사되, 병들고 수척한 말을 사 오십시오." 했다. 온달이 공주의 말대로 말을 골라오자 공주는 정성껏 말을 돌보고 길러 불과 수개월 만에 몰라보게 살찌고 건장한 말이 되었다. 그 무렵 고구려에서는 언제나 3월 3일을 기하여 낙랑 언덕에 모여 사냥하고 거기에서 잡은 돼지와 사슴으로 하늘과 산천의 신령에게 제사를 지냈다. 그날이 되어 평강왕(평원왕)이 사냥을 나갔는데 여러 신하와 5부의 군사들이 수행하였다. 이때 온달도 자기가 기르던 말을 타고 수행하였는데 항상 남보다 앞장서서 달리고 누구보다도 많은 짐승을 잡아서 주위에 그를 따를 자가 없었다. 그러자 왕이 친히 그를 불러 이름을 물은 후에 크게 놀랐다.

이 때 후주(북주)의 무제(우문옹)가 군사를 출동시켜 요동을 공격하자 왕은 군사를 거느리고 배산들에서 맞아 싸웠다. 그때 온달이 선봉장으로 나가 적군 수십 명의 목을 베니, 군사들이 그 기세를 타고 공격하여 대승하였다. 이 싸움에서 온달이 세운 공이 혁혁하니 왕이 그를 가상히 여겨 만인 앞에서 "이 사람이 나의 사위다." 하고 공표하였다. 또한 사위에 걸맞은 예를 갖추어 그를 대접하고 작위를 주어 대형으로 삼았다. 이 때부터 온달에 대한 왕의 신임이 두터워졌고 온달의 위풍이 더욱 당당해졌다.

평강왕의 뒤를 이어 양강왕(영양왕)이 즉위하자 온달은 신라에 빼앗긴 고구려 땅과 백성들을 되찾아야 한다고 아뢰었다. 신라와의 싸움에 자신을 보내줄 것을 청하자 왕이 이를 허락하였다. 온달은 싸움터로 향하면서 다음과 같은 맹세를 하였다. "계립현과 죽령 서쪽의 우리 땅을 다시 찾기 전에는 결코 돌아오지 않겠다." 그렇게 길을 떠난 온달은 아단성 밑에서 신라군과 싸우다가 날아오는 화살에 맞아 아까운 생을 마쳤는데, 군사들이 그를 장사 지내려 하자 영구가 움직이질 않았다. 이에 평강공주가 달려와 관을 어루만지며 "생사가 이미 결정되었으니, 아아, 돌아가소서!" 하자 마침내 영구가 움직였다. 양강왕이 이 소식을 듣고는 매우 비통해하였다.

이것이 『삼국사기』 '열전'에 기록된 온달과 평강에 관한 기록이다. 이 기록은 구전으로 전해오던 '온달설화'에 근거한 것으로 보이는데, 온달설화에서는 평강공주가 평원왕의 셋째 딸이며 온달은 숯을 구워 파는 청년으로 묘사되어 있다. 하지만 『삼국사기』에는 그 같은 구체적인 내용은 없고, 다만 가난하고 보잘것없지만 마음씨 착한 온달이 평강공주를 통해 새로운 인물로 변화되어 나라의 일꾼이 된다는 내용을 축약하고 있다.

이 이야기는 평강공주와 평원왕의 갈등으로부터 시작되는데, 이 부녀의 갈등은 평강의 친모에 대한 강한 그리움에서 비롯된 듯하다. 평원왕은 두 명의 왕후가 있었다. 첫 번째 왕후는 왕자 원(영양왕)과 공주 평강을 낳았지만 그들이 어릴 때 일찍 죽은 것으로 보인다. 평강이 첫째 왕후 소생이라는 기록은 보이지 않지만 평강공주와 평원왕의 갈등에 전혀 왕후가 간섭하지 않은 것을 통해 이는 확인된다. 말하자면 평강공주와 두 번째 왕후는 사이가 좋지 않았고, 이 때문에 평원왕은 딸을 미워했다는 설정이 가능하다는 것이다.

어릴 때 친모를 잃은 평강은 유난히 많이 우는 아이로 묘사되어 있다. 이 때문에 평원왕은 울보 평강의 울음을 그치게 하기 위해 '바보 온달에게 시집보낸다.'는 말을 버릇처럼 하였고, 평강은 그 말을 빌미로 아버지가 정한 혼처를 거부한다. 이는 단순히 아버지의 말을 거부한 것이 아니라 아버지의 그늘인 궁궐과 계모인 제2왕후, 이복 형제, 그리고 공주라는 자신의 신분 등에서 벗어나려는 평강의 작은 반란으로 보인다.

이 이야기에서 온달이 장님인 홀어머니를 봉양하는 가난하고 바보스러운 인물이었다는 설정이나 온달이 죽은 후에 관이 움직이지 않았다는 내용 등은 극적 효과를 높이기 위해 꾸며진 것으로 보아야 할 것이다. 그를 바보로 몰아세운 것은 평강공주의 행위를 보다 강하게 드러내기 위함이며, 온달의 영구가 움직이지 않다가 평강의 손이 닿자 움직였다는 것도 그들의 사랑의 깊이를 전달하기 위한 문학적 장치일 것이다.

하지만 한 평민 청년 온달과 공주 평강의 만남은 온달이 역사에 나타난 실존했던 인물이라는 점에서 사실로 보아야 할 것이다. 온달이 실존인물이라는 사실은 온달동굴, 온달산성 등의 이름에서도 확인된다. 천연기념물 제261호이기도 한 온달동굴은 온달이 수양을 했다는 전설이 남아 있는 곳으로 충청북도 단양군 영춘면 하리에 있는 석회동굴이다. 이 동굴 위로 돌로 쌓은 산성이 6백여 미터 이어져 있는데, 이것이 이른바 온달산성이다. 이 성은 흔히 온달이 운명을 달리한 아단성으로 인식되고 있는데, 일부 학자들은 『삼국사기』의 아단성이 서울 성동구 광장동에 있는 아차산성이라고 주장하고 있어 그 사실 여부가 아직 불분명하다. 또한 온달이 죽은 해에 대해서도 영양왕 원년인 590년으로 설정하고 있지만, 『삼국사기』에는 영양왕 원년에 고구려와 신라가 전쟁을 치른 기록이 없어 이 역시 확인되지 않는다.

▶ 평원왕 시대의 세계 약사

평원왕 시대 중국은 남북조 시대를 종결하고 새로운 통일 시대를 맞이한다. 577년에 북주 왕 우문옹이 북제를 멸망시켜 북방을 통일하였고, 그 후 북주는 외척 양견에 의해 정권이 장악되었다가 581년에 양견이 북주의 마지막 왕 우문천을 폐위함에 따라 북주 왕조는 몰락하고 수나라가 성립된다. 수나라 건국 후 양견은 지속적으로 통일작업을 수행하여 589년에 남쪽의 진을 멸망시킨다. 이로써 중국은 남북조 시대를 종결하고 새로운 통일 시대를 맞이하였다.

이 즈음 서양은 동쪽에서 동로마와 페르시아가 서로 패권을 다투었고, 서쪽에서는 프랑크 왕국이 세력을 확대하였다. 558년에 프랑크 왕국은 로타르 1세에 의해 통일되었다가 그가 죽음에 따라 다시 분열되었고, 동로마에서는 유스티누스 2세가 즉위하여 페르시아에 대하여 강경정책을 실시한다. 이는 576년의 페르시아 원정으로 이어지고 그런 가운데 유스티누스 2세가 사망하여 티베리우스 2세가 대를 이어 페르시아 원정을 수행한다. 그리고 579년에 비로소 페르시아군을 격파하기에 이른다. 이 같은 세력 확대를 계기로 동로마는 이미 점령한 이탈리아반도와 아프리카 일부에 총독부를 설치한다. 한편 이 무렵 프랑크 왕국은 삼분되어 왕권은 미약해지고 제후들이 실권을 장악한다.

이 때에 이탈리아 로마에서는 기독교가 새로운 힘을 형성하여 그레고리우스 1세가 교황에 올랐으며, 아라비아에서는 570년에 마호메트가 탄생했다.

제26대 영양왕실록

1. 영양왕의 강병책과 수나라의 침입

(?~서기 618년, 재위기간:서기 590년 10월~618년 9월, 27년 11개월)

수나라가 중국을 통일한 후 주변 지역에 대한 팽창정책을 지속함에 따라 영양왕 시대는 고구려와 수의 세력다툼이 지속된다. 이 과정에서 수나라는 네 번에 걸쳐 고구려를 침략하고, 고구려는 그들의 침략에 맞서 전면전을 펼친다.

영양왕은 평원왕의 맏아들이자 평원왕의 첫째 왕후 소생으로 이름은 원(元)이다. 언제 태어났는지는 분명치 않으며, 평원왕 7년인 565년에 태자에 책봉되었고, 590년 10월에 평원왕이 죽자 고구려 제26대 왕에 올랐다.

영양왕이 즉위했을 때 중국은 수나라에 의해 통일되었다. 북주의 외척이던 양견은 북주의 왕실을 폐하고 581년에 수나라를 건국했으며, 그 후로 꾸준히 세력을 팽창해 8년 뒤인 589년에 강남 동쪽 지방을 차지하고 있던 남조의 진을 멸망시키고 중국을 통일했다. 이렇게 되자 양견은 북쪽으로 눈을 돌려 돌궐과 고구려에 대하여 압력을 가하였다.

수 왕 양견은 중국을 통일한 후 우선 고구려에 사신을 보내 고구려 영토를 염탐하였고, 그 후에도 몇 차례에 걸쳐 사신을 보내 지형을 익히도록 하였다. 영양왕도 수의 장안에 사신을 보내 그들의 동태를 살피도록 하였고, 마침내 양견이 고구려를 치기 위해 비밀리에 수륙군 30만을 형성하였다는 소식을 접하자 598년에 말갈병 1만을 동원하여 요서를 쳤다.

고구려군이 요서를 공격하자 수나라의 영주 총관 위충이 수성전을 펼치며 양견에게 지원병을 요청했다. 양견은 그해 6월에 한 왕 양과 왕세적을 대원수로 임명하고 수륙군 30만을 동원하여 고구려를 치도록 하였다. 하지만 그 무렵 장마가 닥쳤는데도 무리하게 공격에 나선 수나라 30만 대군은 고구려 장수 강이식의 전략에 말려 병력을 대부분 잃고 물러나야만 했다.

손 한 번 써보지 못하고 30만이라는 대병력이 어이없이 무너지자 양견은 분노로 치를 떨었다. 그 때문에 출전 장수들을 잡아들여 죽이거나 감옥에 가두고 다시금 고구려를 치고자 하였다. 하지만 중신들이 장마 중에 타국을 치는 것은 죽음을 자초하는 일이라고 극구 말리는 바람에 고구려 침략 계획은 중단되었다.

영양왕은 이 상황을 놓치지 않고 수나라에 사신을 보내 화친을 제의했다. 이미 고구려가 병력을 동원하여 국력을 과시한 바 있는 데다가 수나라는 30만 대군을 보냈다가 실패하여 넋을 놓고 있는 상태였기 때문에 화친제의를 받아들이지 않을 수 없다는 판단을 했던 것이다.

고구려측의 예상대로 양견은 화친제의를 받아들였다. 그 무렵 백제에서도 수나라에 사신을 보내 자신들이 고구려로 가는 길을 잘 알고 있으니 향도 노릇을 하겠다며 다시금 수나라가 고구려를 공격할 것을 요청했다. 하지만 백제의 요청은 수나라 조정의 거부로 받아들여지지 않았다.

이 소식을 접한 영양왕은 곧바로 군사를 동원하여 백제를 공격하였다. 백제에 대한 공격은 신라에 대한 공격을 예고하는 일이었기 때문에 이 사건은 곧 평원왕 이후 한동안 중단됐던 고구려의 백제·신라에 대한 공략이 재개되었음을 의미했다. 이에 따라 백제와 신라는 긴장하며 전쟁에 대비해야 했다.

영양왕이 백제와 신라에 대하여 압박을 가한 것은 수나라의 침입에 앞서 한반도 쪽 변방을 강화시키지 않으면 안 된다는 판단에 따른 것이었다. 수나라가 침입할 경우 고구려는 그들을 대상으로 전면전을 펼쳐야 하는데, 이 때 만약 백제와 신라가 후미를 친다면 고구려는 졸지에 세 나라와 전쟁을 치러야 하는 신세가 된다. 영양왕은 이 같은 상황을 미연에 방지하기 위해 백제와 신라에 대해 고구려의 군사력을 과시할 필요가 있었던 것이다.

영양왕의 세력 과시는 비단 병력면에만 치중되지는 않았다. 그는 외부적으로는 군사력을 통해 힘을 과시하는 한편, 내부적으로는 역사를 정리하여 왕실의 위상을 높임으로써 정신적 역량을 강화하려 하였다. 이를 위해 600년 1월에 태학박사 이문진으로 하여금 옛 역사서들을 요약하여 『신집(新集)』 5권을 편찬토록 하였다. 고구려는 건국 초기에 이미 『유기(留記)』라는 이름으로 역사를 정리하여 1백 권의 책으로 묶은 바 있는데, 『신집』은 『유기』와 그 이후 편찬된 역사서들을 정리하고 수정한 것이었다.

내외적으로 고구려의 위상을 높이기 위해 노력하던 영양왕은 603년에는 장군 고승을 보내 신라의 북한산성을 공격하였다. 신라의 진평왕이 직접 군사를 이끌고 한수를 건너와 고구려군에 대항하였고, 이 때문에 고구려군은 별다른 성과를 거두지 못하고 퇴각하였다. 그 이후에도 고구려는 607년 5월에 백제의 송산성을 공격하지만 항복을 얻어내지 못했고, 다만 백성 3천을 포로로 잡아 고구려 지역에 안치하였다. 이는 수나라가 고구려를 공격해도 백제가 군사를 동원하지 못하도록 하기 위함이었다.

그 무렵 수나라에서는 치열한 정권 다툼이 벌어지고 있었다. 양견이 자신의 둘째 아들 양광과 정치적 마찰을 빚는 바람에 조정이 양분되는 사태가 벌어졌고, 그 와중인 604년 7월에 양광이 부왕인 양견을 살해하고 왕위에 올랐던 것이다.

양광은 양견보다도 더 야심찬 인물이었다. 그는 전국을 효과적으로 통치하기 위해 낙양을 새로운 중심지로 건설하고 낙양과 탁군(북경)을 잇는 대수로를 개발하였다. 또한 북쪽으로 돌궐에 압박을 가하여 돌궐 왕이 장안에 입조토록 하였다. 이렇게 되자 대륙 안에서 수나라에 조공하지 않는 나라는 오로지 고구

제26대 영양왕 시대의 각국 영토 및 세력 판도(A.D. 612년경)

서돌궐 동돌궐 철륵 습해 약수 실위 우수리강
거란 고구려 송 화강 말갈
탁군 요 압록수 요동성 살수 동경 장해
하수 평양 남경
경사(장안) 동래 신라
당항 동도(낙양) 동해(왕해) 백제 왜
강수
곤명 남해
유구

수나라의 지속적인 침입에도 불구하고 고구려는 꿋꿋이 영토를 지켜낸다.

려밖에 남지 않았다.

　양광은 누차에 걸쳐 고구려에 조공을 요구하였고, 고구려는 그의 요구를 받아들이지 않았다. 이에 양광은 고구려를 공격하기로 결정하고 대군을 형성하도록 하였다.

　수나라의 침입이 예상되는 가운데 고구려는 608년 2월에 신라의 북쪽 국경을 습격하여 8천 명을 포로로 잡아 고구려 땅에 억류하였다. 그해 4월에는 우면산성을 빼앗아 신라의 북진을 차단하였다. 그 후 고구려는 여러 차례에 걸쳐 신라와 백제를 공격하여 양원왕 때 잃었던 아리수(한강) 이북의 영토 중 상당

부분을 회복하였다.

고구려가 한반도 지역에서 맹위를 떨치고 있을 때 양광은 고구려 침략 준비를 완료하고 611년 4월에 군사를 난하(당시 요수) 건너편의 탁군에 집결시킨 뒤 612년 정월에 자신이 직접 군사를 이끌고 고구려를 침략하였다.

수나라 군대는 총 113만 3800명이었고, 전군을 다시 좌군과 우군으로 나누었다. 좌군과 우군은 다시 각각 12군으로 편제되어, 총 24군으로 공격을 감행했다.

그들의 목적지는 고구려의 장안성이었으며, 이를 위해서 일차적으로 평양성을 함락시킨다는 계획이었다.

이 같은 계획 아래 양광이 직접 이끄는 좌군은 그해 2월부터 요수(난하)를 넘기 시작했으며, 5월에는 요수를 넘어 요동성을 포위하였다. 하지만 요동성은 전혀 무너질 기미가 보이지 않았기에 양광은 요동성을 제쳐놓고 육합성을 공략하려 했다. 그러나 육합성 역시 고구려군이 두꺼운 방어벽을 형성하고 있었기 때문에 실행에 옮기지 못했다. 그 무렵 좌군의 일부가 배로 바다를 건너 평양성으로 향했다. 그들은 바다를 건너자 강을 따라 평양성으로 직진하였다. 하지만 고구려군이 이미 그들의 진입로를 예상하고 매복을 하고 있다가 수군을 급습하였고, 그 때문에 수군은 많은 병력을 잃고 퇴각해야 했다.

그 후 수나라 군대는 진퇴를 거듭하며 고구려를 공략하였으나 우중문과 우문술이 이끌던 30만 대군이 을지문덕에게 대패하자 그들은 크게 위축되었다. 이 때문에 양광은 패전한 우문술을 쇠사슬에 묶어 퇴각해야 했다.

하지만 양광은 613년 정월에 다시금 탁군에 군사를 결집시킨 뒤 고구려를 침입하였다. 이 때 양광은 우문술과 함께 요동으로 진격하였고, 왕인공으로 하여금 부여를 경유하여 평양성 북쪽에 있는 신성을 치게 하였다. 그는 신성을 깨뜨리면 평양성을 무너뜨리는 것은 시간 문제라고 장담하고 있었다. 하지만 요동성과 신성은 좀체 함락되지 않았다. 이 때문에 양광은 초조함을 이기지 못하고 있었는데, 설상가상으로 장안에서 양현감이 반란을 일으켰다는 소식이 날아왔다.

반란 소식을 접한 양광은 두려움을 감추지 못하고 그날 밤으로 급히 길을 재촉하여 퇴각하였다.

장안으로 돌아간 양광은 반란사태를 수습한 뒤에 또다시 고구려에 대한 침략을 준비하였다. 그리고 614년 2월에 전국의 군사를 소집하여 7월에 고구려로 향하였다. 하지만 수나라 군대는 이미 전의를 상실한 상태였다. 이 같은 사실을 간파한 영양왕은 급히 양광에게 사신을 보내 화친을 제의했고, 양광은 중신들의 주장에 밀려 못 이기는 척하고 화친제의를 받아들이고 퇴각하였다.

이후 양광은 몇 번에 걸쳐 또다시 고구려 침략을 계획했으나 중신들의 반대로 실행에 옮기지 못했다. 자존심이 상할 대로 상한 양광은 영양왕에게 장안으로 와서 자신에게 인사하라고 요구했다. 하지만 영양왕은 그의 요구를 무시했다.

그 당시 수나라는 이미 몰락의 길을 걷고 있었는데, 고구려는 그 같은 수나라의 내막을 소상히 파악하고 있었다. 양견과 양광이 무려 네 차례에 걸쳐 대군을 동원하여 고구려를 공격하는 바람에 수나라 경제는 피폐해졌고, 곳곳에서 반란이 잇따랐던 것이다. 611년에 일어난 왕박의 농민반란 이후 613년에는 귀족 양현감이 10만 군대를 일으켜 반란을 일으켰고, 여기에다 농민군이 합세하여 수나라는 점점 혼란 속으로 빠져들고 있었다. 농민군은 점차 세력을 확대하여 617년에는 와강채(지금의 하남성 골현)를 점령했고, 617년에는 태원의 귀족 이연이 세력을 형성하여 반란군에 합세했다. 결국 618년 봄에 양광은 강도에서 피살되었으며, 이로써 수 왕조는 몰락하고 당나라가 일어났다.

영양왕은 수의 멸망을 지켜보며 국력을 신장시키다가 618년 9월에 생을 마감하였다. 능의 위치는 기록되지 않았으며, 묘호는 영양왕(乩陽王)이라 하였다(영양왕을 '평양왕(平陽王)'이라고도 하였는데, 여기서 '평양'은 영양왕의 연호인 듯하다).

영양왕은 한 명의 왕후에게서 한 명의 아들을 얻었다. 왕후에 대한 기록은 남아 있지 않고, 아들 환치(桓稚)에 대해서는 이름만 전한다.

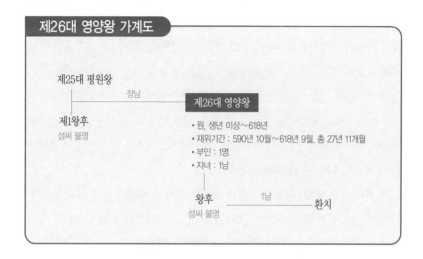

제26대 영양왕 가계도

제25대 평원왕 ──── 장남 ──── 제26대 영양왕

제1왕후
성씨 불명

• 원, 생년 미상~618년
• 재위기간 : 590년 10월~618년 9월. 총 27년 11개월
• 부인 : 1명
• 자녀 : 1남

왕후 ──── 1남 ──── 환치
성씨 불명

2. 계속되는 수나라의 침입과 고구려의 선전

제1차 침입, 강이식의 대활약과 수나라 30만 대군의 전멸

598년에 영양왕은 말갈 군사 1만을 동원하여 수나라의 요서 지역을 공격한다. 이는 수나라가 이미 고구려를 치기 위해 대군을 형성했다는 소식을 듣고 영양왕이 선제공격을 감행한 것이다.

고구려의 공격을 받은 수의 영주 총관 위충은 수성전을 펼치며 급히 장안에 파발마를 보내 지원을 요청했다. 이에 수왕 양견은 크게 화를 내며 정규병력 30만으로 고구려를 치게 하였다. 그해 6월, 마침내 수륙군 30만 대군이 고구려를 향해 진군했는데 이것이 수의 제1차 침입이다.

30만 대군을 이끈 수나라 원수는 한 왕 양과 왕세적이었다. 이들 30만 군대는 좌·우군으로 나뉘어 좌군은 요수(난하)를 건너 육로를 통하여 고구려로 향하였고, 우군은 산동의 동래(지금의 봉래) 항구에 집결하여 해로를 통하여 평양을 치고자 하였다.

하지만 한 왕 양과 왕세적이 이끄는 주력부대인 좌군이 요하 근처에 도착했을 때 장마가 시작되었다. 그 바람에 군량미 수송이 제대로 이뤄지지 못해 육로를 통해 진군하던 좌군은 중도에서 전진을 포기해야 했다. 더구나 전염병이 돌아 매일같이 병사들이 죽어나갔다. 한편, 주나후가 이끄는 우군은 산동의 동래에 도착하여 대선단을 형성하였다. 이들은 뱃길을 이용하여 요동반도로 진입한 후, 다시 강을 따라 평양성으로 향할 요량이었다. 그러나 이들은 고구려 병마원수 강이식의 급습을 받아 군량선을 모두 잃었고, 설상가상으로 굶주림과 전염병으로 사기가 말이 아니었다. 강이식은 그 기회를 놓치지 않고 총력전을 펼쳐 주나후의 군대를 수장시켰다.

이처럼 수의 제1차 침입은 엄청난 피해만 초래한 채 종말을 고하고 말았다. 이 일로 수의 군사력은 급격히 약화되었는데, 그 틈을 이용하여 고구려는 수나라에 화친을 제의하고 한동안 평화를 유지할 수 있었다.

신채호는 『조선상고사』에서 지금은 전하지 않는 『서곽잡록』과 『대동운해』의 기록을 인용하여 이 때의 일을 사뭇 다르게 기록하고 있다. 『수서』를 인용한 『삼국사기』는 수나라 군대가 장마로 인해 발해에서 풍랑을 만나 수장된 것으로 기록하고 있으나, 신채호는 당시 병마원수를 맡고 있던 강이식 장군의 5만 병력에 수나라 군대가 격퇴된 것으로 기록하고 있으니, 그 내용은 이렇다.

"영양대왕이 (수 문제로부터) 모욕적인 글을 받고 대로하여 군신들을 모아놓고 회답할 문자를 보내려 하더니, 강이식이 가로되, '이 같은 오만무례한 글은 붓으로 회답할 것이 아니요, 칼로 회답할 글이라.' 하고 적을 칠 것을 주장하니, 대왕이 이를 기꺼이 좇아 병마원수로 삼았다. 그로 하여금 정병 5만을 발하여 임유관으로 향하게 하고, 먼저 예의 병력 1만으로 요서를 침요하여 수나라 병력을 꾀어내고, 거란병 수천으로 바다를 건너 산동 지역을 치게 하니, 이에 양국의 제1회 전쟁이 개시되니라."

이 때 강이식은 수군을 이끌고 바다로 나가 수나라 병력의 군량선을 격파하고, 길목을 지키며 적군의 출입을 막았다. 이 때문에 수나라 군사들은 군량이 떨어져 허기에 허덕였고, 설상가상으로 장마가 닥쳐 기아와 질병이 겹쳐 사기가 완전히 땅에 떨어졌다. 이 기회를 놓치지 않고 강이식은 총공세를 감행하여 수나라 군대를 거의 전멸시키고, 엄청난 물자와 병기를 노획했다.

현재 강이식은 진주 강씨의 시조이고, 그의 무덤이 옛 고구려 땅 심양현 원수림에 있다고 전한다. 때문에 강이식이라는 인물은 가공의 인물은 아닐 것이다. 따라서 신채호의 기록을 터무니없는 것이라고 말할 수 없다. 다만 그가 인용한 『서곽잡록』과 『대동운해』가 전하지 않는 것이 유감일 따름이다.

제2차 침입, 수나라 100만 대군과 을지문덕의 살수대첩

고구려와 수의 휴전 상태는 양견의 둘째 아들 양광이 즉위하면서 다시 전쟁 상황으로 변화된다. 양광은 일찍부터 고구려에 조공을 요구했으나 고구려는 전혀 응하지 않았다. 이에 양광은 아버지에 이어 다시 고구려를 침략할 뜻을 품는다.

당시 양광은 북부의 신진세력인 돌궐을 압박하여 조공을 약속받았고, 이를 확인하기 위해 607년에 직접 대군을 이끌고 돌궐을 방문하였다. 이 때 고구려의 사신도 돌궐에 들어가 있었는데, 양광은 돌궐에 와 있는 고구려 사신을 통해 다시금 조공을 요구하였다. 하지만 고구려는 양광의 압력에 굴하지 않았다. 격분한 양광은 마침내 612년 정월에 전국에서 병력을 징집하여 고구려에 대한 공격을 명령한다. 이것이 수나라의 제2차 침입이다.

양광이 고구려 공격에 동원한 총병력은 113만 3천8백 명이었다. 이들 병력은 좌군과 우군으로 나뉘었으며, 좌군과 우군은 다시 각각 12군으로 나뉘었으니 총24군이 출동한 셈이다.

이 대병력은 우선 탁군(북경)에 결집하였다. 『수서』는 이들의 출정 장면을 다음과 같이 묘사하고 있다.

양제는 직접 지휘관을 임명하여 각 군에 상장, 아장 각 1명과 기병 40대를 두었다. 1대는 1백 명이며, 10대가 1단이다. 보병은 80대였으며, 이는 다시 4단으로 분리되어 각 단마다 편장 1명을 두었다. 또한 단의 갑옷과 투구의 끈과 깃발의 색깔을 다르게 하였다.

매일 1군씩 출정시키되, 상호 거리가 40리씩 되게 하였고, 각 군영은 연속적으로 출발하여 40일 만에 출발이 종료되었다. 한 대열의 뒤와 다음 대열의 앞이 서로 연결되고, 북과 나팔 소리가 연이어 들렸으며, 깃발은 960리에 뻗쳤다. 왕의 진영에는 12위, 3대, 9시가 있는데 내외, 전후, 좌우의 6군을 나누어 배속해 뒤따라 출발하였다. 이 대열이 또한 80리에 뻗쳤다. 근고 이래 군사의 출동이 이와 같이 성대한 적은 없었다.

이렇게 출정한 수나라 군대는 좌우군이 크게 두 방향으로 나뉘어 고구려를 공략하였다. 양광의 직할 부대가 포함된 좌군은 요수를 건너 육로를 통해 평양으로 향했고, 우군은 산동반도의 동래로 가서 배를 이용하여 요동반도의 평양으로 향했다.

양광이 지휘하는 좌군은 요수를 건너기 위해 부교(浮橋, 뗏목으로 만든 임시 다리)를 만들었다. 그리고 부교를 요수에 띄웠으나 길이가 짧아 건널 수가 없었다. 그래서 부교를 더 만들어 이어 붙이려 했는데, 이 광경을 지켜보던 고구려군은 그들이 채 부교를 완성하기도 전에 공격을 개시하였다.

고구려군의 급습을 받은 수나라의 피해는 컸다. 하지만 양광은 좀더 강폭이 좁은 곳을 찾아 부교를 설치하고 다시금 도하를 시도했다. 그리고 이번에는 도하에 성공하여 고구려군의 방어벽을 뚫었다.

부교를 타고 수십만 명의 병력이 밀려오자 고구려군은 당황하였고, 그 바람에 대패하여 1만의 병력을 잃고 뒤로 밀렸다. 그리고 요동성에 집결하여 수성전을 펼쳤다. 이후 요동성의 고구려군과 요동성을 포위한 수군의 일진일퇴가 계속되었다.

수개월이 지나 어느덧 한여름으로 접어들었지만 수나라 군대는 요동성을 함락시키지 못했다. 양광은 노발대발하며 수하 장수들을 질책하였다. 그리고 양광 자신은 요동성에서 멀지 않은 육합성을 공격하고자 하였다. 그러나 이 역시 고구려군의 철벽 방어에 막혀 아무 진전도 보지 못했다.

이 무렵 산동의 동래로 향한 우군은 비로소 선단을 완성하여 발해로 배를 띄웠다. 수나라 우군의 좌익위 대장군 내호아가 선단을 지휘하며 발해를 건너 강을 타고 평양성으로 진군하였다. 그들은 어느덧 평양성으로부터 60리 떨어진 곳까지 진군하였고, 이를 발견한 고구려군은 그들을 공격했지만 오히려 대패하여 물러나야 했다. 내호아는 기세등등하여 더욱 내륙 깊숙이 진군하였다. 고구려군은 그 같은 내호아의 심리를 이용하며 수나라 군사를 내륙 쪽으로 더 깊숙이 끌어들였다. 하지만 그때까지도 내호아는 그것이 고구려군의 계략인 줄 알지 못했다. 그러다가 한순간 그가 이끌던 군대가 완전히 포위됐음을 알고 퇴각하려 했지만 이미 때는 늦은 상태였다.

내호아가 이끄는 수만의 군대를 내륙 깊숙이 유인한 고구려군은 일시에 그들을 습격하였고, 당황한 내호아는 급히 군대를 이끌고 달아나기 시작했다. 하지만 그의 도주행로는 번번이 잠복해 있는 고구려군에 의해 차단되었다.

내호아를 추격하던 고구려군은 수군의 우익위 대장군 주법상의 군대가 해상에 정박하고 있음을 알고 추격을 멈췄다. 덕분에 내호아는 간신히 목숨은 부지했지만 그 땐 이미 대부분의 부하들이 목숨을 잃은 뒤였다.

발해에서 고구려군이 대승을 거두고 있는 사이 육지에서는 을지문덕이 새로운 전략을 구사하며 우중문과 우문술이 이끄는 30만 병력에 대응하고 있었다. 그들 30만 대군은 이미 요수를 건넌 후 남방과 북방으로 우회하여 평양성을 공략하고자 했는데, 을지문덕은 그들의 전략을 알아보기 위해 직접 우중문과 우문술을 찾아갔다.

을지문덕은 영양왕의 밀명을 받고 거짓으로 항복을 청했다. 이 때문에 수군의 선봉부대 30만을 이끌고 있던 좌군의 좌익위 대장군 우문술과 우익위 대장군 우중문은 어리둥절해했다. 그들은 을지문덕이나 영양왕을 보면 무조건 죽이라는 양광의 밀명을 받은 상태였다. 그런데 막상 을지문덕이 항복을 청한다며 제 발로 걸어오자 선뜻 죽일 수가 없었다.

우중문은 을지문덕을 붙잡으려 했지만 위무사로 나와 있던 수나라 상서 우승 유사룡이 만류하는 바람에 놓아주고 말았다. 그런데 막상 을지문덕이 자기 진영을 떠나자 우중문은 생각이 바뀌어 군사를 이끌고 을지문덕을 추격한다.

이 과정에서 우문술과 우중문은 서로 의견이 달라 마찰을 빚었다. 우문술은 군량이 떨어졌기 때문에 돌아가야 한다고 주장했고 우중문은 추격하여 평양성을 함락시켜야 한다고 주장했다. 우중문은 어떻게 해서든 양광에게 승전보를 전하고 싶었던 것이다. 양광이 우중문을 총애하고 있었기 때문에 우문술은 우중문에게 밀려 을지문덕 추격전에 동참하게 되었다.

그들은 30만 대군을 이끌고 압록수(지금의 요하)를 건너 동쪽으로 진군하였고, 그 과정에서 일곱 번이나 고구려군과 싸워 모두 승리하였다. 하지만 그것은 을지문덕의 계략이었다. 을지문덕은 우중문이 자신을 놓아주고 나서는 반드시 후회를 거듭하며 다시 쫓아올 것이라고 예상하고, 곳곳에 병력을 배치하여 싸우는 척하다가 퇴각하도록 했던 것이다. 그들을 고구려 땅 깊숙이 끌어들인 다음 일시에 반격을 가한다는 계획이었다.

을지문덕의 계략을 알 리 없는 우중문과 우문술은 어느덧 살수를 건넜다. 그리고 평양성을 30리 남겨두고 진을 쳤다. 이 때 을지문덕은 우중문에게 사람을 보내 시를 한 편 전달했다. 흔히 '수나라 장수 우중문에게 보내는 시'로 알려진 이 시의 내용은 다음과 같다.

신책구천문(新策究天文) 신기한 책략은 천문을 통달했고
묘산궁지리(妙算窮地理) 묘한 계략은 땅의 이치에 이르렀다
전승공기고(戰勝功旣高) 전쟁에 이겨 이미 그 공이 높으니
지족원운지(知足願云止) 족함을 알고 돌아가는 것이 어떠리

이 시를 보낸 후에 을지문덕은 다시 우문술에게 부하를 보내 거짓으로 항복을 청하고 '만약 군사를 거두어 간다면 왕을 모시고 예방하겠다.'고 하였다. 그러자 우문술은 수하 병력이 피로에 지쳐 더 이상 진군할 수 없으며, 설사 진군하여 평양성에 닿는다 해도 쉽게 함락할 수 없다는 판단을 하고 회군하였다.

우문술이 회군을 시작하자 그때부터 고구려군은 파상전을 펼치며 사면에서 공격을 시작했다. 우문술은 부하들을 재촉하여 어느덧 살수에 이르렀다. 그들

이 살수를 반쯤 건넜을 때 을지문덕이 이끄는 고구려군은 미처 건너지 못한 수나라 군사를 공격하였다. 이렇게 되자 수군은 혼비백산하여 도망가기에 바빴고, 고구려군은 활과 돌을 쏘아 적의 퇴로를 차단하며 무섭게 돌격하였다. 이결과 우문술의 30만 5천 대군은 졸지에 2천 7백으로 줄었고, 수나라 선봉부대는 완전히 궤멸되고 말았다.

우문술이 패했다는 소식이 들리자 발해에서 진을 치고 있던 내호아는 즉시 퇴각하였다. 그리고 양광은 우문술을 소환하여 쇠사슬로 묶고 장안으로 돌아갔다. 이로써 수나라의 제2차 침입은 고구려의 완벽한 승리로 끝이 났다.

이 2차 침입시에 백제는 수나라에 사신을 보내 고구려 공략에 합류하겠다고 약속했다. 하지만 막상 수나라가 고구려를 치자 백제는 중립을 지키며 상황을 지켜보았다. 만약 수나라의 침입으로 고구려가 몰락할 경우 백제 역시 무사하지 못할 것이라는 판단에서였다.

제3차 침입, 요동성과 신성 싸움

수나라의 제3차 침입은 613년 4월에 있었다. 양광은 그해 정월에 전 병력을 탁군에 집합시킬 것을 명령한 후 2월에 공식적으로 고구려 공격을 선언했다. 그리고 4월에 요수를 건넜다.

살수대첩에서 대패한 우문술은 이 때도 대장군으로 참전하여 선봉부대를 지휘하였다. 좌우군으로 나뉜 수나라 병력은 좌군이 부여를 경유하여 신성으로 진군했고, 우군은 요동성을 공격하였다.

좌군을 이끈 수군 장수는 우문술 수하에 있던 왕인공이었는데, 그는 부여로 우회하여 신성으로 향하였다. 이에 고구려군은 신성 근처에서 그들을 저지하였으나 대패하여 다시금 신성에서 수성전을 펼쳤다. 한편 우군을 지휘하고 있던 우문술은 지속적으로 요동성을 공략했지만 요동성은 좀체 함락되지 않았다.

양광은 이 과정을 지켜보다 분을 이기지 못해 1백만 개의 흙포대를 동원하여 요동성 높이보다 더 높게 흙벽을 쌓도록 하였다. 또한 성벽보다 높은, 바퀴가 여덟 개 달린 수레를 만들어 요동성 안으로 활을 쏘아대기도 했다.

양광의 이 같은 방법은 성 안의 고구려군을 위축시키긴 했으나 성을 함락시키지는 못했다. 그러나 양광은 그 방법이 효과가 있음을 알고 지속적으로 반복할 것을 명령했다. 그런데 이 무렵 수나라 장안에서 반란 소식을 전하는 급보가 날아들었다. 예부상서 양현감이 군량을 수송하다가 농민들의 봉기가 확산되는 것을 보고 반란을 일으켰던 것이다.

이 때문에 양광은 그날 밤에 즉시 군사를 이끌고 되돌아갔다. 그가 돌아간 뒤에 고구려군은 혹 적의 계략일지도 모른다는 판단에 섣불리 성문을 열지 않았다. 이틀이 지난 뒤에야 비로소 그들이 철수했음을 알고 급히 말을 몰아 그들의 뒤를 쫓았다. 그 결과 그들의 후군 수천 명을 죽이는 쾌거를 올렸다.

제4차 침입, 비사성 싸움과 화친조약

수나라의 제4차 침입은 614년 7월에 시작되었다. 양광은 그해 2월에 군사를 징집하여 전쟁 준비를 한 다음, 7월에 공격을 시작했다.

이 싸움의 수나라 선봉장은 내호아였다. 그는 대군을 이끌고 고구려의 전진 기지인 비사성을 공략하였고, 고구려군은 유인전을 펼치며 그들을 저지하다가 오히려 패배하고 말았다. 내호아는 그 기세를 몰아 평양성으로 진군할 계획을 짰는데, 그때 영양왕은 양광에게 사신을 보내 화친을 제의했다.

당시 수나라 군사는 전의를 상실한 데다가 곳곳에서 반란이 일어나 내정이 어지러운 상태였기 때문에 양광은 기꺼이 화친제의를 받아들였다. 이로써 수의 제4차 침입은 비사성 싸움을 끝으로 종결되었다.

▶ 영양왕 시대의 세계 약사

영양왕 시대 중국은 수나라에 의해 통일되었다. 그러나 수나라의 문제와 양제가 고구려 침략전쟁을 계속하는 바람에 민간경제가 피폐해져 곳곳에서 농민봉기가 발생한다. 농민 봉기에 귀족들이 가담하면서 상황은 더욱 급변하고, 결국 618년에 곳곳에서 일어난 호족세력에 의해 수 왕조는 몰락한다. 그 후 태원의 유수 이연이 힘을 집중해 당나라를 건국한다.

이 시대 유럽에서는 그레고리우스 1세가 교황으로 즉위하면서 교황권이 확립되고, 동로마는 페르시아와 화친을 맺어 한동안 평화를 유지한다. 하지만 602년에 동로마의 마우리키우스 황제가 피살되어, 유스티니아누스 왕조가 단절되고 내란이 발생한다. 이후 동로마에는 사산조 페르시아가 메소포타미아, 아르메니아 지역을 공격해온다. 그리고 616년에는 페르시아가 예루살렘을 공격하고, 이듬해에는 이집트를 점령함으로써 동로마의 힘은 대폭 축소된다. 한편, 이 무렵 마호메트는 이슬람교를 일으켜 포교를 시작한다.

제27대 영류왕실록

1. 온건주의자 영류왕과 연개소문의 반정

(?~서기 642년, 재위기간:서기 618년 9월~642년 10월, 24년 1개월)

영류왕은 평원왕과 그의 둘째 왕후 사이에서 태어났으며, 영양왕의 이복 동생이다. 언제 태어났는지는 분명치 않으며, 이름은 '성(成)'이다. 서기 618년 9월에 영양왕이 후사 없이 죽자 고구려 제27대 왕에 올랐다.

영류왕이 즉위하기 6개월 전인 618년 3월에 중국에서는 수 왕조가 몰락하고 당(唐) 왕조를 비롯한 할거정권이 성립됐다. 당 왕조를 일으킨 이연(고조)은 황하 동쪽의 태원 귀족이며, 수나라 말기에는 태원의 유수로 있던 인물이다. 그는 당을 건립한 이후 꾸준히 세력을 확대하여 각지에서 할거하고 있던 군벌들을 제거하고 통일작업을 지속한다.

이연은 이처럼 내적으로는 통일작업을 지속하면서 외적으로는 고구려에 사신을 보내 화친을 제의한다. 이연이 당 왕조를 건립하자마자 고구려에 손을 내민 것은 후방을 안정시켜 통일작업을 지속하기 위함이었다. 고구려 조정에서는 일단 이연의 화친제의를 받아들였지만, 한편에선 중국의 혼란을 이용하여 영토를 확장해야 한다는 주장이 제기되고 있었다. 그러나 영류왕은 한반도 쪽 변방에서 신라와 백제가 침략의 기회를 노리고 있는 상황에서 중국 쪽과 전쟁을 치른다는 것은 위험을 자초하는 일이라며 영토확장론을 일축했다.

영류왕의 온건주의적 성향은 친당정책으로 이어졌고, 이에 따라 고구려와 당은 수나라의 침략전쟁에서 발생한 포로들을 교환하기에 이른다. 622년에 이뤄진 이 포로교환협상의 결과로 양쪽에 붙잡혀 있던 2만의 포로가 고향으로 돌아갈 수 있게 되었다. 또한 624년 2월에는 당나라에서 유행하고 있던 도교가 도입되고, 이듬해에는 불경과 노자의 교리가 전래되어 고구려와 당 사이에 문화적 교류도 이뤄진다.

그런데 이 무렵 당나라에서는 내분이 발생한다. 이연에게는 아들이 여러 명 있었는데, 그들 중에 당의 건립과 통일작업에 가장 많은 공을 세운 사람은 차남인 이세민(태종)이었다. 그러나 이연은 장자인 이건성을 태자로 세웠고, 이에 불만을 품은 이세민은 건성을 폐하고 자신을 태자로 세울 것을 강력하게 요청한다. 이연은 세민의 요청을 받아들이지 않고 오히려 세민으로부터 태자 건성을 보호하기 위해 여러 가지 방책을 마련한다. 이 때문에 이세민은 아버지 이연과 형 건성에 대해 적개심을 품었고, 그것은 마침내 626년에 이르러 무력 충돌로 이어진다.

626년 6월에 이세민은 자신의 심복들을 궁정 옆의 호숫가에 잠입시켜 태자 건성을 살해하고, 이연에게 압력을 가하여 선위 형식을 통해 왕위를 찬탈하였다. 이렇게 하여 당은 야심만만한 이세민이 새로운 왕으로 즉위하였고, 이에 따라 고구려를 비롯한 주변국들은 당나라에 대한 경계를 강화하게 된다.

이세민은 왕위에 오르자 곧 영토확장작업을 가속하는 한편 주변국들에 압박을 가하여 외교적 우위를 확보한다. 이 결과 고구려를 비롯한 백제, 신라가 모두 당과 화친하였다. 이 과정에서 신라와 백제가 당에 사신을 보내 '고구려가 길을 막고 귀국을 예방하지 못하게 한다'고 말하자, 당은 고구려에 사신을 보내 신라, 백제 등과 화친할 것을 종용한다. 영류왕은 당의 요구를 받아들여 신라, 백제와 화친하겠다는 내용의 서한을 당나라 조정에 보낸다.

이처럼 동방의 세 나라에 대한 외교적 우위를 확보하여 종주국 행세를 하던 당은 628년에 마지막 남은 군벌세력을 제거하고 통일작업을 완수한다. 마지막까지 당에 저항하던 양사도 무리는 돌궐(터키)에 의지하였는데, 이 해에 양사도는 부하에게 살해되었고 서돌궐은 추장이 포로로 잡히자 당에 항복하였다.

이렇듯 당이 수나라에 이어 더욱 강력한 대국으로 떠오르자 고구려는 당의 침입을 염려하였고, 반대로 당나라로부터 멀리 떨어진 신라는 당나라 세력을 이용하여 영토를 확장하려는 계획을 꾸민다. 신라의 팽창정책을 이끌고 있던 진평왕과 김유신은 당이 통일 작업을 완성한 후에는 필시 고구려를 침공할 것이라 판단하였다. 때문에 고구려가 한반도 쪽 변경에 병력을 집중시킬 수 없을 것이라는 점을 눈치 채고 629년에 고구려를 침입하여 낭비성을 함락시킨다. 고구려는 몇 번에 걸쳐 반격을 가했지만 당의 침입을 우려하여 적극적인 공략에 나서지 못했다.

당시 고구려는 군사를 요동에 집중시키고 당의 침략에 대비하여 부여성에서 발해에 이르는 장성을 쌓고자 하였다. 이 장성 계획은 국상격인 대대로에 올라 있던 서부대인 연태조가 주도하였고, 축성 작업은 631년 2월부터 시작되었다. 이 작업을 지휘하던 연태조는 축성 과정에서 지병으로 사망했고, 그의 아들 연개소문이 대업을 이어받아 작업을 지속하였다.

한편, 이 무렵에도 한반도 쪽 변방에서는 고구려와 신라군의 충돌이 계속되었다. 이에 영류왕은 638년 10월, 군사를 동원하여 신라의 북쪽 변경의 요지인 칠중성을 공격하였다. 하지만 1개월간의 싸움 끝에 신라 장군 알천에게 패배하여 퇴각하고 말았다.

고구려가 신라에게 고전을 면치 못하고 있을 때 당나라는 동돌궐을 멸망시키고, 고구려에 사신을 보내 태자를 입조시킬 것을 요구한다. 이 때문에 조정 대신들은 강경파와 온건파로 갈라져 치열한 논쟁을 벌였다. 강경파는 더 이상 당나라의 압력에 굴복해서는 안 된다며 태자를 장안으로 보내지 말 것을 주장했고, 온건파는 태자를 장안으로 보내 당과의 관계를 돈독히 함으로써 평화를 유지해야 한다고 주장했다.

강경파와 온건파의 대립이 지속되는 가운데 영류왕은 온건파의 의견을 받아들여 640년 2월에 태자 환권을 장안에 보냈다. 그리고 당 태종에게 서한을 띄워 환권을 당나라 국학에 입학시켜 줄 것을 청원하였다.

영류왕이 온건론을 지지하자 강경파의 입지는 더욱 좁아졌다. 그런데 641년에 당에서 직방 낭중 진대덕을 보내 태자의 예방에 답하겠다는 서한이 도착하자 강경파와 온건파의 대립은 극에 달한다.

강경파는 진대덕이 낭중의 벼슬에 있는 자로 병법에 능하며 지리에 밝은 인물이라고 주장하면서 그를 입국시킬 경우 반드시 후회할 일이 생길 것이라고 주장하였다. 즉, 당이 진대덕을 보내는 이유는 고구려의 지리를 파악하여 자신들의 침략을 용이하게 하기 위함이라는 것이었다.

하지만 영류왕은 강경파의 주장에 귀를 기울이지 않았다. 영류왕은 친당주의적 성향을 짙게 드러내면서 진대덕의 입국을 받아들였다. 뿐만 아니라 진대덕이 장안성으로 오는 도중에 여러 성읍을 구경할 수 있도록 해달라고 요청하자 이를 허락하였다. 이에 따라 진대덕은 요수로부터 평양에 이르는 길목을 샅샅이 살펴 고구려의 지리를 익히는 한편, 각 성에 배치된 군사력까지 면밀하게 조사하였다. 진대덕은 당나라에 귀국하자 태종에게 고구려를 칠 것을 간언하였다.

한편, 진대덕이 다녀간 뒤에 고구려 조정에서는 강경파의 불만이 노골적으로 불거져나오기 시작했다. 중원 국가에 태자를 입조시키는 수모를 겪고, 그것도 모자라 적국 장수에게 지리를 익히도록 길을 열어줬으니 강경파의 그 같은 불만은 당연한 것이었다.

그러나 영류왕을 비롯한 온건파 신하들은 강경파의 불만을 무시하고 급기야는 장성 축성 작업까지 중단해야 한다는 주장을 하기에 이르렀다. 그러자 축성 작업을 지휘하고 있던 연개소문이 강하게 반발하였고, 이에 영류왕과 온건파 대신들은 연개소문을 제거하려는 움직임을 보였다.

영류왕이 자신을 제거하려 한다는 소식을 들은 연개소문은 영류왕을 비롯

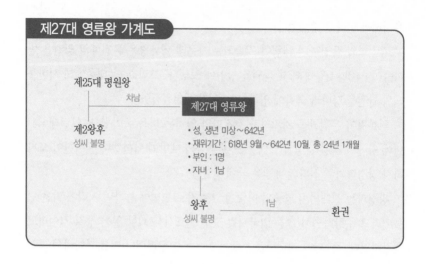

제27대 영류왕 가계도

제25대 평원왕

　　　차남

제27대 영류왕

제2왕후
성씨 불명

· 성, 생년 미상~642년
· 재위기간 : 618년 9월~642년 10월. 총 24년 1개월
· 부인 : 1명
· 자녀 : 1남

왕후　　　　　　1남
성씨 불명　　　　　　　　　　　　환권

한 온건파를 척결하려는 계획을 세우고, 642년 10월에 잔치를 마련하여 그들 신하들을 대거 초청하였다. 그리고 수하 부대를 사열한다는 핑계로 군대를 집결시킨 뒤 이를 참관하던 대신들을 모두 참살하였다. 또한 거사에 성공하자 군사를 이끌고 장안성으로 가서 영류왕을 포박하여 죽였다. 당 태종은 영류왕이 죽었다는 전갈을 받고 애도의식을 거행하고 지절사를 고구려에 보내 조문하였다.

영류왕의 능에 대한 기록은 남아 있지 않으며, 묘호는 영류왕(榮留王)이라 하였다[영류왕을 '건무왕(建武王)'이라고도 하는데, 여기서 '건무'는 영류왕의 연호인 듯하다].

영류왕은 한 명의 왕후에게서 태자 환권(桓權)을 얻었다. 그런데 왕후에 대한 기록은 전무하고, 환권에 대해서는 640년에 당나라에 입조하여 국학에 입학했다는 기록만 남아 있다. 하지만 642년 10월에 영류왕이 살해될 당시에 그도 함께 살해된 것으로 판단된다.

▶ 영류왕 시대의 세계 약사

영류왕 시대 중국은 당나라 시대로 접어들었다. 당은 618년 3월 태원 유수 이연이 건립했는데, 그가 나라를 일으킬 당시 강동과 회남 지역에는 두복위가 세력을 형성하고 오왕을 자칭하고 있었다. 이에 이궤, 나예, 양사도, 유무주, 설거 등이 각 지역에서 세력을 형성하고 일어나 할거정권을 세웠다. 이 무렵 수나라 왕 양광은 살해되었다. 그러자 이연도 독자적인 세력을 구축하여 국호를 당이라고 하고 나라를 세웠던 것이다. 그 후 이연은 각 지역의 할거세력을 물리치고 624년에는 북방의 일부 지역을 제외한 대부분의 수나라 영토를 손아귀에 넣었다. 하지만 이연은 626년에 아들 이세민(태종)에 의해 왕위에서 밀려났다. 새로운 왕으로 등극한 이세민은 중국 전역을 통일하여 고구려, 돌궐, 토번(티베트), 백제, 신라, 왜 등에 압박을 가하며 당을 강력한 국가로 성장시킨다.

이 무렵 서양에서는 페르시아가 세력을 팽창시키다가 사라센에 의해 무너지고, 프랑크 제국은 또다시 삼분되어 제3차 분열시대를 맞이한다. 이 때 이슬람교의 창시자 마호메트가 세력을 확대하다가 궁지에 몰리자 622년에 이른바 '성스러운 도망'을 감행하여 주무대를 메카에서 메디나로 옮긴다. 하지만 마호메트는 누차에 걸쳐 메카를 공략하여 군대를 격파하기도 하였으며, 그의 제자들과 함께 사라센국을 형성한다. 이후 632년에 마호메트는 사망하지만 사라센은 아라비아를 통일하고, 다마스커스와 예루살렘을 점령하여 제국의 기틀을 다지는 한편 페르시아를 격파하여 사산 왕조를 멸망시킨다. 이 때부터 유럽의 상당 부분과 아프리카 북부지방이 사라센의 영향력 아래 놓이게 된다.

제28대 보장왕실록

1. 마지막 왕 보장왕과 고구려의 몰락

(?~서기 682년, 재위기간:서기 642년 10월~668년 9월, 25년 11개월)

연개소문의 반정으로 보장왕이 즉위하면서 고구려와 당의 관계가 악화된다. 당은 일찍부터 고구려를 침략하려 했으나 마땅한 명분을 찾지 못했는데, 마침 연개소문이 영류왕을 죽이고 보장왕을 왕위에 앉히자 당 태종은 이를 빌미로 고구려 침략을 획책한다. 이에 따라 당은 총력전을 펼치며 고구려를 공략하고, 고구려는 연개소문의 지휘 아래 당나라의 침략에 대응한다.

보장왕은 평원왕의 셋째 아들인 대양왕의 장남으로 이름은 장[臧, 또는 보장(寶臧)]이다. 언제 태어났는지는 분명치 않으며, 서기 642년 10월에 연개소문이 그의 큰아버지 영류왕을 죽이고 그를 추대함에 따라 고구려 제28대 왕에 올랐다.

보장왕이 즉위하자 모든 권력은 연개소문에게 집중되었다. 연개소문은 스스로 대막리지에 오른 후에 조정과 군권을 장악하고, 보장왕을 허수아비왕으로 전락시켰던 것이다. 이에 따라 고구려에는 연개소문의 일인독재 체제가 성립되고, 이는 후에 고구려 멸망의 원인으로 작용한다.

　그러나 연개소문의 반정과 독재에 항거한 세력이 있었는데, 그는 다름 아닌 안시성 성주였다. 그는 연개소문이 영류왕을 죽이고 보장왕을 즉위시킨 후 스스로 대막리지가 되어 조정을 장악하자 이를 불충으로 규정하고 항거할 움직임을 보인다. 연개소문은 군사를 동원하여 안시성을 공격하였지만 번번이 실패하였고, 결국은 안시성을 휘하에 넣지 못한 채 종래의 안시성 성주의 직위를 그대로 유지시킨다는 뜻을 밝히고 사태를 마무리짓는다.

　한편, 이 무렵 한반도에서는 백제와 신라가 치열한 공방전을 벌이고 있었다. 이들의 싸움은 642년 7월에 백제가 신라의 40여 개 성을 함락시켜 차지함으로써 백제에게 유리한 양상으로 치닫고 있었는데, 그해 8월에 백제가 다시 신라의 요지인 대야성(합천)을 점령하면서 전세는 더욱 신라에게 불리하게 돌아갔다. 이에 따라 신라의 선덕여왕은 그해 10월에 김춘추를 고구려에 보내 구원병을 요청하였다. 하지만 고구려의 실권자 연개소문은 김춘추의 요청을 거부하고 사태의 추이를 관망하면서 어부지리를 노리기로 하였다.

　이 때 당나라의 태종 이세민은 연개소문이 영류왕을 살해하고 보장왕을 즉위시켜 권력을 장악한 것을 빌미로 고구려에 대한 침략을 계획하고 있었다. 이세민은 그동안 진대덕을 보내 지형을 파악하는 등 고구려 침략을 위한 여러 가지 준비를 하고 있었는데, 마땅히 신하들을 설득할 만한 대의명분을 찾지 못했다. 더구나 수나라의 네 차례에 걸친 고구려 침략의 여파가 아직 가시지 않은 상태였기 때문에 백성들은 전쟁에 대한 거부감이 심했다. 그러던 차에 연개소문이 영류왕을 죽이는 사태가 발생했고, 이세민은 이를 호재로 생각하고 본격적인 전쟁 준비에 돌입했던 것이다.

　이세민이 침략전을 준비하고 있는 동안 연개소문은 당나라의 내부 사정을 좀더 소상하게 파악할 필요성을 느끼고 643년 3월에 당에 사신을 보냈다. 사신을 보내는 명분은 도교를 더 널리 유포하기 위해 도사를 청한다는 것이었다. 하지만 진짜 목적은 사신을 통해 당나라의 전쟁 준비 상황을 살피는 것이었다. 도교를 선호하고 있던 이세민은 연개소문의 내심을 눈치 채지 못하고 도사 8

명과 노자의 도덕경을 보내주었다.

　당나라에 갔던 사신으로부터 이세민이 전쟁 준비를 하고 있다는 소식을 들은 연개소문은 당의 침략에 대비하였다. 전국 각지에서 장정을 대거 징발하여 군사를 늘리고, 변방의 성곽을 수리하는 한편 진법 훈련에 박차를 가했던 것이다.

　고구려가 당의 침략에 대비하는 동안 신라는 백제의 공격을 막아내기 위해 외교전을 펼치고 있었다. 신라는 643년 9월에 당에 사신을 보내 백제와 고구려가 신라의 조공길을 막고 있다고 하면서 원군을 보내줄 것을 요청했다. 이렇게 되자 당의 이세민은 신라와 손을 잡고 고구려와 백제를 무너뜨리려는 계획을 짠다. 당의 계략을 눈치 챈 연개소문은 백제와 손을 잡고 적극적으로 신라 공략에 나선다.

　백제와 고구려가 신라를 협공하자 이세민은 고구려에 사농승 상리현장을 보내 고구려와 백제가 신라에 대한 공격을 멈추지 않으면 당이 군사를 출동시키겠다고 엄포를 놓는다. 하지만 연개소문은 과거에 신라에게 빼앗긴 성읍을 되찾기 전에는 신라 공략을 멈출 수 없다며 상리현장의 요구를 한마디로 거절한다.

　고구려에서 돌아온 상리현장이 연개소문의 말을 전하자 이세민은 '왕을 죽이고 이웃 나라에 대해 전쟁을 일삼는 연개소문을 응징한다.' 는 명분을 내걸고 원로 대신들을 설득하기 시작했다. 원로 대신들로부터 형식적인 승인을 얻어낸 이세민은 자신이 직접 대군을 이끌고 고구려를 치기로 하고 출전 준비에 돌입했다.

　이에 연개소문은 전국에서 말갈군을 포함하여 약 20만 병력을 형성하고, 그 중 5만은 한반도 쪽 변방에 배치하고 나머지 15만은 요동과 평양에 나누어 배치하였다. 또한 그때 안시성에는 안시성주의 독자적인 세력인 성민 7만과 군사 3만이 있었으므로 고구려의 총 병력은 약 23만이었다. 연개소문은 이 같은 병력이면 충분히 당의 침략을 막을 수 있다고 판단하였지만 혹 당군이 바다를 타고 평양을 칠 것을 염려하여 보장왕을 비롯한 왕실 종친들은 대동강변의 하평양에 머물도록 하였다.

　고구려가 당의 침략에 대비하는 사이 당 태종 이세민은 일부 신하들의 반대에도 불구하고 645년 3월에 출전 명령을 내렸다. 이세민은 총 10만 병력을 동원하였는데, 그 중 4만은 전함 5백 척을 거느리고 발해를 통해 평양으로 향했으며, 나머지 6만은 이세민이 직접 거느리고 요수(난하)를 건너 육로로 진군하였다. 또한 돌궐군과 거란군 수만 명이 당군을 지원하기 위해 동원되었으니, 침략군은 총 15만에 육박하였다.

　이세민의 10만 병력 중 이세적이 이끄는 선봉대가 4월에 개모성을 공략하여 무너뜨렸고, 수군을 거느리고 평양으로 향한 장량의 4만 군대는 비사성을 습격하였다. 이후 양국 군사는 한 달 가량 공방전을 지속하다가 5월에 장량이 비사성을 함락시켰다. 개모성을 함락시킨 이세적은 요동성으로 진군하였다.

　고구려군의 상황이 불리하게 돌아가자 연개소문은 신성과 국내성의 4만 병력으로 하여금 요동성을 지원하도록 하였다. 이에 따라 당군은 수천의 전사자를 내고 패주하였는데, 다시 이세민이 이끄는 5만 병력이 당도하자 고구려군은 뒤로 물러나 수성전을 펼쳤다. 이 때 요동성에서는 이세적이 이끄는 1만 병력이 성을 에워싸고 공격을 지속하고 있었다. 하지만 요동성을 무너뜨리지 못하자 이세민은 자신의 정예부대 5만을 이끌고 이세적을 지원하였다. 이후 요동성은 당군에 의해 겹겹이 포위되었다가 12일 만에 함락되고 말았다.

　요동성이 함락되자 백암성이 위태롭게 되었다. 이에 백암성주 손대음은 이세민에게 심복을 보내 항복을 청하고 백암성을 내주었다. 요동성과 백암성을 무너뜨린 이세민은 자신의 정예부대 5만과 이세적의 선봉대 1만, 돌궐과 거란군 수만, 고구려군 포로 및 백성 5만 명을 이끌고 안시성으로 진격하였다.

　당군이 안시성으로 진격하였다는 소리를 듣고 연개소문은 북부욕살 고연수와 남부욕살 고혜진에게 총 15만의 군사를 내주고 안시성을 지원하도록 하였다. 이에 이세민은 고연수에게 사람을 보내 회유작전을 썼다. 이세민은 자신이 고구려를 정벌하기 위해 온 것이 아니라 다만 신하의 예절을 가르치기 위해 왔다고 말하면서 신하의 예만 갖추면 빼앗은 성을 모두 돌려주고 돌아가겠다고

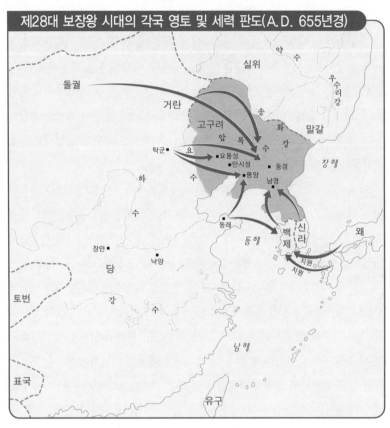

제28대 보장왕 시대의 각국 영토 및 세력 판도(A. D. 655년경)

당과 신라의 파상적인 공격과 연개소문의 죽음으로 고구려는 중심을 잃고 무너진다.

제의했다. 그러자 고연수는 이세민이 공격할 의사가 없다고 판단하고 싸움에 적극성을 보이지 않았다. 이세민은 이 기회를 놓치지 않고 2만 6천의 기습병을 조직하여 고구려군을 급습하였다.

당군의 급습을 받은 고구려군은 졸지에 혼란에 빠졌고, 그 과정에서 3만의 군사를 잃었다. 이에 고연수와 고혜진은 직할부대 3만 6천을 이끌고 이세민에게 항복하였고, 나머지 병력은 신성과 건안성으로 퇴각하였다.

이 때문에 안시성은 완전히 고립되어 난관에 봉착하였고, 이세민은 모든 병력을 동원하여 안시성을 공격하기 시작했다. 하지만 안시성주의 뛰어난 용병

술에 힘입어 안시성의 군민들은 사기를 잃지 않았고, 반대로 시간이 지날수록 당군은 피로에 지쳐 사기가 저하되었다. 심지어 이세민은 연인원 50만을 동원하여 안시성보다 더 높은 토성을 쌓아 공격하였으나 이 역시 안시성주의 치밀한 방어벽에 밀려 아무런 효과도 거두지 못했다. 오히려 이 토성 작전으로 당군은 많은 물량과 병력을 잃어야만 했다.

당군의 실패가 거듭되는 가운데 어느덧 겨울이 닥쳤다. 그 때문에 당군은 추위와 배고픔을 이기지 못하고 그해 10월에 퇴각하기 시작했다. 당군은 퇴로에서 많은 동사자가 발생해 군사를 잃었고, 이에 따라 군사들이 대거 몰사하는 상황에 처하기도 하였다.

장안으로 돌아간 이세민은 패배를 설욕하기 위해 다시금 고구려를 치고자 하였다. 하지만 대신들의 반대에 부딪혀 뜻을 이루지 못하였고, 이에 1만 이하의 적은 병력을 동원하여 소모전을 펼치기 시작했다. 그러면서 이세민은 또 한 번의 고구려 침략을 위해 강남의 12주에서 기술자들을 동원하여 대대적인 전함 축조 작업을 시작하였다. 그리고 648년 정월에 설만철에게 군사 3만을 내주고 전함을 동원하여 평양으로 향했다. 이후 몇 차례에 걸쳐 공방전이 계속 이어졌으나 당군은 별다른 성과를 거두지 못하고 퇴각하였다. 이 때문에 이세민은 649년에 30만 병력을 동원하여 고구려를 치려는 계획을 수립하였다. 하지만 그는 649년 4월에 고구려 정벌을 중지하라는 유시를 남기고 죽음을 맞았다. 이에 따라 고구려와 당은 일시적인 휴전상태에 돌입했다.

하지만 휴전상태가 지속되는 상황에서도 한반도에서는 여전히 전쟁이 이어졌다. 고구려군과 백제군은 지속적으로 신라를 공격하였고, 이에 따라 신라는 완전히 수세에 몰렸다. 그런 가운데 655년 정월에 고구려군과 백제군의 협공에 밀려 신라는 23개 성을 잃었고, 신라의 무열왕(김춘추)은 당에 사신을 급파하여 원군을 요청하였다.

신라의 요청을 받은 당은 그해 2월에 영주도독 정명진과 좌위 중랑장 소정방에게 군사를 내주어 고구려를 공격하게 하였다. 그리고 그해 5월에 요수를 건너 고구려군과 대치하였으나 패배하여 퇴각하였다. 이 때문에 약이 오른 당나라 고종은 658년에 다시금 정명진과 중랑장 설인귀에게 군사를 내주어 고구려를 침략하였으나 대패하고 돌아갔다.

그 후 당은 659년 11월에 설인귀를 앞세워 다시 고구려를 침략하였고, 이듬해 6월에는 소정방이 군사 13만을 거느리고 신라와 함께 백제 공략에 나섰다. 이 같은 나당연합군의 공격에 밀린 백제의 의자왕은 그해 7월에 항복하였다. 이에 따라 의자왕 및 백제의 신료들은 당나라로 끌려갔고, 백제는 남아 있던 신하들을 중심으로 백제부흥운동에 돌입하였다.

백제를 무너뜨린 나당연합군은 그 여세를 몰아 고구려로 향하였다. 이 소식을 들은 고구려군은 선제공격을 감행하여 신라의 칠중성을 공격하였다. 그러자 소정방이 이끄는 나당연합군은 대동강의 하평양을 향해 진군하였고, 이에 호응하기 위해 당 고종은 67개 주에서 4만 4천의 병력을 징발하여 고구려의 대륙 쪽 변방을 공격하였다.

그 무렵 부여풍을 위시한 백제부흥군이 백제 땅의 서북부 일원을 회복하여 나당연합군의 후미를 쳤다. 그 바람에 신라군은 다시 남진하여 백제군과 싸워야 했고, 그 상황을 이용하여 고구려는 서북변방에 병력을 집결시켜 4만 4천의 당군을 패주시켰다. 이에 당군은 그해 4월에 다시금 대병력을 이끌고 수륙 양동 작전을 구사하며 평양을 향해 진군하였다. 하지만 이번에도 역시 고구려군에게 패배하자 당나라 조정에서는 고구려와 휴전해야 한다는 여론이 일었고, 이에 밀린 당 고종은 일시적으로 고구려 공략을 중지할 수밖에 없었다.

당군이 주춤하는 사이 연개소문은 뇌음신에게 군사를 내주어 신라의 북한산성을 공격하게 하였다. 하지만 연일 장마가 계속되는 바람에 함락시키지 못하고 퇴각해야만 했다.

그러자 그해 8월에 소정방은 10만 대군을 선단에 태우고 보장왕이 머무르는 대동강의 하평양으로 진군하였다. 그리고 대동강을 타고 평양성(하평양성)을 포위했지만 공방전만 지속하다가 함락시키지 못했다. 이 무렵, 서쪽에서는 당 고종이 보낸 당군이 요수(난하)를 넘어 압록수(랴오허)를 향해 밀려왔다. 이에 연개소문은 장남 남생에게 수만 명의 군사를 내주고 압록수를 지키도록 하였다. 그리고 9월에 당군이 압록수를 넘어 쳐들어왔으나 남생이 이끄는 고구려군에 밀려 퇴각하였다.

이렇듯 당군은 패배만 지속하다가 665년 정월에 방효태를 앞세워 다시금 고구려를 침략하였다. 그러나 방효태 군대는 연개소문이 이끄는 고구려군과 사수언덕에서 혈전을 벌이다가 패배하여 몰살하였으며, 방효태는 그의 아들 13명과 함께 불귀의 객이 되었다.

이 때 소정방은 여전히 하평양성을 포위하고 성을 함락시키기 위해 전면전을 펼치고 있었다. 그러다가 폭설이 내리는 바람에 포위를 풀고 황급히 퇴각해야만 했다.

고구려는 이렇게 연개소문의 지휘 아래 군관민이 일체가 되어 매번 당군을 퇴각시켰지만, 666년에 연개소문이 사망하면서 상황은 급변하였다. 당시 고구려의 모든 권력은 연개소문에게 집중되어 있었는데 연개소문이 죽자 그의 아들들 간에 정권다툼이 일어났던 것이다.

연개소문이 죽자 그의 맏아들 남생이 막리지 직위를 이어 조정을 장악했다. 하지만 남생의 동생 남건과 남산은 형의 권력 독식에 불만을 품고 있었다. 그래서 그들은 남생이 변방을 순행하는 사이 왕명을 빙자하여 남생의 측근들을 없애고 남생을 소환하려 하였다. 이 소식을 들은 남생은 국내성에 몸을 숨기고 자신의 아들을 당에 보내 구원을 요청하였다. 남생의 구원 요청을 받은 당 고종은 설필하력으로 하여금 남생을 마중하게 하였고, 남생은 군대를 거느리고 당으로 탈출하는 데 성공한다.

그 후 보장왕은 남건을 막리지로 삼고 조정을 재편하였다. 하지만 고구려 조정은 이미 많은 신하가 제거되어 어수선하였고, 민심도 남건 형제에게서 등을 돌렸다. 당 고종은 이 기회를 놓치지 않고 남생의 군사를 앞세우고 이적, 설필하력, 학처준, 백안륙 등에게 대군을 내주어 고구려를 치도록 하였다. 이렇게 되자 연개소문의 동생 연정토는 한반도 쪽 12개 성을 가지고 신라에 투항해 버렸다.

연정토의 투항은 남건을 매우 당황케 하였다. 그런 상황에서 당이 대군을 형성하고 대대적인 공격을 가해왔다. 이에 따라 667년 9월에 신성 근처의 16개 성이 함락되었고, 다시 남소, 목저, 창암 등의 요지가 함락되었다. 그 후 부여성과 그 주변의 40여 성이 함락되었고, 668년 9월에는 보장왕이 머무르던 하평양성이 함락되고 말았다.

이에 따라 보장왕은 항복을 선언하고 남건, 남산 등과 함께 장안으로 끌려갔다. 보장왕이 항복했음에도 불구하고 남아 있던 고구려 군사들은 여전히 당군에 대항하여 싸웠다. 하지만 이미 대세는 기울어 회복될 기미가 보이지 않았고, 급기야 (구려의 역사를 포함하여) 고구려는 900년 역사에 종지부를 찍고 말았다.

한편 장안으로 압송된 보장왕은 전쟁에 대한 직접적인 책임이 없다 하여 당의 벼슬을 받고 그들이 평양에 설치한 안동도호부에 머물렀다. 그런 가운데 670년에 검모잠이 보장왕의 외손자인 안순을 왕으로 세우고 고구려부흥운동을 전개하였다. 하지만 검모잠과 안순 사이에 갈등이 생겨 안순이 검모잠을 죽이고 신라로 도주하는 사태가 일어났다.

또한 671년에는 그때까지 저항을 계속하고 있던 안시성이 무너지면서 고구려부흥운동은 막바지에 이르렀고, 672년 5월에 당의 대대적인 공략에 밀린 고구려의 잔여 병력은 대부분 신라에 투항하였다.

이후 보장왕은 신성으로 옮겨진 안동도호부를 통할하다가 677년에는 요동도독조선군왕에 임명되어 요동에 머물렀다. 그는 이 때 고구려의 재건을 노리며 말갈과 함께 군사를 일으키려 하다가 발각되어 681년에 앙주(지금의 사천성 공주)에 유배되었다. 그리고 그 곳에서 682년에 사망하였다.

보장왕이 죽은 뒤 당나라 조정은 그의 시신을 장안으로 옮겨 돌궐의 가한(추장)이었던 힐리의 무덤 옆에 장사하고 비를 세웠다. 보장왕은 나라가 망했기 때문에 시호를 받지 못했으며, 이에 따라 그의 이름 '보장'을 묘호로 삼는다.

2. 보장왕의 가족들

보장왕은 두 명의 부인에게서 아들 넷을 얻었는데, 첫째 부인이 복남, 임무, 덕무 등을 낳았으며, 둘째 부인이 안승을 낳았다. 가족 중 부인들에 대한 기록은 남아 있지 않고, 네 아들에 대한 간단한 언급이 남아 있다. 이에 아들들의 삶에 대해 간단하게 언급한다.

복남(생몰년 미상)

복남(福男, 혹은 남복(男福))은 보장왕의 맏아들이며 태자이다. 언제 태어났는지는 알 수 없으며, 666년에 보장왕의 명령을 받아 당나라 태종이 태산에서 해마다 실시하는 산신재(山晨齋)에 참가한 적이 있다. 하지만 그에 대한 기록은 이것이 전부이다. 고구려가 멸망하고 682년에 보장왕이 죽자 당나라는 686년에 복남의 아들 보원에게 조선군 왕의 직위를 승계시키지만 보원은 이를 받아들이지 않았다는 기록이 있다. 이는 복남이 적어도 686년 이전에 죽었다는 것을 의미한다.

임무(생몰년 미상)

임무(任武)는 보장왕의 둘째 아들이다. 언제 태어났는지는 분명치 않으며, 647년 12월에 보장왕의 명령을 받아 당나라에 다녀온 사실이 기록되어 있다. 이 때 보장왕은 당나라의 재차 침입을 막기 위해 임무를 장안으로 보냈다. 그리고 당 태종으로부터 화친을 약속받고 귀국하였는데, 당 태종이 약속을 어기고 이듬해 4월에 고구려를 침입하는 바람에 화친약조는 깨졌다.

임무에 대한 기록은 이것이 전부이며, 그의 죽음에 대한 기록도 남아 있지 않다.

덕무(생몰년 미상)

덕무(德武)는 보장왕의 셋째 아들이다. 언제 태어났는지 기록되어 있지 않

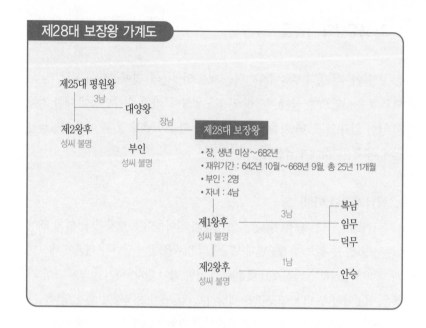

제28대 보장왕 가계도

제25대 평원왕
┬ 3남
대양왕

제2왕후
성씨 불명

부인
성씨 불명

장남

제28대 보장왕
• 장, 생년 미상~682년
• 재위기간 : 642년 10월~668년 9월. 총 25년 11개월
• 부인 : 2명
• 자녀 : 4남

제1왕후
성씨 불명
3남 ┬ 복남
├ 임무
└ 덕무

제2왕후
성씨 불명
1남
안승

으며, 699년에 당나라로부터 안동도독에 봉해져 고구려 지역을 다스린 것으로 전해진다. 하지만 그 이외의 기록은 남아 있지 않다.

안승(생몰년 미상)

안승(安勝)은 보장왕의 서자로 기록되어 있으며, 669년 2월에 고구려인 4천여 호를 인솔하고 신라에 투항했다. 이에 신라는 안승을 받아들여 보덕국왕에 봉했으며, 680년에는 문무왕의 질녀를 아내로 맞아들였다. 그 후 683년에는 경주에 머물며 소판이라는 봉작을 받고 김씨 성을 받아 신라의 귀족에 편입되었다. 하지만 그의 죽음에 대한 기록은 남아 있지 않다.

3. 일인독재 체제를 구축한 연개소문

영류왕을 죽이고 보장왕을 옹위함으로써 일인독재 체제를 구축한 연개소문

(淵蓋蘇文)은 서부의 귀족 출신이다. 그의 할아버지 연자유와 아버지 연태조는 모두 대인의 신분으로 재상 반열에 올랐다. 『삼국사기』와 『신당서』는 개소문의 성씨를 '천(泉)' 씨로 소개하고 있는데, 이는 개소문의 '연(淵)' 씨 성이 당나라를 세운 이연의 이름과 같다 하여 고의로 천씨로 바꿔놓은 것으로 판단된다.

연개소문은 아버지 연태조가 죽은 후에 서부의 대인 작위를 이어받으려 했는데, 당시 신하들이 연개소문의 성격이 지나치게 호방하여 위험한 인물이라고 주장하며 작위 계승에 반대하였다. 이에 연개소문은 자신이 직접 궁궐로 나아가 작위 계승의 정당성을 역설하여 가까스로 서부 대인 작위를 얻을 수 있었다.

서부의 대인이 된 연개소문은 아버지 연태조가 추진하던 장성 축성 작업을 지휘 감독하였다. 631년부터 시작된 이 작업은 약 16년 동안 계속되었으며, 이 과정에서 연개소문은 군사를 동원하여 영류왕을 제거하고 정권을 장악한다.

연개소문이 영류왕을 제거한 것은 일차적으로 자신이 살아남기 위함이었으며, 다음으로는 고구려를 당나라의 간섭으로부터 벗어나게 하려는 데 목적이 있었다.

당시 고구려 조정은 크게 두 부류로 나뉘어 있었다. 하나는 당나라에 조공하여 국가의 안전을 도모하자는 온건파였고, 다른 하나는 당나라와 대등한 관계를 이루며 고구려의 독자성을 고수하자는 강경파였다. 영류왕은 즉위 초부터 온건파에 기울어져 있다가 강경파의 거두인 대대로 연태조가 죽자 완전히 온건파로 돌아섰다. 이 때문에 조정은 온건파가 득세하였고, 강경파는 변경으로 밀려나거나 장성 축성 작업에 동원되어야 했다. 그리고 급기야 온건파는 강경파의 핵심 인물인 연개소문을 제거하려는 움직임을 보인다.

이에 연개소문은 성곽 축성을 위한 출정식을 핑계 삼아 도성의 남쪽에서 축성 작업에 참여하는 군대를 사열하기로 하고, 조정 중신들을 그 자리에 초청하였다. 그리고 중신들이 사열식에 참여하기 위해 식장으로 들어서자 모두 죽여버렸다.

이렇게 해서 백여 명의 온건파 중신들을 제거한 연개소문은 즉시 군대를 이끌고 궁성 안으로 들어가 궁성을 장악하고 영류왕을 살해하였다. 이로써 하루 아침에 조정을 장악한 연개소문은 영류왕의 조카 보장왕을 왕위에 앉히고 자신은 스스로 막리지에 오른다.

막리지는 연개소문에 의해 처음으로 도입된 관직으로 행정권과 병권을 동시에 가진 무소불위의 직위였다. 연개소문은 이 직위를 바탕으로 독재 권력을 구축하고 철저한 공포정치를 지속한다.

연개소문이 이렇게 일시에 조정의 권력을 장악하자 일부 지방 세력들이 반발하였다. 하지만 대부분은 연개소문에게 굴복하였고, 다만 안시성의 성주만이 유일하게 연개소문을 인정하지 않았다. 그는 연개소문의 호출을 받고도 전혀 응대를 하지 않았고, 이 때문에 연개소문은 군사를 동원하여 안시성을 공격한다. 그런데 안시성 성주는 군민들을 모두 성안에 집결시켜 체계적으로 정부군에 대항함으로써 수성전에 성공한다. 이에 연개소문은 자칫 내란이 일어날 것을 염려하여 안시성 성주의 직위를 그대로 유지시키고 더 이상 그를 소환하지 않았다. 또한 안시성 성주 역시 자신이 연개소문을 붙잡기 위해 군사를 일으키면 국가가 위험에 처할 수 있다는 판단을 하고 영류왕이 제수한 안시성 성주직을 유지하는 것으로 사태를 종결짓는다.

이 사건 이후 연개소문은 안시성의 독자성을 인정한 채 나머지 성곽의 성주와 조정 관료들을 대폭 교체하여 자신의 권력 기반을 안정시킨다. 그리고 당나라의 침략에 대비하여 자신이 주관해오던 장성 축성 작업을 완결시키고, 한편으로는 군사의 수를 대폭 늘린다.

이러한 그의 강병책은 누차에 걸친 당나라의 침입을 막아내는 원동력이 되었다. 하지만 모든 권력이 연개소문 일인에게 집중되어 있었기 때문에 그가 사라지면 조정의 일대 혼란은 불가피한 것이었다. 그리고 666년에 그가 죽었을 때 조정의 혼란상은 현실로 드러났다. 그가 죽자 그의 세 아들은 둘로 나뉘어 정권다툼을 벌였고, 이것이 결국 조정의 내분으로 이어져 고구려의 멸망을 가져온다.

연개소문이 죽자 큰아들 남생이 막리지 지위를 이었다. 그리고 남생은 막리지에 오른 후 전국을 순행하며 각 지방의 성주들을 독려한다. 그런데 남생의 두 아우인 남건과 남산은 측근들로부터 남생이 자신들을 죽이려 한다는 말을 듣는다. 하지만 남건과 남산은 이 말을 믿지 않았다. 그런데 남생 역시 자신의 측근들로부터 두 아우가 형을 죽이고 정권을 탈취하려 한다는 말을 들었다. 이에 남생은 동생들의 동정을 살피기 위해 자신의 심복을 평양에 보냈다. 하지만 남생의 심복은 남건과 남산에게 체포되고 말았다. 이에 따라 남건과 남산은 권력을 장악하고 왕명을 빙자하여 남생을 평양으로 소환한다. 하지만 남생은 소환에 응하지 않고 국내성에 몸을 피했다가 당 고종에게 자신의 아들 헌성을 보내 도움을 요청한다. 남생의 요청을 받은 당 고종은 설필하력에게 군사를 주고 요수로 가서 남생을 마중할 것을 명령한다. 그리고 마침내 탈출에 성공한 남생은 자신의 친위 군사를 이끌고 요수에 도착하여 설필하력의 호위를 받으며 장안으로 간다.

그 후 남생은 당군의 안내자가 되어 고구려를 침략한다. 남생처럼 고구려 지리에 익숙한 안내자를 둔 당나라 군대는 거침없이 고구려 땅을 유린할 수 있었고, 급기야 고구려는 멸망의 길을 걷게 되었다.

이 같은 결과는 연개소문의 일인독재 체제가 고구려 멸망의 주된 원인이었음을 증명하고 있다. 비록 그가 살아 있을 때는 국력이 안정되었다손 치더라도 그것은 단지 일시적인 현상에 불과했다. 그가 죽으면서 그에게 집중되어 있던 권력을 차지하기 위해 조정은 권력다툼의 장으로 급변하였고, 그것이 곧 멸망의 원인으로 작용했던 것이다. 말하자면 고구려 멸망의 직접적인 원인은 고구려의 군사력이 약했기 때문이 아니라 내부의 권력다툼 때문이었다는 뜻이다. 그 누구에 의한 것이라도 독재체제는 국가를 멸망으로 이끈다는 평범한 진리를 연개소문이 진작 알았더라면 고구려가 결코 그렇게 허무하게 무너지지는 않았을 것이다.

4. 당 태종의 침략전쟁과 안시성싸움

당 태종 이세민은 645년 3월에 정예군 10만 병력을 동원하여 고구려를 침략하였다. 이들 10만 병력 중 6만은 육로로 진군했고, 4만은 선단을 이용하여 해로로 진군했다. 그리고 4월에 이세적이 이끄는 선봉부대가 요수를 건너 신성에 도착하여 고구려군과 접전을 벌였고, 며칠 뒤에는 장검이 거란과 돌궐군 수만을 이끌고 건안성으로 밀려들었다. 하지만 이세적은 신성을 함락시키지 못했고, 장검 역시 건안성을 무너뜨리지 못했다. 이 때문에 이들은 신성과 건안성에 대한 공격을 중지하고 우회로를 택하여 개모성을 공략하였다. 그 결과 개모성이 함락되어 고구려군 1만이 포로로 잡히고 양곡 10만 석을 탈취당했다.

한편 선단을 형성한 장량 일행은 4만 3천 병력을 이끌고 그해 4월에 동래를 출발하여 발해를 건너 비사성을 공격하였다. 비사성은 사면이 깎아지른 절벽과 해안으로 막혀 있었기 때문에 당군이 쉽사리 접근하지 못했다. 그래서 고구려군은 적은 병력으로 4만 명이 넘는 당나라 군대와 대적할 수 있었다. 하지만 시간이 지날수록 고구려군은 지치기 시작했고, 성안의 음식물도 고갈되어 갔다. 그리고 한 달간 계속되던 공방전은 5월 초에 당군의 승리로 끝이 났다.

이후 이세적이 이끄는 선봉대와 이세민의 주력부대, 돌궐 및 거란군 수만 명이 요동성을 공격하여 12일 만에 함락시키고, 다시 백암성을 항복시켰다. 그리고 5월 중순에 마침내 안시성에 도착하였다. 이로부터 안시성 성주와 이세민의 5개월간에 걸친 치열한 공방전이 전개된다.

안시성은 평양으로 가는 길목을 가로막고 있는 성으로 전략상 아주 중요한 곳이었다. 그 때문에 고구려는 안시성을 매우 견고하게 축성하였다. 더구나 안시성의 성주는 지략이 높고 용맹스러운 장군이라는 소문이 자자하였다. 그는 연개소문이 영류왕을 죽이고 보장왕을 세웠을 때도 이에 굴복하지 않고 충절을 지켰으며, 이 때문에 연개소문이 군사를 동원하여 안시성을 공격했지만 무너뜨릴 수가 없었다. 그 결과 연개소문은 안시성 성주의 직위를 그대로 인정하고 안시성을 그에게 맡겼던 것이다.

이 같은 사실을 잘 알고 있던 이세민은 어떻게 해서든 안시성을 무너뜨려야 한다고 생각했다. 안시성만 무너뜨리면 고구려군의 사기는 하루아침에 땅에 떨어질 것이고, 그 이후에는 평양성 진입도 어려움이 없을 것이라고 판단했던 것이다.

이에 따라 이세민은 자신의 직할부대 5만과 돌궐군, 거란군 등 약 10만 병력을 이끌고 안시성으로 향했다. 한편 고구려 진영에서도 이세민이 안시성 공략에 총력을 기울일 것이라는 판단을 하고 15만 병력을 조성하여 안시성을 지원하도록 했다.

고구려군 15만 병력은 고구려 정예부대와 말갈군으로 구성되어 있었는데, 이들을 이끄는 장수는 북부욕살 고연수와 남부욕살 고혜진이었다. 이세민은 이들 고구려군이 방어진을 형성했다는 소리를 듣고 수장인 고연수에 대한 정보를 수집했다. 그리고 고연수가 그다지 뛰어난 장수가 되지 못한다는 판단을 하고 승리할 수 있다고 장담하였다. 이세민은 고연수가 필시 군사의 수를 믿고 맞대항을 해올 것이라고 생각했다.

이세민의 추측대로 고연수는 당군과 맞대응을 벌일 생각이었다. 이에 전쟁 경험이 풍부한 대노 고정의가 맞대응을 하면 피해만 초래할 뿐 별다른 이득이 없다면서 방어벽을 형성하여 지구전을 펼 것을 주장했다. 고정의는 지구전을 펴다가 적이 지치면 기습대를 조직하여 적의 군량 수송로를 차단하면 간단하게 승리할 수 있다고 했다. 하지만 고연수는 고정의의 말을 듣지 않았다. 고연수는 먼저 기병을 보내 상대방의 기를 눌러놓는 것이 중요하다면서 안시성 40리 지점까지 진군하였다. 이 때 이세민은 혹 고연수가 수비벽을 형성하고 진군하지 않을지도 모른다는 생각에 돌궐 기병 1천을 내보내 고구려군을 유인하는 전략을 썼다. 돌궐 기병 1천을 맞이한 고연수는 간단하게 그들을 물리쳤고, 그래서 자신감을 갖게 되었다. 이에 따라 고연수는 개활전을 전개하기로 마음먹고 안시성에서 동남방으로 8리가량 떨어진 야산 아래에 진을 쳤다.

하지만 개활전을 전개한다는 것은 위험천만한 발상이었다. 고구려군은 원래부터 산악전과 수성전에 익숙했기 때문에 개활전을 전개할 경우 패할 가능성이 더 많았다. 더구나 당군에게는 개활전에 사용하기 편한 돌차와 윤차 등의 기계들이 구비되어 있었다. 그런데도 고연수가 개활지에서 맞대응을 하겠다고 생각한 것은 적보다 수적으로 우세하다는 생각 때문이었다. 그러나 비록 수적으로 우세하다고 해도 당군은 모두 정예군으로 구성되어 있었고, 고구려군은 고연수의 직할부대 이외에는 제대로 훈련도 받지 못한 오합지졸이었다.

이세민은 이 같은 고구려군의 사정을 정확하게 파악하고 있었다. 그럼에도 불구하고 이세민은 고연수에게 심리전을 전개한다. 이세민은 더욱 완벽한 승리를 위해 치밀한 작전을 구상했던 것이다.

이세민은 고연수에게 사람을 보내 이렇게 전했다.

"나는 너희 나라의 권력 있는 신하가 임금을 시해한 죄를 묻기 위해 온 것이다. 그러니 우리가 전투를 벌이는 것은 내 본심은 아니다. 지금 내가 너희 나라에 들어와 마초와 양식이 부족한 관계로 몇 개의 성을 빼앗기는 했으나 너희가 신하의 예절을 갖춘다면 빼앗은 성은 반드시 돌려줄 것이다."

고연수는 이세민의 편지를 받고 방어 태세를 늦췄다. 이세민은 이 기회를 놓치지 않고 그날 밤에 기습병 2만 6천을 보내 고구려군을 급습하였다. 고연수는 병력을 이끌고 협곡으로 밀려나왔고, 이세민은 그 상황을 놓치지 않고 협곡을 포위하여 대대적인 공격을 하였다. 이 때문에 고구려군은 혼란에 빠져들었고, 그 혼란한 틈을 당군의 맹장 설인귀가 파고들었다.

이렇게 하여 졸지에 고구려군 3만이 전사하고, 고연수와 고혜진은 직할부대 3만 6천을 이끌고 이세민에게 항복했다. 그리고 나머지 병력은 모두 흩어져 고구려 진영으로 달아났다.

이에 따라 안시성은 완전히 고립되고 말았다. 고연수가 항복했다는 소리를 듣고 연개소문은 땅을 쳤지만 이미 때는 늦은 상태였다. 그는 평양을 공격하기 위해 몰려온 장량의 4만 군대와 대적하고 있었기 때문에 더 이상 어떻게 해볼 도리가 없었던 것이다. 이제 안시성 성주의 뛰어난 지략과 용맹성에 의지해 보는 수밖에 도리가 없었다.

한편, 고연수를 항복시킨 이세민은 기고만장한 태도로 안시성 공략 계획을 수립했다. 이세민은 이제 안시성이 무너지는 것은 시간 문제라고 생각하고 있었던 것이다.

애초에 이세민은 안시성을 피하여 건안성을 공격하려 했다. 건안성을 공격해 무너뜨리면 안시성은 자연스럽게 고립되어 양식이 부족해질 것이고, 그렇게만 되면 스스로 문을 열고 항복해올 것이라는 판단이었다. 더구나 안시성은 요새 중의 요새인 데다가 안시성을 맡고 있는 성주는 보통 인물이 아니었다. 때문에 이세민은 '성 가운데는 공격하지 말아야 할 성도 있다.'는 병서의 말을 인용하며 안시성 공략을 주저했던 것이다.

그런데 부하 장수 이세적은 이세민의 의견에 반대했다. 이세적은 비록 건안성이 약하여 안시성에 비해 무너뜨리기 편한 것은 사실이지만 안시성을 놔두고 건안성을 공격하다가는 군량을 탈취당하는 결과를 낳을 수 있다고 설명했다. 건안성은 남쪽에 있고 안시성은 북쪽에 있는데, 당의 군량은 요동을 통해서 수송되고 있었다. 그래서 당군이 모두 건안성을 공격하고 있는 동안 안시성의 고구려군이 요동에서 건안성으로 이어지는 수송로를 차단하면 당군은 꼼짝없이 굶어죽어야 하는 처지에 놓이는 것이다.

이세적의 설명을 들은 이세민은 결국 생각을 바꾸어 안시성 공략에 나설 수밖에 없었다.

당시 안시성 안에는 약 10만 명이 있었다. 안시성 주둔군 3만 가량과 백성 7만이 모두 그 속에 있었던 것이다. 안시성 성주는 백성과 군사뿐 아니라 그들의 양식과 가축까지 모두 성안에 집결시키고 총력전을 펼칠 기세였다.

드디어 이세민의 공격 명령이 떨어졌다. 당군이 안시성을 향해 몰려가자 조용하던 안시성에서는 갑자기 함성이 터져나왔고, 곧 이어 화살 세례가 이어졌다. 이 때문에 선봉장 이세적은 첫 공격에서 아무런 성과도 없이 물러나왔고, 그 분을 삭이지 못해 다음 날 성을 향해 '성이 함락되는 날 안시성의 남자들을 모두 구덩이에 묻어버리겠다.'고 소리쳤다. 이 말에 안시성의 군사와 백성들은 더욱 단결하여 당군의 공격에 결사적으로 대항하였다.

안시성에 대한 당군의 공격이 계속되는 동안 항복한 고연수는 이세민에게 오골성을 공격하라고 말했다. 오골성의 욕살은 늙었을 뿐 아니라 지략이 뛰어나지 못한 인물이라 하루아침에 성을 함락할 수 있을 것이라는 주장이었다. 고연수의 주장은 당군이 오골성을 공격하면 안시성에 대한 공격력이 약화되고, 한편으론 신성과 건안성의 10만 고구려군이 당군의 뒤를 칠 수 있다는 계산을 깔고 있었다. 이세민과 이세적은 고연수의 주장이 옳다고 말하며 받아들일 뜻을 내비쳤다. 그러나 신성과 건안성의 고구려군에게 후미를 공격당하면 꼼짝없이 갇히는 신세가 된다는 장손무기의 주장에 밀려 당군의 오골성 공격 계획은 취소되었다.

이후 이세민은 전력을 다하여 안시성 공략에 나섰다. 하지만 안시성은 좀처럼 무너지지 않았다. 사방에서 줄과 사다리로 성벽을 기어올랐지만 번번이 안시성의 공격에 밀려 실패하였고, 돌대포를 쏘아 성벽의 작은 담을 무너뜨리면 여지없이 그 자리에 목책이 세워졌다.

이에 이세민은 안시성보다 더 높은 토성을 쌓아 공격하기로 하였다. 그래서 당군은 연인원 50만 명을 동원하여 토성 축조 작업에 돌입하였고, 작업 시작 60일 만에 토성을 완성했다. 토성의 높이는 안시성보다 두 사람의 키 높이만큼이나 더 높았고, 당군은 그 위에서 안시성 안을 내려다보며 공격을 감행했다. 하지만 별다른 성과를 거두지 못했다. 이 때문에 토성은 단지 안시성 안을 관찰하는 역할만 하게 되었다.

그런데 얼마 뒤에 산이 무너져 내려 안시성의 일부가 그 충격으로 무너졌다. 산에서 너무 많은 흙을 파내는 바람에 산사태가 났던 것이다. 안시성 성주는 그 위기 상황을 호재로 이용하기 위해 군사 수백 명을 밖으로 내보내 토성을 급습하도록 했다. 그리고 마침내 토성을 탈취하여 그 곳에 참호를 파고 방어진을 형성하였다. 이에 따라 당군이 어렵게 쌓은 토성은 고구려군의 방어벽이 되고 말았다.

기껏 쌓아올린 토성마저 고구려군에게 빼앗기자 당군의 사기는 완전히 땅에 떨어졌고, 이세민 역시 기세가 완전히 꺾였다. 거기에다가 9월로 접어들면서 추위가 닥치기 시작했다. 이 때문에 이세민은 부랴부랴 철군을 서둘렀다. 추위가 거세지면 말을 먹일 풀도 없어질 것이고, 국내의 식량 부족으로 군량이 떨어질 것이기 때문이었다.

이세민은 철수하면서 혹 고구려군이 후미를 칠까 봐 안시성 앞에서 군사력을 과시하는 시위를 벌였다. 그리고 마침내 퇴각 명령을 내렸다.

당군이 퇴각할 때 안시성 위에는 아무도 보이지 않았다. 그러나 잠시 후 한 명의 장수가 올라와 그들을 내려다보며 손을 흔들고 있었다. 바로 안시성의 성주였다. 이세민은 그의 지략과 용맹에 고개를 숙이며, 겹실로 짠 비단 1백 필을 안시성 성주에게 전하고 퇴로에 올랐다.

이세민이 요수에 당도했을 때는 이미 겨울 기운이 완연한 10월이었다. 하지만 요수는 아직 얼지 않은 상태였다. 그 때문에 당군은 진흙길을 통과해야 했다. 수레와 말은 모두 진흙에 빠져 오도가도 못 하였고, 군사들은 추위와 허기에 지쳐 아우성이었다. 이세민은 그 모든 것이 안시성 공략에 실패한 결과라고 자책했다.

중국을 통일하고 천하의 영웅호걸로 통한 이세민을 이토록 비참한 모습으로 쫓겨가게 한 안시성 성주는 불행히도 사서에 그 이름이 전하지 않는다. 하지만 조선 시대에 와서 송준길과 박지원은 이름이 전하지 않던 이 안시성 성주를 양만춘(梁萬春)이라고 밝히고 있다. 또한 고구려 말의 학자 이색과 이곡은 당 태종 이세민이 안시성 싸움에서 눈에 화살을 맞아 부상을 입고 회군한 것으로 적고 있다. 하지만 당 태종이 눈에 화살을 맞았다는 주장은 신빙성이 없는 주장으로 여겨지고 있다.

그러나 당 태종이 안시성 싸움에서 패배하여 회군한 것만은 분명하다. 그리고 당 태종을 물리친 안시성 성주는 고구려가 멸망한 이후에도 안시성을 지키며 고구려 재건을 노렸는데, 불행히도 671년 7월에 안시성은 당나라 군대에 의해 함락되고 만다. 불세출의 영웅 안시성 성주가 이 때 죽었는지 아니면 그가 죽은 뒤에 안시성이 무너졌는지는 알 수 없다.

1. 고구려의 관제 및 행정 체계

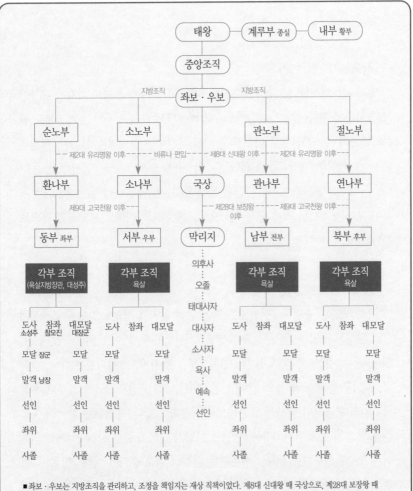

■ 좌보·우보는 지방조직을 관리하고, 조정을 책임지는 재상 직책이었다. 제8대 신대왕 때 국상으로, 제28대 보장왕 때 막리지로 불렸다.

■ 고구려에 의해 정복된 국가의 왕들은 왕·후 등으로 불리다가 각 나부에 편입되어 패자·대주부 등의 직위를 받았다. 이처럼 고구려의 지방 조직은 성 위주로 이뤄졌다.

■ 내부에는 고추가(대원군·부원군)를 위시한 종실 작위가 있다. 하지만 그 작호는 전하지 않는다.

■ 각 나부에는 부장인 패자 이하 대주부·주부·우태·조의 등의 작위가 있었다. 이들 작위를 받은 사람은 모두 중앙관료를 겸할 수 있었으며 자신이 속한 나부의 지위에 따라 그 한계가 결정되곤 하였다. 이 나부 체계는 독자적인 힘을 가지고 있었는데, 제9대 고국천왕에 의해 동·서·남·북부로 변경되어 중앙조직에 흡수되었다. 그리고 이 때부터 작호도 변경되어 태대형·대형·소형·대대로·대로 등으로 불렸으며, 이 작호는 때에 따라 관직으로 사용되기도 했다.

2. 고구려왕조실록 관련 사료

한국 사료

『삼국사기 三國史記』

고려 제18대 인종 23년인 1145년에 김부식을 비롯한 11명의 학자가 편찬한 삼국 시대의 정사이다. 『사기』에서부터 비롯된 중국의 정사체인 기전체로 편찬되었으며, 총 50권으로 이뤄졌다. 이를 세분하면 고구려본기 10권, 백제본기 6권, 신라본기 12권 등 28권의 본기와 지(志) 9권, 표 3권, 열전 10권 등이다. 신라의 역사를 중심으로 편찬된 이 책은 1174년에 송나라에 보내졌다는 기록이 보이는 것으로 봐서 당시 대국으로 성장한 금나라에도 보내졌을 것으로 판단된다.

『삼국유사 三國遺事』

고려 제25대 충렬왕 7년인 1281년에 승려 일연이 저술했으며, 총 5권 2책으로 구성되어 있다. 권 구성과는 별도로 왕력(王歷), 기이(紀異), 흥법, 탑상, 의해, 신주, 감통, 피은, 효선 등 9편목으로 이뤄져 있다. 왕력편은 삼국, 가락국, 후고구려, 후백제 등의 간략한 연표이며, 기이편은 고조선에서부터 후삼국까지의 단편적인 역사를 57항목으로 서술하고 있다. 흥법편은 삼국의 불교 수용과 그 융성에 관한 6항목, 탑상편은 탑과 불상에 관한 사실 31항목, 의해편은 고승들의 전기 14항목, 신주편은 신라의 밀교 승려에 대해 3항목, 감통편은 신앙의 영감에 대해 10항목, 피은편은 해탈의 경지에 이른 인물의 행적 10항목, 효선편은 효도와 선행에 대한 미담 5항목을 각각 수록하고 있다.

중국 사료

『사기 史記』

한나라 무제 때 태사공 사마천이 편찬한 것으로 황제(皇帝)로부터 무제 초기인 서기전 101년까지 2,600여 년의 중국 역사를 기록한 통사이다. 이 책은 총 130권으로 본기 12권, 표 10권, 서 8권, 세가 30권, 열전 70권 등으로 구성되어 있다. 사마천은 사관이던 아버지 사마담의 유언에 따라 서기전 104년을 전후하여 편찬에 착수하였으며, 그 과정에서 모반에 연루되어 궁형을 당하기도 하였지만 13년 후인 서기전 91년에 초고를 완성하기에 이르렀다. 편찬 당시 이 책의 원래 명칭은 '사기'가 아니었으며, 처음에는 『태사공기(太史公記)』로 불리다가 후한 말기에 이르러 처음으로 '사기'라는 명칭을 얻었다.

『한서 漢書』

후한(동한) 명제 때 반고가 편찬한 서한의 정사로 한 고조 유방에 의해 한(서한)이 건립된 서기전 206년부터 왕망의 신나라가 몰락한 서기 24년까지 총 229년간의 역사를 기록하고 있다. 총 100편 120권으로 이뤄져 있으며, 본기 12권, 연표 8권, 지 10권, 열전 70권 등으로 구성되어 있다.

『후한서 後漢書』

남북조 시대 송나라의 범엽이 편찬한 것으로 후한(동한) 14세 194년간(서기 25~219년)의 정사이다. 총 120권으로 본기 10권, 지 30권, 열전 80권으로 구성되어 있다. 이 가운데 지 30권은 범엽이 채 완성하지 못하고 죽자 양나라 사람 유소가 보결한 것이다.

『삼국지 三國志』

진(晉)나라의 진수가 지은 책으로 삼국 시대(서기 220~265년) 45년간의 정사이다. 총 65권으로 위지 30권, 촉지 15권, 오지 20권 등으로 구성되어 있다. 책명은 진수 자신이 지은 것이며, 삼국 가운데 위나라를 정통으로 삼아 서술했다. 이 때문에 정통 문제에 대한 시비가 일었는데, 명나라의 나관중은 소설 『삼국지연의』를 통해 촉한을 정통으로 내세우며 진수의 사관을 정면으로 반박한다.

『진서 晉書』

당나라 태종 때 이연수 등 20여 명의 학자가 편찬한 책으로 서진의 4세 52년간(265~316년)의 역사와 동진의 11세 101년간(317~418년)의 역사를 기록한 정사이다. 총 130권으로 제기(帝記) 10권, 지 20권, 열전 70권, 재기(載記) 30권 등으로 이뤄져 있다.

『송서 宋書』

남조 제나라 무제 때인 488년에 심약이 편찬한 것으로 송나라 8세 59년간(420~479년)의 정사이다. 총 100권으로 제기 10권, 지 30권, 열전 60권 등으로 구성되었다.

『남제서 南齊書』

남조 양나라 때 소자현이 만든 것으로 남제 7세 23년간(479~502년)의 정사이다. 총 60권으로 자서 1권, 본기 8권, 지 11권, 열전 40권 등으로 이뤄졌으나 자서 1권은 당나라 때에 없어져 총 59권만 전한다. 이 책은 단초와 강엄에 의해 완성된 『제사』의 지와 오균의 『제춘부』를 자료로 하여 완성하였으며, 원래는 『제서』였으나 『북제서』와 구분하기 위해 송대에 와서 『남제서』로 개칭하였다.

『양서 梁書』

당나라 태종 대인 636년경에 요사렴이 편찬한 책으로 양나라 4세 55년간(502~557년)의 정사이다. 총 56권이며 본기 6권, 열전 50권으로 이뤄져 있다. 이 책은 원래 요찰이 편찬하려고 했으나 완성하지 못하고 죽자 그의 아들 요사렴이 부친의 유업을 받들어 편찬한 것이다.

『위서 魏書』

북제 문선제 때인 554년경에 위수가 편찬한 것으로 북위의 건국에서부터 동위 효정제까지 164년간(386~550년)의 정사를 담고 있다. 총 130권으로 제기 14권, 열전 96권, 지 20권 등으로 이뤄져 있다. 이 책의 편찬에는 위수 이외에도 방연우, 신원식 등 5인이 참여했다.

『주서 周書』

당나라 태종 2년인 619년에 영고덕분이 왕명을 받아 편찬한 것으로, 북주의 5대 25년간의 정사를 기록하고 있다. 총 50권으로 본기 8권, 열전 42권이다. 이 책의 편찬에는 덕분 이외에도 진숙달, 최인사, 금문본 등이 참여했다.

『남사 南史』

당 태종 때인 640년경에 이연수가 사선한 책으로 남조의 송, 제, 양, 진 4왕조 169년간(420~589년)의 역사를 담고 있다. 총 80권이며 본기 10권, 열전 70권으로 이뤄져 있다. 이 책은 원래 이연수의 아버지 이대사가 계획했던 것인데 뜻을 이루지 못하고 죽자 이연수가 유업을 이어 편찬한 것이다.

『북사 北史』

당 태종과 고종 연간인 640년에서 650년 사이에 이연수가 사선한 책으로 북조의 북위, 북제, 북주, 수 등 4왕조 232년간(386~618년)의 통사이다. 총 100권이며 본기 12권, 열전 88권 등으로 구성되어 있다.

『수서 隨書』

당 태종 연간인 630년경에 위징 등이 편찬한 책으로 수나라 37년간(581~

618년)의 정사를 담고 있다. 총 85권으로 제기 5권, 열전 50권, 지 30권으로 구성되어 있다.

『구당서 舊唐書』

오대 후진의 출제 연간인 945년에 유구 등이 칙서를 받들어 편찬한 것으로 당나라 289년간(618~907년)의 역사를 서술한 정사이다. 총 200권이며 본기 20권, 지 30권, 열전 150권으로 이뤄져 있다.

『신당서 新唐書』

송나라 인종 연간인 1044년에서 1060년 사이에 구양수 등이 칙서를 받들어 편찬한 것으로 당나라 289년간의 역사를 담고 있다. 총 225권이며, 본기 10권, 지 50권, 표 15권, 열전 150권 등으로 이뤄져 있다.

『구오대사 舊五代史』

송나라 태조 연간인 974년에 벽거정 등이 칙서를 받들어 편찬한 책으로 후진, 후당, 후량, 후한, 후주 등 5왕조 53년간(907~960년)의 역사를 담고 있다. 총 150권이며 본기 61권, 열전 77권, 지 12권으로 이뤄져 있다.

『신오대사 新五代史』

송나라의 구양수가 『구오대사』의 결점을 보완하기 위해 찬술한 것으로 후진, 후당, 후량, 후한, 후주 5왕조 53년간의 역사를 담고 있다. 총 74권이며 본기 12권, 열전 45권, 고(考) 3권, 세가 10권, 10국세가연보 1권, 사이(四夷)부록 3권 등으로 구성되었다.

『요사 遼史』

원나라 순제 연간인 1344년에 탈탈 등이 칙서를 받들어 편찬한 것으로 요나라 218년간(907~1125년)의 정사를 담고 있다. 총 116권이며 본기 30권, 지

32권, 표 8권, 열전 45권, 국어해 1권 등으로 이뤄져 있다.

『금사 金史』

원나라 순제 연간인 1344년에 탈탈 등이 칙서를 받들어 편찬한 것으로 금나라 119년간(115~1234년)의 정사이다. 총 135권이며 본기 19권, 지 39권, 표 4권, 열전 73권 등으로 이뤄져 있다.

『송사 宋史』

원나라 순제 연간인 1344년에 탈탈 등이 칙서를 받들어 편찬한 것으로 북송과 남송 319년간(960~1279년)의 정사이다. 총 496권이며 본기 47권, 지 162권, 표 32권, 열전 255권으로 이뤄져 있다.

『원사 元史』

명나라 태조 연간인 1370년에 송렴, 왕위 등이 칙서를 받들어 편찬한 책으로 원대 11세 108년간 (1260~1368년)의 정사이다. 총 207편 210권으로 본기 47권, 지 53권, 표 8권, 열전 97권 등으로 구성되어 있다.

일본 사료

『일본서기 日本書記』

일본의 관찬 역사서로 신화 시대부터 지통왕까지의 역사를 편년체로 기록한 책이다. 이 책은 처음에는 『일본기』로 불리다가 후에 명칭이 바뀌었다. 『속일본서기』에는 720년에 사인친왕(舍人親王) 등이 『일본기』 30권, '계도(系圖)' 1권을 편찬했다고 기록하고 있으나 '계도'는 전하지 않는다.

『일본고사기 日本古事記』

712년경에 성립된 문헌으로 일본에서 가장 오래된 책이다. 전체 내용의 구성은 상·중·하로 되어 있으며, 상권은 주로 신들의 활약상을 이야기한 신화 시대를 서술하고 있고, 중권과 하권은 일본의 초대 왕인 신무왕에서 추고왕까지를 다루고 있다. 이 책에 서술된 신화는 한국의 신화와 유사한 것이 많아 한국의 신화 연구에 큰 도움을 주고 있다.

3. 고구려 시대를 거쳐간 중국 국가들

고구려는 서한 말기인 서기전 37년에 건국되어 당 초엽인 668년까지 총 28세 705년 동안 유지된 국가이다. 이 기간 동안 중국 대륙에는 서한, 신, 동한, 위·촉·오, 서진, 동진, 5족의 16국, 남북조의 9국, 수, 당 등 35개의 나라가 발전과 패망을 반복한다.

서한 西漢

유방이 서기전 206년에 장안에 도읍한 이래 서기 6년까지 약 211년 동안 유지되었으며, 외척 왕망에 의해 멸망했다. 유수가 세운 동한(후한)과 구별하기 위해 서한(전한)이라 부른다.

신 新

서한의 외척이던 왕망이 서기 6년에 서한의 마지막 왕 유연을 대신하여 섭정하다가 서기 9년에 유연을 독살하고 스스로 왕위에 올라 국명을 '신'이라 하였다. 그 후 신은 서기 23년까지 유지되다가 대대적인 농민봉기에 부딪혀 몰락하였다.

동한 東漢

한 왕조의 후예 유수가 서기 26년에 세워 서기 220년까지 194년 동안 유지되었다. 한의 도읍인 장안보다 동쪽에 자리 잡은 낙양에 도읍을 정함으로써 흔히 동한이라 불리며, 후한이라고도 한다.

삼국 시대

동한 왕조가 몰락하면서 위·촉·오 세 왕조가 성립되는데, 이 시기를 일컬어 삼국 시대라고 한다.

위 魏

동한의 마지막 왕 유협을 밀어내고 조조의 아들 조비가 220년에 건립한 국가이다. 그 후 266년까지 유지되다가 사마염에게 멸망당했다.

촉 蜀

흔히 촉한이라고도 하는데, 한 왕조의 후예 유비가 221년에 건립했고, 263년에 위에 멸망되었다.

오 吳

강동 지역의 세력가 손권이 229년에 건립했으며 280년에 사마염이 세운 세전에 의해 몰락하였다.

양진과 16국 시대

사마염이 세운 서진은 304년부터 국토가 분열된다. 이 과정에서 중국 대륙은 흉노, 선비, 강족, 저족, 갈족 등의 5족에 의해 16국이 난립하게 되고, 사마씨 왕조는 강동에서 동진을 일으킨다. 이 시기를 흔히 5호 16국 시대라고 한다.

서진 西晉

위나라의 무장으로 있던 사마염이 266년에 위 왕조를 몰락시키고 세웠으며, 316년까지 4세 50년 동안 유지되다가 흉노 귀족 유연에 멸망되었다.

동진 東晉

316년에 서진이 몰락하자 진 왕조의 후예 사마예는 건강(지금의 남경)에 도읍을 정하고 진 왕조를 유지하는데, 이를 동진이라 한다. 동진은 이후 420년까지 11세 103년 동안 유지된다.

성한 成漢

서진이 붕괴되고 있던 304년에 저족 출신 이웅이 성도를 도읍으로 삼아 건립하였으며, 347년에 동진에 멸망된다.

전조 前趙

흉노 귀족 유연이 304년에 세운 국가이다. 당시 유연은 국호를 '한(漢)'이라 칭했다가 316년에 서진을 멸망시킨 후에 '조'라 칭하였다. 이를 역사적으로 전조라고 한다. 전조는 이후 329년까지 유지되다가 후조에 멸망된다.

후조 後趙

유연의 수하 장수이던 갈족 출신 석륵이 329년에 건립했으며, 350년까지 유지되다가 염위에 멸망된다.

전연 前燕

선비 귀족 출신 모용황이 337년에 건립했으며 370년에 전진에 멸망된다.

전량 前涼

한족 출신인 장무가 320년에 건립했으며, 376년에 전진(秦)에 멸망된다.

전진 前秦

저족 출신인 부건이 351년에 건립했으며, 394년에 서진(秦)에 멸망된다.

후진 後秦

강족 출신인 요장이 부견을 살해하고 384년에 건립했으며, 417년에 동진에 멸망된다.

후연 後燕

선비족인 모용수가 384년에 건립했으며, 409년에 북연에 멸망된다.

서진 西秦

선비족인 걸복국인이 385년에 건립했으며, 431년에 하(夏)에 멸망된다.

후량 後凉

저족 출신인 여광이 386년에 건립했으며, 397년에 북량, 남량, 서량으로 분리되었다가 403년에 후진에 멸망된다.

북량 北凉

한족 출신인 단업과 흉노 출신인 저거몽손에 의해 397년에 건립되었으며, 439년에 북위에 멸망된다.

남량 南凉

선비 출신인 독발조고에 의해 397년에 건립되었으며, 414년에 서진(秦)에 멸망된다.

남연 南燕

선비 출신인 모용덕에 의해 398년에 건립되었으며, 410년에 동진(晋)에 멸망된다.

서량 西凉
한족 출신 이호에 의해 400년에 건립되었으며, 421년에 북량에 멸망된다.

하 夏
흉노 출신 혁운발발에 의해 409년에 건립되었으며, 436년에 북위에 멸망된다.

북연 北燕
한족 출신 풍발에 의해 409년에 건립되었으며, 436년에 북위에 멸망된다.

남북조 시대
동진이 양자강 남쪽을 통일한 뒤에 동진이 부장 유유는 마지막 왕 사마덕문을 내쫓고 왕위에 오르면서 국호를 '송'이라 칭한다. 그리고 북쪽에서 탁발규가 분위를 세우고 16국의 할거 시대를 종식시킨다. 이로써 중국 대륙은 남조와 북조의 두 왕조가 성립된다. 그로부터 남쪽은 송·제·양·진으로 이어지고, 북쪽은 북위·동위·서위·북제·북주로 이어진다. 이 시대를 남북조 시대라고 한다.

■ **남조** 남쪽의 송·제·양·진 왕조를 통칭한 말이다.
송 宋
동진의 부장이던 유유가 420년에 건립하여 건강을 도읍으로 삼았다. 이 후 479년까지 8세 59년 동안 유지되다가 소도성에게 멸망되었다.

제 薺
송의 금위군 수장이던 소도성이 479년에 송의 마지막 왕 유준을 쫓아내고 세웠다. 이후 502년까지 7세 23년 동안 유지되다가 소연에게 멸망되었다.

양 梁

제나라 말기에 전국에서 끊임없이 농민봉기가 일어나는 가운데 양양의 수비대장을 맡고 있던 소연이 502년에 제 왕조를 몰락시키고 세웠다. 이후 양은 557년까지 4세 55년간 유지되다가 진패선에 의해 몰락하였다.

진 陳

양의 무장이던 진패선이 557년에 양 왕조를 몰락시키고 세웠으며, 589년까지 5세 32년 동안 유지되다가 수나라에 의해 멸망되었다.

■ **북조** 북쪽의 북위 · 동위 · 서위 · 북제 · 북주를 통칭한 말이다.

북위 北魏

16국 시대 말기인 386년에 선비족 출신 탁발규가 건립한 국가이다. 이후 북위는 439년에 북량을 멸망시킴으로써 북방을 통일하여 북조 시대를 열었으며, 534년에 동위와 서위로 분리될 때까지 12세 148년간 유지되었다.

동위 東魏

북위가 두 개로 분리되는 과정에서 534년에 원선견에 의해 건립되었으나, 550년에 한인 출신 실권자였던 고환의 아들 고양이 원선견을 쫓아내고 북제를 건립하면서 몰락하였다.

서위 西魏

서위 역시 동위와 마찬가지로 535년에 원보거에 의해 건립되었으나, 선비족 출신 실권자였던 우문태의 아들 우문각이 557년에 서위 왕조를 무너뜨리고 북주를 세움으로써 몰락하였다.

북제 北齊

북위가 동위와 서위로 갈라진 뒤 동위는 허수아비 왕 원선견을 뒷받침하던 고환에 의해 유지되었다. 그리고 고환이 죽자 그의 아들 고양이 원선견을 쫓아내고 550년에 북제를 세운다. 이후 북제는 577년까지 6세 27년을 유지하다가 북주에 의해 멸망된다.

북주 北周

서위의 실권자였던 우문태의 아들 우문각이 557년에 세웠으며, 581년에 양견에게 무너질 때까지 5세 24년 동안 유지되었다.

수 隨

북주의 외척이던 양견이 581년에 북주의 마지막 왕 우문천을 몰아내고 세웠다. 양견은 이후 589년에 남방의 진을 멸망시키고 대륙을 통일하였다. 하지만 수는 누차에 걸친 고구려 침략으로 농민대봉기가 일어나 618년에 2세 37년 만에 몰락하였다.

당 唐

수의 제2대 왕 양광이 고구려 침략을 위해 지나치게 국력을 낭비하자 농민봉기가 일어났고, 그 와중에 태원 유수 이연이 군사를 일으켰다. 그리고 618년에 양광이 살해되자 당을 세웠다. 이후 이연은 623년에 대륙을 통일했으나 둘째 아들 이세민에게 쫓겨났다. 그리고 당은 이세민에 의해 발전의 토대가 마련되어 907년에 몰락할 때까지 21세 289년 동안 유지된다.

4. 고구려왕조실록 인물 찾기

한권으로 읽는 고구려왕조실록

초판 1쇄 발행 1997년 6월 25일
재판 1쇄 발행 2000년 10월 18일
재판 8쇄 발행 2004년 8월 24일
삼판 1쇄 발행 2004년 11월 18일
삼판 10쇄 발행 2006년 12월 22일

지은이 박영규 **발행인** 최봉수 **편집인** 이수미
발행처 (주)웅진씽크빅 **출판신고** 1980년 3월 29일 제300-1980-14호
임프린트 웅진 지식하우스 **주소** 서울시 종로구 인의동 112-2 웅진빌딩 5층
주문전화 02-3670-1519 **팩스** 02-3670-1122
문의전화 3670-1376(편집) 3670-1587(영업) **홈페이지** http://www.wjthinkbig.com

ⓒ박영규 1997, 2000, 2004 저작권자와 맺은 특약에 따라 검인을 생략합니다.

ISBN 89-01-04750-0 ISBN 89-01-04749-7(세트)